EEN VERBORGEN LEVEN

Van Adèle Geras verschenen eerder:

Het tuinfeest
Het erfstuk
De bruiloft

Adèle Geras

Een verborgen leven

VAN HOLKEMA & WARENDORF
Unieboek BV, Houten/Antwerpen

Oorspronkelijke titel: *A Hidden Life*
Vertaling: Anna Livestro
Omslagontwerp: Wil Immink
Omslagfoto: Getty Images
Opmaak: ZetSpiegel, Best

www.unieboek.nl
www.adelegeras.com

ISBN 978 90 475 0864 9 / NUR 302

© 2007 Adèle Geras
© 2009 Nederlandstalige uitgave: Uitgeverij Unieboek bv, Houten
Oorspronkelijke uitgave: Orion, an imprint of the Orion Publishing
Group, Ltd.

Voor Sophie en Dan

Prelude

'Weet u heel zeker dat u dit zo wilt, mevrouw Barrington?'

Constance lag in bed, met haar ogen dicht. Had ze nog energie om deze jongeman, die ze nauwelijks kende, antwoord te geven? Het had geen zin om zichzelf voor de gek te houden, en trouwens, ze was volkomen kalm onder het vooruitzicht dat zij deze wereld zou gaan verlaten. Wat haar irriteerde was het feit dat ze de touwtjes niet meer in handen zou hebben, en om die reden had ze Andrew Reynolds aan haar bed ontboden op een dag waarvan ze wist dat haar zoon en zijn vrouw toch niet op bezoek zouden komen.

Wat was haar wereld de laatste tijd toch klein geworden! Ze was deze slaapkamer al in geen maanden meer uit geweest, en nu was ze zelfs te verzwakt om te kunnen genieten van het uitzicht over het Kanaal, in de verte. Ze vond het vroeger altijd zo heerlijk om op haar kleine balkonnetje te zitten, op zomerse ochtenden, en om het glooiende gazon af te kijken dat doorliep tot de bomenrand naast het hek. Ik zal de tuin nooit meer in de lente meemaken, dacht ze. En het huis, dat mocht ook wel weer eens onder handen genomen worden. Vooral deze kamer. De crèmekleurige fluwelen gordijnen hadden hun beste tijd gehad, en het behang met het

Willow-motief van William Morris, dat ooit zo schitterend was maar dat ze nu al een jaar of twee beu was, begon vreselijk vaal te worden... Maar ach, wat kon het haar schelen? Het zou allemaal iemand anders' pakkie-an worden. Wat zou er gebeuren met haar zilveren handspiegel? Met de kristallen parfumflesjes op haar kaptafel? Die zouden waarschijnlijk naar Phyllida gaan, met de rest van het glaswerk, veronderstelde ze. Haar schoondochter wist wel raad met dit soort spullen. Zij wist wel wie er prijs op zou stellen. Het kan me ook eigenlijk allemaal niet schelen, dacht Constance. Al die troepjes en dingetjes.

'Ik wil het nieuwe testament graag tekenen,' zei ze tegen de jongeman. 'En u moet beloven dat u het naar Matthews kantoor brengt zodra ik ben overleden.'

'Hij... hij zal niet blij zijn met uw besluit, denk ik.'

Wat gaat jou dat aan, wilde Constance hem vragen. Ze had genoeg moeten betalen om hem zijn mond te laten houden tot zij veilig en wel onder de groene zoden lag. Laat Matthew maar denken dat het testament dat hij heeft opgesteld nog steeds geldt. Hij komt er snel genoeg achter. Ze zouden er allemaal snel genoeg achter komen. Ze wilde glimlachen, maar het kostte haar te veel moeite.

'Ik vind wel dat ik u moet waarschuwen,' ging meneer Reynolds verder, 'dat dit document wel wat... nou ja, kwaad bloed zal zetten.'

Dat interesseert mij geen biet, dacht Constance. Ik zou niet weten hoe ik deze domme jongeman, die verder van niks weet, aan zijn verstand zou kunnen brengen hoe weinig me dat kan schelen. Iedereen verdient precies dat wat ze zullen krijgen, en ze zullen er snel genoeg achter komen dat ik nooit iets vergeet – en dat ik ook nooit iets vergeef.

Constance geloofde in het hiernamaals. Dat had ze altijd al gedaan, en nu ze steeds dichter en dichter bij het moment kwam waarop ze zou ontdekken of dat geloof terecht was, putte ze troost uit de gedachte dat ze daarboven zou toekijken, terwijl Andrew Reynolds aan Matthew vertelde dat het testament dat hij onlangs voor zijn moeder had opgesteld helaas niet de allerlaatste versie was. Verre van. De hemel in haar verbeelding was niet veel anders dan hoe ze zich die als kind had voorgesteld, en ze zag zichzelf op een wolk zitten, ergens in de buurt van het plafond, waar ze kon luisteren naar hoe haar zoon dit interessante nieuwe testament zou voorlezen aan de rest van de familie. Ze had haar eigen begrafenis jaren geleden al tot in detail geregeld – iedereen zou direct na de teraardebestelling bijeenkomen voor het voorlezen van het testament. Zo hoorde dat. Ze verzamelde haar laatste restje energie om nog eenmaal iets te zeggen. Hoe zei hij het ook weer? Kwaad bloed. Hij vond dat zij kwaad bloed zette.

'Dat weet ik,' sprak ze uiteindelijk zachtjes. 'En dat is ook precies mijn bedoeling.'

1

Lou Barrington hield al sinds haar achtste niet meer van haar grootmoeder. De afgelopen tijd waren er wel momenten geweest waarop ze hoopte dat er iets zou kunnen veranderen aan de kille relatie die er tussen hen was ontstaan, maar nu was Constance dood en begraven en dus was het te laat. Lou had haar best gedaan, maar ze had jaren gewacht op iets van verzachting, op iets van een verandering bij haar grootmoeder. Die was nooit gekomen.

Terwijl Lou de gang door liep, bedacht ze dat Milthorpe House veranderd was. Ze vond dat het zijn hart en zijn warmte had verloren, na het overlijden van haar grootvader, en nu was zelfs juffrouw Hardy er niet meer om haar aan haar jeugd te herinneren. Juffrouw Hardy had tot een paar jaar geleden de huishouding geleid, maar sinds haar dood had papa via een bureau mensen ingehuurd die zowel voor het huis als voor zijn moeder moesten zorgen. Juffrouw Hardy was altijd heel aardig geweest, totaal anders als mevrouw Danvers in *Rebecca*, maar je kon erop rekenen dat alles wat je in haar bijzijn zei linea recta werd doorgebrieft aan Constance. Ze waren heel close, die twee, dus je moest op je tellen passen.

Lou was verteld dat ze in de bibliotheek moest wachten. Het

was er donker, op deze bewolkte dag, en dus knipte ze het licht aan toen ze naar binnen ging. Vanessa en Justin, haar broer en zus, zaten er al. Waarom hadden die niet even een lichtje aangedaan? Hadden ze soms niet in de gaten hoe akelig donker het was? Voor de hoge ramen hingen gordijnen van bordeauxrood brokaat. Aan weerszijden van de haard stonden de vazen waar ze al van kinds af aan dol op was. In die tijd torenden ze nog boven haar uit. Ze vond ze prachtig en bewonderde de slanke halzen, de ronde buikjes en de wirwar van draken, bloemen en diverse andere Chinese motieven waarmee ze bedekt waren. Nu ze er nog eens naar keek, vond ze ze eigenlijk bijna lelijk: veel te groot en ongelofelijk onpraktisch.

Justin draaide zich om en begroette haar glimlachend. 'Hé, Lou,' zei hij. 'Ik zeg net tegen Nessa dat Constance hier bijna nooit kwam, toch?' Hij liet zijn handen over de ruggen van de boeken glijden zonder er echt naar te kijken.

Lou hield van de vensterbank in deze kamer. De kussens die erin lagen, waren al sinds haar tiende niet meer opnieuw bekleed. Hier had ze als kind gezeten als het buiten regende. Dan keek ze uit over de borders en de appelboom met het bankje rondom de stam die bij het hek achterin stond, en dan verder naar de glooiende South Downs. Dan voelde ze zich alsof ze verdwaald was in de eerste bladzijden van *Jane Eyre*. Er was altijd een klein reepje lucht tussen de glooiende heuveltop en de bovenkant van het raamkozijn, en wolken zweefden door deze heldere ruimte. Ze raakte altijd helemaal in trance van die beelden. 'Nee,' antwoordde ze. 'Constance was niet zo'n lezer, eigenlijk.'

Nessa kwam naar hen toe en tuurde naar een van de planken, waarbij haar donkere haar over haar wenkbrauw viel. In haar grijze wollen trui en met de ragfijne, vuurrode sjaal om haar hals zag ze er nog ongrijpbaarder uit dan anders. Ze was niet echt knap, maar ze was wel heel slank en ze droeg altijd prachtige, elegante

kleding. Lou voelde zich naast haar altijd een beetje lomp en on-
beholpen. 'Waar zijn grootvaders boeken?' vroeg ze. 'Die stonden
altijd hier beneden, toch?'

'Ja, naast de Dickens-verzameling,' antwoordde Lou. 'Staan ze
daar niet, dan?'

'Die heeft ze zeker al weggegeven. Niet dat iemand ze ooit heeft
gelezen. Nu niet, en niet toen hij ze had geschreven, die arme
grootvader!' Nessa lachte. 'Ik denk dat jij de enige bent die ze zelfs
maar heeft opengeslagen sinds ze zijn uitgegeven. Dus dat Constance ze naast Dickens op de plank had gezet, kwam voort uit
beetje ijdele hoop.'

'Ik heb ze allemaal, thuis,' zei Lou. Wat ze er niet bij vertelde
was dat ze de boeken koesterde. John Barrington had haar zijn
eigen exemplaren nagelaten, en nu, ook al had ze ze nog nooit echt
goed gelezen, brachten ze de eindeloze uren die haar grootvader
met haar had doorgebracht in herinnering. Ze hadden het dan altijd over de dingen waar verder niemand in geïnteresseerd leek:
verre landen en voorbije tijden en verbazingwekkende mensen.
Verhalen, verhalen en nog eens verhalen. Ze herinnerde zich dat
hij haar stukken voorlas uit zijn eerste roman, *Blinde maan*, toen ze
nog heel jong was. Het enige wat ze zich daar nu nog van kon herinneren was dat het ging over een jongetje, Peter, en de avonturen
die hij beleefde in een Japans interneringskamp. Daar werden ook
andere kinderen gevangengehouden en het boek ging over de held
en zijn vrienden en de manier waarop ze de bewakers om de tuin
wisten te leiden. Maar wat ze zich vooral herinnerde was de sfeer
die sprak uit wat haar grootvader haar voorlas: de hitte, het donker,
en het beeld van de maan, waar Peter zo bang voor was omdat die
leek op het gloeiende, bleke oog van een blinde die op hem neerkeek vanuit de inktzwarte, nachtelijke hemel.

Ook al was hij al oud, grootvader was nog altijd een knappe man
geweest, en een van de dingen die Lou het liefste deed was met

hem door de fotoalbums bladeren vol met afbeeldingen van een lange, sterke, jonge man. Ze zei: 'Ik neem aan dat Constance de boeken die hier stonden heeft weggegooid.'

Justin lachte. 'Zij vond boeken maar stofnesten. Dat heeft ze wel eens tegen me gezegd. Het verbaast me dat ze de bibliotheek verder zo heeft gelaten. Ze had er makkelijk iets anders mee kunnen doen. Zou ik zelf wel gedaan hebben.'

Lou was geschokt door die opmerking, maar ze schrok wel vaker van de dingen die Justin en Vanessa zeiden. Dat was misschien ook niet zo verbazingwekkend, aangezien ze geen familie van haar waren, althans, niet echt. Zij waren de kinderen van haar vaders eerste vrouw, Ellie, en diens eerste man, die vlak na Justins geboorte was overleden. Papa was Ellies tweede echtgenoot, en ze hadden Lou haar hele leven voorgehouden dat ze Justin en Vanessa moest zien als haar oudere broer en zus, en meestal voelde het ook zo. Ze hadden dezelfde achternaam als zij, omdat papa hen vlak na zijn huwelijk met hun moeder had geadopteerd. Maar toen Ellie een blik had geworpen op Haywards Heath en ze zich realiseerde wat voor leven ze daar zou krijgen, deed ze twee dingen. En wel onmiddellijk. Ze begon een affaire met iemand die in Londen woonde en ze liet papa achter met de twee kleintjes. Toen was hij met Phyllida getrouwd, Lous moeder. Dat gebeurde een paar maanden na Ellies vertrek, en toen Lou eenmaal oud genoeg was om zulke dingen te begrijpen, had ze zich wel eens afgevraagd of Phyllida vooral zo aantrekkelijk had geleken omdat ze kon worden ingezet in de kinderopvang.

Ach nee, dat was niet eerlijk tegenover haar ouders. Mama was niet zo'n glamourtype als Ellie, maar ze was lief en vrolijk. En ook al kon je haar niet echt mooi noemen, mensen keken graag naar haar en als zij naar je glimlachte, dan glimlachte je vanzelf terug. Een jaar nadat haar ouders getrouwd waren, werd Lou geboren. Nessa was toen tien, en Justin zes. En nu zaten ze hier de tijd te doden, wachtend tot ze binnengeroepen werden voor het voorlezen van Constances testament.

'Kom maar.' Matthew, Lous vader, stak zijn rood aangelopen hoofd om de deur. Ze liepen achter hem aan de gang door, de zitkamer in, en Lou keek naar het schitterende Turkse tapijt met de blauwe en rode vogels tegen een beige achtergrond. Ze vlogen met rechthoekige vleugels van en naar denkbeeldige bomen, die bedekt waren met vreemd gevormde bladeren. Het kleed lag op de parketvloer en zag er precies zo uit als altijd. Het heette elke bezoeker aan Milthorpe House een warm welkom.

Echt iets voor Constance, om dit allemaal zo theatraal op te zetten, dacht Lou terwijl ze om zich heen keek. Mama moederde als gewoonlijk over papa. Ze was niet zo dol geweest op Constance, maar ze zou haar ware gevoelens nooit laten blijken. Lou had vooral medelijden met haar vader. Die was een toegewijde zoon geweest voor zijn moeder en je kon duidelijk zien dat hij had gehuild. Niks voor hem. Arme pap...

Het had Lou verbaasd hoe bedroefd zij zelf was geweest, toen ze bij het graf stond. Het was plotseling tot haar doorgedrongen dat dit echt het einde was, voor de overledene. Het einde van alles wat hij ooit was geweest. Hoe ze ook haar best deed, ze kon maar niet geloven dat er hierna nog een leven was, ergens anders. *Imagine there's no heaven...* Stel je voor dat er geen hemel zou zijn. Nou, dat had Lou eigenlijk altijd al geloofd, als kind al. De tranen die zo plotseling in haar ogen stonden hadden niets te maken met een eventueel piepklein restje liefde voor haar grootmoeder, maar met de spijt die ze voelde omdat ze nooit echt close waren geweest toen ze nog leefde. Dat ze nooit over de jaloezie of de rancune heen waren gestapt, of wat het ook was dat er volgens Constance tussen hen in was komen te staan.

Het weer – grauw, winderig, met af en toe een horizontale vlaag motregen – leek goed te passen bij hoe iedereen zich voelde. Sommige van Constances oudere vriendinnen droegen zwarte hoeden met een voile. Gareth, Nessa's man, leek slecht op zijn gemak in zijn donkere pak, en zijn vrolijke ronde gezicht paste totaal niet bij de gelegenheid. Papa was wonderlijk afwezig tijdens de dienst en bij het graf. Hij was ergens anders met zijn gedachten, leek het wel. Ook al was zijn haar al een paar jaar grijs, hij zag er nog steeds jong uit: lang en slank en met intens blauwe ogen, die nu een beetje roodomrand waren, achter zijn brillenglazen. Dit was vast een heel trieste dag voor hem. Wat had er door zijn hoofd gespeeld terwijl zijn moeder in haar graf werd neergelaten?

Lou ging in een van de leunstoelen zitten en schaamde zich omdat ze zich realiseerde dat ze al weer een heel stuk kalmer was. Ze had het zelfs al weer een beetje naar haar zin. Het was ook wel een mooie afronding, dit. Je was eigenlijk bezig om het leven van iemand anders op te ruimen, een plek te geven als het ware, en misschien moest ze ook maar eens stoppen met zich druk te maken over de slechte relatie die ze met Constance had gehad. Als je er de zonzijde van wilde inzien, dan had ze mooi een dag vrij van haar werk, dankzij de begrafenis, en hoefde ze een dag en een nacht niet voor haar kind te zorgen. Poppy logeerde bij Lous vriendin Margie. Arm mens, die zou een flinke cultuurschok ondergaan, om over het slaapgebrek nog maar te zwijgen. Hoe het leven met een kind van één jaar oud precies is, dat kun je je niet bedenken, dat moet je ervaren, had Lou tegen haar gezegd. Maar Margie had dapper geantwoord dat ze er klaar voor was. Lou glimlachte bij zichzelf. Lou ging door het vuur voor haar kind. Ze adoreerde haar, op het redeloze af zelfs, maar toch was het wel even heel lekker om een paar uur niet voor haar te hoeven zorgen, ook al miste ze haar nog zo erg.

En het was ook goed om hier weer te zijn. Milthorpe House leek van buiten op een van die kleine hotelletjes waar je langsreed als je uit Brighton kwam, wat maar een paar kilometer verderop lag, aan de weg langs de kust. Iemand was op het idee gekomen om hier en daar een torentje op het dak te bouwen. De voorgevel was crèmekleurig gestuukt en de kamers die uitkeken op zee hadden een balkon. Die zee lag wel een eind verderop, maar je kon hem toch zien omdat het huis hooggelegen was op de licht glooiende heuvel die overging in de South Downs zodra je het landgoed van de Barringtons verliet. Het was trouwens niet echt eigendom van de Barringtons, herinnerde Lou zich. Het huis en het geld waren eigenlijk van Constance. De familie van haar vader had Milthorpe al drie generaties in bezit. John Barrington was advocaat en werkte in de provincie, en Constance was heel rijk en heel mooi. Uiteraard peperde ze hem altijd flink in dat hij geluk had met haar. Dat hij het, door simpelweg verliefd op haar te worden, zoveel verder had geschopt in de wereld. Lou voelde de tranen in haar ogen prikken. Nog altijd miste ze haar grootvader, die veel van haar had gehouden. Hij was nu al ruim twee jaar geleden overleden, maar ze dacht nog vaak vol liefde aan hem.

'Louise, schattebout… wat enig! Jou heb ik ook al jaren niet gezien! Wat ben je mooi geworden, zeg, nooit gedacht!'

Wat moest ze daar nou weer van maken? Ellie stond erom bekend dat ze nooit nadacht voor ze haar mond opendeed, en ook al was haar toon best vriendelijk, Lou hoorde er toch in wat ze eigenlijk bedoelde: wat ben je mooi geworden voor zo'n onooglijk kind! Ze stond op en kuste Ellie op beide wangen. 'En jij ziet er fantastisch uit!'

Dat was ook zo. Ellie zag er altijd fantastisch uit. Ze had een flamboyante, exotische stijl die helemaal niet paste bij Haywards Heath, waar papa en mama nog altijd woonden. Ze droeg een zwartfluwelen jas over een kort jurkje van zwart satijn, dat het licht ving en glansde – nogal ongepast, vond Lou, voor zo'n sombere gelegenheid. Haar bijpassende hoed had een brede rand en was bedolven onder de zwarte veren. Bij ieder ander had zoiets belachelijk gestaan, maar Ellie, met haar rode mond en donkere ogen, zag er geweldig uit. Een van Constances gedenkwaardige uitspraken betrof haar eerste schoondochter: *Ze is een flamingo die een volière is binnengelopen waar niks interessanters in zit dan een zwik mussen en lijsters.*

Die schattige oude oma! Nooit verlegen om een fijne kleinerende opmerking. En dan mag je raden wie de mussen en de lijsters waren. De rest van de familie, uiteraard. Lou was de enige die 'oma' tegen Constance zei, en ze deed het alleen maar omdat ze wist dat het de oude vrouw mateloos irriteerde. Die oorlog tussen ons heeft zo lang geduurd, bedacht ze. Vind ik het erg dat hij nu voorbij is? Niet echt, geloof ik. Maar zolang Constance nog leefde had Lou een ruzie nooit geschuwd, en ze was ook nooit van mening veranderd, ook al was haar vader overduidelijk diep ongelukkig dat zijn geliefde dochter het niet met zijn moeder kon vinden.

De laatste keer dat ik Constance zag, dacht Lou, heb ik haar echt ontzettend haar vet gegeven, maar dat was haar eigen schuld. En het was trouwens ook niks ongebruikelijks. Lou was ontboden op Milthorpe, om Poppy aan haar overgrootmoeder te tonen, en Lou had daar graag gehoor aan gegeven. Ze had gedacht dat de baby wel enige bescherming zou bieden tegen Constances scherpe tong. *Ik zou denken dat je het omwille van het kind bij zou leggen met haar vader... Het is zo belangrijk voor een kind om een vader te hebben... Om op te groeien zonder vader, nou ja... Zit het er niet in, dan, een verzoening? Je bent ook nog wel erg jong, hoor... Hoe oud ben je eigenlijk? Drieëntwintig pas? Je bent zelf nog maar een kind! Jij moet eens volwassen worden en dan zul je begrijpen dat het leven niet altijd een feest is, kind...*

En ik heb eerst nog heel beleefd antwoord gegeven ook, herinnerde Lou zich. Ik heb geprobeerd om uit te leggen hoe het is om elke minuut op je hoede te moeten zijn. Om steeds maar weer te zitten wachten op de volgende klap, de volgende uitzinnige woedeaanval die uit het niets kwam opzetten en altijd volledig op haar was gericht. Dat ze vond dat ze niet bij hem kon blijven toen ze ontdekte dat ze zwanger was. Hij was een man die er geen enkel kwaad in zag om zijn vuisten te gebruiken als hij daar zin in had, en ze wilde haar kind absoluut niet blootstellen aan zo iemand. Maar het was heel moeilijk geweest om voorgoed bij hem weg te gaan, ondanks zijn gedrag. En het was vreselijk om ergens te moeten wonen waar het veel te klein was, en waar ze ook nog eens moest proberen te werken. En het was verdrietig om helemaal alleen te zijn, maar ze was ook bang om iemand anders te ontmoeten. En het was verlammend om bang te zijn en in paniek te raken bij alleen al de gedachte dat iemand je zou kussen. En het was vooral angstaanjagend om verantwoordelijk te zijn voor een kwetsbaar schepseltje waar ze nauwelijks iets van begreep. Ze had geprobeerd om een beeld te schetsen van haar leven, maar toen had Constance gereageerd met: *Weet je zeker dat jij hem niet hebt uitgelokt, lieverd? Sommige mannen zijn nu eenmaal heel jaloers bij de gedachte aan een kind, en daar moeten we begrip voor opbrengen, toch?*

Op een gegeven moment was ze volkomen door het lint gegaan. Snikkend en schreeuwend had ze Constance uitgescholden. Ze had gezegd dat ze evenveel verstand van dit soort dingen had als een verschrompelde ui. En toen was ze het huis uit gestormd, had de deur achter zich dichtgesmeten en nog een keer geroepen dat Constance een gemeen mens was, en dat ze zich niet gedroeg zoals een grootmoeder zich hoorde te gedragen. Ze had er geen seconde spijt van gehad dat ze zo'n scène had gemaakt. Ze had haar grootmoeder al jaren eerder moeten vertellen waar het op stond, en dat ze heus wel wist dat Constance niet van haar hield; integendeel, zelfs. Maar dat zou Constance natuurlijk ontkend hebben. Ze kon ontzettend goed liegen, en ze zou ongetwijfeld met een of ander cliché zijn gekomen, van het hemd en hoe dat nader is dan de rok, of zo. Maar het was waar. Constance haatte het dat opa en ik het zo goed konden vinden. Ze wist dat hij het met Lou had over dingen waar hij het verder met geen mens over had, en al helemaal niet met Constance. Ze was gewoon jaloers.

Een man die Lou niet herkende kwam de kamer binnen, en papa kuchte om te zorgen dat iedereen zijn mond hield. Hij zag heel erg bleek en zijn stem trilde toen hij het woord nam.

'Dit is Andrew Reynolds. Hij werkt bij Reynolds en Johnson, het notariskantoor. En ik vrees dat hij iets te zeggen heeft.'

Ik vrees? Wat bedoelde hij? Justin keek verbaasd. Lou zag dat Nessa even naar hem keek, en dat ze bijna onmerkbaar haar schouders ophaalde, zo van: *ik heb ook geen flauw idee waar dit over gaat.* De man, die rossig haar had en heel mager was, sloeg een grote dossiermap open. Hij hoestte, duidelijk gegeneerd, en zijn gezicht liep rood aan.

'Vlak voor haar overlijden heeft Constance Barrington mij de opdracht gegeven om een nieuw testament op te stellen...'

'Hè?' viel Justin hem in de rede, en Lou zag dat haar vader een hand op zijn arm legde om hem het zwijgen op te leggen. Justin zag eruit alsof hij zo uit een Calvin Klein-parfumreclame kwam stappen en meende dat hij vanwege zijn uiterlijk kon doen en laten wat hij wilde. Zo was hij al zolang Lou zich kon herinneren. Hij vertrouwde altijd op zijn charme en zijn uiterlijk om zijn ambities waar te maken. Tot nu toe was dat een heel succesvolle strategie geweest.

'Ik weet dat Matthew' – Andrew Reynolds knikte even naar haar vader – 'het testament van zijn moeder zal uitvoeren, en dat hij ook altijd verantwoordelijk is geweest voor haar juridische aangelegenheden. Er was een testament dat door hem is opgemaakt op 11 mei 2003, vlak na het overlijden van John, de echtgenoot van mevrouw Barrington. Nog geen twee weken geleden heeft zij mij echter bij zich laten komen, kort voor haar overlijden.'

De stilte was bijna tastbaar in de kamer. Lou vroeg zich af of ze de golven op de stormachtige zee kon horen, of dat haar oren alleen maar gonsden. Meneer Reynolds ging verder. 'Dit is een heel kort document. Er staan veel standaarddingen in – dat ze gezond van geest was, dat dit testament prevaleert boven alle andere testamenten die ze heeft opgesteld, et cetera, maar over de erfenis is ze heel kort. Ik zal het aan u voorlezen.' Hij kuchte. 'Ik heb genoteerd wat mevrouw Barrington mij dicteerde. Er waren twee getuigen aanwezig bij het opstellen van het testament, namelijk de twee verpleegsters die mevrouw Barrington voor haar overlijden hebben verzorgd.

Dit is mijn laatste wilsbeschikking. Het testament dat ik opstelde bij het overlijden van mijn echtgenoot verklaar ik hierbij als ongeldig. Ik weet wat ik doe en ik ben daarin door niemand beïnvloed. Dit is wat ik wil nalaten aan mijn zoon, mijn kleinkinderen en anderen, na mijn dood. Aan mijn zoon, die zijn huis vrij van hypotheek bezit en die volledige zeggenschap heeft over de advocatenfirma Barrington & Son: ik zal je niet verder belasten met de zorg voor het huis waar je toch nooit van hebt gehouden, zodat je ook geen eindeloos gezeur met de belastingdienst krijgt. Milthorpe House en het bijbehorende land vermaak ik aan Justin Barrington, die jong genoeg is om er nog lang van te genieten, zelfs na afdracht van belastingen. Aan zijn zuster, Vanessa geboren Barrington, nu Williams, laat ik de helft van mijn verdere vermogen na. De andere helft laat ik na aan mijn enige zoon, Matthew. Hieronder begrepen zijn mijn aandelen, obligaties, enzovoort. Volgens mijn berekening komt dat voor jullie beiden neer op een substantiële som gelds, zelfs na de belachelijk hoge belastingheffing. Aan Eleanor della Costa, die altijd als een dochter voor mij is geweest, laat ik de kledingstukken na die ze eventueel wil hebben, en al mijn juwelen, die ze al zo lang bewondert. Ze zal ze met stijl weten te dragen. Mijn kleindochter Louise krijgt de auteursrechten over de boeken van haar grootvader. Mijn schoondochter Phyllida krijgt mijn verzameling porselein en glaswerk...

Meneer Reynolds praatte door, maar Lou hoorde niets meer. Het gegons in haar oren was opgehouden. Ze was zich er scherp van bewust, zoals je dat wel eens bent in een droom, dat iedereen naar haar keek, naar haar staarde. Nessa had een hand voor haar mond geslagen. Dat was alleen maar omdat ze zelf moest leven met het feit dat Justin er zoveel beter van af was gekomen dan zij... Dat was trouwens ook niet zo'n verrassing. Constance was altijd al stapelgek op hem geweest. Justin presteerde het om zowel tevreden als ontzet te kijken. Papa's gezicht was krijtwit, en mama hield zijn hand vast. Ellies mond hing open. Lou dacht: het auteursrecht op grootvaders boeken... Die werden al jaren niet meer verkocht. Die hadden geen enkele waarde. Constance had haar dus onterfd, en Lou kon haar kwaadaardige geest bijna voelen in de kamer. *Ik heb gewonnen*, leek ze te zeggen, vanuit het plekje in de hel dat speciaal bestemd is voor extreem onaardige, jaloerse, niet-vergevingsgezinde en haatdragende mensen zoals zij. *Ik heb je al jaren gestraft omdat jij niet van mij hield. Ik heb alles nagelaten aan Ellies kinderen. Zij was me veel liever dan je vader, en dan jij, of welke andere bloedverwant dan ook. Net goed.*

Toen de notaris de kamer had verlaten, na wat een heel lange tijd leek, begon iedereen door elkaar te praten.

'O, dat arme kind!' Dat was Ellie.

'Ik weet gewoon niet wat ik moet zeggen...' Nessa klonk huilerig.

Lou hoorde haar moeders stem boven het gekakel uit.

'Snappen jullie dan niet wat hier aan de hand is? Begrijpen jullie dat nou echt niet? Ik kan het gewoon niet geloven... Het is toch niet te geloven? Het is monsterlijk. Het auteursrecht op boeken die al lang niet meer in de winkel liggen en die niemand wilde lezen toen ze nog wel te koop waren... Iets waardelozers kun je je toch niet voorstellen? Dat heeft ze met opzet gedaan. Hier heeft ze heel goed over nagedacht. Ze straft mijn dochter vanuit haar graf. Wat gemeen! Wat ongelofelijk gemeen!'

En Lou keek naar haar moeder, die bijna nooit zei wat ze ergens van vond, die als de dood was om zichzelf te kijk te zetten, maar die nu luidruchtig huilend neerzeeg op de bank.

'Huil nou maar niet, mam.' Lou ging vlug naast haar zitten en sloeg een arm om haar schouders. 'Het maakt niet uit.'

'Het maakt wel uit! Het maakt heel veel uit! Ze steekt een mes in je rug vanuit haar graf... Dat is verachtelijk en gemeen. Je hoort toch zelf ook wel wat ze hiermee wil zeggen, Lou? *Jij hield toch zoveel van hem toen hij nog leefde? Nou, hier heb je zijn boeken, veel plezier ermee. Verder zit er toch niemand op te wachten.*'

'Het geeft niet, mama. Echt niet.' Lou staarde hen aan, haar familieleden, die allemaal druk aan het praten waren, en tss-geluiden maakten, en met hun hoofden schudden. Ineens had ze de sterke behoefte om ergens anders te zijn. Om met Poppy in haar ellendige appartementje te zitten. Alles was beter dan hier te zijn, in Milthorpe House.

'Ik ga maar eens naar huis,' zei ze tegen haar moeder. 'Tot gauw.'

'Laat me je naar het station brengen, lieverd.' Phyl veegde haar tranen weg en rechtte haar rug. Toen stond ze op en stak haar hand uit naar Lou. Voor het eerst die dag had Lou het gevoel dat ze op de grond wilde liggen en wilde huilen om nooit meer op te houden. Ze knikte, niet in staat nog een woord uit te brengen.

'Ik dacht dat je misschien wat opgevrolijkt moest worden,' zei Ellie, die aan de keukentafel zat. 'Je bent de zitkamer werkelijk uit gestormd. Je zag eruit alsof je elk moment kon exploderen.'

Nessa ging door met afwassen, en spoelde ieder bordje, ieder kopje en elk lepeltje zorgvuldig af met heet water. Het verbaasde haar nog altijd hoe snel de vaat zich opstapelde als je met meer dan twee mensen was. Wie had dit allemaal gebruikt? En wanneer dan? Ze draaide zich niet om naar haar moeder.

'Ik hoef helemaal niet opgevrolijkt te worden. Het is te laat om kwaad te worden.'

'Maar daarom voel je je nog wel beroerd, of niet soms?'

Nessa vond dat haar gevoelens haar moeder niets aangingen. Die had het recht verspeeld om zich met haar te bemoeien toen ze de verantwoordelijkheid voor haar kinderen had overgedragen aan een man van wie ze bijna vóór het eind van de huwelijksreis alweer genoeg had gehad. En later aan de saaie nieuwe vrouw van die man. Nessa probeerde die gedachten van zich af te zetten. Dit was niet het moment om alle dingen die ze tegen Ellie had gezegd weer de revue te laten passeren. Nessa was veel te kwaad op Constance om zich nu met alle tekortkomingen van haar moeder bezig te kunnen houden. En ze kon deze verlate poging om opgevrolijkt te worden zeker gebruiken. Ze ging over op een ander onderwerp: 'Dit is het enige huis dat ik ken waar ze geen afwasmachine hebben. Maar het is wel ontspannend, eigenlijk, zo met je handen in het warme sop.'

'Je ziet er anders helemaal niet ontspannen uit, liefje. Ik zie de spierknopen in je nek vanaf hier zitten.'

'Ik zou me eerder zorgen maken om Justins nek, als ik jou was. Ik kan hem wel wurgen.' Waarom zeg ik dit, vroeg Nessa zich af. Ik wil me helemaal niet afreageren waar Ellie bij is. God, was Mickey er maar. Had ik haar maar mee naar de begrafenis genomen, in plaats van Gareth.

Michaela Crawford was haar beste vriendin. Ze hadden elkaar tien jaar geleden leren kennen toen Mickey voor de bloemist werkte die de bloemen leverde voor het huwelijk van Nessa en Gareth. In die tijd werkte Nessa parttime bij een bank, waar ze zich suf verveelde. Toen Mickey haar toevertrouwde dat ze van plan was om een zaakje in kunstbloemen te beginnen, was het Nessa geweest die voorstelde om haar te helpen met de zakelijke kant van het verhaal. Samen hadden ze een bedrijfje opgezet, dat ze Paper Roses noemden. In het begin was het nogal moeilijk geweest, maar nu liep het heel goed. Ze leverden kunstbloemen aan allerlei bedrijven, aan mensen in de stad die geen tuin hadden en aan iedereen die wel van bloemen hield, maar die geen geld had om steeds verse bloemen te kopen. Zij was de zakelijke expert en Mickey het creatieve brein, en de afgelopen vijf jaar had Nessa echt het gevoel dat zij iemand had die voor haar door het vuur zou gaan. Iemand die haar steunde, door dik en dun. Gareth had altijd een grote mond over het feit dat Mickey lesbisch was, maar dat kon Nessa niks schelen. Ze had het nooit met Mickey over haar seksleven. Haar vriendin bracht het nooit ter sprake, en Nessa ging liever dood dan dat ze ernaar zou vragen. Mickeys vriendin Dee woonde eerst bij haar in, in haar kleine, lieve huisje net buiten Haywards Heath, dat tevens dienstdeed als het hoofdkantoor van Paper Roses, maar toen was Dee ervandoor gegaan met een bikini-ontwerpster uit Jamaica. Mickey was er een poos kapot van geweest. Nessa had haar best gedaan om haar te troosten, maar stiekem vond ze dat Mickey beter af was, zo. Ze vond Dee altijd nogal wuft en egocentrisch. Dee leefde vrolijk op kosten van Mickey, maar droeg zelf nooit iets bij aan de relatie. Het verbaasde Nessa totaal niet dat Dee vreemdging: ze had zelfs een paar keer met haar geflirt, terwijl zij getrouwd was. Opgeruimd staat netjes, vond Nessa.

Ellie was stilgevallen. Ze stopte een sigaret in een lange, zwarte houder en stak hem aan. Zou ze haar zeggen dat ze naar buiten moest, als ze wilde roken? Beter van niet. Terwijl Nessa aan Gareth stond te denken, kwam een beeld bij haar op van zijn ronde, roze gezicht en zijn mollige handen, en dat beeld bracht een golf van irritatie bij haar teweeg. Zelfs hier in de keuken kan ik zijn stem horen bulderen vanuit de zitkamer, dacht ze. Wat was er toch met haar aan de hand? Wat was ze nou voor een echtgenote? Gareth was een vrolijke man. Leuk. Toen ze elkaar voor het eerst ontmoetten, werd ze juist aangetrokken tot hem omdat hij zo'n gezellige kerel was, door zijn praatjes, en door zijn gemakkelijke manier van doen. Toen was ze hartstikke gek op hem geweest, en hij was ook leuk gezelschap: hartelijk en spontaan. Hij werkte bij een verzekeringsmaatschappij, en hoewel Nessa nooit wist wat hij daar nu precies deed, was het wel duidelijk dat hij daar een succesvolle carrière had. Inmiddels was hij behoorlijk aangekomen en behoorlijk minder gezellig. Ze kon niet precies haar vinger leggen op wat haar zo irriteerde als ze naar haar man keek, maar ze was zich er wel pijnlijk van bewust dat haar twijfels over hem de seks niet zozeer vreselijk maakte, maar wel een stuk minder prettig dan vroeger. Ze vond hem gewoon niet meer zo aantrekkelijk als eerst. Dat was misschien normaal als je tien jaar getrouwd was. En dan was Tamsin er nog. Ze zou Gareth altijd dankbaar zijn voor hun dochter, van wie ze meer hield dan van wie dan ook. Wat ze voelde voor Tamsin vanaf het eerste moment waarop ze geboren was, maakte het nog moeilijker te begrijpen waarom Ellie zo weinig geïnteresseerd was in haar en Justin.

Blozend en vurig hopend dat haar moeder dat niet zou zien, dacht ze aan de fantasieën die ze opriep als ze Gareths hand naar haar kant van het bed voelde glijden, in de richting van haar dijen. Als hij haar tegenwoordig aanraakte, sloot ze haar ogen en dacht aan de dingen die ze overdag uit haar hoofd probeerde te bannen. Dingen die... Laat ook maar. Bij de herinnering alleen al huiverde ze lichtjes van genot. Ze schudde haar hoofd om bij de les te blijven.

Concentreer je op Justin, zei ze tegen zichzelf. Daar was ze zo kwaad over. Tegen Ellie zei ze: 'Waarom heeft Constance het huis in godsnaam niet gewoon laten verkopen, en de opbrengst laten verdelen? Waarom zou Justin dit allemaal krijgen?' Ze gebaarde met haar hand om te wijzen op Milthorpe House en alles wat daar bij hoorde.

'Je hebt die rode notaris toch gehoord? Ze vond, terecht overigens, dat jij je schaapjes al op het droge had. Jij hebt een man die heel veel geld verdient, en je hebt een geweldig huis, en een zaak die steeds beter gaat lopen. Wat wil je dan nog meer? Jij zou hier nooit willen wonen, of wel soms? Ik zou maar wat blij zijn de helft van haar vermogen te krijgen, als ik jou was. Dat is namelijk heel veel geld. Zoveel geld dat het de meeste mensen hun bevattingsvermogen te boven gaat.'

'Daar gaat het toch helemaal niet om!' Nessa was bijna in tranen om dit onrecht. 'Dat Justin nu toevallig niks van zijn leven heeft gemaakt en de hele dag treurige appartementjes aan mensen probeert te slijten wil nog niet zeggen dat hij daarvoor moet worden beloond met een huis dat wel twee miljoen waard is! Dat is gewoon niet eerlijk. Ik haat het als dingen niet eerlijk worden geregeld.'

'Mijn god, Nessa, wat kom jij toch altijd veel te kort!' Ellie lachte en leunde achterover in haar keukenstoel.

'Ik kom inderdaad veel tekort, verdomme...'

'Ho, ho, niet vloeken, liefje!'

'... en dat is altijd al zo geweest. Om te beginnen bij mijn moeder, die me dumpt bij een kerel op wie ze zelf uitgekeken is – en dan ook nog eens bij zijn vrouw. Hoe heb je dat nou ooit kunnen doen, Ellie? Ik kan het niet eens opbrengen om je mama te noemen. Jij bent nooit moeder geweest. Niet voor mij, en niet voor Justin. En dan Phyl en Matt, die we ook bij hun voornaam noemen. Vanaf het begin, omdat Matt vond dat we ons onze echte ouders moesten blijven herinneren, al was het maar in naam. Dus dat houdt in dat ik nog nooit iemand in mijn leven mama heb kunnen noemen. En ook niet papa, trouwens.'

'Mijn hemel, Nessa. Dat spijt me allemaal echt reusachtig, maar moet je hier nou iedere keer weer mee komen? Hier hebben we het al zo vaak over gehad. Vind je het ook niet tijd om de zaak nu eens te laten rusten? Ik was gewoon niet geschikt voor het moederschap. Ik héb niks met kleine kinderen. Ja, nu vind ik je wel leuk, natuurlijk. Je bent echt een mooie meid geworden en ik ben trots op hoe goed je het doet met Paper Roses en zo, maar toen, nou ja – ik zal er niet omheen draaien, dat heeft geen zin – toen kon ik niet wachten om weg te gaan. Ondanks het feit dat Constance van me hield als van een dochter, en ondanks het feit dat Matt me adoreerde, voordat hij zich realiseerde dat ik mijn pijlen op iemand anders had gericht. Paolo was mijn ontsnappingsmogelijkheid, meer niet.'

'En toen kon Constance de boel voor je regelen. En weet je dat jij de enige bent van wie ze écht hield? Ik heb me al zo vaak afgevraagd hoe dat nou toch kwam, maar ja, ze had nu eenmaal zo haar eigen manier van denken. Misschien was ze wel teleurgesteld in Matt, om de een of andere reden. Weet ik veel. Maar met ons zag ze haar kans schoon. Volgens mij heeft ze jou aangespoord om er toch vooral met Paolo vandoor te gaan, want zij wilde volledige zeggenschap over Justin en mij. Ze wilde dat wíj haar kinderen werden. Deels omdat we van jou waren en ze van jou hield, maar deels ook omdat ze... nou ja, omdat ze ons leuk leek te vinden, toen in elk geval. Jij was te oud. Maar met ons kon ze opnieuw beginnen.'

'Ze was stapelgek op jou en Justin. Dat heeft ze me zo vaak verteld. Ik had er geen probleem mee om jullie achter te laten, omdat ik heel zeker wist dat zij goed op jullie zou letten, en dat ze er wel voor zou zorgen dat Phyl en Matt niet alle levenslust uit jullie zouden zuigen.'

Nessa zei niets. Het klopte dat haar grootmoeder goed voor hen allebei had gezorgd. Voor Justin en voor haar. Ze waren nooit iets tekortgekomen, maar toen ze negen jaar was voelde ze zich niet geliefd, en dat gevoel had ze nu nog steeds, soms. Haar moeder had ervoor gekozen om bij haar weg te gaan en daaruit volgde toch – zo zag Nessa dat in elk geval – dat niemand ooit echt van haar zou kunnen houden. Niemand had in de jaren daarna ooit iets kunnen doen of zeggen om haar van dat idee af te helpen; niet echt, niet diep vanbinnen. Diep vanbinnen was ze de moeite niet waard. Ze was het niet waard dat iemand bij haar zou blijven. En ze maakte zich vaak zorgen over wat er zou gebeuren als haar wereld in duigen zou vallen om de een of andere reden. Zij was zich er meer dan alle mensen die ze ooit had ontmoet van bewust, veel meer ook dan Justin, dat alles onzeker was. Dat alles wat de meeste mensen zagen als een gegeven, als iets waar je van op aan kunt, juist heel erg breekbaar is. Ze had wel eens geprobeerd om het hier met Gareth over te hebben, helemaal in het begin van hun relatie, maar hij was zo allergisch voor alles wat op een serieus gesprek leek, en hij leek zo oprecht verwonderd toen ze het onderwerp aansneed, dat ze er meteen weer over had gezwegen.

Toen de bloemenwinkel begon te lopen, en toen de toekomst er rooskleurig uit leek te zien, had ze Mickey zomaar ineens een vraag gesteld. Ze zaten aan de bureaus die het grootste deel van Mickeys studeerkamer in beslag namen, en Nessa had ineens gezegd: 'Wat nu als we dit allemaal weer kwijtraken, Mickey? Stel dat het toch mislukt?'

Mickey had verbaasd opgekeken. 'We redden het wel,' zei ze. 'Dan kijken we gewoon wat we nog meer zouden kunnen verkopen. Maak je nou maar geen zorgen. Mensen hebben altijd spullen nodig, toch? Dan proberen wij er gewoon achter te komen wat ze precies nodig hebben, en dan geven we ze dat. Hou nou maar op met dat gepieker en bel eens met Praag om te vragen waar die zijden orchideeën blijven. Die hadden hier twee weken geleden al moeten zijn.'

'En vind je het eigenlijk wel slim dat ons bedrijf Paper Roses heet, terwijl we heel veel dingen verkopen die helemaal niet van papier zijn gemaakt?'

'Mens, iedereen weet toch dat het de titel van een liedje is? En trouwens, we hebben naam gemaakt met de papieren bloemen. De allermooiste papieren bloemen ter wereld... Kijk, hier staat het, in deze catalogus! Relax nou gewoon even. Ik weet ook wel dat je het allemaal een beetje moeilijk vindt.'

Nessa pakte een theedoek uit de lade en begon de lepeltjes af te drogen en op te bergen. Ze vroeg zich af wat Mickey zou zeggen over het testament en wat het allemaal te betekenen had.

'Ik zal het er wel met Justin over hebben,' zei Ellie.

'Alsof dat iets uithaalt. Hij laat dit nu heus niet gaan. Hij zit er al jaren achteraan. Jij bent steeds in het buitenland, dus jij hebt geen idee hoe erg hij zich heeft zitten inlikken bij Constance. Hij woonde hier zo ongeveer. En zij stuurde hem overal naartoe voor allerlei boodschappen. Het was gewoon misselijkmakend, die twee – schatje zus, lieverd zo, en hij haar de hele tijd maar zoenen en zeggen dat ze nog steeds zo mooi was, dat soort dingen. En Constance natuurlijk ook tegen hem zeggen dat hij zo prachtig was. Ik werd er echt helemaal wee van, als ik hen tegen elkaar hoorde praten.'

'Ah!' Ellie prikte met haar sigaret in de lucht. 'Dat is het dus. Hij weet gewoon precies wat je tegen een vrouw moet zeggen. Jij hebt geen idee hoe belangrijk het is om steeds maar weer te horen dat je mooi bent, schatje! En je moet toegeven dat Justin inderdaad beeldschoon is. Hoewel ik dat misschien niet mag zeggen, want hij lijkt precies op mij.'

'En ik lijk op degene met wie je zo lang geleden getrouwd was dat je zijn naam alweer bijna vergeten bent.'

De tranen sprongen Nessa in de ogen. Zelfs toen hij nog met Ellie getrouwd was, was haar vader niet vaak thuis geweest, en door zijn vroege dood, veroorzaakt door een virus dat hij op zakenreis in Kenia had opgelopen, was hij al uit het leven van zijn twee kinderen verdwenen toen die nog maar heel klein waren. Niemand had de kinderen ooit iets gevraagd. Niemand had haar of Justin ooit gevraagd wat zij ervan vonden om door Matt en Phyl geadopteerd te worden. Ook al noemden ze hun nieuwe ouders bij de voornaam, ze hadden wel hun achternaam aangenomen. Barrington. Ellies eerste man heette Connor. Ook een prima naam, maar niet meer zo heten was geen drama. Hoewel Nessa zich nog wel kon herinneren hoeveel tijd er overheen was gegaan voor ze aan het idee gewend was. Justin vond het meteen al geweldig om een Barrington te zijn. 'Het is mooi lang,' had hij gezegd. 'En lange namen zijn beter dan korte, toch?' Niemand sprak hem tegen.

'Pat Connor. Je mag hem in elk geval dankbaar zijn voor je prachtige uiterlijk. Zwart haar, blanke huid en groene ogen. Echt Iers.'

Maar niet beeldschoon. Gewoon oké, meer niet. Een beetje te mager, geen borsten om over naar huis te schrijven, en wel redelijk haar. Dat was het wel. Terwijl Justin al starende blikken kreeg toen hij nog maar klein was.

Ellie ging verder: 'Jij bent veel knapper dan Louise, ook al is die er een stuk op vooruit gegaan. Ze is een tikje te fors, vind je ook niet? Niet dat ze dik is, helemaal niet meer... maar voor een vrouw vind ik haar wel iets te lang, en ook iets te grof gebouwd.'

Toen Louise werd geboren, had Nessa net haar tiende verjaardag achter de rug. Ze was dol op de baby, en haar mooiste jeugdherinneringen gingen over die keren dat zij op Lou mocht passen. Niet dat dat lang duurde. Zodra Lou kon lopen, en zodra ze kon praten, werd alles anders. Ze werd al snel een last, die Nessa en haar vriendinnen altijd maar achterna liep, en met hen mee wilde spelen, en die krijste als een mager speenvarken als ze haar er niet bij wilden. Om knettergek van te worden, dat kind. En hoeveel uur onbetaald babysitten heeft Phyl eigenlijk van me gekregen toen ik tiener was, vroeg Nessa zich af. Ze vond dat ze wel iets had verdiend voor al die keren dat zij thuis had moeten blijven om voor Lou en Justin te zorgen, terwijl haar vrienden ergens anders waren en heel wat interessantere dingen deden dan maar een beetje naar de televisie staren.

31

'Weet je wat het met jou is, liefje?'

'Nee, maar dat ga je me nu vast vertellen.' Nessa zuchtte en ging tegenover haar moeder zitten.

'Jij denkt altijd maar dat andere mensen meer krijgen dan jij. Dat je op de een of andere manier tekort wordt gedaan. Dat is altijd al zo geweest, of er nu reden toe was of niet.'

'Meestal was die er wel degelijk. Ik heb het gevoel…' Ze zuchtte nog een keer. Ellie zou het toch niet begrijpen. Nessa vond zoveel dingen heel erg oneerlijk. Ze dacht dat andere mensen het allemaal veel beter hadden dan zij. Ze wist best hoe kinderachtig dat was, en dat als ze die jaloezie ooit zou opbiechten, tegen Gareth bijvoorbeeld, hij haar stomverbaasd zou aankijken, en dus hield ze haar mond. Soms voelde ze zich schuldig over haar gedrag. Ze wist wel dat ze wat meer zelfbeheersing moest opbrengen, en dat ze niet altijd maar moest lopen zeuren tegen iedereen, maar het was moeilijk om iets wat er zo was ingesleten te veranderen als het om je familie ging.

'Jij hebt het bijvoorbeeld heel wat beter voor elkaar dan Louise,' zei Ellie, terwijl ze opstond en naar de deur liep. 'Denk ook eens aan een ander, voor de verandering.'

'Ellie?' riep Nessa haar na.

Haar moeder draaide zich om en leek wat onzeker over of ze de keuken weer in zou lopen of niet. 'Wat is er?'

'Ik zat alleen te denken… Misschien zou jij met Matt willen praten? Om hem vast een beetje te bewerken? Ik wil met hem bespreken of het mogelijk is om het testament aan te vechten.'

'Hij zal zeggen dat je dat niet moet doen. Dat weet ik zeker, ook al is hij nog veel bozer dan jij al bent, omdat Lou op deze manier onterft is. En hoe kom je erbij dat hij naar mij zal luisteren?'

'Dat denk ik gewoon.' Nessa herinnerde zich de maanden na haar moeders plotselinge vertrek. Het leek haar toen dat haar stiefvader niet echt gelukkig was met wat er allemaal was gebeurd, ondanks het feit dat hij met Phyl ging trouwen, en ondanks het feit dat er een baby zou komen. Ze vermoedde dat hij nog altijd een zwak had voor haar moeder, en dat hij waarschijnlijk nog steeds met warme gevoelens aan haar terugdacht. Het kon geen kwaad als Ellie hem zou polsen. 'Ik vind dat je me dat verplicht bent,' zei ze.

'O god, als jij de hele tijd de gebeten hond gaat uithangen, dan zal ik wel even met hem praten. Maar ik ga niet naar zijn kantoor. En ook niet naar zijn huis. Ik praat alleen als hij bij mij thuis komt.'

'Vraag dat dan. Kijk maar wat hij zegt. Ik durf te wedden dat hij die kans om uit de klauwen van de SS te komen met beide handen aangrijpt.'

'Over wie hebben we het?'

'Over de Slijmerige Stiefmoeder. Zo noemden Justin en ik haar soms, toen we klein waren. Ze deed altijd zo ontzettend haar best om lief voor ons te zijn, het was soms gewoon onnatuurlijk. En we hebben haar nooit als moeder gezien. Constance was meer een moeder voor ons dan zij, hoe hard ze ook haar best deed.'

'Constance was altijd al onnavolgbaar, en ik weet niet of ik wel zo tolerant zou zijn geweest wat jullie betreft als zij.'

'Ik weet wel zeker van niet. Maar bedankt, Ellie, ik zou het echt heel fijn vinden. Echt waar.'

'Ik regel wel iets.' Ellie liep de keuken weer uit en liet de deur wijd open staan.

Nessa lachte hardop. Wat een onmogelijk mens! Als er iemand nooit aan iemand anders dacht dan aan zichzelf, dan was het Ellie wel. Maar goed, ze had toch maar mooi beloofd dat ze met Matt zou gaan praten, en ze had trouwens wel gelijk over die arme Lou. Dat moest een klap in het gezicht zijn geweest! Nessa besloot om haar zusje te bellen om die haar medeleven te betonen. Konden ze meteen lekker roddelen over Justin, natuurlijk. Het was al heel wat jaren geleden dat ze met z'n allen onder één dak woonden, en ook al was Lou niet bepaald haar beste vriendin, ze had haar meer babyprakjes gevoerd dan haar lief was en ze had meer wiegeliedjes voor haar gezongen dan wie dan ook. Op Phyl na, dan. Dat moest toch iets betekenen, ook al hadden ze elkaar de afgelopen jaren nauwelijks gezien. Nessa had het te druk gehad met het opzetten van Paper Roses om zich te kunnen inlaten met het familiedrama rond Ray de Rammer, Lous man met de losse handjes. Uiteraard had ze er alles over gehoord via Phyl, wiens bezorgdheid om Louise en Poppy, haar geliefde kleinkind, natuurlijk prijzenswaardig was. Jammer alleen dat ze daardoor geen energie meer had om enthousiast te reageren op Nessa's verhalen over haar bedrijf.

Nessa zuchtte nog maar een keer. Ach, nou ja, dacht ze. Echt superpech voor je, Lou, dat je voor zo'n zak bent gevallen terwijl je net aan je tweede studiejaar was begonnen. Jammer ook van die hersens van je, dat je nu voor een hongerloontje moet werken bij dat obscure filmbedrijf. Heel even vroeg ze zich af of Lou misschien ooit bij haar in dienst zou komen. Niet nu, maar als Paper Roses was uitgegroeid tot meer dan een internetonderneming, en ze ergens anders een winkeltje zou openen… Nee, dat was waanzin. Lou zou het nut niet inzien van het product dat ze dan moest verkopen. Ze zou nu wel op weg zijn naar Phyls huis, dacht ze. Of terug naar Londen. Heb ik haar mobiele nummer eigenlijk wel? Ik geloof het niet. Ze stond op. Wat ben ik ook een waardeloos mens, dacht ze. Ik vraag het wel aan Matt. Ik ga haar bellen.

Lou ging haar appartementje binnen, trok de deur achter zich dicht en bleef ertegenaan leunen. Ze had tegen haar moeder gelogen toen die aandrong dat Lou toch vooral bij hen moest blijven logeren en zelfs had aangeboden om met haar mee te gaan naar Londen en Poppy mee te nemen. Phyl had er alles voor over om bij haar dochter in de buurt te blijven na zoiets. Nu ze verzorgd moest worden, en gekoesterd. Dus had Lou beloofd dat ze het weekend erop langs zou komen. Phyl zei dat ze dan iedereen te eten zou vragen. Ze moesten praten. Ze moesten het hebben over het testament, en alle consequenties. Daar zag Lou het nut niet van in, maar ze stemde ermee in om snel naar Haywards Heath te komen, want dan kon ze tenminste ontsnappen. Ze wilde zo ontzettend graag alleen zijn, nu. Ze hield zich veel flinker dan ze zich eigenlijk voelde en beloofde haar moeder dat ze direct naar Margies huis zou gaan, vanaf het station. Ja hoor, ik ga absoluut niet in mijn eentje zitten, had ze tegen haar moeder gezegd. Ik beloof het.

Ze wist dat ze loog zodra ze haar mond opendeed. Ze was absoluut niet van plan om aan Margie te vertellen waar ze was. Laat haar maar lekker nog een nachtje op Poppy passen, zoals afgesproken. Lou had tijd nodig om na te denken over wat er op Milthorpe House was gebeurd.

Ze liep haar keukentje in, dat zo klein was dat het bijna geen keuken mocht heten, zette een ketel water op en staarde de avond in. Ze zag de ramen van andere mensen: sommige verlicht, andere donker, met en zonder gordijnen, onthullend, verhullend, intrigerend. Lou hield van dit uitzicht, ook al huiverde haar moeder elke keer als ze hier kwam, wat Lou tot een minimum probeerde te beperken. Hoewel ze het wel aan haar vader en moeder te danken had dat het hier nu tenminste leefbaar was.

Lou had het altijd hardnekkig over haar 'appartement', maar in feite was het niet meer dan een schoenendoos. Het bestond uit een zitslaapkamer en een heel klein extra kamertje, waar Poppy sliep, en een badkamertje en keukentje die je in een poppenhuis zou verwachten. De straat waarin ze woonde was ook niet veel soeps. Toen papa en mama hier voor het eerst kwamen kijken, lag er een oude matras in de voortuin van een van de huizen aan de overkant. Ze voelde haar moeder bijna huiveren, maar die deed een dappere poging om er niets van te zeggen. Het behang was smerig en er stond geen wasmachine en er was nergens plek om kleren te drogen te hangen.

'Hier kun je niet wonen met een baby,' had mama uitgeroepen.

'Tuurlijk wel. Zoveel mensen wonen in huizen die nog veel erger zijn dan dit,' zei Lou toen. 'Het komt heus wel goed.'

'Het komt zeker goed,' kondigde papa toen aan. 'Want we gaan de boel opknappen. We laten het schilderen, we zetten een wasmachine neer, en we hangen een paar fatsoenlijke gordijnen op en dan gaat het prima, zo. Tenminste, voorlopig.'

Uiteindelijk had ze zelf al het schilderwerk gedaan, met hulp van Margie, en het geld had de rest gedaan. Lou zuchtte. Geld. Papa en mama hadden haar altijd geholpen, dus dat verhaaltje dat ze zichzelf op de mouw speldde, over dat ze het toch maar mooi rooide in haar eentje, dat ze zo onafhankelijk was, en dat ze kon doen waar ze zin in had, klopte dat eigenlijk wel? Hoe kon ze het rechtvaardigen dat ze drie dagen in de week werkte, en iemand anders betaalde om voor Poppy te zorgen terwijl zij de scripts las die ze van Cinnamon Hill Productions moest lezen? Dat leverde haar maar vijftig pond per leesrapport op. Dat kon alleen doordat haar ouders bijsprongen. Zij betaalden alle extra's die ze zich anders nooit zou kunnen veroorloven. Vooral de kinderopvang voor Poppy. Wel betaalde ze zelf de huur en hun boodschappen. Ze keek naar het stapeltje papieren links op haar bureau en bedacht dat ze zeker meer zou verdienen als ze voor een uitzendbureau zou gaan werken, maar ze hield van het werk dat ze nu deed. Ze vond het leuk om betrokken te zijn bij de filmwereld, ook al behoorde ze tot het voetvolk. En ze had het idee, misschien ten onrechte, dat het haar een piepkleine kans bood om haar dromen waar te kunnen maken.

Ze had nog niemand verteld wat die dromen waren, ook al zouden haar ouders zich moeten realiseren dat hun dochter wellicht iets anders zou willen doen dan scripts lezen voor een kleine filmmaatschappij. Herinnerden ze zich soms al die schriftjes niet meer, die ze toen ze klein was volschreef met verhalen, gedichten, sketches en vooral toneelstukjes? Wisten ze niet meer hoe heerlijk ze het vond om naar de bioscoop te gaan? Waren ze soms vergeten dat zij en opa 's middags uren op de bank zaten, in Milthorpe House, om naar de flikkerende zwart-witfilms te kijken? Kennelijk hadden haar ouders nooit de juiste conclusie getrokken. Wat zij het allerliefste wilde, was filmscenario's schrijven. Dat had ze nog nooit aan iemand verteld, behalve aan opa. Hij begreep het. Hij wist hoe het zou moeten voelen als haar woorden werden uitgesproken door acteurs, als haar ideeën uitgewerkt zouden worden op het filmdoek, vanwaar ze door het donker oversprongen op wie er maar zat te kijken, en zich in het geheugen van die mensen zouden nestelen. Zoals de films die zij als kind had gezien haar nog altijd bijbleven, en deel uitmaakten van haar geestelijke bagage.

In haar verbeelding hoorde ze de stem van Constance: *Jij hebt helemaal geen tijd voor onnozele dromen. Jij had geen kind moeten nemen als je niet van plan was om ervoor te zorgen. Niemand heeft je daartoe gedwongen. Jij hebt de plicht om voor je dochter te zorgen, in plaats van haar bij een ander neer te planten. Hoe kun je weten dat je haar niet voor het leven tekent als je haar tijdens haar jongste jaren bij andere mensen brengt?* Lou knipperde met haar ogen en deed ontzettend haar best om niet aan haar grootmoeder te denken. Maar dat was onmogelijk.

Eerder die dag had ze het gevoel gehad alsof ze bevroren was. Tijdens de treinreis terug naar Londen kon ze maar niet bevatten wat er precies was gebeurd in Milthorpe House. Haar gedachten leken tegen een muur van ijs te stuiten en weg te glijden in het niets. Nu zag Lou dat ze wat thee had gemorst op tafel. Ze doopte haar vinger in het vocht en trok een spoor op het gele formica. Die moet ik maar eens vervangen, dacht ze. Ik kan die kleur niet meer zien.

Ze haalde diep adem en dacht na over wat Constance had gedaan.

Ze heeft me onterfd, dacht Lou, en het spookachtige woord joeg haar een beetje schrik aan. Het was zo definitief, zo hard. En het betekende – wat betekende het eigenlijk? Dat Constance niet alleen niet zo goed met mij kon opschieten, dat ze niet alleen minder van mij hield dan van Nessa en Justin, maar dat ze me zelfs haatte. Het was niet genoeg om mij minder te geven dan hen, ze moest me iets geven waarvan iedereen meteen zou zien dat het waardeloos was, en wat dus zou aangeven dat ik in haar ogen ook waardeloos was. Nog waardelozer dan mama, die ze ook nooit had gemogen en die was afgepoeierd met glaswerk en porselein, terwijl Ellie armenvol met juwelen had gekregen, die een fortuin waard waren. Ze straft me, was Lous conclusie.

En Milthorpe House dan? Kon het huis haar iets schelen? Nog afgezien van de financiële waarde, wat betekende dat huis eigenlijk voor haar? Maakte het haar, afgezien van de belediging, maakte het haar echt uit dat ze daar nooit meer een voet over de drempel zou zetten? Lou had nooit stilgestaan bij wat er zou gebeuren met het huis als haar grootouders er niet meer waren. Je kon je gewoon niet voorstellen dat Constance er niet meer zou zijn, en nu ze er toch niet meer was, realiseerde Lou zich dat die plek die ze in gedachten altijd met zich meedroeg, belangrijker was dan de stenen waaruit het was opgebouwd. Belangrijker dan de tuin en het landgoed eromheen.

De mooiste dagen uit haar jeugd had ze daar doorgebracht. Maar al die mooie herinneringen waren verbonden aan haar opa, en er was geen hatelijk bedoelde erfenis die daar iets aan kon veranderen. Opa had altijd in de hal gestaan om haar te begroeten als papa haar voor een dagje spelen of een nachtje logeren kwam brengen. Doordat er overal verse bloemen stonden, rook het altijd heerlijk in die hal. Constance zag erop toe dat Alfie, de tuinman, en diens zoon, Derek, alles tiptop in orde hielden, zodat ze haar

vazen kon vullen met seizoensbloemen. De rozen waren het allermooiste: *je grootmoeders trots*, noemde opa ze altijd.

De fijnste kamer in het huis was opa's studeerkamer.

'Wat spook je daar toch in 's hemelsnaam uit?' vroeg Constance
haar vaak, en dan antwoordde opa: 'Van alles en nog wat, lieveling.
Of niet, Lou?'

Dan knikte ze altijd, en een paar keer had ze gezien dat Constance haar mond samenkneep om haar afkeuring te tonen. Soms
slaakte ze een net hoorbare zucht. Inmiddels begreep Lou dat ze
jaloers was geweest. Ongelofelijk! Opa aanbad zijn vrouw. Hij had
diep ontzag voor haar. Het verhaal over hoe hij sprakeloos was
door haar schoonheid toen hij haar voor het eerst zag – hij stond
daar maar te staren, zijn ogen puilden uit hun kassen en hij bloosde als een tomaat – werd binnen de familie vaak genoeg opgera-
keld. Net als de geschiedenis van hoe Constance ook op hem verliefd werd, en wel zo volkomen dat ze niet wilde luisteren naar
iedereen die zich tegen de overhaaste verbintenis uitsprak, en met
hem trouwde, tegen de zin van haar familie. Zij vertelde dat verhaal zelf altijd alsof ze zich inderdaad vergist had. Alsof haar leven
anders en beter zou zijn geweest als ze zich naar de wensen van
haar ouders had gevoegd.

Tegen de tijd dat Lou Constance leerde kennen, was zij de baas
in huis, en deed opa precies wat ze hem opdroeg op bijna elk gebied. Zij was degene die besloot wie ze voor etentjes uitnodigden.
Zij regelde alles in huis, zelfs de dagelijkse post, en zij zorgde ervoor dat opa de brieven die hij gepost wilde hebben bij haar inle-
verde en ze zag alles in dat bij Milthorpe House in de bus viel.
Dan zat ze aan tafel in de eetkamer, nog voordat opa voor het ontbijt naar beneden kwam, en dan sorteerde ze de post in twee stapeltjes: één voor hem en één voor zichzelf. En dan waren er nog
de dingen die ze verscheurde. Lou was geschokt toen ze dat voor
het eerst zag gebeuren.

'Waarom verscheur je die brieven, oma?' vroeg ze.

'Noem me alsjeblieft Constance, kind… Ik heb toch zo'n hekel aan "oma".'

'Sorry,' verontschuldigde Lou zich, ook al had ze totaal geen spijt. Ze had haar eigen moeder horen zeggen dat ze die weerzin tegen alle variaties op oma maar 'komedie' vond, en ook al wist Lou toen nog niet precies wat ze daarmee bedoelde, ze wist wel dat het vast niet iets leuks was, en dus besloot ze om het maar met haar moeder eens te zijn. 'Maar waarom doe je dat dan?'

'Dat zijn geen echte brieven,' legde Constance uit. 'Dat zijn – enfin, dat is rommel. Je zou denken dat mensen hun tijd wel beter konden besteden.'

Lou had Constance toen geloofd, maar nu realiseerde ze zich dat het waarschijnlijk opa's brieven waren, die ze verscheurde. Brieven die aan haar geadresseerd waren, bleven altijd heel. Wat zouden dat voor brieven zijn geweest? Mijn god wat een lef had dat mens, eigenlijk, dacht ze. Hoe haalde ze het in haar hoofd om andermans correspondentie te vernietigen?

Lou dacht aan het bureau met het rolluik, in opa's studeerkamer. Constance had het meteen na zijn dood de deur uitgedaan. Ik had dat bureau graag willen hebben, dacht Lou, maar niemand heeft me toen iets gevraagd. Heel even vroeg ze zich af wie het bureau nu in zijn bezit had. Het was een bureau met vakjes die gevuld waren met keurige stapeltjes papier. Lou had haar opa nooit zien schrijven. Hij zat meestal in zijn leunstoel bij het raam. De stoel was bekleed met verschoten, goudkleurig fluweel, en zelfs als hij er niet in zat, hielden de kussens nog altijd zijn vorm. Zij zat altijd op de grote, harde stoel bij zijn bureau en dan kletsten ze over van alles en nog wat. Ze beklaagde zich bij hem over haar ouders, over Nessa en Justin, over leraren op school en over haar vriendinnetjes – ze vertelde hem alles. Hij gaf haar boeken om te lezen: de sprookjes van Andersen, *Alice in wonderland*… van alles. Hij leerde haar om

Shakespeare te lezen, en hielp haar toen ze *Een midzomernachts-droom* moest lezen voor school. Hij liet haar zien hoe griezelig en geweldig *Macbeth* was door een aantal van de mooiste scènes na te spelen met haar. Het was zo leuk om alle drie de heksen te spelen en dan ook nog eens Lady Macbeth! Hij las haar stukjes voor uit de krant waarvan hij dacht dat ze haar wel zouden amuseren, en toen zijn ogen hem tegen het einde van zijn leven wat in de steek lieten, draaiden ze de rollen om, en las zij hem boekrecensies voor en krantencommentaren, en nieuwsberichten. Om die laatste zat hij meestal te sputteren en te zuchten, met zijn ogen dicht. Soms vroeg ze hem ook naar dingen. Maar dan was hij niet meer zo praatgraag. Het leek wel, dacht Lou nu, alsof hij zijn jeugd liever wilde verge-ten. Zo deed hij bijvoorbeeld altijd heel vaag over zijn moeder.

'Bedoel je Rosemary?' vroeg hij dan, 'of mijn echte moeder?'

Lou had haar vaders grootmoeder, Rosemary, nooit ontmoet, maar ze had wel foto's van haar gezien in het familiealbum: een forse vrouw met wit haar in een stijf permanent, in een twinset met parelketting.

'Was oma Rosemary dan niet jouw echte moeder?'

Opa glimlachte. 'Ja, dat was ze wel. Zo ongeveer.'

'Wat bedoel je?' wilde Lou weten.

'Ik was nog heel jong toen mijn echte moeder overleed.'

'Hoe heette die dan? Je echte moeder, bedoel ik?'

Dit was een ritueel dat ze vaak herhaalden. Lou wist wel hoe zijn echte moeder heette, maar hij glimlachte en gaf toch telkens weer antwoord. 'Ze heette Louise. Jij bent naar haar vernoemd. Dat weet je best.'

'Maar ze is doodgegaan. Wat gebeurde er toen met jou, opa?'

'Ik had geluk. Rosemary – nou ja, die adopteerde me en heeft me meegenomen naar Engeland.'

'Had je dan geen papa?'

'Die was ook al dood. Dit speelde namelijk allemaal tijdens de oorlog. De Tweede Wereldoorlog. Heel erg veel mensen hebben die oorlog niet overleefd. De man van Rosemary is toen ook doodgegaan, en toen ze in Engeland kwamen, is zij weer hertrouwd. Met een advocaat die Frederick Barrington heette. Hij was mijn stiefvader en na school ben ik direct voor hem gaan werken.'

'Maar hoe zat het dan met je echte moeder? Kan je je die echt helemaal niet meer herinneren?'

'Nee. Ik weet nog wel een paar dingen, natuurlijk. Dat ze Frans was, ook al zou je dat nooit gezegd hebben, sprak ze zelf nooit over haar eigen jeugd, voorzover ik me kan herinneren. Thuis spraken we Engels. Als ze al een buitenlands accent had, dan is mij dat in elk geval nooit opgevallen. Ze was heel erg mooi. Haar haren leken wel – nou, van goud.'

Opa zal wel tranen in zijn ogen hebben gehad, dacht Lou. Dat besefte ik toen helemaal niet, als hij zijn zakdoek tevoorschijn haalde en daarmee over zijn ogen wreef. Dat deed hij zo vaak, om allerlei redenen. Ik heb hem nooit naar haar achtergrond gevraagd, dacht ze. Hij zal wel weer snel over iets anders zijn begonnen. Pap weet vast wel wat er met haar is gebeurd; hoe ze is gestorven en hoe ze precies heette. Ik zal het wel eens aan hem vragen. Het zou zo naar zijn als ze totaal in de vergetelheid zou raken!

Lou merkte dat ze zat te huilen en ze wist niet precies om wie. Misschien huil ik wel om mijzelf, dacht ze, omdat ik gekwetst ben door wat Constance heeft gedaan. Ik zie nu wel hoe vreselijk ze mij kennelijk vond.

Hou eens op met dat gehuil, vermaande ze zichzelf. Doe eens even gewoon. Het was gewoon een naar oud mens die zich er nooit overheen heeft kunnen zetten dat ik van opa hield en dat ik als kind onbeleefd tegen haar was. Ze heeft me nooit kunnen vergeven voor die ene avond. Ieder normaal mens zou het gewoon toeschrijven aan een kinderlijke driftbui, maar zij natuurlijk weer niet. Lou begreep dat die ene gebeurtenis, meer dan vijftien jaar geleden, voor eeuwig een stempel had gedrukt op hun relatie, en dat Constance sinds die avond nooit meer van mening was veranderd.

Nessa en Justin waren niet thuis. Nessa studeerde in Bristol, en Justin zat nog op zijn dure kostschool, die uiteraard door Constance werd betaald. Pap en mam moesten ergens heen, en dus hadden ze Lou voor een paar dagen naar Milthorpe House gebracht. Ze kon zich nog herinneren dat ze haar koffertje stond te pakken; dat ze zo blij was dat zij nu eens degene was voor wie gezorgd moest worden. Justin was een aandachtmagneet, en als hij er was cirkelde Constance om hem heen als een dronken mot. Het kon Lou niks schelen, want opa wilde maar al te graag met haar praten. Bij Constance verviel ze daarentegen al na een paar minuten in een somber zwijgen. Ze was helemaal niet zoals een oma volgens Lou hoorde te zijn. Ze droeg veel te mooie kleren en ze was veel te knap, ook al was ze al best oud. Lou voelde zich altijd zo lomp en onhandig en lelijk vergeleken bij haar. En ze wist nooit wat ze tegen haar moest zeggen.

Op de eerste avond van die logeerpartij zat ze in bed te wachten tot opa haar in kwam stoppen. Toen haar grootmoeder verscheen in zijn plaats was Lou stomverbaasd. Constance ging aan haar voeteneinde zitten en zei: 'Ben je klaar om te gaan slapen, kind? Ik kom je even instoppen en een nachtzoen geven.'

'Ik wil dat opa komt,' had Lou gezegd.

'Nou, je zult het met mij moeten doen.' Constance glimlachte. 'Het spijt me voor je.'

Lou kon de driftbui die ze toen kreeg nog precies navoelen. Ze schreeuwde en gilde en riep dat ze nooit meer zou gaan slapen als Constance haar een zoen zou geven en dat ze moest ophoepelen en dat ze haar opa wilde en dat ze niet zou gaan slapen voordat hij kwam – en zo ging ze maar door, terwijl ze met haar vuisten in haar kussen stompte, en snikte en eindigde met de kinderlijke litanie: *ik haat je, ik haat je.*

Constance was uiteraard de kamer uit gelopen, maar niet nadat ze was gaan staan en op Lou had neergekeken. 'Dat gevoel,' zei ze, met een stem vol verachting en een ijskoude blik, 'is geheel wederzijds.'

Toen ze de kamer uit was, hield Lou eindelijk op met huilen. Opa kwam niet meer boven die avond. De volgende dag adviseerde hij haar om haar excuses aan te bieden aan haar grootmoeder.

'Ze is heel goed in het koesteren van wrok, Lou,' zei hij tegen haar. 'Het is voor iedereen beter om te doen wat nodig is voor de lieve vrede. Toe maar, ga maar zeggen dat het je spijt.'

Lou ging. Ze had opa niet verteld wat Constance die avond ervoor tegen haar had gezegd. Toen ze die woorden uitsprak, had Lou het nog niet helemaal door, maar toen ze er later over nadacht realiseerde ze zich dat het haar grootmoeders versie was van *Ik haat jou ook, lekker puh*, maar dan in meer volwassen bewoordingen. Ze meende het niet, hield Lou zichzelf voor, terwijl ze op zoek ging naar Constance. Niemand haat zijn eigen kleinkind, toch?

Ze moest aan juffrouw Hardy, de huishoudster vragen waar haar grootmoeder was, en uit juffrouw Hardy's reactie kon ze opmaken dat zij al wist wat er gisteravond was voorgevallen. Ze had roze wangen en leek een beetje op een konijn, met haar vooruitstekende tanden en haar witte haar. Ook al glimlachte ze wat af, die lach sprak nooit uit haar ogen, die net kleine stukjes ijs waren: heel bleek en heel kil.

'Ze is in de tuin,' zei juffrouw Hardy, en dit keer glimlachte ze niet eens.

Lou was de louvredeuren door gegaan en zag haar grootmoeder zitten op de witte gietijzeren stoel, aan een wit gietijzeren tafeltje, met een grote zonnehoed op haar hoofd. Lou haalde een keer diep adem om zichzelf moed in te blazen, en liep naar haar toe. De zonnehoed wierp een schaduw over Constances gezicht.

'Het spijt me, wat ik heb gezegd,' zei Lou tegen haar.

'O ja?' vroeg Constance, en Lou staarde naar het krullenpatroon in de tafel. Het moest een wijnrank voorstellen, of een of andere plant. 'Dan zal ik je excuus maar accepteren, denk ik.'

'Zijn we dan weer vrienden?' vroeg Lou.

'Dat zullen we nog wel zien,' antwoordde Constance. 'Dat zal voor een groot deel van jou afhangen, denk ik.'

En dat was ook zo. Het leven ging door, bedacht Lou zich nu, maar toen, op dat moment, had ze mijn excuses eigenlijk helemaal niet geaccepteerd, en nu straft ze me nog steeds. Ze had gezien dat ik het meende, wat ik die avond had gezegd, en dat ik het helemaal niet terug wilde nemen.

Haatte ik haar dan echt? Waarschijnlijk niet. Tot aan dat moment, dan. Ik was wel bang voor haar en ik vond haar niet zo aardig. Ik vond haar bazig en dominant. Ik vond het een schande dat ze meer van Ellie hield dan van haar eigen zoon, en dat ze partij koos voor haar toen ze papa in de steek liet. Als iemand het haar zou hebben gevraagd, dan had Lou gezegd dat ze niet zo goed met haar grootmoeder kon opschieten. Daar was niks ergs aan. In elke familie had je wel een moeizame relatie, hier of daar – je kon moeilijk van iedereen evenveel houden – maar echt haten? Zoiets had ze nog nooit voor iemand gevoeld. Ze wist niet eens of dat wat ze nu voelde wel echt haat was. Waar kon je dat eigenlijk aan herkennen? Als ze niet met iemand door één deur kon, dan ging ze die gewoon uit de weg, en klaar. Haat lag dicht bij liefde. Je moest er een beetje obsessief voor zijn. Ze haatte Ray, en ze was bang voor hem, maar dat kwam alleen maar doordat ze in het begin zoveel van hem had gehouden. En aangezien ze van Constance nooit echt had gehouden, kon ze haar ook niet echt haten, zelfs nu niet.

Wel voelde ze zich verdrietig, gedeprimeerd, en ook een tikje beschaamd dat haar hele familie nu inzage had gekregen in iets wat zij verborgen had willen houden. Zouden Nessa en Justin medelijden met haar hebben? Zouden ze denken dat het haar eigen schuld was? Zouden ze aanbieden om haar te helpen? Nee, dat zou wel niet gebeuren. Justin kon het niets schelen, en Nessa was zelf vast zo pissig dat haar broer het huis en het landgoed had geërfd dat ze de energie niet had om zich ook nog druk te maken om Lou. Ze scheelden tien jaar, en Nessa was altijd een beetje... Hoe zei je dat, afstandelijk? Niet betrokken? Niet echt geïnteresseerd, in elk geval. Pap was woedend. Ze zou hem ervan moeten weerhouden om er iets aan te gaan doen. Ze wist nog niet hoe ze dat moest aanpakken, of hoe ze mama ervan zou kunnen weerhouden om naar de stad te komen en haar en Poppy op te slokken en mee te sleuren naar Haywards Heath. Daar had ze al helemaal geen trek in. Ze wilde niet de dochter worden die het niet redde in haar eentje, de dochter die door haar partner in de steek was gelaten ook al was er sprake van huiselijk geweld, want *er zaten altijd twee kanten aan het verhaal en er is geen rook zonder vuur.* Dat zou Constance hebben gezegd. Die trut. Dat valse ouwe kreng. Kutwijf.

'Kutwijf!' gilde Lou tegen de muren, en ze voelde zich daarna maar een heel klein beetje beter. Ze liet haar hoofd in haar handen zakken en voelde de tranen door haar vingers stromen. O god, dacht ze, ik moet hiermee ophouden. Ik trek dit niet. Straks zitten mijn ogen morgen helemaal dicht. Poppy – ik moet echt kalmer worden, als ik voor Poppy moet zorgen.

Lou snufte, trok een stuk keukenpapier van de rol en snoot haar neus. Het drong nu pas tot haar door dat de erfenis van haar oma een dubbele klap was. Constance had ervoor gezorgd dat Lou niks kreeg, en door dat te doen had ze ook ten overstaan van haar hele familie laten merken dat ze het werk van wijlen haar man in feite waardeloos vond. Dat het niets was. Dat niemand het wilde hebben. Dat ging dus ook over zijn nagedachtenis, voor het geval er nog iemand genegen was bewondering voor hem te hebben.

Maar dat héb ik ook, dacht Lou. Altijd gehad en dat zal ook nooit veranderen. Als kind was ze onder ze indruk en vol ontzag geweest als hij haar zijn boeken liet zien. Ze kende alle omslagen zo goed dat ze die zo uit haar hoofd zou kunnen natekenen. Ze waren gedrukt in een tijd dat romans een stofomslag hadden met herhaalde patronen, iets van limoenkleurig of bleekoranje of heel lichtblauw tegen een witte achtergrond met een ovaal waarin de titel van het boek en de naam van de schrijver gedrukt stonden. De eerste van zijn vijf romans heette *Blinde maan*, en dat was het boek dat hij Lou had voorgelezen – het enige boek waarvan ze zich nog iets kon herinneren, ook al had ze geen details meer paraat. Wat opa's vier overige boeken betrof, die had ze nog nooit gelezen en ze wist er ook niet zoveel van. Ze liep naar de plank waar de boeken van Barrington stonden, pakte *Blinde maan* en las de eerste regels nog eens:

Dit keer zou hij het hele verhaal vertellen. Hij zou spreken over wat er was gebeurd tijdens hun verblijf in het kamp; in de door bamboe hekken omgeven gevangenis die werd overschaduwd door het blauwe gebergte, onder het oog van een maan die op alles neerkeek, maar die niets zag. Als een blind, wit oog dat naar beneden staarde, naar hen allemaal.

Lou sloeg het boek dicht. Het leek in eerste instantie totaal anders dan hoe zij het zich herinnerde. Ze kon, althans op de eerste bladzijden, geen enkele passage vinden die haar nog bijstond. Opa had bepaalde stukjes uitgekozen die geschikt waren om voor te lezen aan een kind, en veel van waar haar blik nu overheen ging, leek dat niet te zijn. Het was waarschijnlijk een hartverscheurend verhaal, dacht ze. Ze zou het eens goed lezen, van het begin tot het eind.

Ze keek naar het stofomslag. Het roodbruine patroon van palmbladeren gaf aan dat het verhaal zich in oosterse sferen afspeelde. De bladzijden voelden broos en droog en de randen waren geelbruin gevlekt, doordat ze al die jaren in opa's sigarettenrook hadden gestaan. Toen las ze de opdracht – *aan mijn moeder* – en de

flaptekst. Achter in het boek waren een paar zorgvuldig opgevouwen krantenberichten gestoken. Die lees ik straks wel, dacht ze.
En dit boek ga ik nu een keer behoorlijk lezen. Ik zal die Constance wel krijgen. En dan lees ik ook het volgende boek, en dan
de andere boeken. Ik zal elk woord lezen. Want ze zijn nu van mij.
Ik ben hun eigenaar.

Het ijle gesnerp van haar mobieltje klonk heel hard in het lege
appartement. Lou pakte haar handtas en viste daar de telefoon
uit. Ze keek even naar het nummer op de display. Het was Nessa,
die haar bijna nooit belde. Wat zou ze in godsnaam van me willen,
nu we elkaar nog maar een paar uur geleden hebben gezien in
Milthorpe House?

'Hallo, Nessa,' zei ze. 'Hoe gaat het?'

2

Matt reed naar Brighton voor zijn afspraak met Ellie. Hij was verrast geweest door haar telefoontje naar zijn kantoor, een paar dagen na de begrafenis. Ze had hem gevraagd of ze iets met hem zou kunnen bespreken. Hij kon uiteraard wel raden wat dat was. Nessa had waarschijnlijk met haar gesproken over het testament en of het mogelijk was om het aan te vechten. Hij vond het erg dat Ellies dochter niet direct naar hem was gekomen. Hij had zich altijd haar vader gevoeld, en als het haar zo uitkwam, maakte Nessa dankbaar gebruik van zijn toewijding aan haar. Hij mocht graag denken dat hij haar en Michaela enorm had geholpen bij het opzetten van hun bedrijfje. Daar was Nessa hem ook heel dankbaar voor, wist hij. Maar ze bleef altijd een zekere reserve houden, en de gevoelens die ze voor een echte vader zou hebben gehad koesterde ze zeker niet voor hem. En toch was hij tijdens het grootste deel van haar jeugd en die van Justin altijd de goedzak geweest, terwijl Phyl strenger was. Zij was dan ook degene die alle dagelijkse sores voor haar kiezen kreeg, en dat leek enorm veel frictie en ruzie op te leveren. Phyl was een rots in de branding geweest, terwijl Nessa ten onder ging aan haar woede over hoe haar eigen moeder haar in de steek had gelaten.

Phyl, dat arme mens, speelde ook nog een keer tweede viool vergeleken bij Constance. Toen ze weer eens ruzie hadden, had Nessa dat zelfs hardop uitgesproken: *Ik zie niet in waarom Constance ons niet gewoon kan adopteren. Zij zou het heerlijk vinden om onze moeder te zijn. Waarom mag dat dan niet gewoon?* Phyl had uitgelegd dat Constance veel te oud was om nog de zorg voor kinderen op zich te nemen. Dat zette weinig zoden aan de dijk bij Nessa, en werd bovendien tegengesproken door het feit dat Nessa en Justin zo vaak bij zijn moeder op Milthorpe House waren en dat ze zoveel tijd en aandacht aan hen besteedde. Ze hield van hen allebei, maar Justin was altijd haar lievelingetje geweest.

Die arme Phyl. Terwijl hij de auto parkeerde, kwam het beeld bij hem op van zijn vrouw, die voor het raam van hun huis stond en hem nakeek. Het was zo'n goed mens, zo lief, en ze wilde zo graag voor iedereen zorgen dat ze nooit ook maar één keer had geklaagd over wat voor last het was om voor Ellies kroost te moeten zorgen. Misschien vond ze het diep vanbinnen wel vreselijk, maar ze had daar nog nooit met één woord over gesproken. Hij deed zijn best om de verantwoordelijkheid met haar te delen, ook al kwam het grotendeels op haar neer. *Ik mag blij zijn dat ik Phyl heb,* dacht hij, en ineens voelde hij zich gelukkiger dan hij zich in tijden gevoeld had. En hij merkte dat hij zich verheugde op zijn afspraak met Ellie.

Daar stond ze, bij het ijzeren hek aan de Front. Ze zwaaide toen hij dichterbij kwam. Zij had zelf Brighton voorgesteld. Dat vond ze altijd een fijne stad, vanwege de reputatie die het had als plek voor een stoute rendez-vous. Hij kuste haar en rook het parfum dat hij al die tijd dat hij bij zijn vrouw was al niet meer had geroken: Oscar de la Renta. Wat zat het menselijk geheugen toch vreemd in elkaar! Dat hij die naam nog wist.

'Fijn dat je kon komen, Matt.'

'Het is me een genoegen, echt,' antwoordde hij, en hij meende het oprecht.

Ze wandelen naast elkaar. Rechts van hem lag de zee, vlak en grijs. Het water weerspiegelde de staalgrijze lucht. Het was niet koud voor maart, maar het was toch niet bepaald weer om langs de kust te lopen. Matt vond kustplaatsen altijd fijner buiten het seizoen, en hij hield meer van wind, lage temperaturen en wolkenpartijen dan van hitte. Hij keek even opzij naar Ellie. Ze droeg een broek en een frambooskleurig jasje van iets wat op fluweel leek. Haar haren, nog altijd donker, droeg ze in een knot boven op haar hoofd, waar het op zijn plek werd gehouden door een soort metalen speld die, naar hij aannam, voor de sier bedoeld was, ook al leek het eerder op een uit de kluiten gewassen paperclip. Om haar hals droeg ze een zijden sjaal.

Misschien leken ze een vreemd stel samen. Matt Barrington had zichzelf wat dat betrof nooit voor de gek gehouden. Hij stond zich voor op zijn eerlijkheid. Hij wist best dat veel mensen hem niet zozeer saai vonden, maar wel weinig opwindend. Hij begreep wel waardoor ze tot die conclusie kwamen. Hij zou boos kunnen worden om die onterechte opvatting, maar hij vond het eigenlijk wel amusant. Als mensen naar mij kijken, dacht hij, dan zien ze een advocaat uit de provincie, lang, donker en grijzend bij de slapen. Het toonbeeld van fatsoen. Het soort man dat wegviel tegen zijn omgeving. Het absolute tegendeel van Ellie, die met haar bonte kleuren opviel, waar ze ook ging. Hij zag zichzelf eerder als een dromer, in sommige opzichten, juist het tegenovergestelde van praktisch. Romantisch misschien zelfs, hoewel dat nogal een groot woord was.

'Je ziet er goed uit, Matt,' zei Ellie, en ze draaide haar gezicht naar hem toe. 'Tijdens de begrafenis zat ik ook al te denken dat je geen spat bent veranderd, eigenlijk, sinds ik voor het laatst in Engeland was.'

'Vijf jaar geleden. Nou, toch is er veel gebeurd, in die tijd.'

'Vertel eens?'

'Dat meen je niet.' De dood van zijn vader, iets meer dan twee jaar geleden, en dan nu de dood van zijn moeder, en al zijn angsten om Lou. Dat gedoe met die afgrijselijke Ray... Nee, Matt was absoluut niet van plan om het daarover te hebben. 'Jij zit helemaal niet te wachten op verhalen over mijn leven.'

'Waarom niet? Ik ben heel dol op jou, hoor. We zijn niet voor niets ooit getrouwd geweest, ook al duurde dat niet langer dan vijf minuten.'

'Aha.' Hij was nog altijd geschokt over hoe kort hun huwelijk precies had geduurd. Er zaten hooguit een paar jaar tussen zijn eerste ontmoeting met Ellie op een cocktailparty bij zijn moeder thuis en het moment dat zij het land verliet met die vreselijke Italiaan. Als hij erover nadacht, was hij zo weer terug bij die eerste avond met haar. Hij had nog nooit zo'n vrouw ontmoet. Nu was ze heel bijzonder, maar toen, meer dan twintig jaar geleden, leek het wel alsof ze puur licht was. Ze was toen negenentwintig en hij was vijfentwintig. Dat leeftijdsverschil tussen hen, nou ja, dat had de lustgevoelens tussen hen alleen maar aangewakkerd. Ellie hield van jongere mannen en Matt was toen precies jong genoeg, zonder dat het schandalig werd. Als ze met een jongen van achttien zou gaan, had dat op afkeurende blikken gestuit, maar die vier jaar verschil! Daardoor kon zij de lerares zijn, degene die hem onderricht gaf, die de leiding nam in bed, ook al had Matt al een paar vriendinnen gehad. Ze vond het leuk om te doen alsof hij nog zo ongeveer maagd was. En ze vonden het allebei leuk dat zij degene was die het verleiden deed, die eisen stelde, die het tempo aangaf. En hij had in zijn hele leven nog nooit zo heftig naar iets verlangd als naar door haar te worden overmand, door haar te worden verslonden.

De wind sloeg Ellies sjaal in haar ogen, en Matt had ineens een visioen van de eerste keer dat hij haar naakt had gezien. Hij hoorde haar stem in zijn hoofd: *Kom hier, mijn lieve jongen, kom bij me...*

En hij moest even stilstaan, alsof hij zijn schoenveters moest vast-maken, terwijl er scherp als een foto een herinnering bij hem op-kwam: Ellie stak haar armen naar hem uit, zuchtend toen hij op haar af kwam, en ze drukte haar geopende lippen tegen de zijne. Hij stond weer op en probeerde de gedachte van zich af te zetten. Hij moest niet aan zulke dingen denken. Als Phyl het zou we-ten... Ze had al een tikje achterdochtig gekeken toen hij zei dat hij naar Bristol ging om met Ellie te praten, en ze had hem ge-vraagd waarom ze niet gewoon bij hem thuis kon komen.

'Zo is het wel heel duidelijk dat ze met jou alleen wil zijn,' zei ze vlak voordat hij die morgen van huis ging. Ze klonk veronge-lijkt, vond hij, na al die tijd nog.

'Ze wil waarschijnlijk met me praten over een of andere juridi-sche kwestie,' zei hij tegen Phyl. 'Dat weet ik zeker, zelfs. Er steekt helemaal niets achter, echt niet. Het zal wel over Nessa gaan. Die speelt het via haar moeder. Ze zal het wel over het testament wil-len hebben.'

'Dan had ze toch ook naar kantoor kunnen komen; als ze mij dan niet wil zien. Of jij had kunnen zeggen dan ik iedereen heb uitgenodigd om het erover te hebben... Ze had desnoods zaterdag naar het etentje kunnen komen.'

Matt zuchtte. 'Ik moet nu gaan. Ik had de indruk dat ze liever niet naar Haywards Heath wilde komen.'

Hij was vertrokken voordat Phyl nog iets kon zeggen, maar nu vroeg hij zich af of Ellies uitnodiging ook – nou ja – een persoon-lijke kant had. Hij liet zijn gedachten weer afdwalen naar het ver-leden.

In die tijd leek hij ouder dan hij was. Constance plaagde hem er altijd mee dat hij nooit een opstandige puber was geweest. Hij was al van middelbare leeftijd toen hij werd geboren, zei ze altijd la-chend tegen haar vriendinnen. Hij wist dat ze hem een vreselijke conservatieveling vond, en dat ze niet doorhad dat het een vermomming was, een schutkleur die hij al op jonge leeftijd had aangenomen om problemen te vermijden. Of misschien wist ze dat wel. Misschien had zij altijd al geweten dat hij heel gepassioneerd kon zijn. Misschien was dat ook wel de reden waarom ze hem bijna aan Ellie had opgedrongen. Zij had hen gekoppeld...

Een beetje te laat en zo nonchalant mogelijk reageerde hij op de laatste opmerking van zijn ex-vrouw. 'Ik ben anders niet degene die is weggelopen,' zei hij. 'Dat was jij, Ellie. Wie weet waren we nog wel samen geweest, als ik het voor het zeggen had gehad.'

'O, lieve Mattie, toch. Ik verveelde me een ongeluk! Dat kwam niet door jou, maar door het leven dat we leidden. Ik wilde reizen, en Paolo beloofde me van alles. Niet dat hij het haalde bij wat jij in bed presteerde, uiteraard.'

Ze glimlachte en bleef staan om zich naar hem om te draaien. Ze stonden nu heel dicht bij elkaar. Ze nam zijn gezicht in beide handen en kuste hem licht op de mond.

'Niet doen, Ellie. Dan voel ik me...'

'Nog steeds? Je verbaast me. Ik dacht dat jij zo gelukkig getrouwd was.'

'Dat ben ik ook. Kunnen we het ergens anders over hebben, graag?'

'Prima. Ik wilde je alleen vragen of jij denkt dat we iets aan het testament kunnen doen.'

'Er is geen grond voor om het aan te vechten, maar ik vind het wel heel erg voor Lou...'

'Dat snap ik, maar het gaat me niet om Lou, Matt. Dat weet je toch wel. Het gaat me om Nessa. Hoe moet dat nu toch met haar? Zij loopt nu haar rechtmatige aandeel in het landgoed mis, immers.'

'Ze heeft haar zaak en een schitterend huis, en Gareth doet het ook heel goed, volgens mij. Ze hebben... Zij heeft niets te klagen, dunkt mij.'

'Ze vindt dat Milthorpe verkocht had moeten worden, zodat de opbrengst verdeeld kon worden.'

Matt begon zijn geduld te verliezen. 'Zij is heus niet de enige bij wie die gedachte is opgekomen. Dat was trouwens ook oorspronkelijk de bedoeling. Het huis en het land zouden verkocht worden en de opbrengst zou gelijkelijk worden verdeeld onder mij en de kinderen. Ik zit nu toch ook niet te zeuren omdat ik mijn rechtmatige erfenis misloop? Nessa mag absoluut niet klagen, Ellie. Ze verkeert niet bepaald in dezelfde positie als ik, en ze is niet eens een bloedverwante. Ook al zat mijn moeder niet met zulke dingen. Maar kijk nou eens wat ze Lou heeft aangedaan. Die heeft ze potdomme zo ongeveer uit haar testament geschrapt. Iedereen weet toch wat ze vond van mijn vaders romans? Ik vind het verschrikkelijk. Lou heeft al zo'n vreselijke tijd achter de rug met die kerel van haar. Mijn enige troost is dat ze tenminste niet met hem getrouwd was.'

'Wil je erover praten? Over die kerel?'

Matt schudde zijn hoofd. Hij zou niet weten waar hij moest beginnen. Zelfs de gedachte aan Lous tijd met Ray deed hem huiveren. 'Nee. Vertel jij maar eens iets over jezelf, Ellie. Hoelang ben je van plan te blijven? We kunnen namelijk niet echt iets doen aan dat testament.'

'Ik ben bezig om een appartement in de stad te kopen. Een heel mooie bovenwoning, met twee slaapkamers, aan Portland Place. Het is weliswaar in Brighton en niet in Londen, maar ik vond het toch een chique adres. Nou zeg, zo verbaasd heb ik je nog nooit zien kijken. Wat is er?'

'Nou, gewoon. Ik weet het niet, Ellie. Ik dacht dat je voor geen prijs meer in Engeland wilde wonen.'

'Ik ben van gedachten veranderd. Dat buitenland is allemaal een beetje…' Ze zweeg en zocht naar het juiste woord. 'Een beetje verMóéiend geworden. Slopend, zelfs. En ik vind… Nou ja, ik heb nu ook een kleinkind.'

Matt glimlachte. 'De Ellie die ik ken zou zich niet herkennen in dit verhaal.'

'Misschien ben ik wel milder geworden. Is dat dan zo raar?'

Ja, wilde Matt zeggen. *Dat is zelfs uitgesloten. Dat is net zoiets als een tijger die vegetariër wordt.* Maar in plaats daarvan zei hij: 'Als ik iets voor je kan doen in verband met de koop moet je het maar zeggen. Leuk dat je zo ongeveer een buurvrouw wordt.'

'Ja, enig, hè?' Ze raakte zijn hand heel even aan. 'Dan zien we elkaar vast weer vaker, toch?'

'Ja, natuurlijk.' Hij piekerde over wat hij Phyl moest vertellen als ze over Ellie zou beginnen.

'Hoe is het met Phyl?'

'Goed, goed. Ze vindt het heerlijk om oma te zijn. En ik vind het ook leuk om opa te zijn.'

Ellie glimlachte, en Matt vroeg zich af waar ze het nu over konden hebben, nu ze het testament hadden besproken. En Ellies plannen. Ze kwamen bij een Starbucks. Het was er niet erg druk rond deze tijd, op een woensdag, en ze kozen een tafeltje bij het raam. Matt haalde twee cappuccino's en terwijl die werden klaargemaakt keek hij toe terwijl hoe Ellie ging zitten en haar sjaal en jasje over de rugleuning van haar stoel hing.

'Je hoeft mij trouwens niet te benijden,' zei hij toen hij terugkwam met de koffie. 'Nog afgezien van al het gedoe met Lou en het feit dat ze onterfd is – mijn god, als Constance nog leefde, dan zou ik haar wurgen – zijn er dozen vol met papieren waar ik doorheen moet. Moeder bewaarde namelijk alles. Ook de dingen van mijn vader. Ik heb haar nog gevraagd om mij die dozen te geven toen hij overleed, maar om de een of andere reden wilde ze dat ze op Milthorpe zouden blijven. Vraag me niet waarom. Maar goed, ik moet alles nu bekijken, maar ik heb zo weinig tijd. Misschien vraag ik Lou wel om me te helpen. Wat vind jij?'

'Maar schat, waarom vraag je dat aan mij? Hoe moet ik dat nou weten? Vindt Lou het leuk dan, om door al die oude troep te gaan? Ik zou doodgaan, denk ik. Ik kan me ook niet voorstellen waarom iemand vergeelde papieren zou willen bewaren.'

Matt roerde door het schuim in zijn koffiebeker. 'Ik wist ook niet dat mijn vader nooit iets weggooide. Het zijn dingen die teruggaan tot zijn jeugd. Sommige papieren vallen bijna uit elkaar, zo oud.'

'Had hij het ooit wel eens met je over zijn jeugd?'

'Nee, eigenlijk niet. Hij praatte met mij überhaupt nooit ergens over. Tegen de tijd dat ik werd geboren, was hij al behoorlijk op zichzelf. Wat ik me wel kan herinneren, waren zijn sombere buien. Het feit dat zijn romans niet goed verkochten heeft hem denk ik enorm geraakt. Lou was de enige bij wie hij op zijn gemak was. Hij was een andere man toen zij kwam. Hij hield meer van haar dan van wie dan ook.'

'Ik dacht anders dat die boeken van hem vrij goed waren. Dat zei Constance tenminste.'

'Ach, ze heeft ze helemaal nooit gelezen! Moeder vond het wel een leuk idee om met een schrijver getrouwd te zijn. Ze had zich voorgesteld dat mijn vader heel beroemd zou worden. Maar toen zag ze dat hij maar weinig goede recensies kreeg, en dat hij er nauwelijks geld mee verdiende, dus toen heeft ze het idee dat ze als zijn muze in literaire kringen zou worden opgenomen maar laten varen.'

'Jammer, hoor. Constance zou een voortreffelijke salon hebben gerund, denk ik zo.'

Matt schudde zijn hoofd. 'Ze was totaal niet geïnteresseerd in boeken. Niet in boeken op zich, als je begrijpt wat ik bedoel. Ze las nooit, dat weet jij ook.'

'Jij anders ook niet.'

Matt fronste. 'Nee, dat klopt. Geen romans, in elk geval. Ik zie het nut niet in van verzinsels – onwaarheden. Een mooie biografie zal ik niet afslaan. Of geschiedenisboeken. Die kan ik wel waarderen.'

'Dan ben jij toch juist heel geschikt om die papieren van je vader door te nemen? Kun je je mooi verdiepen in de geschiedenis van je familie. Maar denk je dat Louise wel tijd heeft om je erbij te helpen? Jonge kinderen zijn zo veeleisend.'

'Misschien niet. Tenzij...'

'Tenzij wat?'

'Tenzij ze met Poppy een poosje bij ons komt logeren.'

'Allebei? Een baby in huis, op jouw leeftijd? Dan komt al het oppassen op jullie neer, dat kun je op vingers natellen. Lou wil niet ophouden met werken, toch?'

Matt zuchtte. 'Van mij hoeft het ook niet zonodig, maar Phyl wil het per se. Lou verdient haar geld alleen maar met het lezen van scripts, waar ze dan leesrapportjes over moet schrijven. Dat kan ze net zo goed bij ons thuis doen.' De gedachte aan zijn dochter die in Londen over dat veel te kleine, aftandse bureautje van haar gebogen zat, terwijl zijn kleindochter in dat piepkleine kinderkamertje lag te slapen, maakte hem bedroefd en hij schudde zijn hoofd om dat gevoel van zich af te schudden. 'Ik weet niet wat ik er allemaal van moet denken.'

'Hou dan op met denken. Ik heb mijn koffie bijna op. Weet je wat? We doen net alsof we jong en roekeloos zijn, en we nemen er nog eentje.'

Zat Ellie nu met hem te flirten? Matt liep weer naar de toonbank en dacht na over wat dit voor gevolgen zou kunnen hebben. Hij vroeg zich af hoe hij moest reageren en bedacht zich meteen wat Phyl zou zeggen als ze erachter kwam. Ze was altijd al jaloers geweest op Ellie. Toen hij die ochtend wegging, had hij het idee dat er iets tussen hem en Ellie zou kunnen gebeuren volkomen belachelijk gevonden. Maar nu... Doe normaal man, vermaande hij zichzelf, terwijl hij met de koffie terugliep naar hun tafeltje.

Zo is Ellie nu eenmaal. Altijd al geweest. Het heeft niets te betekenen.

Cinnamon Hill Productions hield kantoor op twee verdiepingen van een vrij hoog, smal huis in een van de wat meer haveloze straten achter Tottenham Court Road. Toch begon Lou altijd wat sneller te lopen als ze in de buurt van het weinig opvallende kantoor kwam. Ze vond het er heerlijk. Ze kwam er alleen maar als ze een script moest bespreken met Harry Lang, maar ze zou er wel elke dag naartoe willen om aan haar eigen vier muren te ontsnappen en even ergens anders te zijn. Naar je werk gaan betekende voor haar meer dan voor andere mensen, realiseerde ze zich. Het stond voor haar symbool voor zoveel dingen. Het bewees bijvoorbeeld dat ze volwassen was. Dat kon ze anders maar moeilijk geloven, en dat kwam deels ook door haar leeftijd. Mijn hemel: ze was pas drieëntwintig en dat klonk helemaal niet volwassen en zeker veel te jong om moeder te zijn.

Ze had vijftien maanden gehad om aan Poppy te wennen, maar nog altijd was er die misselijkmakende steek van angst als het weer eens tot haar doordrong dat zij als enige verantwoordelijk was voor dit kind. Vanaf het moment dat haar dochter geboren was, zat ze in een duizelingwekkende achtbaan, die op en neer ging tussen angst en uitzinnige vreugde. Na de eerste paar weken werd dat iets beter. Tegenwoordig wist ze hoe ze Poppy in bad moest doen, aan moest kleden, moest voeden en troosten, maar toch was haar kind nog altijd een groot raadsel. Lou stond elke keer weer voor verrassingen. In zulke gevallen moest ze soms om hulp vragen. Als alle handboeken voor de jonge moeder haar in de steek lieten, sloeg de hysterie soms toe en maar al te vaak was ze daardoor in tranen.

Ik ben altijd zo opgelucht als ik haar mag afleveren bij het kinderdagverblijf, die drie dagen dat ze daarheen gaat – dat moet toch iets zeggen, dacht ze bij zichzelf. Dat ik blij ben om van haar af te zijn. Dat is toch niet normaal? Ze had het wel eens aangekaart bij Margie, dat van die opluchting, maar die zei dat het volkomen normaal was en ze had haar verzekerd dat alles later, als Poppy kon praten, veel gemakkelijker en leuker zou worden. Lou hoopte maar dat ze gelijk had.

Haar werk voor Cinnamon Hill Productions gaf haar ook een ingang in de filmwereld, hoe klein die ook mocht zijn. Ze hoorde erbij, ook al speelde ze maar een heel kleine rol. Film was Lous grote passie. Maar ze kon tegenwoordig niet vaak meer naar de bioscoop. Het kaartje was al duur, en dan moest ze ook nog de oppas betalen, dus dat ging niet. Maar toen haar vader haar een dvd-speler cadeau wilde doen, had ze geen nee gezegd, en om films te kunnen huren bij de videotheek zou ze desnoods geen eten voor zichzelf kopen.

Om bij het kantoor te komen moest je een paar trappen op die nodig eens schoongemaakt moesten worden. Het eerste wat je zag als je binnenkwam, was een kleine kantoortuin waar een paar mensen zaten te werken achter computers. Af en toe stonden ze op om het kopieerapparaat te gebruiken. Zo nu en dan ging de telefoon. Drie kleine kantoortjes kwamen uit op de kantoortuin. In twee van die kantoortjes zaten de producenten van Cinnamon Hill en in het derde werkte de scriptontwikkelaar. Dat was Harry. Zijn functie klonk gewichtig. Boven, waar vroeger een zolder was geweest, was nu de vergaderruimte. Dat klonk indrukwekkender dan het was. Hier werden vergaderingen gehouden in het zeldzame geval dat ze met meer dan drie mensen waren. Lou had ontdekt dat Harry vijf jaar ouder was dan zij. Hij was zo iemand die jonger leek dan hij was. Het was wonderlijk dat de machtige producenten überhaupt doorhadden dat hij bestond, laat staan dat hij, zoals Lou opmaakte uit de gesprekken op kantoor, zo door hen gerespecteerd werd.

Ze klopte op zijn deur en deed hem op een kiertje open. 'Harry? Mag ik binnenkomen?'

'Lou, hallo! Hoe gaat het? Wat heb je voor me?'

'Dit is dat ding van *Als het beest ontwaakt.*'

'Niet echt iets voor ons, denk je?'

'Niet echt iets voor wie dan ook. Hier is mijn verslag.'

'Wat zie je er... moe uit. Is er iets aan de hand? Gaat alles goed met je kind?'

'Ja, prima, maar mijn grootmoeder is overleden. Ik ben net naar de begrafenis geweest...'

'God, sorry, Lou. Neem me niet kwalijk. Was je close met haar? Heb je hier dan nu wel zin in? In ontwakende beesten, en zo?'

'Ik hield helemaal niet van haar. Het was een ongelofelijk kreng... Ze...' Tot haar ontzetting voelde Lou haar lip trillen en barstte ze in tranen uit. Mijn god, hoe kon ze nou toch zoiets zeggen over Constance, en nog wel tegen iemand die ze nauwelijks kende? Omdat ze zich zo genereerde dat ze op haar werk zat te huilen, kwamen de tranen alleen nog maar sneller, en ze groef in haar tas naar een zakdoekje. Harry sprong op en pakte er eentje uit zijn broekzak. Het was een glimmende witte. Zo eentje die je alleen nog maar zag in de reclame. Hij was nog gestreken ook. Wie had er tegenwoordig nog een gestreken zakdoek bij zich? Hadden mannen dan geen papieren zakdoekjes?

'Hier, Lou. Sorry. Je had niet hoeven komen. Wil je niet liever naar huis? Dan bel ik even een taxi.'

'Nee!' Dat kwam er veel te hard en wanhopig uit. Lou haalde een paar keer diep adem en snoot haar neus. 'Het gaat wel. Echt. Ik snap ook niet waarom... En dan die zakdoek van je. Heel erg bedankt. Ik zal hem wassen en dan krijg je hem de volgende keer weer terug.'

'Wat kan mij die zakdoek schelen,' zei Harry, en hij deed de deur open. Hij sprak even met Jeanette, die in de kantoortuin werkte. Ze werkte ook als receptioniste, en zij deed het meeste kopieerwerk en andere klusjes. Je zou haar een loopjongen kunnen noemen, dacht Lou. Of een *gofer*, zoals het bij de film heette. Hij ging natuurlijk koffie bestellen. Jeanette was ook Hoofd Koffiehalen.

'Zou je even een paar *lattes* voor ons willen halen, Jeanette?' Jeanette glimlachte naar Harry en stond meteen op.

'En ook iets van koffiebroodjes of croissants, of zo. Krentenbollen, muffins, het maakt me niet uit, als het maar iets zoets is, iets vullends. Goed? Dank je wel.' Harry deed de deur weer dicht en ging achter zijn bureau zitten.

Lou keek hem aan en dacht, zoals ze wel vaker had gedacht, dat hij eruitzag als een klein jongetje dat deed alsof hij volwassen was. Hij had lichtbruin haar waarvan een lange lok over zijn voorhoofd viel. Zijn bril, een vierkant schildpadmontuur, deed zijn bruine ogen groter lijken dan ze waren. Hij droeg graag spijkerbroeken met een T-shirt of een geruit hemd en hij had vaak Timberlands aan. Hij leek het grootste deel van zijn tijd door te brengen met schrijvers, die hij aanjoeg en bemoedigend toesprak. Ook zat hij veel bij de producenten en sprak regelmatig met Lou over dingen die zij de moeite waard vond om verder mee aan de slag te gaan. De meeste scripts keurden Lou en Harry uiteindelijk af. Dan moest die arme Jeanette of een van de anderen ze door de versnipperaar halen. Hoewel die tijd bijna voorbij leek nu er zoveel per e-mail werd gedaan.

Er werd een enorme hoeveelheid rotzooi geschreven, wist Lou, en het grootste deel daarvan kwam op haar bordje terecht. Deels doordat ze wist dat ze zelf zoveel betere dingen zou kunnen schrijven – als ze de tijd maar had – dan wat ze voor Harry moest lezen, bleef ze dromen over haar eigen scripts. Sinds ze begreep dat elke film op papier ontstaat, net als een toneelstuk, wilde ze dat werk doen. Ze had schriften volgeschreven, haar hele jeugd, met wat ze 'filmwoorden' noemde.

'Sorry, hoor, Harry. Ik heb gewoon niet geslapen vannacht, vandaar. Maar ja, zo gaat dat, met een klein kind. Morgen moet ik naar mijn ouders. Er is een familiebijeenkomst om mijn grootmoeders testament te bespreken.' Lou stopte de zakdoek in haar tas.

'Was ze rijk?'

Lou aarzelde. Moest ze er iets over zeggen? Hoorde je dit soort privézaken niet voor je te houden? Ze kende Harry nauwelijks, ook al was hij degene die haar had aangenomen. Ze zaten vaak lang te kletsen en konden het goed met elkaar vinden. Ze moest vaak om hem lachen, en hij was altijd heel aardig voor haar, maar ze hadden het nog nooit over iets persoonlijks gehad. Ze wist niet eens of hij een vriendin had. Ze had er nog nooit iets van gemerkt, in elk geval.

'Ja, ze was heel rijk,' begon ze, en voordat ze het wist rolde het hele verhaal zo uit haar mond, alsof Harry iets had losgemaakt. Terwijl ze over haar woorden struikelde, merkte ze dat het een enorme opluchting was om erover te praten: al die dingen die ze nooit aan haar familie kon vertellen, omdat die te dichtbij stonden. En Harry zat aandachtig te luisteren. Hij liet het niet zomaar over zich heen komen, hij luisterde echt. Zijn bruine ogen bleven op haar gefixeerd, en dus vertelde ze maar verder. Het opbiechten van haar angsten en haar woede en haar verontwaardiging en pijn, die de reden waren waarom ze zojuist in tranen was uitgebarsten, was natuurlijk ontzettend onvolwassen.

Ze stopte met praten toen Jeanette aanklopte en de koffie binnenbracht. Ze was dankbaar voor het gebaar, maar de eerste hap van haar krentenbol smaakte als zoet karton in haar mond.

'En nu?' vroeg Harry, die zich zijn broodje liet smaken.

'Nou...' Lou was aan het einde van haar verhaal gekomen. 'Ik denk dat we het daar tijdens dat etentje over gaan hebben. Mijn vader zal de discussie wel leiden, neem ik aan. En dan gaan mijn broer en zus zitten ruziën. En dan verandert er verder niks. Want

Constances testament is volkomen rechtsgeldig, en we moeten er maar gewoon mee leren leven.'

'Jezus, Lou, dat is ook erg. Gaan je broer en zus jou dan helemaal niet helpen? En je vader dan?'

'Die zal me heus wel helpen. Ik denk dat hij zal proberen om mij zijn deel te geven, maar ik ga het niet aannemen. Hij zal wel zeggen dat het van mij en van Poppy wordt, na zijn dood, en dat ik het dus net zo goed nu al kan aannemen.'

'En waarom niet? Als hij en je moeder het verder goed hebben en jij het geld nodig hebt?'

Lou schudde haar hoofd. 'Ze doen al genoeg voor me. Ze betalen het kinderdagverblijf – dat kan ik anders nooit betalen – en ze hebben me geholpen met mijn inrichting. Mijn tv. Mijn wasmachine. Ik leun al zo op ze.'

'En dat vorstelijke salaris dat wij je betalen, dan?' grapte Harry lachend.

'Ja, wat een schande, dat ik dat vergeet!'

'Die boeken van je opa, hè, hoe zijn die?'

'Ouderwets. Ze zien eruit alsof ze wel goed zijn, goed maar saai. Hij las me er wel eens uit voor, toen ik een jaar of tien was. Ik moet ze zelf maar eens lezen. Als ik tenminste kan ophouden met huilen op de meest ongelegen momenten.'

'Dat mag anders best. Kom maar gerust mijn zakdoek lenen als je die nodig hebt. Echt.'

'Moeten we het niet over dat ontwakende beest hebben?'

'Nee, ik moet zo weg. Het heeft geen haast.'

'O god, ik zit je op te houden. Sorry, Harry. Het zal niet nog een keer gebeuren.'

'Geen probleem. Ga je mee?'

Hij hield de deur voor haar open en liep met haar de smoezelige trap af. Toen ze buiten stonden, was de zon doorgebroken en een straf windje speelde met het afval dat rond hun enkels waaide.

Plotseling boog Harry zich naar voren, pakte de uiteinden van haar sjaal, bond die voorzichtig vast om haar hals en stopte hem in haar jas. Toen raakte hij even haar wang aan. 'Zorg goed voor jezelf, Lou,' zei hij, en hij zwaaide naar haar terwijl hij wegliep.

Lou bleef hem nakijken, overweldigd door hoe aardig hij was geweest: zo lief, en helemaal niet beangstigend. Ze vond het fijn hoe hij haar naam uitsprak.

Phyl stond in haar keuken en vroeg zich af wat ze eerst zou gaan doen. Meestal was ze helemaal niet gestresst als ze een dinertje moest regelen. Ze vond het heerlijk om mensen te ontvangen en dacht nog altijd dat ze goed kon koken, ook al had ze Nessa een paar jaar geleden tegen Gareth horen zeggen: *O, Phyl kan prima koken, maar om nu te zeggen dat ze erg creatief is in de keuken... Ze kookt alleen uit Delia Smith.* Wie zegt dat je creatief moet zijn in de keuken, hield ze zichzelf voor terwijl ze op een rijtje probeerde te zetten wat ze allemaal nog moest doen. Wat was er mis met gewoon heerlijk eten? En de recepten waren allemaal prima. Het smaakte uiteindelijk allemaal precies zoals Delia in haar kookboeken omschreef. Die kookboeken waren sinds haar trouwdag al een enorme steun voor Phyl.

Ze haalde de stukken kip uit de koelkast, klaar om in de marinade te leggen. Zouden andere mensen ook wel eens naar hun huwelijk kijken en zich afvragen hoe het toch allemaal zo gekomen was, dacht ze. Toen ze Matt voor het eerst zag, was ze meteen verliefd. Hij kwam langs met een van zijn moeders katten, voor een inenting. Ze werkte toen als assistente voor een dierenarts, waar ze vrienden maakte met zowel de dieren als hun baasjes. Ze adoreerde Matthew van een afstand en op een bescheiden, nogal hopeloze manier, en ze had nooit verwacht dat er ooit iets van zou komen. Ik kende hem al voordat Ellie hem ontmoette, dacht ze bij zichzelf. Maar toen, op een dag, had hij haar mee naar de bioscoop gevraagd, en die gedachte vond ze zo opwindend dat ze allerlei afspraken door elkaar had gehaald, en mevrouw Sanderson naar huis stuurde met het hondje van meneer Purdue, die na een kleine operatie lag na te soezen in zijn mand.

Phyl glimlachte en begon met de aardappelen. Ze vond aardappels schillen altijd heel ontspannend. Een Aardappelschil Spa – dat kon wel iets zijn! Lekker met je handen in het warme water, en dan met de dunschiller over de gladde schil, en mooie witte aardappels die je overhield aan het einde! Matthew... Ze wist nog precies wat ze aanhad, bij hun eerste afspraakje. Hij had haar op haar mond gekust bij het afscheid en ze had die nacht niet kunnen slapen. Phyl zuchtte. Ze waren daarna nog een paar keer uitgeweest, maar toen werd hij weggeroofd. Zo zag ze het. Ellie verscheen ten tonele en had hem verblind. Zijn moeder had die twee aan elkaar opgedrongen, overduidelijk en schaamteloos. Ellie woonde zo ongeveer op Milthorpe. Op een dag kwam ze langs met een kat die iets aan zijn pootje had. Ze boog zich over de balie en zei: 'Ik kom dit beestje brengen voor Constance. Matthew is namelijk een weekje weg.'

Ze had het hem recht voor zijn raap moeten vragen, dacht Phyl, toen ze eraan terugdacht hoe machteloos en gekwetst ze zich toen had gevoeld. Ze had moeten vragen: *Wat voel jij eigenlijk voor mij? Voel je überhaupt wel iets?* Ik ben zo stom geweest. Ik heb hem gewoon met haar laten trouwen, zonder een kik te geven. De tranen welden op, zelfs nu nog, na al die tijd, bij de gedachte dat ze eigenlijk al had besloten om met Matthew naar bed te gaan toen er een abrupt einde kwam aan hun affaire. Ze was er laat bij, met de seks. Zij was de enige van haar vriendinnen die toen nog maagd was, maar daar had ze het nooit over. Alsof het iets was om je voor te schamen. Ze had wel vriendjes gehad, voor Matt, maar ze wilde liever niet voor hen uit de kleren. Matt was anders. Hij mocht haar kussen en strelen. Hij had haar borsten ook al aangeraakt, en hij had laten blijken dat hij haar wilde, maar ze had geaarzeld. Zou alles anders zijn gelopen als ze met hem naar bed was geweest vóór hij Ellie leerde kennen? Phyl betwijfelde het. En toen hij er toch met Ellie vandoor ging en vervolgens met haar trouwde, werd haar gelijk bewezen.

Ze draaide zich weg van het aanrecht en ging op zoek naar een flinke pan voor de aardappels. Hardop zei ze: 'Maar nu is hij toch van mij.' Meteen voelde ze zich heel dom. Wat nou als iemand haar dat had horen uitkramen? Ach, het kan me ook niet schelen. Ik voel het nog steeds als een triomf, en trouwens, er is niemand thuis. Matt is aan het werk, Lou zit in Londen, ik ben helemaal alleen. Het visioen dat ze vaak had, dat Lou en Poppy bij hen zouden komen wonen, drong zich weer heel even op. Zij zou dat heerlijk vinden, maar Lou hield van Londen, en ook al aanbad Matt zijn kleindochter, hij zou het niet zo fijn vinden als er elke dag een baby in huis was.

Ellie was de allerslechtste echtgenote ooit, en daarom deed Phyl enorm haar best om de allerbeste stiefmoeder en tweede vrouw ooit te zijn. Ze wist dat er iets mis was met Matts huwelijk toen hij weer naar de praktijk kwam om speciaal voer te halen, dat je alleen maar daar kon krijgen… Ze had meteen in de gaten dat dat maar een smoesje was om haar weer te kunnen zien. Hij had haar nodig. Ze kon aan zijn gezicht zien dat hij ongelukkig was, en ze had hem zo aan de praat over wat er aan de hand was. Eerst in de praktijk, maar dat werd al snel een kopje koffie na het werk. En toen kwam het er allemaal uit: dat hij zo ongelukkig was, dat Ellie vreemd was gegaan, praktisch vanaf dag één van hun huwelijk. Maar hoe moest hij verder in zijn eentje? Wat was hij toch dom geweest om bij Phyl weg te gaan en om met Ellie te trouwen, enzovoort, enzovoort. Eerst een kop koffie, en toen een borrel in de pub, en daarna een lunch. En toen een dinertje. En nog eens een dinertje. En toen, op een dag, had Ellie de benen genomen met

Paolo, en werd de scheidingsprocedure ingezet. Zes maanden nadat de scheiding erdoor was, trouwde Phyl met Matt.

Phyl pakte de bloem en de suiker. Het werd tijd om met de taart aan de slag te gaan, maar misschien kon ze dat nog even uitstellen voor een bakje koffie. Ze nam haar beker mee naar de serre. Hier zat ze het liefst. Ze beschouwde het als haar kamer en had hem volgezet met de planten die ze mooi vond, zonder om andermans goedkeuring te vragen. Matt vond het prima, maar Nessa keek altijd een beetje verongelijkt als ze hier was. Ze vindt dat ik mijn huis vol moet zetten met die kunstbloemen van haar, maar waarom zou ik in 's hemelsnaam, als ik deze prachtige minijungle heb? Ze had Nessa heel eerlijk verteld dat ze haar zijden en papieren bloemen weliswaar schitterend vond, maar dat ze gewoon liever echte, levende planten had. Nessa had op haar schuldgevoel gespeeld, maar dat werkte niet. Ze had haar stiefmoeder de afgelopen jaren alleen nog maar cadeautjes gegeven die ze bij Paper Roses verkocht. Die adembenemende onbeschaamdheid deed Phyl glimlachen als ze in een goed humeur was. Maar als ze in een slecht humeur was, vond ze het opzettelijk wreed van Nessa, alsof ze haar wilde inwrijven: *Ik weet wel wat jij leuk vindt, maar dat krijg je niet van mij. Nooit. Integendeel, jij krijgt van mij alleen maar dingen waarvan ik weet dat je ze niet leuk vindt.* Ze vroeg zich af of die twee oude Chinese vazen uit de bibliotheek van Milthorpe House mooi zouden staan, hier in de serre. Misschien stonden ze wel beter in de hal. Dan zouden ze ook meer opvallen. Daar moest ze nog maar eens over denken. Matt vond het beledigend, wat Constance haar had nagelaten, maar ze was eigenlijk heel blij met al dat glaswerk en porselein dat nu van haar was.

Net toen Phyl wilde gaan zitten, ging de telefoon. Ze wierp een verlangende blik op haar koffie, maar nam toch op. 'Nessa! Leuk dat je belt! Hoe laat zijn jullie hier, morgen? O, nou goed, als je het zeker weet. Jammer dat Tamsin niet meekomt. Kom anders een andere keer met haar langs. Ja, je hebt gelijk, het zal ook wel een beetje… Nee, er komt heus geen ruzie. Toch? Heb jij al met Justin gesproken? Die zal zich toch wel gedragen, of niet?'

Phyl hing op en voelde een steek van dezelfde wrok die ze de afgelopen vierentwintig jaar had gekoesterd. Vanwege Matt had ze de gemengde gevoelens van toen ze voor Ellies kinderen moest gaan zorgen verborgen gehouden. Zo diep, dat het meestal lukte om zichzelf wijs te maken dat ze warme gevoelens voor hen koesterde. Maar als ik heel eerlijk ben, dacht ze terwijl ze een slokje van haar koffie nam en genoot van een wel heel uitbundig groeiende varen in een mooie terracotta pot, hebben ze altijd het bloed onder mijn nagels vandaan gehaald. En het is hen ook altijd heel goed gelukt mij het gevoel te geven dat ik tekortschoot. Zelfs toen Nessa nog maar negen was, gaf ze me steeds maar weer het gevoel dat ik niet goed genoeg was, en dat ik niet tegen haar moeder op kon. Dat ik niet zo mooi was als haar echte moeder. Ze had er geen misverstand over laten bestaan dat ze liever in Milthorpe House wilde wonen, en haar lieve schoonmoeder maakte daar flink misbruik van. Logees waren nooit een probleem voor Constance, voornamelijk doordat juffrouw Hardy degene was die al het zware werk in huis deed. Haar stiefkinderen waren daar zo vaak, dat dit huis niet eens meer hun thuis was. Had ik ze soms niet moeten laten gaan? Had ik er een stokje voor kunnen steken? Matthew zei altijd: *Mijn moeder mist Ellie meer dan ik. Dus dan is het wel zo eerlijk als de kinderen bij haar zijn, als zij dat wil.* En dat was bijna altijd, dacht Phyl. Een van de redenen waarom ik ermee instemde was dat ik het heerlijk vond als ze er niet waren, vooral toen Lou kwam. Ik had helemaal geen zin om mijn aandacht te moeten verdelen. Ik had er geen trek in om me bezig te moeten houden met de problemen van prikkelbare en veeleisende stiefkinderen. Ze deed haar ogen dicht. Ze had dit nooit aan iemand verteld, ook niet aan Matt. Ze had van dag tot dag geleefd, als in een trance van liefde voor Lou, en de anderen moesten zich daar maar in schikken. Ze wist niet of ze nu opzag tegen morgen of dat ze er juist naar uitkeek. Allebei een beetje, waarschijnlijk. Ze sloot haar ogen. Ik ga zo wel aan de taart beginnen, dacht ze, en toen doezelde ze weg in de koude lentezon die door de serreramen werd omgetoverd in een warm licht, waarin zij zich baadde.

Als Poppy zich een beetje gedroeg, was dit altijd het fijnste moment van de dag, vond Lou.

Ze waren teruggelopen van het dagverblijf, door het park, waar ze even bij de eendjes gingen kijken die door Poppy altijd met vreugdekreetjes werden begroet. Dan boog ze zich naar voren in haar wagentje, alsof ze bij hen in het water wilde springen. Ze zwaaide met haar armpjes en riep 'kwak, kwak,' zo hard dat Lou zich altijd afvroeg wat de andere moeders, die veel stillere en minder uitbundige kinderen hadden, wel van haar zouden denken.

Vanavond had Poppy haar bordje helemaal leeggegeten: een vaalgroene groentemix, fijngemalen in de keukenmachine waar ze volgens mama absoluut niet buiten kon. Ze vond het duidelijk lekker. En toen was ze ook ontzettend schattig geweest in bad, en was ze na maar één verhaaltje en een paar liedjes al in slaap gevallen. Terwijl Lou 'Over the Rainbow' zong, Poppy's lievelingsliedje, en zag hoe de oogleden van haar dochter dichtvielen, was ze opeens door angst overmand. Stel nou dat? De gedachte was zo beklemmend, zo verlammend, dat ze over haar hele lijf begon te trillen en ze de gedachte niet eens verder af wilde maken. Hij was er gewoon, in haar achterhoofd, en dat voelde alsof er een golf op het punt stond om haar te overspoelen: stel nu dat er iets vreselijks zou gebeuren met Poppy? Ze durfde dat verschrikkelijke idee niet verder in te vullen; ze wilde er geen vorm of naam aan geven. Ze moest vooral vermijden om het Lot te tarten, maar telkens als ze iets las of zag over vreselijke dingen die een klein kind waren overkomen, waar dan ook, dan kwamen die vreselijke dingen bij het lijstje van verschrikkelijkheden, dat ze in haar hoofd al had gemaakt: haar aller-, allerergste nachtmerrie. Er mocht nooit iets gebeuren met Poppy. Lou was niet gelovig, maar ze bad elke avond voor haar kind: laat haar alstublieft niets overkomen. Als u zorgt dat haar niets gebeurt, als u ervoor zorgt dat ze gezond en gelukkig blijft, dan zal ik verder nergens om vragen. Helemaal nergens om, voor de rest van mijn leven. Als u alleen daar maar voor zorgt.

Zodra ze Poppy's kamertje uit liep en naar de piepkleine keuken ging om voor zichzelf te koken, kwam Lou weer enigszins bij haar positieven. Wat een onzin, eigenlijk, dacht ze. Natuurlijk wil ik ook andere dingen in mijn leven, maar Poppy is het allerbelangrijkste.

Ze ging aan tafel zitten en voelde zich ineens heel zwak. Het komt niet door die angst dat ik me zo slapjes voel, dacht ze. Ik heb gewoon een lage bloedsuikerspiegel. Ik moet iets eten. Het was al eeuwen geleden dat ze die krentenbol van Harry had gegeten. Wat was hij toch lief! Hij was zo anders dan Ray dat ze zich nauwelijks kon voorstellen dat ze allebei tot hetzelfde soort behoorden. Ze huiverde. Waarom dacht ze nou nog altijd aan Ray, na al die tijd? Poppy was nu vijftien maanden. Ray had haar op straat gezet toen ze zes maanden zwanger was. Ze had al bijna twee jaar niks meer van hem gehoord. Maar hij is nog wel in mijn gedachten, dacht ze bij zichzelf, omdat ik nog altijd bang voor hem ben. Ik droom nog steeds over hoe het was, toen we nog samen waren.

Ray was naar Lou toe gelopen in de bar van de studentenvereniging, toen haar tweede jaar aan de Universiteit van York nog maar net twee weken begonnen was. Ze vond het studentenleven geweldig, maar ze kon zich nu nog maar met moeite voor de geest halen hoeveel plezier ze in haar studie had gehad, ook al was het pas zo'n twee jaar geleden. Vlak voor opa stierf, had ze haar eindexamen gehaald, en hij had haar aangemoedigd. 'Je moet gaan studeren, lieve Louise. Dan kom je ergens in de wereld. Dan kun je hier weg.' En ze wist dat hij met 'hier' eigenlijk op Constance doelde. 'Dan maak je vrienden en dan kun je je roeping vinden. Je zult zoveel geweldige dingen te lezen krijgen. Ik benijd je, maar je kunt mij komen vertellen wat je hebt geleerd van je docenten, en we kunnen samen je boeken bespreken.'

Maar dat had niet lang mogen duren. Ray was naar haar toe gekomen in die bar en vanaf het eerste moment dat ze hem zag, was ze door hem gehypnotiseerd. Ze had geen controle meer over zichzelf. Ze was trouwens zichzelf helemaal niet meer. Hij was lang en breedgeschouderd en als je Lou zou hebben gevraagd hoe haar ideale man eruitzag, dan was dat een heel ander soort man dan Ray. Ze viel juist altijd op slanke, donkere mannen: types zoals Johnny Depp. Zij ging voor de gekwelde dichter. Bleke mannen, met intense blauwe of donkerbruine ogen en lange, smalle vingers. Mannen die leken weg te kwijnen.

Maar Ray zag er tiptop en gezond uit. Hij had grijze ogen en kortgeknipt, blond haar, als een model voor een wel heel macho soort aftershave. Ray had haar gevraagd wat ze wilde drinken, en toen was het meteen gebeurd. Ze waren maar een keer of twee uitgegaan voor ze met hem het bed in dook, en tegen de tijd dat ze voor de derde keer afspraken – het afspraakje waarbij ze uiteindelijk de kleren van elkaars lijf scheurden – was Lou verliefd. Verliefd zijn op Ray was als verdrinken. Al het andere werd uitgevaagd, en hij vervulde al haar vezels met zijn overweldigende aanwezigheid. Tijdens hun eerste weken samen kon ze nergens anders meer aan denken dan aan hem. Haar familie, haar vrienden, haar studie, haar boeken, haar dromen, haar hele leven tot dan toe, alles verdween gewoon, alsof het allemaal nooit had bestaan.

Ik was dronken, dacht Lou, terwijl ze twee eieren klutste voor een omelet. Ik heb alles laten overschaduwen door de seks. Dat heeft alles gewurgd. Ik dacht dat het aan zou houden, dat dronken gevoel.

Toen Ray voorstelde dat ze zou stoppen met haar opleiding, zodat ze met hem mee kon naar Londen, had ze geen moment geaarzeld. Hij was al een jaar eerder afgestudeerd, dus het was puur geluk dat hij die avond toevallig de bar in was gekomen, omdat hij bij oude vrienden op bezoek was. Toen ze hem leerde kennen, had hij net een baantje als koerier. Hij klaagde over hoe hij zijn talent en zijn academische opleiding verspilde, maar hij vond het wel heerlijk om op zijn motor door de stad te scheuren. Zijn leren motorkleding en die glimmende zwarte helm pasten goed bij hoe hij zichzelf zag. Ze bloosde als ze eraan dacht hoe achteloos ze alles achter zich had gelaten: haar docenten, die er niets van begrepen en die nog iets mompelden over dat ze later de draad altijd nog op kon pakken; haar vrienden, die het iets beter begrepen, maar die haar desalniettemin gestoord vonden; en vooral haar ouders, die er helemaal kapot van waren. Mama had haar gesmeekt om in elk geval haar opleiding af te maken. 'Dan zie je Ray toch in de weekenden, lieverd. En in de vakanties. Je hebt toch heel lange vakanties, op de universiteit, of niet soms... Dat moet toch genoeg zijn?'

Maar dat was niet genoeg. Ray had gezegd dat hij geen dag zonder haar kon, en zij had hem geloofd. Ze glimlachte. Het was ook waar, maar op dat moment had ze niet ingezien dat zijn liefde voor haar betekende dat hij haar als zijn eigendom zag. Zodra ze bij hem ingetrokken was, sloeg hij om als een blad aan de boom. Hij werd jaloers. Eerst vond ze dat nog vleiend. Ze stond te kijken van de macht die ze kennelijk had; dat zo'n grote, sterke kerel zo afhankelijk was van haar. Ze lag in bed en liet zich door hem strelen en beminnen en aanbidden – dat zei hij altijd: *Ik aanbid je. Ik doe alles voor je. Ik kan maar niet genoeg van je krijgen.* Dat soort dingen wil je graag horen uit de mond van je geliefde, maar ze kwam er snel genoeg achter dat het bedreigende woorden werden als iemand ze letterlijk meende.

Ze begon voor het eerst te merken dat er iets mis was toen ze net een maand samenwoonden. Op een avond had ze een paar aardige dingen gezegd over Venetië tegen de ober in het Italiaanse restaurant waar ze zaten te eten, en die man had iets teruggezegd. Het had niks te betekenen. Het was gewoons iets onzinnigs over dat Venetië een mooie stad was, en dat zo'n mooie dame er toch vooral eens naartoe moest. Ray, die tegenover haar zat, had gefronst en meteen gezegd: 'Kom, we blijven hier niet langer.'

Ze had nog iets gezegd over dat ze op het punt stonden om iets te bestellen, en toen had Ray tegen de ober gezegd: 'Weg jij. We zijn van gedachten veranderd. We gaan.' Hij klonk agressief, alsof hij elk woord als een mokerslag wilde uitdelen. Toen liep hij naar haar kant van de tafel, greep haar arm vast en trok haar omhoog.

'Hou op! Je doet me pijn. Wat is er in godsnaam met je aan de hand?'

Bij wijze van antwoord trok hij haar met zich mee. Ze kon zich met geen mogelijkheid los worstelen. Hij was veel te sterk en veel te kwaad. Zijn gezicht was rood aangelopen en vertrokken van woede. Toen ze goed en wel het restaurant uit waren, liet hij haar los en beende weg als een nukkig jongetje. Ze kon hem nauwelijks bijhouden.

En ik rende hem achterna, herinnerde Lou zich, terwijl ze de randjes van haar omelet even optilde met een vork. Terwijl ik het restaurant weer in had moeten gaan. Ik had precies de andere kant op moeten lopen. Ik had nooit meer met hem mee naar huis moeten gaan. Maar ik ging wel mee. Ik huilde en riep hem na als een of ander hulpeloos schepsel. *Ray… wacht nou. Ray… ik kom eraan. Toe nou. Toe nou.*

Hij wachtte op haar. Hij stond in de gang toen ze binnenstormde en greep allebei haar polsen en trok haar omhoog, zodat haar voeten de grond nog nauwelijks raakten en haar gezicht ter hoogte van het zijne was.

'Dat flik je me nooit meer,' zei hij zachtjes, bijna fluisterend.

'Wat bedoel je?'

'Hang nou maar niet de vermoorde onschuld uit, hoer die je bent.'

'Ray, wat zeg je nou? HÓÉR? Wat is er toch aan de hand? Ben je dronken of zo? Ik ben het, hoor. Lou. Hoe… hoe kun je nou toch zoiets zeggen?'

Al dat onrecht, de pijn in haar armen, de schok om zijn gedrag: ze moest ervan huilen. Maar dat was een grote fout. Hij liet haar abrupt vallen en sloeg haar midden in haar gezicht.

'Hou je bek! Hou op met dat gejank! Dat doe je alleen maar zodat ik me schuldig voel. Jezus, gaat ze hier verdomme een beetje lopen janken. En waarom? Ik ben hier degene die zou moeten huilen!'

'Maar hoezo? Wat heb ik dan gedaan?'

'Dat mag jij mij vertellen.'

'Ik heb helemaal niks gedaan.'

'Jij hebt je door die vent laten neuken.'

'Wat? Over wie heb je het?'

'Die ober…'

'Je bent niet goed bij je hoofd, Ray. Dat meen je toch niet echt? Ik heb die man nog nooit eerder gezien.'

'Ja, dat zeg jij. Maar ik zag heus wel hoe je naar hem keek. Ik weet het gewoon. Je hebt het met hem gedaan. Met wie heb je het eigenlijk nog meer gedaan? Hij is vast niet de enige. Nou, vertel op.'

Godzijdank, dacht Lou, terwijl ze haar omelet op een bord liet glijden en ermee naar de bank liep, was ik zo slim om niet met hem te trouwen. Niet dat hij me ooit heeft gevraagd. Soms werd ze 's nachts wakker, doodsbang dat Ray ineens weer op de stoep zou staan. Dat hij het in zijn hoofd zou hebben gehaald dat hij het recht had om Poppy te zien. Papa had haar verteld over allerlei gerechtelijke verboden en andere juridische stappen die je kon nemen om iemand buiten de deur te houden, maar ze was nog steeds af en toe bang. Hij had haar op straat gezet toen ze zes maanden zwanger was. Haar kleren had hij in de twee koffers ge-propt die ze bij zich had toen ze naar hem toe kwam, en die had hij uit het raam op straat gegooid, zoals je wel eens in films zag. Het enige wat hij had gezegd was: 'Denk je nou echt dat je mij aan je kunt binden door je zwanger te laten maken? Nou, vergeet het maar. Ik ben niet van plan om een cent te betalen voor die bastaard van jou, geen ene rooie rotcent. Want waarom zou ik geloven dat het mijn kind is, als ik alleen jouw woord heb?'

Lou was zo blij dat ze weg kon, dat ze niet tegensputterde. Als ik maar weg ben, had ze gedacht. Sindsdien had ze nooit meer iets van hem gehoord. Hij was uit haar leven verdwenen en daar was ze nog altijd dankbaar voor. Ze had haar koffers van de stoep op-geraapt, had een taxi genomen en was regelrecht naar Victoria Station gereden. Achter in de taxi had ze haar moeder gebeld om te vertellen wat er was gebeurd. Het eerste wat ik moet doen, dacht ze, is een ander telefoonnummer regelen. Ik moet zo onbe-reikbaar mogelijk worden. Maar Ray kan me altijd vinden via pa-pa's kantoor. Toen mama de deur opendeed, herinnerde Lou zich nu, huilde ze van opluchting en begon ik zelf ook te huilen. Ray had nooit meer van zich laten horen, en daar was ze verschrikke-lijk blij om.

Genoeg met dat herinneringen ophalen. Ze moest nog pakken voor Haywards Heath, morgen, en niet alleen voor zichzelf, maar ook voor Poppy. Dat was wel een stuk minder gesleep tegenwoor-dig, want Phyl had bijna alles dubbel gekocht, om haar al die moeite te besparen. Er waren nog altijd wel lievelingsspeeltjes en andere dingetjes die mee moesten. Wat vond papa er eigenlijk van dat een van de logeerkamers was omgebouwd tot kinderkamer, op dit punt in zijn leven? Hij was bijna even gek op Poppy als mama, dus hij had er waarschijnlijk geen probleem mee dat er een bedje en luiers en luierdoekjes waren voor als zij kwamen logeren.

Lou was er helemaal niet zeker van dat deze bijeenkomst van

hen vijven om de bepalingen van Constances testament te bespreken veel goeds zou brengen. Het idee dat ze rond de tafel moest zitten met Nessa en Justin en papa en mama bracht in herinnering hoe het vroeger was. Dat iedereen over haar hoofd sprak over dingen waar ze niets van begreep. Ze had wel eens een kom cornflakes in Nessa's schoot omgekeerd, omdat die haar voortdurend buiten het gesprek hield. Dat kan ik nu niet meer doen, dacht ze, ook al weet ik nu al dat ze me waarschijnlijk het bloed onder de nagels vandaan zullen halen.

Ze had haar omelet op. Ongelofelijk, hoe weinig eetlust je had als je alleen woonde en nooit meer voor iemand hoefde te koken. Heel even stelde ze zich voor dat ze voor Harry in de keuken stond. Kom op, zeg, vermaande ze zichzelf, waarom zou hij met jou willen eten? Hij heeft vast een vriendin. Of misschien wel een vriend. Doe niet zo stom. Harry! Ze zette haar bord in de gootsteen en draaide de kraan open, terwijl ze zich voornam om eens bij Jeanette of een van de anderen te informeren naar Harry's liefdesleven. Niks mis mee toch, dacht ze, als je geïnteresseerd bent in de mensen met wie je werkt. Nieuwsgierigheid is heel natuurlijk.

Ze wist ook wel dat ze waarschijnlijk hard weg zou lopen als Harry ooit iets zou proberen. Hoelang zou het eigenlijk nog duren voor ze weer met een man uit zou willen gaan? Op dit moment was ze als de dood voor alleen al de gedachte aan seks. Dat klopt toch niet, dacht ze. Je bent begin twintig – je kunt toch niet de rest van je leven celibatair blijven? Ze wist ook wel dat ze waarschijnlijk op een dag wel weer zou willen dat iemand haar aanraakte, haar vasthield en haar kuste – maar zodra iemand iets te dichtbij kwam, raakte ze in paniek bij de gedachte aan wat er zou kunnen gebeuren. Dan bleef ze in het vervolg bij die persoon uit de buurt.

Ze had besloten om na het eten in het eerste boek van haar opa te beginnen. Ze was het direct na de begrafenis al van plan geweest, maar op de een of andere manier kwam er steeds van alles tussen. Ook al had ze nog zoveel van haar opa gehouden, het vooruitzicht was niet bepaald aanlokkelijk. Maar ze wilde Nessa en Justin kunnen zeggen dat het geweldige boeken waren, mochten ze ernaar vragen. Ze zou hoe dan ook zeggen dat het briljant werk was, wat ze er zelf ook van dacht. Ze zou in bed kruipen en een paar bladzijden lezen, en dan vroeg gaan slapen. Poppy werd de laatste tijd voor dag en de dauw wakker, en morgen zou het een lange dag worden.

Vier uur later, om halfeen, deed Lou het licht uit en sloot haar ogen. Ze hijgde, alsof ze een stuk had gerend. Dat is ook zo, op een bepaalde manier, dacht ze. Toen ze met het boek in bed was gekropen, was ze begonnen met een stukje vrij in het begin:

Waarom, vroeg Peter zich af, kon hij niet met zijn vader en de andere mannen mee naar hun kamp? Het had iets zwaks, iets oneervols dat hij tot de vrouwen en kinderen werd gerekend. Het kamp was helemaal niet zoals hij had verwacht. Hij keek om zich heen en wat hij zag was een aantal lange hutten, zoals die in Kampong Aya, waar hij altijd langs kwam op weg naar school. De hutten stonden op hoge palen, en de daken waren bedekt met bladeren. Er zat geen glas in de ramen. Nergens was gras, alleen maar zand, dat in zijn sandalen kroop en dat jeukte aan zijn voeten. De zon stond hoog: een gigantische bal wit licht die alle kleur uit de hemel brandde. Het moest nu ongeveer lunchtijd zijn, maar niemand had iets gegeten sinds ze uit Jesselton waren vertrokken, uren geleden. Het zweet druppelde tussen zijn schouderbladen en de hitte deed de randen van alles om hem heen vervagen. De bomen aan de rand van de barakken flikkerden in de hitte. Het hoge hek met prikkeldraad bovenop had op elke hoek een bewaker. De hoofdpoort, gemaakt van bamboe en hout, was zo hoog als een huis. Daar kon niemand opklimmen, omdat dat ook al in prikkeldraad was gewikkeld. Zijn moeder en Dulcie ston-

den in een rij van vrouwen en ze zeiden geen woord, niet tegen el-kaar en niet tegen iemand anders. Een paar Japanse mannen ston-den te schreeuwen. Hij keek heel voorzichtig naar die mannen... de vijand. Ze zagen er niet erg angstaanjagend uit, en hij begreep niet waarom hij dan toch verstijfd was van angst. Het waren kleine, ma-gere kereltjes, en hun stemmen klonken schril en boos. Een paar kin-deren huilden. Hij niet. Hij zou niet huilen. Hij zou dapper zijn. Als papa hier niet kan zijn om mama te helpen, dan doe ik het wel, dacht hij. En Dulcie. Die help ik ook. Zijn moeder zou een baby krijgen. Zou de baby hier worden geboren, in het kamp? Hadden ze hier wel dokters? Daar maakte hij zich zorgen om.

Die arme jongen! Lou stelde zich de hitte voor, drukkend als een strijkijzer dat alles gladstreek. Zonlicht zo fel dat het pijn deed, en dan gedwongen worden om buiten te staan, of gestraft worden op manieren die het menselijk brein nauwelijks kon bevatten, zo gru-welijk waren ze. Vreemde geuren: brak water, zoute vis, orchideeën met vlezige bloemblaadjes. Kreten van pijn. Een baby die geboren wordt. De worsteling van de moeder. En kind dat huilt en nie-mand die het troost. Koorts. Zweet. Overal vijanden. En honger. Altijd, altijd te weinig te eten en drinken. Krankzinnig verlangen naar voedsel en water, zo heftig dat je tot wanhoopsdaden in staat bent. Het beeld van de maan, de blinde maan uit de titel, was be-langrijk. Telkens als er iets gebeurde in het kamp, telkens als er iets verschrikkelijks werd beschreven, hing die maan daar, hoog in de lucht. Peter en zijn vriendjes speelden een spelletje waarbij ze deden alsof de maan kon zien wat ze allemaal uitvraten, maar door het hele boek heen werd de maan als blind omschreven: fletsblauw, gloeiend in het donker en bij volle maan als een enorm nietsziend oog. Maar boven alles stegen vanaf de bladzijden de karakters, van wie de woorden in haar hoofd werden gebrand en van wie de diep-ste gedachten Lous aderen binnenstroomden als een bloedtransfu-

79

sie. Peter. Zijn moeder, Annette. Haar vriendin Dulcie. Wat opa haar had voorgelezen, zag ze nu, was maar een fractie van de roman en het was geen wonder dat hij het grootste deel van het verhaal niet aan haar had verteld. Dat soort verschrikkingen had ze als kind absoluut niet aangekund. Hij concentreerde zich op de streken van de jongens en de avonturen, maar de tragedies liet hij weg. Niemand vertelt aan een kind dat zulke dingen gebeuren. Je probeert de mensen van wie je houdt te beschermen. Je probeert ze de wereld niet te laten zien, als die wereld zo is. Vooral daarom had opa het boek voor haar verborgen gehouden.

Tranen vormden zich in Lous ooghoeken, terwijl ze aan John Barrington dacht, en aan hoe droevig het was dat hij er niet meer was nu ze hem van alles moest vragen over zijn boek. Over al zijn boeken, maar vooral over dit. Ze schoot overeind, omdat ze zich iets herinnerde. Papa had het gehad over twee dozen vol papieren van opa. Die wilde ze hebben. Ze wilde elk snippertje papier dat hij had nagelaten zien. Er móésten wel aanwijzingen zijn. Ik ga er achter proberen te komen waarom opa zijn boeken heeft geschreven, en wat ze voor hem betekenden. Misschien zit er wel een dagboek in die dozen, of zo. Ik ga vragen of ik ze mee naar huis mag nemen. Dat vinden papa en mama vast geen probleem. Pap zal blij zijn dat hij zich er niet mee bezig hoeft te houden en mama zal blij zijn om ze niet meer in huis te hebben staan. Lou wist dat Phyl het maar stofnesten vond. Ze begon zich te verheugen op de volgende dag. Dat vreselijke etentje-met-de-familie zou toch nog de moeite waard worden.

3

Als iemand zegt dat het net als vroeger is, ga ik gillen, dacht Nessa terwijl ze de tafel rond keek. Er was iets met dit huis, en met Phyl, wat haar gruwelijk ergerde. Nu ze er zo eens over nadacht, was dat ook al zo toen ze negen was. Ze nam een stuk kip dat er − moest ze toegeven − heel verleidelijk uitzag. Justin sloofde zich alweer uit met zijn charmes. Hij kon het niet laten.

'Het is weer net als toen we nog klein waren, hè, Phyl? En je hebt mijn lievelingsgerecht gemaakt… kleefkip, zoals ik het altijd noemde. Super.' Hij nam drie kippenvleugeltjes, schepte op van de groente en gebakken aardappels, en viel gretig aan, terwijl hij zijn stiefmoeder met volle mond toe grijnsde. Hij was vandaag gehuld in een designerspijkerbroek en een zwart overhemd. Hij zag er geweldig uit. Nessa was al lang geleden opgehouden om jaloers te zijn op het knappe uiterlijk van haar broer.

'Slaapt Poppy al?' vroeg Phyl, en papa kwam tussenbeide nog voor Lou ja of nee had kunnen zeggen. 'Wat is ze schattig, hè, Nessa? Justin? Heb jij haar nog gezien voordat Lou haar mee naar boven nam?'

'Snoezig,' zei Nessa, in een poging oprecht te klinken. Nou goed, het was een lief kindje, dat zou niemand ontkennen, maar ze gedroegen zich alsof er nog nooit eerder een baby geboren was. Iedereen was duidelijk alweer vergeten hoe schattig Tamsin was geweest op die leeftijd. Dat was ze trouwens nog steeds. Ze was echt een heel leuk kind geworden. Nessa merkte wel eens dat ze naar haar dochter stond te kijken en dat de tranen haar dan zomaar in de ogen sprongen. Nessa was trots op haar, en niet alleen omdat Tamsin slank was, en goed kon dansen en sporten. Ze was stiekem ook opgelucht dat Tamsin op haar leek, en niet op Gareth. Het idee dat ze tot haar oude dag getrouwd zou moeten blijven met haar echtgenoot vervulde Nessa ineens van moedeloosheid. Hij verveelde haar nu soms al, dus hoe kon dat ooit beter worden? Het zou niet beter worden. Het zou alleen maar erger worden, dat stond vast. Ze deed zo nu en dan haar best om zich voor de geest te halen hoe het vroeger was geweest tussen hen, maar meestal kwam er dan geen enkele herinnering boven van hoe ze het samen hadden gehad.

Nessa nam een hap van de kleefkip en voelde zich een tikje schuldig omdat ze wel besefte dat ze haar man min of meer ontrouw was. Ze wist wel een manier om deze gedachten van zich af te zetten en ze besloot ervoor te gaan. Het was tijd om de knuppel in dit hok vol schattige hoenders te gooien. 'Het is heerlijk, Phyl, zoals gewoonlijk. Wat heb je een hoop moeite gedaan. Maar we zijn hier niet voor niets, en ik vind dat we het er nu toch echt over moeten hebben. Het testament. Toch?'

'Ach, toe, Ness,' zei Justin. 'We zijn al een eeuwigheid niet meer als gezin bij elkaar geweest in dit huis. Kunnen we niet eerst gewoon lekker eten en kletsen?'

'Nou, nee, ik vind van niet, als je het weten wilt.' Nessa hoorde dat ze een toon aansloeg die ze alleen gebruikte als ze met haar familie was, en ze deed haar uiterste best om te blijven klinken als een redelijke volwassene en niet als een zeurderig zusje. Ze haalde diep adem. 'Wat vind jij, Lou?'

Lou keek op, duidelijk verbaasd dat haar iets werd gevraagd. 'Ik ben het met Nessa eens,' antwoordde ze. 'Ik krijg geen hap door mijn keel als dit boven ons hoofd hangt. Ik word er bloednerveus van.'

'Maar er is toch niets om je zenuwachtig over te maken, schat,' zei Matt. 'We zijn hier alleen maar om te bekijken of er iets te doen valt aan de bepalingen in mijn moeders testament.' Hij schepte zichzelf wat worteltjes op, die bereid waren met honing, gember, komijn en peterselie. Een van Phyls specialiteiten. 'Ze is kennelijk het spoor een tikje bijster geraakt, tegen het eind van haar leven.'

'Misschien niet,' zei Justin. 'Misschien wilde ze wel gewoon doen waar ze zin in had en durfde ze dat niet aan jou te vertellen, pa. Ze wist dat jij er ruzie over zou maken, en dat je haar om zou willen praten. Dat ze het weer terug zou moeten draaien.'

'Het had ook weer teruggedraaid moeten worden.' Nessa wierp haar broer een boze blik toe. 'Hoe kun jij het in godsnaam rechtvaardigen dat ze Milthorpe House aan jou heeft nagelaten?'

'Nou ja, ze moest het toch aan iemand nalaten? Jij hebt al een huis. En pa ook. Ik zie niet in wat er mis mee is om het aan mij na te laten.'

'Maar Milthorpe is helemaal geen húís. Het is een gigantisch landgoed, en je maakt mij niet wijs dat jij er ook echt wilt gaan wonen. Hoeveel denk je dat het waard is?'

'Dat weet ik niet precies natuurlijk, maar ergens tussen de twee en de drie miljoen, gok ik,' zei Matt.

Justin was zo fatsoenlijk om verbaasd te kijken, maar hij herstelde zich snel. 'Waarom zou ik daar niet willen wonen?'

'Jij, in je eentje? Ongetrouwd, en zonder kinderen? Dat slaat toch helemaal nergens op?'

Nu keek Justin boos naar Nessa. 'Misschien ga ik wel trouwen en krijg ik vijf kinderen. Hoe durf jij, met je ene dochter, te beweren dat jij meer recht hebt om Milthorpe te erven dan ik?'

'Nessa… Justin… ga nu alsjeblieft niet tegen elkaar lopen schreeuwen.' Matt probeerde hen allebei ernstig aan te kijken, dacht Nessa, maar hij keek alleen maar verdrietig. Hij ging verder: 'Het probleem is dat ik dit testament niet voor een rechter kan aanvechten. Ik heb uitgebreid gesproken met Andrew Reynolds, en die zegt dat moeder volkomen gezond van geest was toen hij bij haar was, en haar arts en verpleegsters hebben ook nooit iets gezegd over eventuele – nou ja, veranderingen in haar manier van doen. Het is dus allemaal aan jou, Justin. Om te doen wat je volgens mij zou moeten doen. Heb je erover gedacht om het huis en de grond te verkopen, en dan de opbrengsten te verdelen? Als we allemaal eerlijk zijn dan zitten Nessa en jij geen van beiden echt te springen om in een gigantische hoop stenen kilometers bij je werk vandaan te gaan wonen. Heb ik gelijk of niet?'

'Nou, nee, dat zie je verkeerd.' Justin streek een lok haar uit zijn ogen en ging achterover hangen in zijn stoel, zodat die op zijn achterste poten balanceerde. Nessa vroeg zich af hoelang Phyl zich in kon houden voor ze hem zou vragen daarmee op te houden. In hun jeugd was het een van haar voorspelbaarste vermaningen geweest, en de geest van haar *als je niet fatsoenlijk rechtop kunt zitten, ga dan alsjeblieft maar naar je kamer* zweefde boven hun hoofden. Nessa ving de blik van haar stiefmoeder op en vroeg zich af of die het zelf ook kon voelen. Kennelijk niet, want ze wendde meteen haar blik af en at door, zonder veel enthousiasme.

'Ik heb niet nagedacht over de boel verdelen. Natuurlijk niet. Je denkt toch niet dat ik gek ben? Ik ga daar wonen en ik ga er geweldige dingen mee doen, wacht maar eens af.' Justin glimlachte. 'Het spijt me enorm dat Nessa ervan baalt, en dat Lou helemaal niets krijgt is gewoon vreselijk, maar daar kan ik verder niks aan doen, en ik zie ook niet in waarom ik degene ben die daarvoor gestraft moet worden.'

'En jij dan, Nessa?' Matt keek haar aan.

'Hoe bedoel je? Wat heb ik er verder mee te maken? Justin heeft zo te horen zijn besluit genomen, en als hij niet redelijk wil zijn, dan kunnen wij verder niks.'

'Ik begrijp het al.' Justin begon rood aan te lopen. 'Dus wat jij vindt, en wat pa vindt, dat is allemaal redelijk, en wat ik denk is bullshit. Zit het zo?'

Hij kon nooit kalm blijven tijdens dit soort gesprekken. Hij ging altijd uit zijn dak, dacht Nessa, die zichzelf een denkbeeldig schouderklopje gaf omdat zij in elk geval altijd haar kalmte wist te bewaren.

'Het is toch ook altijd hetzelfde,' ging hij verder. 'Dat doe je nou altijd, Nessa. Ons hele leven al. Jij zit een beetje superieur te doen, en te kijken alsof het jou allemaal niks kan schelen, terwijl het je heel veel kan schelen... En dat weet jij heel goed. Je zit je er ongelofelijk over op te winden dat ik het huis heb gekregen, en jij niet. En als je het mij vraagt, dan is dát juist niet eerlijk. Jij doet net alsof ze jou met een aalmoes heeft afgescheept. Maar jij bent altijd de gebeten hond, of niet soms? Jij voelt je altijd tekort gedaan.'

'Godallemachtig, Justin. Je stelt je aan als een klein kind. Dat is trouwens überhaupt je probleem.' Nessa boog zich naar haar broer toe om haar punt kracht bij te zetten. 'Jij bent gewoon nooit volwassen geworden!'

'Genoeg!' Phyl deed voor het eerst sinds ze aan tafel waren gegaan haar mond open. Ze klonk precies zoals vroeger, als ze onzinnige ruzies tussen hen moest beslechten. 'Jullie gedragen je als een stel kinderen, en jullie zijn niet bepaald degenen die onrecht is aangedaan, geen van jullie beiden. Horen jullie Lou iets zeggen? En zij is degene die echt iets te klagen heeft, zou ik denken.'

'Sorry, Phyl,' zei Nessa.

'Ja, sorry...' zei Justin, en zijn zusje hoorde dat hij een glimlach in zijn woorden legde en zag hoeveel moeite hem dat kostte. Maar je moest hem nageven dat hij enorm goed kon doen alsof. Ieder ander, dacht Nessa, zou denken dat alles nu weer goed was, maar zij wist dat Justin nog steeds kookte, en vooral dat hij zich uit de voeten wilde maken. Nou, dan ben je niet de enige, broertje, dacht ze bij zichzelf. Ik kan ook niet wachten om weer naar huis te gaan.

'Het is al goed,' zei Phyl tegen hen beiden. Ze legde haar mes en vork keurig recht naast haar bord. Met een lachje dat Nessa kende van vroeger, het lachje dat suggereerde: *dit is mijn liefhebbende, moederlijke glimlach, maar pas op!* zei ze: 'Maar Justin heeft wel een punt, Nessa. Constance heeft jou een enorm geldbedrag nagelaten, uit aandelen en zo. Ik vind het een beetje – nou ja, ik vind niet dat Justin de enige is die zou moeten overwegen om zijn erfenis eerlijk te verdelen over jullie drieën. Gareth en jij verdienen allebei goed, en ik weet zeker dat wat Lou nodig heeft...'

'Ik heb helemaal niks nodig, mama,' zei Lou, die Phyl nog net op tijd kon onderbreken.

Als ze niets zou hebben gezegd, had Nessa niets van Phyl heel gelaten. Hoe durfde ze? Hoe durfde haar stiefmoeder te suggereren dat zij haar geld zou moeten delen terwijl Justin iets had geërfd dat zo ontzettend veel meer waard was? 'Ik zie niet in waarom wij Lou zouden moeten helpen omdat zij niet met Constance kon opschieten,' zei ze. Ze voelde zich een beetje schuldig, want ze besefte dat Phyl ergens wel gelijk had. Matt had het dessert op tafel gezet en schepte op, terwijl Phyl sprak. Nessa nam een grote hap van de appelcake, op een, naar ze hoopte, nonchalante manier. Toen zei ze iets milder: 'Wij hebben daar eigenlijk niets mee te maken.'

Lou keek haar woedend aan. 'Dat hebben jullie inderdaad niet. Dat klopt, Nessa. Ik ben prima in staat om voor mezelf te zorgen. En ik verhonger nog liever dan dat ik van een van jullie tweeën geld aanneem. Constance mocht mij niet, en ik weet denk ik wel waarom, ook al doet dat er nu niet meer toe. Hoe dan ook, maken jullie je vooral niet druk. Bedankt dat jullie me willen helpen, papa en mama. Ik zou het echt niet gered hebben zonder jullie, het afgelopen jaar. Maar dat blijft niet zo. Ik kan heus mijn eigen geld wel verdienen, en dat gaat ook gebeuren. En tot die tijd red ik het ook wel, ook al zwem ik momenteel niet bepaald in het geld. Dat kan me niks schelen. Ik hoef geen liefdadigheid van Nessa en Justin.'

'Heel goed, Lou!' zei Justin. 'En ik weet zeker dat je echt iets van je leven gaat maken! Ik heb alle vertrouwen in je talent en in je doorzettingsvermogen.'

'Ja, ik ook,' zei Nessa, die zich afvroeg of zij de enige was die de opluchting in Justins stem kon horen. Ze waagde het diep in haar hart te betwijfelen dat Lou ooit carrière zou maken, dat arme schaap. Ze had haar studie niet eens afgemaakt, en dat zat er nu al helemaal niet meer in, met zo'n klein kind. Maar goed, ze was dapper, en daar kon je alleen maar bewondering voor hebben. Ze schonk Lou een glimlach en zei: 'Ik vind je heel nobel, Lou, echt waar, en ik hoop dat het allemaal gaat lukken. Maar je kunt altijd bij me aankloppen als je hulp nodig hebt, dat weet je toch wel, hè? Je kunt ook altijd komen logeren als je even uit Londen weg wilt. Ik meen het. Echt.'

'Dank je, Ness,' zei Lou. 'Je bedoelt eigenlijk: als ik omkom in mijn sores. Dat is aardig van je. Misschien hou ik je er nog wel eens aan.'

Nessa lachte en hoopte heimelijk dat het niet te snel en niet te vaak zou gebeuren. Niet dat ze dacht dat Lou meteen bij hen op de stoep zou staan, als ze al ooit zou komen. Ze had in elk geval een gebaar gemaakt, dus haar eer was hersteld. Justin had daarentegen helemaal niks gezegd. Matt keek nog altijd behoorlijk kwaad. Hij was duidelijk niet van plan om het hier bij te laten. Er zou flink wat heen en weer geschreven, gemaild en gebeld gaan worden, maar het zou allemaal niets uithalen. Iedereen zou voet bij stuk houden. Dit etentje was precies zo gelopen als Nessa al had voorspeld. Zonde van de tijd, dus. Ze had een halfuur in de auto gezeten om hier te komen, en nu moest ze straks weer een halfuur terugrijden. Zinloos en dom.

Ze keek naar haar broer en had, zoals zo vaak, zin om hem een klap in zijn zelfingenomen gezicht te geven. Hij was bezig om wat slagroom op te scheppen die Phyl bij de appelcake serveerde. Hij zou baden in weelde, en dat verdiende hij niet, vond Nessa. Nou, ik ben nog niet klaar met hem. Ze besloot om Justin binnenkort eens op te zoeken. Hij zou wel niet inbinden, maar zij was niet van plan om het nu al op te geven.

'Ik had de nachtdienst anders best van je over willen nemen,' zei Phyl. Ze kwam Poppy's kamer binnen lopen, terwijl Lou bezig was de luier van haar dochter te verschonen. Het was twee uur 's nachts. Nessa en Justin waren allebei na het eten naar huis gegaan, en meteen was er weer een soort vrede over het huis gedaald. 'Als Poppy weer wakker wordt,' ging Phyl verder, 'dan zal ik wel voor haar zorgen. Ga jij nu maar weer naar je bed en slaap morgen lekker uit. Je hoeft toch niet meteen al weer weg?'

'Dat is lief van je, mam,' zei Lou terwijl ze de klittenbandjes van de luier over Poppy's buik vastmaakte en haar voetjes terugstopte in de trappelzak. 'Dat sla ik niet af. Bedankt.'

'Ga lekker naar bed, dan neem ik het wel van je over.'

'Nee, laat maar. Als jij haar de volgende keer doet, is het prima.' Ze pakte Poppy op en hield haar dicht tegen zich aan. 'Meestal slaapt ze wel door. Het komt door het vreemde bedje. Is ze gewoon niet aan gewend.' De geur van het schone babyhuidje en de babydoekjes vulde en maakte haar wee van een mengeling van liefde en angst... Die oude angst dat ze het op de een of andere manier niet aan zou kunnen, dat ze niet in staat was om al die dingen te doen die ze zou moeten doen. En dan? Wat zou er dan gebeuren? Dan zou Poppy eronder lijden.

'Weet je...' Mama klonk aarzelend. Ze fluisterde zo zachtjes, vanwege Poppy, dat Lou haar nauwelijks kon verstaan.

'Wat?'

'Wij kunnen best een poosje op haar passen, een paar weekjes, of zo. Dan heb jij even je handen vrij. Ik zou het heerlijk vinden, Lou, echt. Je vader vindt het ook leuk, dat weet ik zeker. We zullen goed voor haar zorgen. Je hoeft je nergens zorgen over te maken. En dan kom jij in het weekend ook hier naartoe. Denk er maar even over na, Lou. Je ziet er zo ontzettend afgemat uit, liefje. Ik hoop niet dat je het erg vindt dat ik het zeg, maar het is zo. Dit gedoe... die ruzie over Constance en het testament is de laatste druppel, of niet? Na... nou ja, na al die andere dingen.'

Lou wiegde van achteren naar voren, in de hoop dat Poppy door die beweging weer in een diepe slaap zou vallen, en dacht: ik kan haar gewoon aan mijn moeder geven. Ik kan Poppy hier achter laten. Dan hoef ik niet midden in de nacht op te staan. Dan hoef ik haar niet naar het kinderdagverblijf te brengen. Dan kan ik een beetje sparen. Dan hoeft ze niet mee naar ons appartement. Heel even bleef het beeld hangen van hoe vredig alles zou zijn zonder baby en verlangde ze naar die vredigheid, naar de stilte en de vrijheid van geen zorgen meer hebben. Naar even lekker egocentrisch kunnen zijn op een manier die nooit meer kon, zodra je kind was geboren. Mama bood haar een soort redding aan, en ze hoefde alleen haar mond maar open te doen, en te zeggen: *Nou graag. Neem haar maar. Ik zie haar wel weer als ze een jaar of vijf is...* Maar toen werd ze overweldigd door een schuldgevoel dat zo sterk was, dat de tranen haar in de ogen sprongen. Hoe kon ze nou zulke dingen denken? Wat voor monster van een moeder was ze eigenlijk? Je zou denken dat ze niet van Poppy hield. Maar ik hou wel van haar. God, wat hou ik van haar. Ik kan het niet. Ik kan haar niet hier laten als ik zelf in Londen zit. Dan zit ik de hele tijd aan haar te denken. En ik heb ook niet bepaald een echte baan, waarvoor ik van huis ben. Ik kan voor Cinnamon Hill toch maar een paar dagen per week dingen lezen.

'Ik zal erover denken, mam,' zei ze, en Phyl knikte en liep zachtjes de kamer uit. Lou hield haar adem in terwijl ze zich voorover boog om Poppy weer in haar bedje te leggen. In gedachten kruiste ze haar vingers en hoopte ze dat haar dochter niet wakker werd van de overgang van haar warme armen naar de koele, gladde lakens. Dat gebeurde soms wel, maar vannacht had Lou geluk. Ze sloop de kamer uit en liep door de gang naar haar eigen slaapkamer. Mam sloeg de spijker op zijn kop, door dit de nachtdienst te noemen – zo voelde het ook – alsof ze een arbeider was die opgewekt en zorgeloos terugkwam van zijn werk. Mama zou verder voor Poppy zorgen, vannacht en morgenochtend. Wat heerlijk...

Lou deed de deur van haar slaapkamer dicht en ging op de rand van haar bed zitten, in de wetenschap dat het eeuwen zou duren voor ze weer in slaap viel. Dat was altijd zo als ze op moest staan vanwege Poppy. Maar vannacht had ze in elk geval iets om naar te kijken. Papa had twee enorme dozen vol met papieren van opa neergezet. Die zou zij morgen mee naar huis nemen. Ze wilde dolgraag zien of John Barrington aantekeningen had gemaakt of een dagboek had bijgehouden. Dozen vol papier – er zat waarschijnlijk niets belangrijks of interessants bij, maar alleen de gedachte al, 'dozen vol papier', vond Lou leuk en spannend. Bovendien wilde ze meer te weten komen over waarom hij *Blinde maan* had geschreven, en wat hij zelf van zijn boek vond, en van de goede kritieken toen het boek pas verschenen was. Misschien stond ze wel op het punt iets geweldigs te ontdekken. Maar zelfs als dat niet zo was, dan nog zou het haar dichter bij hem brengen als ze wist wat er allemaal in die dozen zat. Zijn handschrift – klein, mooi zorgvuldig, naar rechts overhellend schuinschrift, altijd in zwarte inkt – zou een sterke herinnering aan hem zijn, en zijn woorden zouden hem weer even tot leven brengen. Misschien zaten er ook wel brieven van andere mensen in. Waarschijnlijk waren het voornamelijk bankafschriften en andere saaie dingen, maar zolang ze de dozen niet opendeed, zaten ze nog vol met mogelijkheden.

Toen Lou had aangeboden om de dozen mee te nemen naar Londen, was haar vader duidelijk erg opgelucht geweest. In antwoord op haar moeders vraag waar ze die dan in vredesnaam neer wilde zetten, had ze gezegd dat ze ruimte genoeg had. Dat was een leugen. De dozen zouden onder haar bed eindigen. Maar papa zou haar naar huis brengen. Als Poppy nou hier blijft, dacht Lou, dan zit de auto niet vol met haar spullen, en dan kunnen de dozen gewoon op de achterbank staan. Betekent dat dat ik heb besloten om Poppy hier achter te laten? Dat moet haast wel. Maar ik heb er eigenlijk helemaal niet eens over nagedacht.

Lou luisterde naar de stilte. Poppy slaapt, dacht ze. Dat moet wel, want anders had ze wel geroepen of gehuild of geschreeuwd dat ik terug moest komen. Oké, wat vind ik eigenlijk van mama's aanbod? Ze zuchtte en vroeg zich af of ze morgen echt zonder Poppy kon vertrekken. Natuurlijk kan ik dat, dacht ze. Mama zou helemaal in de wolken zijn. Maar misschien houd ik mezelf wel voor de gek. Ik doe het natuurlijk helemaal niet alleen omdat mama het zo graag wil – dat ik haar iets gun wat ze al wil sinds Poppy geboren is. Ik doe het ook voor mij. Zodat ik op mezelf kan zijn, en kan doen wat ik wil doen en verder niks. Dat is toch ongelofelijk egoïstisch? Ben ik dan echt zo'n slechte moeder? Nee, besloot ze. Er is echt een heel goede reden om het te doen, en mama zou er ook nog eens heel blij mee zijn. Dat moest toch opwegen tegen het schuldgevoel dat ze zo moeilijk naast zich neer kon leggen.

Lou liep naar het raam en keek naar het gazon achter het huis, dat er donker bij lag, met alleen het schijnsel van de halve maan die de toppen van de struiken aanraakte met zilver licht, en die haar moeders keurige maar niet echt spannende tuin iets mysterieus gaf.

Het vooruitzicht van al die lege dagen die er voor haar lagen... Ze kon het zich nauwelijks voorstellen. Ze haalde diep adem. Misschien zat er wel een film in de boeken van opa, dacht ze. Zodra die gedachte bij haar opkwam, werd ze een beetje duizelig. Het was alsof ze aan de rand van een hoge rots stond en naar beneden staarde in een soort leegte. Toch kon ze de gedachte dat *Blinde maan* een geweldige film zou zijn niet stoppen. Tenminste, als het script zou worden geschreven door iemand die zijn vak verstond.

Hoe langer ze voor Cinnamon Hill werkte, des te meer raakte ze ervan overtuigd dat het script het allerbelangrijkste ingrediënt was voor een film. Als je een zwak script had, kon je nog zoveel *special effects* en fotografische hoogstandjes uit de kast halen, je kon de allerbeste acteurs en regisseurs inhuren, dat maakte allemaal niet uit. Uiteindelijk bepaalde de kwaliteit van het verhaal en de manier waarop dat werd verteld het verschil tussen iets geweldigs en iets middelmatigs, en tussen een protserig spektakel en een klassieker. Harry... die zou het wel kunnen. Of Martin Westorf, van wiens hand het meest ontroerende script was dat Lou had gelezen sinds ze voor Cinnamon Hill werkte. Er kwamen nog een aantal mensen bij haar op die misschien met opa's boeken aan de slag zouden willen en die er iets van zouden kunnen maken. En ik zou hen de rechten kunnen verkopen, dacht ze. Ik zou er nog iets aan kunnen verdienen, en daar zou Constance mooi de pest over in hebben gehad.

Ze ging weer op bed zitten, verbijsterd door een gedachte die haar adem versnelde, en waar ze nog een paar keer op moest herkauwen om te zien of hij niet al te krankzinnig was. Nee, hoe langer ze erover nadacht, des te beter kwam de gedachte haar voor. Het mocht dan misschien krankzinnig zijn, maar ze werd toch steeds enthousiaster. Ze sprak de gedachte hardop uit, om te horen hoe hij klonk en of het niet klonk als het geraaskal van een vrouw die aan slaapgebrek leed.

'Ik ga het zelf doen,' zei ze. Ze zei het nog eens, maar dit keer net iets anders: 'Ik ga zelf het script voor *Blinde maan* schrijven.' Stilletjes zwoer ze dat ze het aan geen mens zou vertellen. Want stel nou dat ze het toch niet kon? Stel nou dat ze zou falen? Ze zou het niet trekken als papa en mama, en Nessa, en misschien Harry en andere mensen bij Cinnamon Hill zaten te wachten op haar vorderingen. Voor het eerst sinds Ray haar op straat gegooid had, voelde Lou zich intens gelukkig. Ze was opgetogen, en er was geen enkele andere emotie die dat enthousiasme temperde. Zo'n gevoel had je niet vaak meer, na je kindertijd. Het zou allemaal gaan lukken. Het kwam heel goed uit dat mama had aangeboden om voor Poppy te zorgen, precies de avond dat ze zelf zo'n ingrijpende beslissing had genomen. Lou had het gevoel alsof dit allemaal zo *geregeld* was: alsof alles zo moest zijn zodat zij kon doen wat ze wilde doen, voor het eerst sinds heel lange tijd.

En opa's dozen waren nu ineens research geworden. Ik ga er alleen even snel doorheen, hield ze zichzelf voor. Gewoon om te zien wat er allemaal in zit, en dan ga ik slapen. Ze pakte een notitieboek dat bovenop lag, en sloeg het open.

Matt keek naar zijn vrouw, aan de andere kant van de keuken. Ze zat naast de kinderstoel en voerde Poppy een prakje. Gewoonlijk stond deze stoel in de bergruimte, op zolder. Vroeger gebruikten ze hem voor Tamsin, en nu haalde hij hem naar beneden als Poppy op bezoek kwam. Hij was van hout en mooi gemaakt. Ze hadden hem gekocht toen Lou geboren werd. Matt concentreerde zich op de stoel in een poging wat te kalmeren. Hij wist dat als hij ruzie zou maken nu Poppy werd gevoerd, Phyl toch geen antwoord zou geven. Dat was een van haar ijzeren regels: geen ruzie waar de kinderen bij zijn. Hij wist niet zeker wat hij er precies van vond dat Poppy bij hen zou blijven. Hij had geen idee hoelang dat dan zou duren, maar dat het wel een paar weken zou worden, dat was duidelijk. Matt vond Poppy geweldig, en hij vond het prima als ze nog een paar dagen zou blijven logeren, maar hij baalde ervan dat deze beslissing was genomen zonder dat hij er ook maar iets over te zeggen had gehad. Hij luisterde naar het gepruttel en geklets van Phyl tegen haar kleinkind. Het was een oneindige stroom. Zou dit elke dag zo gaan? En 's avonds ook? En midden in de nacht? Hij zag zichzelf graag als een goede opa, maar dat wilde nog niet zeggen dat hij zijn recht op een beetje rust en vrede op wilde geven.

'Ik zie heus wel dat je boos bent,' zei Phyl tegen hem over haar schouder, met een glimlach die bedoeld was om hem te ontwapenen. 'Je hoeft je niet in te houden. Het spijt me. Het spijt me *echt*, dat ik je niet eerst gevraagd heb wat jij ervan vond. Maar ik wist zeker dat jij het goed zou vinden. We weten toch allebei hoe zwaar Lou het heeft. Ze probeert haar carrière van de grond te krijgen en ze vindt het moeilijk. Het moederschap, bedoel ik. Niet iedereen is er geschikt voor, en je weet pas wat voor soort ouder je bent als het kind er eenmaal is, toch? Je had haar gisteravond eens moeten zien. Ze zag er niet uit. Zo bleek en dan die kringen onder haar ogen. Ik vind het vreselijk om haar zo te zien.'

'Ik zou het vreselijk vinden om jou zo te zien,' zei Matt, terwijl hij wat marmelade op zijn geroosterde boterham smeerde. 'En zo word jij ook, Phyl. Hoe moet het dan met jóúw werk? Nou? En met ons eigen leven? Onze nachtrust? Heb je er eigenlijk wel bij stilgestaan dat het hele huis veranderd moet worden?'

'Ja. En het valt reuze mee, hoor. Ik heb nog alles van toen Tamsin klein was: traphekjes, een bedje, de kinderstoel. En Poppy is een enorm zoet kind. He, lieve snoetebol? Ben jij dan niet een zoet meisje?'

Poppy leunde uit de stoel en sloeg haar oma op haar pols met een viezig lepeltje. Phyl veegde het nonchalant af, en Matt huiverde even. 'Dus het gaat hier voortaan zo...' Hij gebaarde met zijn hand richting kinderstoel, naar Phyl die nog in haar badjas zat, naar de baby die steeds enthousiaster begon te babbelen. 'Weet je heel zeker dat je dat wilt, Phyl? Vind je het geen probleem om dag in dag uit aan huis gekluisterd te zijn met een klein kind?'

'Ik vind het heerlijk. En jij ook, wat je er ook van zegt. Ik kan nu natuurlijk niet meer terugkomen op wat ik tegen Lou heb gezegd. Ze rekent op ons, Matt. En het is alleen bedoeld zodat zij een poosje rust heeft. We kunnen haar toch niet in de steek laten?'

'Haar in de steek laten?' Onwillekeurig verhief hij zijn stem, en Phyl keek hem fronsend aan. 'Sorry, het was niet mijn bedoeling om te schreeuwen, maar ik snap niet dat je zoiets kunt zeggen. Ik zou haar nooit in de steek laten. Ik wil haar op alle mogelijke manieren helpen. Dat weet je best. Financieel of hoe dan ook. Dat vinden we allebei. Voor zolang als het nodig is, uiteraard. En dit is wel iets anders dan af en toe bijspringen. Dit is de volledige zorg voor een baby overnemen! Dat is een heel verschil, Phyl, dat zul je toch moeten toegeven. Ik vind dat je een beetje overhaast te werk bent gegaan, meer niet.'

'Je moeder heeft het toch ook gedaan? Die heeft zo vaak voor Nessa en Justin gezorgd. Ze zaten altijd daar, en in de weekenden bleven ze er altijd logeren, en de helft van alle vakanties ook. En Lou... die had ook het voordeel van een grootmoeder.'

'Voor mijn moeder lag dat allemaal veel gemakkelijker. Die had een huishoudster. En juffrouw Hardy had een hele stoet jongedames die haar kwamen helpen bij het huishouden. En dan nog,' zei Matt, 'Lous grootmoeder blijkt nu niet direct een bron van vreugde voor haar, of wel soms? Lou ging daarheen voor mijn vader, niet voor Constance.'

'Je weet best wat ik bedoel. Ik wil niet dat Poppy... dat ze op afstand blijft. Zoals Tamsin, bijvoorbeeld. We zien dat kind praktisch nooit.'

'Nee, nou ja, je weet hoe Nessa is. Ze zou best vaker met haar langs willen komen, denk ik, maar ze zit met de zaak en die vreet tijd, kennelijk. Ik vind helemaal niet dat Lou Poppy bij ons weghoudt... Dit is gewoon overdreven, Phyl. Vind je zelf ook niet? En...' Matt was ineens erg in zijn sas met zijn volgende argument. '... het is ook helemaal niet goed voor een klein kind om zo lang bij haar moeder weg te zijn.'

'Natuurlijk is het niet goed als je een baby liefde en zorg onthoudt, als je haar in een tehuis stopt, of zoiets. Maar een grootmoeder – en een opa – die kunnen een kind prima verzorgen, voor een poosje. Poppy zal er echt niet onder lijden. Integendeel, ze zal ervan opbloeien. Ik zal er wel voor zorgen dat ze in een vast ritme komt, en van mij krijgt ze veel meer aandacht dan op het kinderdagverblijf, dat weet ik wel zeker. Ik denk trouwens niet alleen aan Poppy. Als je kinderen hebt, dan moet je voor ze doen wat in je vermogen ligt als ze je nodig hebben. En Lou heeft dit nu nodig. Ze heeft de tijd nodig om te wennen aan het moederschap. Dat moet stapje voor stapje. Over een paar maanden ziet alles er heel anders uit.'

'Een paar maanden? Een paar máánden?'

'Zachtjes, Matt, in godsnaam. Zo maak je de baby bang.'

'Integendeel. Ik word bang van haar. Nee...' Hij stond op. 'Ik moet nu gaan. Als jij van plan bent om je baan op te geven, dan zal een van ons toch de kost moeten verdienen.'

'Hoe bedoel je... nee?'

'Ik bedoel, niet "een paar maanden", Phyl. Geen sprake van. Een maand, hooguit. Ik wil echt niet onvriendelijk doen, en je weet hoe dol ik ben op Poppy, maar wij hebben ook ons eigen leven. Doe Lou de groeten van mij. Ik bel haar wel vanaf kantoor. Ik merk dat ze al aan het uitslapen is.'

'We hebben een onrustige nacht gehad,' antwoordde Phyl.

'Dat zal de laatste niet zijn. Jemig, Phyl, is dit nou wel verstandig?'

'Aangezien ik 's nachts naar Poppy ga en ik de meeste zorg op me zal nemen, zie ik niet in waarom jij zo moeilijk doet,' zei ze ijzig.

Wat moet ik daar nou op zeggen, dacht Matt, en dus zei hij maar niets. Het aantal redenen om hier tegenin te gaan werd met de minuut groter: een weekendje naar Parijs, vrienden te logeren hebben, lekker nietsdoen op zondag behalve de krant lezen. En dan was er nu ineens iemand met wie je rekening moest houden. Iemand die bovendien vierentwintig uur per dag zorg nodig had.

Maar... Hij was advocaat, en dus was hij eraan gewend om de dingen altijd van twee kanten te bekijken. Maar – dit is een baby waar je zielsveel van houdt, en die baby is de dochter van jouw eigen kind, van wie je zo mogelijk nog meer houdt. En wat je net zei over dat Phyl haar baan op moest geven, en dat ie de kost moest verdienen, dat is natuurlijk onzin. Phyl vond haar werk bij de dierenarts leuk. Ze werkte er al jaren, en ze mocht Dr. Hargreaves graag, en ze genoot van het contact met de dieren en hun baasjes. Ze hadden natuurlijk meer dan genoeg geld om hulp te nemen als ze dat zouden willen. En dan was er nog het extra geld uit de erfenis van zijn moeder. Hij zuchtte. Hij moest er maar mee leren leven, en het dapper uitzitten, maar een beetje pissig was hij wel. Of geërgerd. Phyl dacht dat zij wel wist wat hij ervan dacht, maar hij kon haar onmogelijk vertellen hoe hij opzag tegen de komende weken. Hij kon het haar niet vertellen, omdat Lou het dan ook te weten zou komen, en dat wilde hij niet. Dat was de reden: hij wilde Lou geen pijn doen. Nooit, voor geen prijs.

Hij stond op, boog zich naar voren om Phyl op haar kruin te zoenen en liep de keuken uit voor ze nog iets kon zeggen. Hij hoorde dat ze hem nariep: 'Ik neem helemaal geen ontslag. Ik neem verlof. Ze willen me heus wel weer terug.'

In de auto op weg naar kantoor dacht Matt na over wat Phyl had gezegd. Kon je verlof nemen als assistente van een dierenarts?

Waarschijnlijk niet, maar er stonden altijd genoeg jonge vrouwen te trappelen om met dieren te mogen werken, dus vervanging was zo geregeld.

Hij parkeerde de auto en viste zijn koffertje van de achterbank. Plotseling werd hij overvallen door vermoeidheid, en hij deed zijn ogen dicht. Het was niet alleen Poppy. Het was alles. Hij hield echt heel veel van zijn kleinkind en hij was ook niet zo'n man die niet van baby's hield. Waarom verzette hij zich dan zo tegen deze invasie? Omdat ik mijn vrijheid verlies, zei hij bij zichzelf. En dat is precies de reden waarom Lou dit van ons vraagt. Haar vrijheid was even belangrijk als die van hen, dat wist hij ook wel, maar het betekende wel dat zijn vrijheid – althans, die van Phyl en hem – ook even belangrijk was als die van Lou. En zo bleef hij ronddraaien in cirkeltjes…

Hij deed zijn best om zijn zinnen te verzetten. Hij moest ophouden met nadenken over zijn familie als hij nog aan het werk wilde.

'Heb je er nog aan gedacht, mam?' Tamsin drukte haar lunchtrommeltje tegen haar borst terwijl ze uit de auto stapte. Ze keek door het autoraampje naar binnen, en Gareth maakte van de gelegenheid gebruik om zijn dochter een zoen te geven. Ze nam hem in ontvangst en gaf er afwezig eentje terug. Nessa was blij dat haar dochter haar nooit zo achteloos zoende, en ze voelde de warme gloed die ze altijd voelde bij de wetenschap dat zij de meest geliefde ouder was. 'Ik ga vanmiddag met Bryony mee,' ging Tamsin verder.

'Ja, liefje, dat weet ik. Ik haal je rond zeven uur op bij Bryony, goed?'

'Ja, best. Dag pap, dag mam.' Zonder om te kijken liep ze het hek van de school door, en Nessa was even heel trots. Zowel op haar onafhankelijke dochter, die altijd al veel sociaal talent had gehad en goed met andere kinderen kon opschieten, als op zichzelf. Ik ben degene die ervoor heeft gezorgd dat ze al heel jong onder de kinderen en de andere volwassenen kwam, dacht ze. Tamsin was ook zo mooi. Nessa was er trots op dat zij niet zo'n moeder was die blind geloofde dat haar kind de mooiste van allemaal was, en de slimste, en de beste, maar toch kon ze niet ontkennen dat Tamsin er in alle opzichten uitsprong. Ze was heel goed in sport, ze kon geweldig dansen, en ze was ontzettend fijn gezelschap. En dat vond ze echt niet omdat zij haar moeder was. Iedereen zei het.

Nessa maakte er een punt van om alleen auto te rijden als ze kalm was. Dat was wel eens lastig, als er zoveel dingen waren in het dagelijkse leven die haar irriteerden, en zelfs een aantal die haar deden koken van woede. Kookten andere mensen ook wel eens van woede? Ze had het er nog nooit over gehad met haar vriendinnen. Die zaten wel altijd op milde toon te vitten op hun echtgenoten, en de idiote dingen die ze nu weer hadden gezegd of gedaan. Maar Nessa wist zeker dat niemand ooit de behoefte voelde om degene die naast haar zat zo hard mogelijk met het stratenboek om de oren te slaan. Ze draaide zich om naar Gareth, wiens eigen auto voor een beurt naar de garage was, en die ze bij het station zou afzetten. Het dinertje bij haar ouders lag al een paar dagen achter hen, en het was wel duidelijk dat Justin niet zo maar toe zou geven. Ze had afgesproken om volgende week in Brighton met hem te gaan lunchen, maar ze had niet veel hoop dat ze hem nog op andere gedachten kon brengen.

'Wat zei je nou?' vroeg Nessa. Dit hoorde bij haar voornemen om kalm te blijven. Als Gareth het nog eens zou herhalen, klonk het misschien niet zo stompzinnig als de eerste keer.

'Ik zei dat Matt een punt heeft. En Justin trouwens ook. We hebben toch alles wat ons hartje begeert, of niet?'

Nessa beet hard op haar lip zodat de vloek die ze zo graag zou uitspreken niet kon ontsnappen. Nee, de tweede keer klonk dit precies even dom als de eerste. Ze zou niet weten waar ze moest beginnen om het hem uit te leggen. Ze dacht aan een krantenartikel dat ze had gelezen over een vrouw die erin was geslaagd het gedrag van haar man te veranderen door middel van dezelfde methoden die worden gebruikt voor het africhten van dieren. Ze kon het proberen. Ze besloot om Gareths opmerking te negeren en stapte over op een ander onderwerp. Op die manier zou ze haar kalmte kunnen bewaren en zou hij inzien dat hij niet had gezegd wat zij wilde horen. Kennelijk wisten dolfijnen, bavianen en andere schepsels dat je niet echt blij was, als je niet reageerde. Hoewel Nessa ervan overtuigd was dat haar man niet half zo gevoelig was voor subtiliteiten als een dolfijn. Je moest ze ook belonen voor goed gedrag. Nu Nessa daar zo over nadacht, was dat precies wat zij gedaan had met Gareth en seks – de afgelopen jaren zeker. Ze had nooit zin, tenzij hij iets had gedaan waar ze blij mee was, en dat gebeurde minder en minder. 'Je bent op tijd terug voor het eten, toch?'

'Yep.' Ze stonden bij het station.

'Nou, doei dan maar,' zei Nessa. 'Ik denk dat ik zelf laat ben. Er komen een heleboel lentebruiloften aan, en iedereen wil ineens onze bloemen op hun feest. Maar ik haal Tamsin wel op.'

Gareth gaf haar een plichtmatige zoen op haar wang en smeet toen het portier achter zich dicht. Ze keek hem na terwijl hij naar de loketten liep: grijs pak, muisgrijs haar dat heel dik was en een beetje omhoog stond bij zijn kruin, en benen die net iets te kort waren – alles bij elkaar ging haar hart er niet sneller van kloppen. Ach, nou ja…

Haar man had het die ochtend voor zichzelf verpest, dacht ze, terwijl ze de hoofdweg op draaide die naar Mickeys huis leidde en naar het kantoor van Paper Roses. Hij had geprobeerd om haar te sussen en op te vrolijken. Hij zei allemaal lieve dingen, waar ze eigenlijk heel blij mee had moeten zijn. Dat hij zo blij was dat hij genoeg geld verdiende voor hen allebei, en dat ze Constances geld helemaal niet nodig hadden, en dat hij weer kans maakte op promotie. En hij had natuurlijk helemaal gelijk. Ze wist ook wel dat het hebberig leek en ongepast om jaloers te zijn op Justin. Zelf zou ze zo'n tweehonderdduizend pond van Constance erven. Ze had het recht niet om te mopperen, en dat wist ze zelf ook wel, maar toch was ze beledigd.

Gareth vertrok elke dag naar een gebouw van glanzend glas en chroom, ergens in Londen, voor zijn slavenarbeid bij een van de belangrijkste verzekeringsmaatschappijen. Nessa had niet zoveel verstand van wat hij daar deed, maar hij vertelde haar wel telkens dat ze hem daar heel hoog hadden zitten en dat het zo ontzettend goed ging met het bedrijf, en vooral, dat het in de toekomst nog veel beter zou gaan. Ze zaten echt niet te wachten op het geld uit Milthorpe House, had hij verkondigd toen ze net van huis gingen.

Het ging haar ook helemaal niet om het huis, en ook niet om het geld – hoewel ze het allebei best graag had willen hebben. Ze had met alle plezier haar nogal saaie vrijstaande huis met haar nogal standaardtuin willen inruilen. Nee, het ging haar om het principe. Het was gewoon niet eerlijk, en als hij dacht dat ze het zomaar zou pikken, dan zag hij dat verkeerd. Ze wilde zo graag uit Gareths mond horen dat het monsterlijk was. *Ik ga je helpen. We zullen het samen tegen Justin opnemen.* Maar dat soort strijdlustige termen kwamen niet voor in zijn vocabulaire. Hij was zo iemand die vooral niet te veel gedoe in zijn leven wilde. Daar kon ze met haar verstand niet bij. Nou ja, als ze straks op kantoor kwam, stond er een kop koffie op haar te wachten en kon ze klagen wat ze wilde. Mickey kon goed luisteren. Zij en Gareth hadden het nu al meer dan drie weken niet meer gedaan. Zond ze soms een of ander signaal uit dat hij oppikte? Ze zuchtte. Misschien moest ze zelf

wel meer haar best doen, maar zodra die gedachte bij haar opkwam, werd hij alweer door een andere opgevolgd: *Waarom zou ik
verdomme degene zijn die alle moeite doet? Waarom doet hij niet eens
wat?* Mijn god, wanneer ben ik eigenlijk zo ontevreden geworden?
Wat moet er gebeuren voor ik weer gelukkig ben?

Net toen ze uit haar auto stapte, ging haar telefoon over. Ze
viste hem uit haar tas en klapte hem open. 'Hallo?'

'Met Gareth. Ik heb mijn mobieltje bij jou in de auto laten liggen. Ik bel uit een telefooncel. Kun je even kijken? Misschien is hij
tussen de stoelen gegleden, of zo. Zit je nu?'

Nessa zuchtte en wierp een blik tussen de stoelen voor in de
auto. 'Nee, nee, het geeft niet, ik stap net uit. En hij ligt hier inderdaad.'

'Godzijdank. Wil je – ik bedoel, doe je hem alsjeblieft meteen
in je tas, lieveling? Ik wil niet dat hij echt zoekraakt, namelijk. En
wil je hem ook even uitzetten? Ik vind het niet nodig dat hij aan-
staat als ik toch niet kan opnemen. Dan krijg ik hem vanavond wel
weer van je.'

'Prima. Dan ga ik nu ophangen.'

'Bedankt. Doei.'

Nessa wilde Gareths telefoontje net uitzetten en samen met
haar eigen mobiel in haar tas stoppen toen er een sms'je voor hem
binnenkwam. Ze besloot er geen aandacht aan te besteden, maar
ze was toch te nieuwsgierig. Ze klikte op 'ongelezen berichten' en
de naam Melanie verscheen in het midden van het blauwverlichte
vierkantje. Wie was dat in godsnaam? Nessa kende niemand die zo
heette. Ze hoefde er niet eens over na te denken en opende het bericht direct. Hoe haalde Gareth het in zijn hoofd om te sms'en met
vrouwen die zij niet kende?

Toen ze het berichtje had gelezen, ging Nessa even zitten en
vroeg zich af wat ze nu precies voelde. Was het normaal om zo te
reageren? *Ik ben er net achtergekomen dat mijn man vreemdgaat.*

Tenminste, zo lees ik het. Misschien is het wel alleen maar een domme kantoorflirt – maar misschien ook niet. Ik zou heel verdrietig moeten zijn. Of woedend. Of angstig – bang dat hij van me wil scheiden. Of, nou ja, iets... Wat is er toch met me aan de hand? Ze haalde diep adem. Het bericht luidde: *bel me kan niet wachten je weer te zien denk steeds aan ons xxx.*

Melanie had duidelijk de punten en de komma's nog niet weten te vinden op haar telefoontje. Ze was vast heel jong. Nessa deed haar ogen dicht. Zou ze Gareth hiermee confronteren en hem vertellen dat ze het wist? Zou ze bij hem weggaan? Dat was ze absoluut nooit van plan geweest. Ja, als zij nu Milthorpe House had geërfd, dan was er misschien een kans geweest dat ze haar interesse in haar huidige huis zou verliezen. Maar zoals het er nu voor stond, omdat Justin zo ongehoord koppig was, was er geen haar op haar hoofd die eraan dacht om zich in de armoede te storten door te scheiden van Gareth. Hij had veel zwakke punten, maar het feit dat hij haar wist te onderhouden op een manier waarvan ze vond dat ze er recht op had, was daar niet een van. Ja, met het geld dat ze van Constance had geërfd zou ze natuurlijk nog veel beter af zijn dan ze nu al was, maar je kon altijd beter te veel hebben dan te weinig. Ze klapte de telefoon van haar echtgenoot dicht en stopte hem in haar handtas. Toen gooide ze het portier van haar auto dicht, met iets meer kracht dan gewoonlijk, en liep het pad op naar Mickeys voordeur.

'Hallo, Nessa,' zei Mickey. 'Hoe gaat-ie? Al iets van Justin gehoord?'

'Ik ga met hem lunchen. Kijken of hij dan tot inkeer komt. Het zal wel niet, maar als we met ons tweeën zijn, kan ik hem in elk geval flink zijn vet geven. *Chez* papa en Phyl moesten we natuurlijk lief en beschaafd blijven.'

'Ik maak even een kop koffie voor je.'

'Bedankt, Mickey. Ik snak naar koffie.'

Nessa ging achter haar bureau zitten en hoorde dat Mickey de kraan liet lopen om de waterkoker te vullen en dat ze de bekers klaarzette. Ze voelde zich licht, alsof een deel van haar ergens ter hoogte van het plafond zweefde. Wezenloos. Ik ben in shock, dacht ze. Gareth met een andere vrouw… Wat vond ze daar eigenlijk van? Wat moest ze doen? Zou ze iets tegen Mickey zeggen? Nee, dacht ze. Ik zeg nog even niks. Tegen niemand. Ik moet dit maar even voor me houden. De uitdrukking *kennis is macht* kwam ineens bij haar op, flitsend als een neonreclame. Ze staarde naar haar handen, die op een stapeltje documenten rustten, en ze bedacht zich twee dingen. Ten eerste, dat het haar niet verbaasde. Was dat omdat ze zo'n lage dunk had van mannen in het algemeen, of omdat ze haar eigen man zo goed kende? Waarschijnlijk dat laatste. Gareth zou geen weerstand kunnen bieden als een of ander mens had besloten om hem te verleiden. Hoewel de meeste mannen dat niet zouden kunnen, moest ze toegeven. Hij was nou niet bepaald wat je noemt onweerstaanbaar, maar ze wist ook wel dat ze hem ooit een lekker ding had gevonden. Dus voor een deel zag ze wel wat Melanie in hem zag. Het tweede waar ze achter kwam was schokkender. Ze was helemaal niet zo gekwetst of overstuur, maar het was nog veel erger: ze was opgelucht. Het was alsof ze een 'verlaat de gevangenis zonder te betalen'-kaart had getrokken. Die Melanie, wie dat ook was − en Nessa had besloten om straks de hele inbox van Gareths telefoon door te nemen, en om zijn bureau thuis te doorzoeken om meer aan de weet te komen − was een soort vrijbrief waardoor Nessa kon doen wat ze wilde. Als Gareth het ergens niet mee eens zou zijn, met wat dan ook, dan zou Nessa kunnen zeggen: *Jij hebt geen recht van spreken… Jij houdt niet van mij. Jij bent vreemdgegaan.* Niet dat ik plannen heb, dacht Nessa, maar het is fijn dat ik dit achter de hand heb. Ze voelde zich machtig, alsof zij de touwtjes in handen had. Het was ook opwindend, op een bepaalde manier. Ik ben niet zoals andere mensen, dacht ze niet voor het eerst. Iemand anders zou helemaal in de vernieling zitten en wat doe ik? Ik zit me te verheugen op wat er staat te gebeuren.

'Alsjeblieft.' Mickey zette de beker koffie op het bureau en trok haar eigen stoel erbij, zodat ze tegenover Nessa kon zitten. Ze leunden naar achteren en Nessa bedacht dat ze Mickey zo bewonderde omdat ze er altijd zo stijlvol uitzag, zelfs in vrijetijdskleding. Mickeys haar hield het midden tussen rossig en blond, en ze droeg het vrij kort. Het gaf haar gezicht juist een verfijnde aanblik, en niet stoer en mannelijk. Ze droeg een spijkerbroek die meer had gekost dan een gemiddeld gezin per week aan boodschappen kwijt was, en witte bloesjes en T-shirts die ook bepaald niet van het goedkope soort waren. Een van haar motto's was: *alleen het beste is goed genoeg*, en dat paste ze overal op toe. Ze had niet heel veel spullen, maar wat ze had was van topkwaliteit. Het was dat perfectionisme dat Nessa zo waardeerde als het om zaken ging, en om het te vinden in iemand die ook nog eens aardig was en grappig en lief, beschouwde ze als een zegening.

'Is er iets aan de hand?' vroeg Mickey, en ze keek Nessa onderzoekend aan.

'Nee, niet echt. Ik heb een beetje ruzie gehad met Gareth, toen ik hem bij het station afzette.' Ze kon maar beter iets zeggen. Mickey kende haar veel te goed, die liet zich niet om de tuin leiden. Een deel van Nessa wilde het hele Melanie-verhaal dolgraag vertellen, maar ze hield zich in en glimlachte. 'Het komt wel goed. Echt. We moeten die Italianen vandaag nog achter hun vodden zitten over die roze zijde. Wil je dat ik met ze bel?'

'Nee, hoeft niet.' Mickey stond op en wilde naar haar eigen bureau lopen, dat aan de andere kant van de kamer stond. Maar toen draaide ze zich om en zei: 'Je kunt mij alles vertellen. Dat weet je toch wel, hè?'

'Ja, dat weet ik. En dat vind ik ook heel fijn, echt waar.' Er borrelde een gelukkig gevoel in Nessa naar boven. Het was fijn om te weten dat ze Mickey aan haar kant had. Het maakt me niet uit wat Gareth verder met me van plan is, dacht ze bij zichzelf.

Lou staarde naar de stapels papier op haar eettafel. Ze had besloten dat die daar zichtbaar en voor het grijpen moesten blijven liggen, totdat ze alles had gelezen dat in de twee dozen zat die haar vader mee naar Londen had gebracht. En aangezien Poppy toch niet thuis was, zou alles precies op zijn plek blijven liggen totdat ze het er zelf weg haalde. Lou deed ontzettend haar best om zich niet schuldig te voelen over haar dochter. Er waren momenten, vooral midden in de nacht, maar ook rond de tijd dat ze Poppy meestal in bad of in bed stopte, dat het haar aanvloog, en dat ze Poppy zo miste dat ze een paar keer op het punt had gestaan om de telefoon te pakken en haar moeder te bellen om te zeggen dat dit zo niet werkte, en dat ze haar dochter terug wilde. Thuis, waar ze hoorde.

Verder moest ze zichzelf niet voor de gek houden: het liep allemaal prima, zo. Het was net een vakantie, en ook al voelde Lou zich dan af en toe schuldig, ze was haar ouders ook intens dankbaar. Ze belde haar moeder iedere avond, en de verslagen van hoe blij Poppy was, en hoe zoet, waren dan een hele troost. Het gaat prima met haar, dacht Lou. Het is goed voor haar om een band te kweken met haar opa en oma, die zoveel van haar houden, en mij lijkt ze niet te missen. Totaal niet. Dat vond ze wel een beetje een zorgelijke gedachte, maar ze had dan ook uren en uren de tijd om na te denken, te lezen, en om te proberen zich zoveel mogelijk te herinneren van haar jeugd en om dat allemaal in verband te brengen met wat ze in de dozen vond. De tijd die ze nu kreeg was een kostbaar geschenk, waar ze ook heel dankbaar voor was.

De dozen zaten vol met de meest uiteenlopende dingen. Er zaten brieven in van uitgevers, die over het algemeen vrij saai waren, maar die ze toch door moest lezen. Er zat wat fanmail bij, van de eerste maanden na de publicatie van elk boek, een envelop vol krantenknipsels en stapels bonnetjes, bankafschriften en dergelijke. Het zag er niet naar uit dat dat bruikbare informatie op zou leveren, ook al had Lou niet eens een scherp idee van waar ze eigenlijk naar op zoek was. Er zaten drie notitieboekjes bij, waarvan ze hoopte dat het dagboekjes waren, maar wat eerder een soort schetsboeken bleken te zijn. De dingen die erin stonden waren duidelijk verbonden aan bepaalde gebeurtenissen, momenten en plaatsen, maar Lou wist niet zeker of het nu om karakters in zijn boeken ging, of over opa zelf. Sommige stukjes waren niet meer dan wat onsamenhangende zinnetjes. Wat moest ze bijvoorbeeld met een passage zoals deze:

Dat je niet bent wie je bent, of wie je zegt dat je bent, of wie men zegt dat je bent, beïnvloedt alles. Rosemary vindt dat het zo beter is, voor mij, en dat mag dan zo zijn, maar mijn probleem is dat ik niet eens meer weet wie ik zou zijn geweest als ik niet terug naar hier, naar Engeland was gebracht. Uiteraard was ik dan heel iemand anders geweest. C. zegt dat ik ben wat ik heb en dat ik mijn tijd niet moet verspillen met piekeren over dingen uit het verleden die toch niet meer veranderd kunnen worden, hoe lang ik er ook over denk. Misschien is het boek ook wel niet meer dan dat: een soort gepermitteerd piekeren. Om het allemaal scherper te krijgen. Maar het is zwaar.

Lou las de woorden nog eens over. Over sommige dingen twijfelde ze niet. C was toch zeker Constance? En opa was inderdaad weer naar Engeland gebracht, vanaf Noord-Borneo. Ze wist al van jongs af aan dat haar opa daar had gewoond, tijdens de Tweede Wereldoorlog, en nu ze *Blinde maan* had gelezen, begreep ze dat hij die periode had gebruikt als basis voor de roman.

Ze kon zich nog herinneren dat ze een keer samen in zijn studeerkamer hadden gezeten, en hij haar iets had laten zien: een klein beeldje, in de vorm van een paardje, turkoois geschilderd en met wapperende manen. Hij had toen gezegd dat het van Noord-Borneo kwam. Het zag er Chinees uit. Had hij toen iets verteld over zijn jeugd? Als dat zo was, dan was ze het vergeten. Hij had het bijna nooit over zichzelf. Wat ze zich wel kon herinneren, was een ruzie tussen haar grootouders. Ze hadden vaak ruzie, of tenminste, Constance deed lelijk tegen opa, en hij gaf haar op welwillende toon antwoord, of hij antwoordde helemaal niet.

Op die specifieke dag, de dag die ze zich nog kon herinneren, was opa te laat voor de lunch. 'De ware edelman is een stipte man,' zei Constance.

'Maar opa is helemaal geen edelman,' zei Lou tegen haar, 'dus dan hoeft hij ook niet stipt te zijn.'

Constance bracht haar gezicht naar dat van Lou, en keek haar aan over de rand van haar zilveren brilmontuur. 'Onzin, kind,' zei ze. 'Dat is gewoon een gezegde. Iedereen moet zo stipt zijn als een edelman. Dat is wat het betekent.'

Lou deed haar mond open voor een tegenwerping, maar toen kwam opa binnen.

'Het spijt me dat ik te laat ben, lieve,' zei hij, en hij gleed op zijn stoel en lepelde wat saus over zijn vlees.

O, ik was vergeten om hem saus op te scheppen, dacht Lou... Dan hadden we dus een uitgebreide lunch, die dag, dus dan moet het wel een zondag geweest zijn. Ik was de enige gast, die dag.

'Ik heb zitten werken en ik heb helemaal niet meer op de klok gelet,' ging opa verder. 'Het gaat vrij aardig, vind ik.'

'Ach, het verbaast me niet dat dat gekrabbel van jou voorrang krijgt boven de lunch. Jij stelt jezelf immers altijd boven alle anderen.'

Opa zweeg een poosje. Lou keek van de een naar de ander. Toen hield ze het niet meer, en riep: 'Het is helemaal geen gekrabbel. Hij schrijft een verhaal.'

'Spreek me niet tegen, Louise,' zei Constance. 'En wat weet jij daar trouwens van? Jij hebt je mond niet open te doen tot je iets wordt gevraagd.'

Opa zei: 'Ze wil alleen lief zijn voor mij, Constance. Probeer toch eens wat meer begrip op te brengen.'

'Ik begrijp het prima, John. En ik vind dat ik mijn eigen kleindochter de les mag lezen.'

Opa had niets meer gezegd, en het geschraap en gekletter van bestek op porselein klonk zo hard dat het leek of er een orkest in de kamer speelde. Constance ging verder: 'Het zal trouwens wel geen echt verhaal zijn. Niet het soort verhaal dat ik in een roman zou verwachten, in elk geval.'

Opa legde zijn mes en vork neer. 'Hoe kun jij nu weten waar ik over aan het schrijven ben, Constance? Jij hebt daar nog nooit enige interesse in getoond.'

'Omdat ik jou ken, en omdat ik weet wat jij in je hebt. Dat wat jij gewoonlijk schrijft, lijkt mij niet iets wat een verstandig mens graag wil lezen. Ik zou denken dat het zo langzamerhand ook wel eens tot jou was doorgedrongen dat geen mens meer geïnteresseerd is in wat jij te melden hebt. Het is al jaren geleden dat er iets van jou is uitgegeven.'

Opa gaf geen antwoord, herinnerde Lou zich. Ze wist nog dat ze plaatsvervangende schaamte voelde. Dat ze wilde huilen. Ze wist nog precies hoe het rook in de kamer: naar boenwas en jus. In haar herinnering had Constance de rest van de maaltijd voor zich uit zitten kletsen, over golf en bridge en koffiekransjes en de laatste brief van Justin, die op kostschool zat. Ze zag de stijve houding van haar opa nog voor zich; hoe hij daar zat in zijn stoel aan het hoofd van de tafel. Hij at wat er op zijn bord lag en stond toen langzaam op.

'Neem me niet kwalijk,' zei hij, en hij liep snel de kamer uit.

Constance had geknikt en wendde zich tot Lou. Ze zei: 'Hij zal je wel allerlei leugens op de mouw spelden, denk ik zo. Maar wat hij er nooit bij vertelt, is dat hij maar een saaie advocaat uit de provincie was, voordat hij mij leerde kennen. Zijn moeder Rosemary was iemand die graag de sociale ladder wilde opklimmen, en ze heeft hem praktisch aan me opgedrongen. Er waren meer dan genoeg andere jongemannen met wie ik had kunnen trouwen, en als ik toen had geweten wat ik nu weet, dan had ik dat ook beter kunnen doen.'

Lou staarde haar grootmoeder aan en vroeg zich af wat er nu van haar verwacht werd. Moest ze soms vragen: 'En wat weet u dan nu?' Was er iets aan de hand met haar opa dat zij, Lou, niet te horen kreeg? Voorzichtig vroeg ze: 'Wat is dat dan, wat u nu weet?'

'Jij bent veel te jong voor zulke dingen. Ga maar spelen, kind.'

En Lou ging, ook al wilde ze liever blijven. Nu dacht ze aan al die andere prachtige romans die hij misschien nog zou hebben geschreven als hij niet met zo'n afgunstig kreng als Constance was getrouwd, maar met iemand anders. Iemand die hem zou hebben gestimuleerd, die van zijn werk hield, en die het begreep. Lou wist dat dát ook de reden was waarom opa zoveel van haar hield. Hij wist niet alleen dat zij van hem hield, maar dat zij waarschijnlijk ook de enige was bij wie die liefde oprecht was, en zonder voorbehoud. Wat hij ooit had gedaan, of nog steeds deed, maakte haar niet uit. Het grote vuur, bedacht Lou zich, was vlak na die lunch. Ik was een jaar of zeven, en ook al besefte ik het toen nog niet: ik was getuige van de moord die Constance pleegde op de dromen en ambities van opa.

Het grote vuur. Lou ging in haar leunstoel zitten en staarde naar het zwarte scherm van haar televisie. Ze had hem nauwelijks aangehad sinds ze weer terug was gekomen, zonder Poppy. In plaats van naar de tv te kijken, ging ze op in haar herinneringen. Ze had nooit helemaal beseft hoe dat in zijn werk ging, herinneringen ophalen. Je dacht ergens aan, een gesprek of zo, en zodra dat weer bij je boven kwam, kwam er meteen iets anders mee, en voor je het wist had je een hele reeks herinneringen, en die reeks leidde weer tot een volgende reeks, en zo ging dat maar door. Het probleem was: hoe wist je nou of het klopte, dat wat je je herinnerde? Was het wel echt zo gebeurd? Lou besefte dat als er een ander bij die lunch was geweest, die er waarschijnlijk een heel andere herinnering aan over zou hebben gehouden. Uit bijna alle gesprekken die ze ooit met Nessa en Justin had gehad sinds ze volwassen waren, bleek dat hun herinneringen bijna nooit overeenkwamen met die van haar. Totaal niet, zelfs. En toch zouden zij allebei zweren dat hun herinnering de enige ware was, dat het echt zo gegaan was.

Oké, dus wat zij zich van die dag herinnerde was misschien niet helemaal precies wat er was gebeurd. Ze sloot haar ogen en leunde naar achteren in haar stoel. Misschien was het vuur ook wel de zondag erna. Kwam ze eigenlijk alleen in de weekenden op Milthorpe House? Waarschijnlijk wel, als ze toen naar school ging, maar misschien was het toen wel vakantie. Nu ze er zo over nadacht, wist Lou eigenlijk wel zeker dat het in een vakantie was. Het was warm, die dag. Ze wist nog dat ze in het hoge gras zat, achter het huis, en dat ze een paar klaprozen plukte, waarvan de blaadjes jammerlijk snel gingen hangen. Uiteindelijk had ze ze maar weggegooid.

Ze was naar buiten gegaan met opa. Hij was waarschijnlijk al dagen bezig geweest met het bouwen van de brandstapel. Het was niet zo'n grote als die hij altijd op de avond van Guy Fawkes-dag maakte voor Nessa en Justin en mij, maar het was toch een flinke stapel.

'Wat ga je verbranden, opa?'

'O, rommel. Gewoon wat rommel. Had ik jaren geleden al moeten doen.'

Naast zijn voeten stond een kartonnen doos boordevol notitie-boekjes met roodkartonnen kaftjes. Papa nam wel eens van die grote schriften mee van zijn werk om dingen in op te schrijven, en die notitieboekjes van opa hadden daar wel wat van weg.

'Wat staat erin?'

'Niks waar iemand nu nog iets aan heeft. Ze liggen alleen maar stof te vangen. Dat zegt je grootmoeder, en ze heeft gelijk.'

Toen stak hij het vuur aan, dacht Lou. Ik ging naast hem staan om te kijken hoe de vlammen vat kregen op het hout en de lompen, en hoe ze zich verspreidden over de takken en de hele stapel omringden met hun vuurrode en gouden felheid. Het was heet, en ik deed een stap naar achteren. Opa gooide het ene na het andere notitieboekje in het hart van de vlammen.

'Huil je, opa?' Ik weet zeker dat zijn wangen nat waren, dacht ze nu. Hij heeft vast gehuild, maar in die tijd zou een man zoiets nooit toegeven. Al helemaal niet als hij van opa's generatie was. Mannen huilden niet.

'Nee, nee,' antwoordde hij. 'Mijn ogen tranen alleen een beetje van het vuur.'

Hoeveel van die boekjes zou hij toen verbrand hebben? Lou kon het zich niet meer herinneren. Toen hij klaar was, nam hij haar bij de hand en ging zitten op het bankje rondom de appelboom, vlak bij het hek achter in de tuin, dat toegang bood tot de heuvels.

'Toen ik een klein jongetje was,' begon hij, 'zat ik in een jappen-kamp. Weet je wat dat is?'

'Nee, niet echt,' zei Lou, in de hoop dat hij haar een verhaal zou vertellen.

'Je bent ook veel te jong voor zulke dingen, maar toch leer je ervan – als je in zo'n kamp terechtkomt, dan leer je iets heel belangrijks.'

Daarna bleef hij een hele poos zwijgend zitten en staarde in de verte, totdat Lou vroeg: 'Wat leer je er dan?'

'Dat je je nergens aan moet hechten. Ook niet aan andere mensen. Dat is het. Hecht je aan niks en aan niemand, want je kunt alles weer kwijtraken.'

Ze begreep helemaal niet wat hij daarmee bedoelde. Ze zat maar te staren naar het vuur, aan de andere kant van de tuin, terwijl opa vervolgde: 'Laat ook maar, het is te moeilijk. Ik hoop dat je mijn boeken nog eens zult lezen, als je groot bent. Ik heb over die tijd geschreven. Misschien zal ik je een van die verhalen wel eens een keertje voorlezen, binnenkort.'

En nu had ze zelf over die tijd gelezen, in *Blinde maan*, en nu begreep ze iets van wat haar opa had doorgemaakt. Ze keek naar een van de passages op een bladzijde die ze met een Post-itje had gemarkeerd:

Nigel, die het bed naast mij had, was pas zes. Hij was twee dagen eerder doodgegaan. Hij had koorts, waardoor zijn huid klam en groenig werd, en waardoor hij gekke dingen zei, en zijn geluidjes en geijl hielden alle anderen de hele nacht uit hun slaap. Peter vond Nigel geen leuk jongetje, maar hij had hem nooit doodgewenst. Het was verschrikkelijk in de kinderbarak, en zodra het ontbijt voorbij was, ging hij meteen op zoek naar zijn moeder en Dulcie en de baby. De baby was veel te klein. Dat had hij iemand horen zeggen, een van de vrouwen. Hij keek niet graag naar haar, ook al was ze zijn zusje. Ze zag eruit als een gevild dier... een konijn, of een biggetje of zo. Mama noemde haar Mary, maar dat was een mensennaam, die helemaal niet bij haar paste. Je kon je gewoon niet voorstellen dat ze ooit een echt kind zou worden. Heb je ontbijt gehad, vroeg Dulcie elke ochtend. Wat een lachertje! Hij begreep niet waarom Dulcie dat steeds vroeg. Het ontbijt was nooit meer dan een paar korrels kleefrijst in een klein houten kommetje. Soms zaten er insecten door de rijst, die eruitzagen als peperkorreltjes. Maar hij viel er elke ochtend weer hongerig op aan. Peter dacht de hele tijd aan eten. Aan verjaardags-

taart en pudding en aan vlees. Maar wat hij het allerliefste zou wil-
len was limonade. Het water in het kamp was troebel en smaakte
zoutig. En het was altijd warm. IJsblokjes. Hij droomde van limo-
nade met ijsblokjes.

Dat klonk afschuwelijk, dacht Lou. Ik wil meer weten over die tijd.
Ik ga op het internet zoeken, zodat ik meer te weten kom over de
kampen op Noord-Borneo. Ik ga praten met mensen die er hebben
gezeten, als dat kan. Maar wat zou er in die verbrande notitie-
boekjes hebben gestaan? Misschien nog meer details, of eerdere
versies van de romans, waar ik nu best iets aan zou hebben. En
waarom vond opa het nodig om ze in het vuur te gooien? Lou had
altijd aangenomen dat Constance zo lang tegen hem had lopen
zeuren dat hij er niet meer tegen kon, en dat hij ze verbrand had
omdat zij dat wilde. Maar nu bedacht ze dat er ook een andere
reden voor zou kunnen zijn: misschien stonden er dingen in waarvan hij niet wilde dat zij ze las. Misschien wilde hij wel dat niemand
ze ooit zou lezen. Dat was ook een intrigerende mogelijkheid.

De telefoon ging, en Lou sprong op om op te nemen. Het was
net alsof ze uit een diepe slaap wakker werd. Ze schudde haar
hoofd terwijl ze de hoorn van de haak pakte.

'Hallo? Ben jij dat, Lou?'

'Ja, met Lou. Harry?'

'Ja... Ik hoop dat je het niet erg vindt dat ik je op je privénum-
mer bel.'

'Nee, tuurlijk niet.' Hoe kwam hij aan haar nummer, vroeg Lou
zich af, voor het tot haar doordrong dat hij dat natuurlijk uit haar
personeelsdossier bij Cinnamon Hill had.

'Ik vroeg me af of we misschien konden afspreken, voor je volgende afspraak op kantoor... Ik moet iets vinden wat ik aan
George Fuertes van Disney kan laten zien, want die komt volgende week. Ik heb een paar dingen op mijn misschien-stapeltje, en

daar zou ik het graag even met jou over willen hebben, als dat kan.'

'Tuurlijk.' Dit was niet het moment om op te biechten dat ze helemaal vergeten was wat er ook weer op dat misschien-stapeltje terecht was gekomen. 'Zal ik anders morgen naar kantoor komen? Hoe laat kun jij?'

'Ik dacht dat het misschien beter was om het tijdens een etentje te bespreken. Heb jij donderdagavond al iets staan? Ik weet een leuk restaurant in Camden Town – dat is toch vlak bij waar jij woont?'

'Ja, ja, dat klopt. Nou bedankt, Harry, hartstikke leuk.'

'Mooi, ik kom je rond halfacht ophalen, oké?'

'Ja, dat is prima.'

Er viel een stilte, en Lou vroeg zich af wat ze nu moest zeggen. 'Ik verheug me erop.'

'Ik ook, tot dan!'

En hij hing op. Ze ging aan tafel zitten en klapte haar laptop open. Terwijl ze op de automatische piloot op zoek ging naar het bestand van haar script, bleef ze malen over wat zij had gezegd, en over wat Harry had gezegd. Hij had haar mee uit gevraagd. Hij vond het een 'goed idee' om het tijdens een etentje te bespreken. Dat betekende dus dat hij met haar uit eten wilde, toch? Nee, dat hoefde natuurlijk helemaal niet. Het kon ook betekenen dat hij dit wilde afhandelen en dat hij verder geen tijd had om dat overdag te doen, op kantoor. Dit deed hij gewoon omdat het hem zo beter uitkwam. Maar hij zei dat hij zich er ook op verheugde. Dat was vast omdat zij dat eerst zelf had gezegd... O god, dacht Lou, straks ben ik veel te happig geweest...

Ze wilde nog wat werken, maar Harry's telefoontje had haar van haar stuk gebracht. Ze voelde zich... Ze had eigenlijk geen idee hoe ze zich voelde. In de war. Bezorgd. Maar waar zou ze zich zorgen om moeten maken? Dat Harry haar echt leuk vond, daarom. Wat nou al hij dit als een date beschouwde? Als een eerste stap om dichter bij haar te komen? Zou dat zo zijn? En als het zo was, hoe zou zij dan reageren? Ik vind Harry heel leuk, dacht ze. Hij is aardig en hij ziet er goed uit, dus waarom raak ik dan zo in paniek bij de gedachte dat hij me aanraakt? Dat überhaupt iemand me aanraakt? Ze vond het vreselijk dat ze zo was geworden en dat ze altijd zo zou blijven. Dat kon toch niet? Ze zou er uiteindelijk heus wel weer overheen komen, dat moest wel. Ze wist best dat niet alle mannen waren zoals Ray, maar dat hielp niks. Sinds hij bij haar weg was gegaan, was ze nog een paar keer uit geweest met mannen die heel aardig en lief en niet-bedreigend leken. Ze viel niet meer op foute mannen, en ze had een radar ontwikkeld waarmee ze die op een kilometer afstand kon zien aankomen. Maar toch, zodra een relatie lichamelijk dreigde te worden, trok ze het niet meer en duwde ze de man in kwestie – soms letterlijk – zo ver mogelijk van zich af. Dat kan ik echt heel goed, mannen van me afduwen, dacht ze. De tranen sprongen haar in de ogen, terwijl ze naar het scherm staarde en zich afvroeg hoelang het zou duren voor ze weer normaal werd. Hoe zou ze het vinden om door Harry gekust te worden? Ze had geen idee. Ze voelde zich wel tot hem aangetrokken, en het idee stond haar wel aan, maar ze vroeg zich af of het haar zou lukken hem toe te laten.

Ze opende het bestand en probeerde haar aandacht bij haar werk te houden. Wat een onzin was dit allemaal, zeg. Harry wilde natuurlijk alleen maar eten en over die filmscripts praten, en meer niet. Dus ik ben niet alleen dom, ik ben nog verwaand ook. Wie zou jou nou ook willen kussen? Ga nou maar gewoon aan het werk, en denk nou maar niet meer aan die Harry Lang.

4

'Ik wil niet klagen,' zei Matt, die zich bewust was van de klagerige ondertoon in zijn stem en van het feit dat hij juist wel aan het klagen was. 'Maar...'

En weg was ze... *Maar ik dacht dat we vanavond misschien, nou ja... het is al weer een poos geleden dat we...* Ach, wie hield hij hier nou voor de gek? Hij lag alleen in hun tweepersoonsbed. Dat was het probleem met baby's. Je kon niet zeggen dat ze even moesten wachten. Tenminste, dat deed niemand. Jaren geleden, toen Lou nog heel klein was, had Matt wel eens gezegd: 'Laat haar maar even huilen. Misschien verandert ze wel van gedachten en valt ze zo weer in slaap...' Maar net als toen was Phyl ook nu weer uit bed gestapt, had haar badjas aangetrokken en stond al op de overloop voordat hij iets kon zeggen. In die tijd had hij dat niet zo erg gevonden. Als Lou huilde ging dat altijd dwars door hem heen, en hij zou waarschijnlijk precies hetzelfde hebben gedaan als Phyl, als die hem niet steeds voor was geweest. Als hij mopperde was dat meestal omdat Lou hen stoorde tijdens een vrijpartij. En in zijn beleving gebeurde dat iedere keer als hij zijn vrouw in zijn armen nam. Het was alsof die kleine Lou wist wat er gebeurde en daar een stokje voor wilde steken. Phyl beweerde altijd dat ze de liefste baby op aarde was. De zoetste, de beste slaper. Gewoon de beste.

Die leugen hoorde nu eenmaal bij het ouderschap, besefte Matt. Phyl had niet eens in de gaten dat ze het deed. En nu deed ze het weer.

Poppy was een schatje, dat zeker. Hij hield ontzettend veel van haar, en hij was er al bijna aan gewend dat ze zijn hele huis op zijn kop had gezet. Phyl deed haar best, maar baby's brachten nu eenmaal een karrenvracht aan rotzooi met zich mee: babydoekjes, luiers, geurige luierzakjes – zo noemde Phyl ze –, die kleine plastic zakjes bleken te zijn die bijna even onaangenaam roken als hun inhoud. Wat was dat trouwens voor een belachelijk woord: 'geurig'? Dan had je nog de knuffels op elke stoel, blokjes op de grond, een koelkast vol met kleine potjes babyvoeding en voortdurend Teletubbies op de buis. Hij kende zelfs de begintune uit zijn hoofd… zo erg was het al. En als het kind dan eindelijk in bed lag, waren er de eindeloze telefoontjes tussen Lou en Phyl waarin Poppy's dag tot in het meest geestdodende detail werd doorgenomen. Hij verdronk in deze vloedgolf van babygedoe, en Poppy was er pas een week.

Toen de kinderen uit huis gingen, dacht Matt dat hun seksleven er misschien op vooruit zou gaan. Hij was niet het type dat met zijn vrienden over dit soort dingen sprak, en hij zou ook gruwen als ze bij hem zouden komen met bekentenissen in deze sfeer, maar toch had hij het idee dat het tamelijk normaal was wat er met hem en Phyl aan de hand was. Al vroeg in hun huwelijk waren ze in een patroon vervallen dat prima werkte, vond hij – hoewel hij het aantal keren niet echt bijhield, dat was hem te wetenschappelijk, deden ze het zo'n drie of vier keer per maand. Nou ja, ze hadden het ook druk. En trouwens, zelfs toen ze pas samen waren, waren ze niet net als een gewoon pasgetrouwd stel. Zij begonnen hun huwelijk met Nessa en Justin om rekening mee te houden, en toen werd Phyl zwanger van Lou. De baby stoorde hen vaak, dat was waar, maar wat nog veel erger was, was de wetenschap dat

Ellies kinderen aan de andere kant van de overloop lagen. Dat zette de rem er pas echt op. Bij hem tenminste, zelfs als Phyl er niet zo'n probleem mee had.

Phyl. Matt draaide zich om in bed en keek naar de driehoek van licht die op het tapijt viel. Misschien was het haar schuld ook wel. Ze was helemaal niet – hij zocht naar het goede woord – gepassioneerd? Ongeremd? Roekeloos? Hij wist het niet precies, maar misschien was het wel een combinatie van die drie dingen. Aan zijn huwelijk met Ellie, hoe kort het ook had mogen duren, had hij heel veel specifieke herinneringen. Nessa en Justin waren toen nog maar heel jong, en Ellie zorgde er wel voor dat ze werden uitbesteed aan een goede kinderopvang, zodat ze meer tijd voor zichzelf had. Niet dat ze een baan had; ze bracht haar dagen meestal door bij Constance, en ze ging naar een verbluffend aantal koffiekransjes, bridgemiddagen en cocktailparty's. Maar Ellie ontbood hem vaak thuis, rond de lunch, en ze hadden het een paar keer op de trap gedaan, omdat ze zich niet konden beheersen tot ze in de slaapkamer waren. Ze hadden het wel eens gedaan in een stoel in de serre; staand tegen de keukendeur; en een keer in zijn studeerkamer 's avonds laat, toen Ellie geen zin meer had om op hem te wachten en naakt op zijn schoot gleed en haar borsten in zijn gezicht duwde, en hem dwong om de papieren waar hij mee bezig was met rust te laten. Ze hadden geluk gehad, die avond. Ellie had de kinderen gemakkelijk wakker kunnen maken met de gilletjes, het gehijg en gezucht dat hij zo graag hoorde.

Hij werd al opgewonden als hij eraan terugdacht. Hou daar onmiddellijk mee op, vermaande hij zichzelf… Hij dacht weer aan Phyl en kon zich niet voorstellen dat ze het ergens anders zouden doen dan in hun tweepersoonsbed. Ze zou het nogal uitsloverig vinden, onnodig en ordinair, pornografisch zelfs. Phyl die zich met haar rok omhooggeschoven over de keukentafel zou buigen – ondenkbaar! Matt glimlachte bij het idee. Hij vond het ook niet opwindend. Zij zou het een schande vinden, in die schone en gezellige keuken van haar.

Hij had een vaag idee van opnieuw beginnen: om Phyl opnieuw te leren kennen, en om samen te zijn op een manier die niet mogelijk was geweest met drie opgroeiende kinderen om hen heen. Maar moet je ons nu eens zien, dacht hij. Een beetje voor Poppy zorgen terwijl hij daar geen enkele overtuigende reden voor zag. Phyl was stapelgek op die baby en wilde per se voor haar zorgen. Zo simpel lag het.

Hij dacht aan zijn moeder. Het verdriet dat hij eerst had gevoeld na haar dood was verdreven door zijn woede over de bepalingen in haar testament. Pas nu er een paar weken overheen waren gegaan, kon hij het gemis een beetje toelaten. Ze had hem vaak genoeg het bloed onder de nagels vandaan gehaald, en zijn bezoekjes aan Milthorpe House werden steeds minder frequent en steeds korter, omdat ze altijd wel weer iets wist te bedenken om hem te irriteren. Om precies datgene te zeggen wat hem tegen de haren instreek. Het leek wel een spelletje voor haar. Ze gooide een kleine handgranaat in het gesprek en keek dan vergenoegd toe hoe die tot ontploffing kwam. Hier wat kritiek op Lou, daar een kattige opmerking over Phyls kleding, een vergelijking – die altijd ongunstig uitpakte – tussen de manier waarop hij het bedrijf aanstuurde en de tijd dat zijn vader nog de baas was.

Matt lachte. Ze was er ongelofelijk handig in. Dan zei ze iets wat je snel wilde bestrijden, maar er was toch altijd een kern van waarheid in de beschuldiging of opmerking, zodat het je toch dwars zat. Over Lou verkondigde ze bijvoorbeeld: 'Ik zou denken dat jij zo'n jongeman de deur wel zou wijzen, Matthew, in plaats van toe te geven aan Lous kinderlijke verliefdheid.'

Maar dat kon hij natuurlijk niet. Je kon een jongeman de deur niet meer wijzen, zoals Constance het uitdrukte, dat was te antiek voor woorden. En toch voelde Matt zich nog altijd schuldig omdat hij Lou zo lang had laten lijden zonder in te grijpen. Zij zou dat bemoeizuchtig hebben gevonden, en dat was het ook, maar toch. Het was iets waar hij spijt van had. En wat betreft zichzelf, en hoe hij het bedrijf aanstuurde: hij kon zich soortgelijke tafelgesprekken herinneren van toen hij nog klein was. Toen zat Constance – die hem had verboden om haar mama of moeder te noemen; waarom eigenlijk? – zijn vader ook eindeloos aan zijn kop te zeuren. John Barrington was een geduldig man, maar Matt kon zich een of twee scènes uit zijn jeugd nog tot in detail herinneren. Dat zijn vader zijn wijnglas zo hard op tafel smeet, dat de glassplinters de lucht in vlogen en glinsterend op het tapijt vielen. Constance die toekeek toen haar man de kamer verliet, en die het kleine koperen belletje dat naast haar bord stond liet rinkelen om juffrouw Hardy te ontbieden, en die uitzonderlijk vals glimlachte naar Matt, die als bevroren in zijn stoel zat en zich niet meer kon verroeren.

'Je vader is zichzelf niet helemaal,' had ze gezegd.

Hoe oud hij toen was, kon Matt zich niet precies herinneren. Acht, of tien, of zo. Maar nu hij er zo op terugkeek, bedacht hij zich dat zijn vader misschien juist wel zichzelf was toen hij met het glas gooide, en dat de stille, beleefde, bescheiden man die zich altijd in zijn studeerkamer opsloot en zo weinig tijd doorbracht met zijn zoontje juist de dekmantel was. Hij kon zich niet herinneren wat Constance die dag precies had gezegd. Waarschijnlijk iets over vaders boeken – dat raakte hem altijd enorm. Die boeken waren een bron van conflicten. Zijn moeder zou ze nooit op waarde hebben weten te schatten, behalve als ze geld hadden opgeleverd, en dat was nooit gebeurd. Het had geen enkele zin om haar op de literaire waarde ervan te wijzen, want ze was geen lezer. De boeken in de bibliotheek waren van vader, en Constance stond ze alleen toe omdat iemand haar ooit eens had gezegd dat ze een kamer allure gaven en dat ze toonden dat de bewoners van het huis culturele bagage hadden. Maar de boekenkasten dienden ter decoratie, meer niet.

Waar bleef Phyl nou toch? Dit was echt te gek voor woorden! Zou hij naar beneden gaan om thee te zetten? Hij luisterde naar de stilte. Poppy huilde niet. Dan moest ze toch zo weer naar bed komen? Ja, daar was ze al.

'Ben je wakker? Sorry, lieverd,' fluisterde ze, en ze hing haar badjas aan het haakje aan de deur en stapte bij hem in bed.

'Geeft niet. Ik zat net te denken of ik een kop thee zou gaan zetten.'

'Ik ga wel, als je wilt. Dan haal ik voor ons allebei.'

Hij boog zich naar haar toe en kuste de warme huid van haar bovenarm. Dat was het punt, met Phyl. Ze was lief: oprecht lief en liefhebbend en hij voelde zich schuldig dat hij haar seksuele vaardigheid net had vergeleken met die van Ellie, die een gouden medaille zou binnenslepen als seks een olympische sport was. 'Je bent een schat,' zei hij. 'Graag.'

Phyl stapte weer uit bed en trok haar badjas aan. Matt ging tegen de kussens zitten en knipte zijn leeslampje aan. Waarom had zijn vader dat allemaal zo lang gepikt? Waarom was hij niet gewoon bij haar weg gegaan? Misschien was het wel vanwege het geld, want dat was van haar, en niet van hem. Het was zijn grootvader die het kantoor was begonnen, en zijn vader was al snel voor hem gaan werken. En hij was met Constance getrouwd toen hij nog vrij jong was. Matt vroeg zich af of het in de familie zat: trouwen met een ouder iemand. Milthorpe House, de zaak – het zal John wel zekerheid hebben gegeven na zijn onzekere start in het leven, daar op Noord-Borneo, in het kamp nota bene. Misschien wilde hij die zekerheid niet opgeven.

Waarom heb ik mijn vader eigenlijk nooit naar zijn jeugd gevraagd? Waarom spraken we niet vaker met elkaar? Matt koesterde het feit dat hij en Lou altijd over alles konden praten, en dat ook vaak deden. Maar de gesprekken – échte gesprekken – met zijn vader waren zo schaars geweest, dat hij ze allemaal nog vrij precies voor de geest kon halen. Hij had hem ooit eens gevraagd naar ooms en tantes. Had vader ooit broers of zussen gehad? Hij zat op het gras in de voortuin van Milthorpe House, en vader zat in een ligstoel met een boek in zijn handen. Misschien was ik net uit school gekomen, dacht Matt. Constance was er niet. En juffrouw Hardy was ook weg. Vader had zijn boek op schoot gelegd en gezegd: 'Ik heb een zusje gehad. Die is gestorven toen ze nog maar een heel klein baby'tje was.'

'Hoe heette ze?'

'Dat weet ik niet. Ik denk dat ze nog te klein was om een naam te geven. Ze is gestorven in het kamp.'

'Wat erg. Was het erg in het kamp?'

'O ja. Niets te eten. Vreselijke hitte, en als je niet meteen deed wat je werd opgedragen, kreeg je straf.'

'Wat voor straf?'

'We moesten in de zon staan.'

Dat leek Matt eigenlijk helemaal niet zo erg, maar het moet vast heel heet geweest zijn, nam hij dan maar aan. Net als op het cricketveld, als het warm was. Vader ging verder: 'We mochten geen vin verroeren.'

'Wat gebeurde er dan als je wel bewoog?'

'Dat werden we... Ach, laat ook maar. Het gebeurde niet zo heel vaak, gelukkig.'

Hoe zou het zijn geweest, in zo'n kamp? Hij werd misselijk bij de gedachte. Maar vader leek niet erg aangedaan. Hij leek vrij normaal, dus hij was er vast al overheen. Opeens bedacht Matt zich iets. Andere jongens die hij kende hadden ooms en tantes en neven en nichtjes, maar ook broers en zussen, terwijl hij nauwelijks familie had. Het was niet eerlijk. Hij vroeg: 'Maar had u dan ook helemaal geen ooms en tantes of wat dan ook?'

'Niet dat ik weet. Na de oorlog werd alles een beetje, nou ja, moeilijk. Mijn echte moeder was namelijk doodgegaan, en oma Rosemary heeft me toen geadopteerd. Het leek haar het beste als we opnieuw zouden beginnen, in Engeland. En daar zal ze ook wel gelijk in hebben gehad. Ik wist niets van de familie van mijn moeder. Ze kwam uit Frankrijk...'

'Echt?' Matt dacht hier even over na. Dat betekende dus dat hij voor een kwart Frans was. Vond hij dat leuk? Hij wist het niet, maar hij kon er morgen op school iets over zeggen, om te zien hoe zijn vriendjes erop reageerden. 'Spreekt u dan ook Frans?'

'Niet echt. Ik spreek eigenlijk alleen het Frans dat ik op school heb geleerd. Mijn vader was Engels, dus toen ik klein was, spraken we thuis Engels. Ik heb me nooit... Nou ja, ik heb me nooit ook maar een beetje Frans gevoeld, om je de waarheid te zeggen.'

Constance was toen naar buiten gekomen en riep hen allebei binnen voor de thee. Vader was opgestaan en had haar bij de hand genomen. Misschien – en dit was een nieuwe gedachte voor Matt – misschien hield hij wel zielsveel van haar. Niet dat dat verder ergens uit bleek. Zijn vader was de meest gesloten persoon die hij ooit had gekend. Misschien was Constance, net als Ellie, die ze zo adoreerde, wel meesterlijk in bed, en was zijn vader op die manier in haar ban. Het leek hem niet erg waarschijnlijk, maar je kon nooit weten.

Phyl kwam terug met een dienblad dat ze neerzette op het tafeltje bij het raam. Ze gaf hem de beker en pakte toen die van haar op. 'Ik ga hier spijt van krijgen, morgenochtend,' zei ze. 'Het is twee uur geweest. Ik heb wallen onder mijn ogen. En jij moet werken. Kun je niet wat uitslapen? Ze kunnen toch wel even zonder je?'

'Ja, dat is geen probleem... Maar Phyl, zeg nou eens eerlijk: vind je het nu echt een goed idee om Poppy hier te hebben? Ik weet ook wel dat ze er pas een week is, maar...'

'We hebben het hier al uitgebreid over gehad, Matt. Ik ga het er niet nog eens over hebben, midden in de nacht. Ik ben doodmoe.'

'Precies, dat bedoel ik,' probeerde Matt nog eens. 'En hoe zit het dan met óns, Phyl? Zou jij dan niet ook wat meer vrijheid willen? Meer tijd voor ons samen?'

Ze keek hem bevreemd aan. 'Maar we hebben toch tijd samen? We hebben alle tijd van de wereld, als we niet aan het werk zijn.'

'Dat bedoelde ik niet... Ik bedoelde... Nou, neem nu vanavond. Ik had eigenlijk zin om te vrijen.' Dat was niet helemaal waar, maar hij probeerde haar iets aan het verstand te peuteren.

Phyl glimlachte. 'Fijn om te weten. We kunnen toch vrijen wanneer je maar wilt, dat weet je best... Behalve nu dan, want ik ben uitgeput. Echt.' Ze stond op, liep naar Matt toe, sloeg haar arm om zijn schouders en zoende hem boven op zijn hoofd.

'Dat is dus precies mijn punt. Jij bent de hele week al uitgeput. Ga maar na, Phyl: we zijn niet meer zo jong als vroeger. Laten we nou gewoon Lou bellen en zeggen dat het ons te veel wordt.'

'Dat kan niet. Ik heb haar beloofd een poosje op te passen... en een week is geen poosje. We wachten nog even, goed?'

Hij kon haar vannacht toch niet overhalen. Dus zei hij: 'Oké. Ik zal het er nu bij laten. Laten we maar gaan slapen, anders zijn we morgen halfdood.'

'Gezellig,' zei Nessa, in een poging niet al te wrokkig te klinken. Ze was uitgenodigd voor de lunch in Justins nieuwe appartement in Brighton. Vlak voordat Constance stierf was hij hier ingetrokken. Zou hij nu al snel weer verhuizen en Milthorpe House betrekken? Dat was een van de dingen die ze wilde weten.

'Jij bent de eerste die komt kijken. Ik heb de anderen nog niet uitgenodigd.'

'Kan ik me voorstellen.' Het zou nog maanden duren voor hij Matt en Phyl zou vragen, en wat Lou betreft.... Nou ja, die zat in

Londen, toch? Ondanks Justins opmerkingen over dat hij Milthorpe House zou vullen met een vrouw en een trits kinderen, leek dat Nessa niet erg waarschijnlijk. Niet in de nabije toekomst, in elk geval. Broerlief gaf de term 'bindingsangst' een geheel nieuwe dimensie. In hun tienerjaren was het huis overspoeld door meisjes die zijn aandacht wilden. Sommigen was dat ook een poosje gelukt, maar niemand hield het lang vol en dat patroon had hij min of meer zo aangehouden, voorzover zij wist. Ze had wel eens gedacht dat Justin misschien homo was, maar dat bleek niet zo te zijn. Wat uiteraard niet wilde zeggen dat hij het nooit met mannen had gedaan – ze kon zich niet voorstellen dat hij een seksueel verzetje zou afslaan, met welk geslacht dan ook, maar ja, ik ben zijn zus maar, dus wat weet ik ervan? Hij had haar nooit in vertrouwen genomen, en de informatie die ze wist los te krijgen, kwam uit toespelingen die hij zo nu en dan maakte. Hoe dan ook, hij zou zeker niet snel gaan trouwen of kinderen krijgen.

Nessa keek naar de parketvloer, als een plak glanzende karamel, die het licht ving dat door de gigantische raampartij naar binnen viel. Bij de witte bank lagen twee enorme harige witte vloerkleden, zorgvuldig geschikt, en het foeilelijke, maar opvallende schilderij nam het grootste deel van een muur in beslag. Het leek wel op een opgeblazen kleurenstaal met alle roodvarianten van een of ander verfmerk, maar dan kriskras door elkaar. Justin had duidelijk gekeken naar die interieurprogramma's op tv. Zijn appartement was belachelijk strak en modern. Het had geen ziel, maar ja, dat had Justin zelf ook niet, dus dat was niet zo gek. Ze vroeg zich af hoe hij zo'n huis eigenlijk kon betalen, en vroeg: 'Nou, die bankier van jou is ook toeschietelijk. Hoe heb jij zo'n hypotheek van hem losgekregen? Dit heeft wel wat gekost.'

'Hij was als was in mijn handen,' zei Justin.

'Niet letterlijk, mag ik hopen.'

'Nee,' zei Justin met een glimlach, 'hoewel dat waarschijnlijk niet uitgesloten was, als ik daar zin in had gehad. Maar dat had ik niet. En nu hij lucht heeft gekregen van mijn meevallertje is hij nog veel happiger. Hij loopt zich echt uit de naad voor me. Verbazingwekkend hoe aardig mensen ineens zijn als ze vermoeden dat je echt flink wat geld hebt.'

'Hm,' zei Nessa, 'Volgens mij kan dit huis wel wat bloemen gebruiken. Zal ik je mijn catalogus mailen?'

'Sorry, Ness, maar verse bloemen zijn toch veel mooier?'

'Je denkt toch niet dat ik dat ga beamen, of wel? Ik ga mijn eigen handel niet de das omdoen. Nee, volgens mij ben jij juist de ideale klant. Wat jij wilt is schoonheid zonder gedoe, toch?' Ze vond het wel een mooie zin, en bedacht dat ze aan Mickey zou vragen wat zij ervan vond. Misschien konden ze hem wel in hun advertenties gebruiken.

'Als je het zo stelt... Ach, stuur maar op. Dat kan ook geen kwaad. Waar heb je zin in: koffie, een borrel, of wil je wat eten?'

'Wat eten, als je het niet erg vindt. Ik moet Tamsin vandaag nog ophalen.'

'Kom maar mee, dan.'

Ze liepen naar de keuken, en Justin haalde een paar kant-en-klare quiches uit de oven. Gruyère met ui, met een salade in een heel mooie glazen schaal en ijskoud mineraalwater. Lekker was het. Ze bewonderde de wit met chromen keuken. Wat was het ook gemakkelijk om een huis schoon te houden als je geen kinderen had! Nergens cornflakes of rare yoghurtjes en geen brood met extra omega-3 in de broodtrommel. Niet dat deze ultrastrakke, glimmende space-age-stijl iets voor haar was, zelfs niet zonder al die kindertroep erin. En trouwens, voor Tamsin had ze al die troep in haar keuken wel over. Toch was ze verbaasd dat ze zich in de keuken van Mickeys huisje zo ontzettend op haar gemak voelde: de keukenkast met al dat mooie serviesgoed, een eiken tafel, voddenkleedjes op de grond en een nieuwe Aga tegen de ene muur.

En uiteraard – want Justin had gelijk! – met verse bloemen in een kan bij het raam, die mee veranderden met de seizoenen.

'Heb je nog nagedacht over Milthorpe House?' vroeg ze, en ze nam een slokje water. Mooie zware glazen, vond ze.

'Hm,' antwoordde Justin, die veel langer dan nodig bleef kauwen, zodat hij niet uitgebreider kon antwoorden. Nessa kende haar broer langer dan vandaag. Ze wachtte tot hij uitgekauwd was, en ging meteen door. 'Vertel op. Je moet het me toch een kéér vertellen. En ik blijf doorzeuren.'

'Dat weet ik wel…' Hij prikte nog een stuk quiche aan zijn vork en bracht die naar zijn mond. Hij glimlachte naar haar toen hij de hap had doorgeslikt, en Nessa zuchtte. Als Justin naar je glimlachte was het net alsof je werd verblind door te veel flitslichten. En onwillekeurig werd ze betoverd door zijn schoonheid.

'Toevallig heb ik wel een paar ideetjes,' zei hij. 'Maar ik weet niet of ik die al wil delen, eerlijk gezegd. Ik heb de tijd.'

Wat hij kon, kon zij ook. Nessa toonde hem een even lieve lach en boog zich naar voren om hem even bij de pols te pakken. 'Ik ben het, Justin,' zei ze. 'Je grote zus, weet je nog? Toen we klein waren, waren we eigenlijk best close, vind je ook niet? Ik weet eigenlijk niet waarom dat nu niet meer zo is, maar het zou eigenlijk wel moeten – toe – doe nou niet ineens heel volwassen en afstandelijk tegen me, alsjeblieft.'

'Dat doe ik niet. Helemaal niet. Jij bent uiteraard de eerste – en waarschijnlijk de enige – aan wie ik het zal vertellen.'

'Je voert iets in je schild, hè? Geef maar toe! Ik heb je altijd meteen door als je smoesjes verkoopt.'

'Misschien. Maar ik wil het je hoe dan ook nu nog niet vertellen. Het is echt veel te vroeg. En bovendien zou dat in tegenspraak zijn met wat ik tegen Matt en Phyl heb gezegd. Ik wil niet dat zij het nu al weten. En Lou ook niet, trouwens. Matt zou me willen tegenhouden. Niet dat dat kan. God, wat ben ik Constance dankbaar dat ze ervoor heeft gezorgd dat haar testament niet aan te vechten is! Ik vind het gewoon leuker om iedereen voor een fait accompli te stellen.'

'Hè, toe nou, Justin! Alsjeblieft?' Ze zette haar mierzoete stemmetje op, dat ze vroeger altijd gebruikte om Gareths aandacht te trekken, in de tijd dat ze hem nog leuk vond. 'Ik zal het aan niemand vertellen,' voegde ze eraan toe, ook al wist ze dat dat een leugen was. Ze zou Mickey waarschijnlijk alles over deze lunch uit de doeken doen.

'Ik ben in gesprek met Eremount.'

'Wie is Eremount?'

'Dat is een projectontwikkelaar. Je hebt vast wel eens een bord van ze zien staan, hier of daar. Ze zijn overal aan de zuidkust bezig, van die paars met groene borden, hebben ze.'

'O, die ja. Afschuwelijke kleuren. Ja, ik weet wie je bedoelt.' Nessa voelde zich niet helemaal op haar gemak. Ging hij het haar nu allemaal vertellen?

'Ze hebben interesse. Maar er is nog niets concreets afgesproken.'

'Interesse?'

'Yep. In Milthorpe House.' Justin liep naar een wit keukenkastje en pakte wat creamcrackers. De kaasjes lagen al op een marmeren kaasplank die op het aanrecht stond, en hij nam ze mee naar de tafel en zette ze voor Nessa neer. 'Ze hebben zelfs heel veel interesse.'

Ze staarde naar de kaas, maar ze had geen eetlust meer. Wat bedoelde hij nou precies? Ze haalde diep adem. 'Even voor mijn beeldvorming: dus je wilt Milthorpe House verkopen?'

'Inderdaad. Voor een heleboel geld – en dat niet alleen, ik krijg ook aandelen.'

'Waarin?'

'Heb ik dat dan nog niet gezegd?'

'Nee, Justin, dat heb je nog niet gezegd. Ja, nu moet je me ook alles vertellen. Het is niet eerlijk om me maar een deel te vertellen en de rest niet. Kom op.'

'Nou, vooruit. Eremount wil het huis kopen en er een hotel met een wellnesscentrum van maken.'

De grond zakte weg onder Nessa's voeten, en ze kon zich nog net inhouden om niet verbijsterd naar adem te snakken. Ze wilde niet dat Justin zou merken dat ze dat helemaal niet had zien aankomen. Ze fronste even – dat kon wel – en antwoordde zo vlak als ze kon opbrengen. 'Nou, dat zullen sommige mensen op prijs stellen. Maar een wellnesscentrum?'

'Waarom niet? Iedereen heeft het tegenwoordig over wellnesscentra.'

Nessa legde een vierkant stukje brie op een creamcracker en nam een hap. Ze dacht na over wat Justin haar zojuist had verteld. Voorzichtig, dacht ze. Je moet hem niet tegen de haren in strijken. 'Vertel.' Ze liet hem doorkletsen, terwijl ze nadacht. Ze vond het wel een goed idee. Ze zag het helemaal voor zich, Milthorpe House als wellnesscentrum. Het zou prachtig worden – een goudmijn ook, dat wist ze zeker. Ineens leek het hele idee om het huis in de familie te houden helemaal niet meer zo belangrijk.

Justin zanikte maar door over omzet... winstmarges... parel van het zuiden... hip... het beste van het beste... enzovoort, enzovoort. Uiteindelijk viel hij stil en toen zij geen reactie gaf, vroeg hij: 'Wat vind je ervan?'

'Nou,' zei Nessa, terwijl ze koffie inschonk uit de cafetière die Justin net op tafel had gezet. 'Ik moet natuurlijk eerst de plannen zien, de details en zo, maar het lijkt me een heel goed idee. Veel realistischer dan dat je daar in je eentje in zou trekken.'

'Godzijdank!' Hij keek opgelucht. 'Maar je vertelt het aan niemand, hè? Beloofd? Ik heb geen zin in gezeur van Matt.'

'Ik zal niks zeggen. Maar niet voor niks.'

'Niet voor niks? Hoe bedoel je?'

'Ik wil ook aandelen in het hotel. Ik wil een deel van de op-brengst. Laten we zeggen: vijfendertig procent?'

'Ben je helemaal gek, of zo? Waarom zou ik dat doen? Milthorpe is van mij, en dus is de winst die ik ermee kan maken ook van mij. Je kunt me toch niet tegenhouden.'

'Nee, dat kan ik natuurlijk niet, maar ik kan het wel aan Matt vertellen, en je zegt net dat je niet wilt dat hij het weet. Hij zal je de oren van je kop zeuren. Sterker nog, hij gaat helemaal uit zijn dak. Ik vind het trouwens ook niet echt broederlijk van je dat je mij er niet bij wilt hebben. We kunnen toch partners worden, Justin? Je ziet toch zelf ook wel dat Constances testament niet bepaald eerlijk was. Of niet?'

'Misschien niet, nee, maar ik zie niet in waarom ik medelijden moet hebben met jou. Je bent niet bepaald armlastig, lijkt mij zo.'

Daar had ze geen antwoord op. Het was waar, en elke keer als ze zich drukmaakte over hoe oneerlijk het allemaal was, moest ze toegeven dat ze genoeg had, en dat het geld van Constance gewoon een fijn extraatje was. Ze schaamde zich wel eens dat ze niet wat dankbaarder was voor haar geluk. 'Ik ben inderdaad niet armlastig,' zei ze. 'Maar ik zou je kunnen helpen met het wellnesscentrum. Ik heb heel veel zakelijke ervaring, en dat kun jij van jezelf niet zeggen.' Iets in die zin klonk haar vreemd in de oren. Het klonk weer net als vroeger, toen ze elkaar ook altijd wilden aftroeven.

'Dat klopt wel,' zei hij. 'Maar ik neem aan dat Eremount niet zo groot is geworden dankzij het advies van mensen met kleine bedrijfjes zoals jij, Nessa. Het spijt dat ik het zeggen moet.'

'Dat vind ik nogal aanmatigend van je. Beledigend zelfs. Maar ik ga er nu geen ruzie over maken, Justin. Laten we het op een akkoordje gooien. Laten we met Eremount gaan praten over aandelen voor mij, tegen een gunstige prijs, of zo. Daar verlies jij verder niks aan, toch? Dan heb je nog steeds miljoenen over.'

'Het is nog vroeg, Nessa. Er is nog geen gerechtelijke verificatie van het testament. Maar ik zal erover nadenken. En ik zal eens praten met mijn contactpersonen bij Eremount.'

'Voor ik het vergeet, nog één ding.' Ze had haar hand al op de deurknop en draaide zich om naar Justin. 'Hoeveel bieden ze eigenlijk voor Milthorpe House?'

'Bijna drie miljoen.'

Alleen al het idee van zoveel geld gaf Nessa een draaierig gevoel. Heel even kwam de gedachte op om Justin te vragen Lou ook een paar aandelen te geven, maar die gedachte verdween weer snel, en toen ze naar beneden liep raakte ze alle verdere neiging tot genereusheid kwijt. Lou had hier helemaal niks mee te maken. Lou was helemaal niet eens familie van Justin en haar. Ze kenden haar min of meer bij toeval, in feite, en ook al had Nessa verder niets tegen haar, ze kon nu ook niet direct zeggen dat ze zusterlijke liefde voor haar voelde. Constance wist duidelijk iets over Lou wat de anderen niet wisten, want waarom had ze haar anders willens en wetens helemaal niets nagelaten? Het auteursrecht op die boeken, dat was een regelrechte belediging. Lou was per slot van rekening het enige echte kleinkind. Dus dat kon alleen maar betekenen dat in tegenstelling tot wat iedereen altijd beweerde, het hemd helemaal niet nader was dan de rok. Waar het uiteindelijk om ging, was hoeveel je van iemand hield. Om wat voor reden dan ook. En Constance had niet van Lou gehouden.

Terwijl ze zich in het verkeer op de ringweg voegde, dacht Nessa terug aan een dag dat zij zonder Justin op Milthorpe House was. Waarom was dat eigenlijk? Ze kon zich de reden niet herinneren, maar ze was daar in haar eentje geweest. Ze was toen een jaar of elf, twaalf, en ze zat op het krukje bij het raam van Constances slaapkamer. Zo lang als Nessa hen had gekend, sliepen John Barrington en zijn vrouw in aparte slaapkamers. Grootvaders kamer was aan de andere kant van de overloop. Als kind had ze dat nooit vreemd gevonden, maar nu, als volwassene, realiseerde ze zich dat de twee mensen die zij als haar grootouders beschouwde niet echt veel van elkaar hielden. Tenminste, tegen de tijd dat ik hen leerde kennen hadden ze blijkbaar besloten dat seks geen belangrijk deel van hun leven meer uitmaakte. Ik vraag me af waarom niet, dacht ze, terwijl ze voor een verkeerslicht stond te wachten. Ik zal het nooit te weten komen, maar grootvader was wel verschrikkelijk stilletjes en chagrijnig, terwijl Constance wel van een verzetje hield. Ze was een feestbeest dat zat opgesloten in dat gigantische huis, met een saaie echtgenoot.

Nessa had met terugwerkende kracht medelijden met haar. Er was natuurlijk ook altijd nog de mogelijkheid dat ze het juist spannend vonden om stiekem bij elkaar langs te gaan, 's nachts, alsof het een soort geheime affaire was. Met de juiste persoon was dat heel opwindend, kon Nessa zich voorstellen – dan had je wel de seks, maar niet het gesnurk, om zo te zeggen – maar toch dacht ze niet dat het zo werkte binnen het huwelijk van haar grootouders.

Op die dag, de dag waaraan ze nu terugdacht, was ze zich er voor het eerst van bewust dat iemand tegen haar sprak als tegen een volwassene. Constance vertelde haar van alles. Nessa voelde zich bevoorrecht.

'Jij bent hier eigenlijk te jong voor,' had Constance gezegd, maar dat weerhield haar er niet van om verder te vertellen. Nessa had geen idee waarom Constance toen zo bezig was met haar schoonmoeder, maar het was zo. Oma Rosemary, zoals Matt haar altijd noemde, was alweer een tijdje dood, maar Constance leek nog altijd een beetje kwaad op haar.

'Ze had in feite niet veel geld. Ze hadden het advocatenkantoor dat haar man had opgezet – mijn schoonvader – maar dat was het wel. Terwijl ik de minnaars praktisch van de stoep moest vegen, zoals mijn vader dat altijd uitdrukte. Milthorpe House en het geld van papa – laten we zeggen dat jouw grootvader alles bij elkaar een flink stap vooruit ging, toen hij met mij trouwde. En het kantoor kreeg ook glans dankzij zijn band met mijn familie. Mensen zien graag dat hun advocaat goede connecties heeft. Rosemary had geluk. Ze had in haar stoutste dromen niet kunnen bedenken dat iemand als ik met John zou willen trouwen. Ik was namelijk verliefd op hem, zie je. Dat was mijn grote fout. Je moet nooit trouwen met iemand op wie je verliefd bent, Nessa. Dat vertroebelt de zaak. Je kunt geen redelijke beslissingen meer nemen als je zo blind van liefde bent. En ik was blind van liefde, neem dat maar van mij aan. Een poosje, tenminste. Hij was ook zo knap. Dat knappe is er wel van afgegaan, met de jaren, vind je niet? Dat hebben sommige mensen. Ik gelukkig niet.'

Wat was Constance toch heerlijk egocentrisch en vals, dacht Nessa. Ze vond het bewonderenswaardig als je zo ingenomen kon zijn met jezelf. Zelf was ze er ook vast van overtuigd dat ze altijd gelijk had, en haar geloof in haar eigen wijsheid was zo overweldigend dat ze bijna iedereen meekreeg, en dat ze altijd deden wat zij wilde, zonder haar oordeel in twijfel te trekken. Dat was absoluut een van de redenen waarom Constance zo goed kon opschieten met Matt... die volgde gewoon haar orders op. Misschien was hij zelfs met Ellie getrouwd omdat zijn moeder hem dat opdroeg. Wat een sukkel!

Nessa dacht weer terug aan die dag in Constances kamer. Dat was de dag waarop ze een beetje inzicht kreeg in John Barrington.

'En mijn schoonmoeder was niet eens Johns echte moeder,' zei Constance. 'Ze heeft hem na de oorlog geadopteerd, namelijk. Ze kwamen hier vanuit dat walgelijke gevangenkamp, of wat het ook was, en ze heeft hem naar kostschool gedaan en ze heeft hem zo gehersenspoeld dat hij zich zijn eigen moeder niet eens meer kan herinneren. Dat kon ze goed, hersenspoelen, geloof me. Een uiterst vastberaden type was het. Als die zich eenmaal iets in haar hoofd haalde, nou. Dan was ze niet meer te houden. Ze heeft me een keer verteld – ik kan me die middag nog heel goed herinneren – dat ze zich realiseerde dat ze zelf geen kinderen kon krijgen, en dat ze dacht dat haar leven toen voorbij was. Toen zei ze: "En toen kwam John. Dat was mijn geluk." En zijn echte moeder was zogenaamd haar beste vriendin! Moet je je indenken! Johns moeder was een Française. Dat heeft Rosemary me verteld. John heeft het nog nooit over haar gehad. Niet één keer. Niet met mij, in elk geval. Ik vind het geen probleem verder, maar een beetje vreemd is het wel, als je het mij vraagt. Nou ja, het is ook een beetje een vreemde man. Ik denk...' Ze boog zich naar Nessa toe en schudde met haar vinger heel dicht bij haar gezicht. '...ik denk dat hij heel veel van zichzelf in die domme boeken van hem heeft gestopt. Alsof hij daar iets aan heeft!

'Er is alleen nog een soort omhulsel van hem over, ook al is het jaren geleden dat hij voor het laatst iets schreef. Die boeken hebben hem uitgehold, in zekere zin. Hij praat niet meer met me. Tenminste niet over de dingen waar ik over wil praten. Hij houdt niet van roddelen, en dat vind ik vreselijk. Ik mis jouw moeder zo. Met haar kon je heerlijk roddelen. Woonde ze maar in dit land. Dat zul jij ook wel vinden, of niet, arm kind? Nou ja, ik ben toch ook een soort moeder voor je. Voor jou en voor Justin.'

Zelfs toen al, dacht Nessa, wist ik dat Constance wilde dat ik iets zou zeggen als: *ja, je bent net zo goed als onze echte moeder en veel beter dan Phyl*, maar dat deed ik niet. In die tijd was ik nog heel braaf, en ik wist dat Matt heel verdrietig zou zijn als ik zijn nieuwe vrouw zou afkraken. Ik wilde het mezelf niet te moeilijk maken.

Zou ze nog op tijd zijn om Tamsin op te pikken? Ze was wat laat vetrokken, maar ze zou het waarschijnlijk wel halen. Zo niet, dan kon ze altijd nog een van de andere moeders bellen, en dan zou die Tamsin mee naar huis nemen tot ze er was.

Haar gedachten dwaalden weer af naar Milthorpe House. Wat

vond ze er eigenlijk van als het echt een wellnesscentrum zou worden? Kon ze net doen alsof ze eraan gehecht was als aan een ouderlijk huis? Niet echt. Ze had van Constance gehouden. Ze vond het leuk om daar te zijn, maar als Constance er niet meer was, zou ze dan liever daar wonen dan in haar eigen huis? Het antwoord was waarschijnlijk nee. Nu ze de tijd had gehad om aan Justins nieuws te wennen, was ze een stuk geïrriteerder dan in eerste instantie. Oké, er was niet echt een reden waarom Justin haar in zijn rijkdom zou moeten laten delen, maar hij had zoveel geld dat hij toch zeker wel aan zijn zusje kon denken? Maar nee, dat zou hij natuurlijk niet doen. Waarom zou hij in vredesnaam? Haar financiële positie was niet van dien aard dat hij kon denken dat ze hulp nodig had. Ik zou hem ook geen cent geven als de rollen omgedraaid waren, moest ze toegeven. Heel even dacht ze aan Lou – die leefde kennelijk van een hongerloontje. Zou Justin erover denken om haar mee te laten doen? Ze betwijfelde het, want Lou had geen geld om mee te doen aan deze financiële loterij. En trouwens, Justin en Lou zagen elkaar nooit. Ze was praktisch uit zijn leven verdwenen toen Justin uit huis ging.

'Die verdomde Constance ook!' vloekte ze bij zichzelf, overvallen door een plotselinge golf van woede. Jammer dan, dat ze zelf ook niet helemaal eerlijk was. Of zelfs ronduit jaloers. Ze was dan zelf wel rijkelijk bedeeld, maar het idee dat Justin er met drie miljoen vandoor ging – dat was te veel. Een wellnesscentrum in Milthorpe House. Hoe zouden Matt en Phyl reageren als ze het zouden weten? Ze zouden vooral woedend zijn dat niets van het geld, geen cent voorzover zij wisten, terecht zou komen op de bankrekening van hun enige echte dochter, Lou.

Harry zou over een minuut of tien komen, en Lou was er helemaal klaar voor. Tegelijkertijd was ze volkomen uitgeput. Het was al meer dan een jaar geleden dat ze langer dan tien minuten had besteed aan het kiezen van haar kleding. Sinds Poppy's geboorte was haar enige ambitie op dat gebied om iets schoons te dragen. Het hoefde niet eens gestreken te zijn. Alles werd uiteindelijk toch be-Poppied: kwijl, voedsel, soms zelfs spuug. Over haar outfit voor de begrafenis van Constance had ze niet hoeven inzitten, want dat liet geen ruimte voor keuzes. Ze had maar één fatsoenlijk pakje, en dat had ze gedragen. Godzijdank was het een zwart pakje. Die dag had ze ook make-up gedragen, maar sindsdien woonde ze in haar spijkerbroek en een verzameling T-shirts en truien.

Voor dit afspraakje met Harry was het wel enigszins problematisch. Als ze zich te veel zou uitsloven, dan zou ze uitstralen dat ze dit als een afspraakje beschouwde. Dus moest ze voorzichtig zijn met de lipgloss, niet ineens met rode nagels gaan rondlopen na wekenlang kleurloze lak, en waarschijnlijk ook geen jurkjes van het soort dat zei: *neem me mee naar een chique club*. Ze had trouwens niet eens zoiets in de kast hangen, dus het kwam goed uit dat ze dat ook niet aan wilde. Tegen de tijd dat al haar kledingstukken op het bed lagen, was ze buiten adem en begon de tijd te dringen. Uiteindelijk koos ze een donkerrode rok met een zwierige rand, een mooie leren riem en een pretentieloos bloesje dat als voornaamste pluspunten had dat het nieuw en schoon was. Met een beetje goede wil kon je het klassiek noemen, hoewel saai ook een prima omschrijving was. Haar schoenen waren oké. Tijdens de uitverkoop, na de feestdagen verleden jaar, had ze geweldige zwart-suède laarzen gekocht. Iets mooiers had ze niet in haar kast. Of waren de hakken te hoog? Even vroeg ze zich paniekerig af of ze toch lage schoenen aan moest doen, maar ze had geen tijd meer, en ze was uiteindelijk toch wel blij met hoe ze eruitzag met die laarzen – veel beheerster dan ze zich voelde.

Om precies halfacht werd er aangebeld. 'Hallo Harry!' zei ze, terwijl ze opendeed. Hij stond in de gang, in precies dezelfde kleren die hij altijd droeg.

'Ha, Lou. Wat zie je er leuk uit,' zei hij. 'Ik heb je nog nooit in een rok gezien.' Toen fronste hij. 'Sorry, word ik nu te persoonlijk? Ik weet nooit of het wel oké is om te zeggen dat iemand er goed uitziet.'

'Dat is zeker oké. Ik vind het wel leuk om een compliment te krijgen.'

'Wat jammer dat ik Poppy niet kan zien.'

Lou voelde zich niet op haar gemak. 'Jammer, ja. Ze is bij mijn moeder. Ik heb haar daar gelaten zodat ik de kans heb om...' Ze zweeg plotseling, omdat ze bijna had verteld over het script waar ze mee bezig was. Ze haalde diep adem. 'Nou ja. De kans om de dingen eens even goed op een rijtje te zetten, weet je wel...' Haar stem stierf weg. Zou het een gespannen avondje worden? Ze vervolgde: 'Hoewel ik vermoed dat mijn moeder er nog meer plezier van heeft dan ik. Ze is stapel op Poppy.'

Harry ging op de bank zitten en wachtte tot zij haar jas en handtas had gepakt. Hoe ging dit ook alweer, vroeg Lou zich af. Alle woorden die ze van tevoren had bedacht leken haar nu te joviaal en overdreven vrolijk. Uiteindelijk liep ze gewoon maar naar de deur, klampte zich uit alle macht vast aan het hengsel van haar tas en keek naar Harry op zoek naar iets om te zeggen. Hij sprong op.

'Sorry... je bent zover. Kom, we gaan, ik heb trek.'

'Ik ook.'

Ze gingen naar buiten, en Lou deed de deur van haar appartement op slot.

'Het is niet zo ver,' zei Harry toen ze buiten liepen. 'Hou je van Indiaas eten?'

'Heerlijk, mijn lievelingseten.'

'Vind je het erg om met de metro te gaan?'

Lou moest lachen. Ze kon er niks aan doen. 'Sorry... dat heeft niemand ooit aan me gevraagd. Ja hoor, de metro is prima.'

'Ik heb namelijk wel een auto,' zei Harry. 'Maar die is niet zo heel betrouwbaar. Je merkt dat hij al een dagje ouder wordt. Ik gebruik hem alleen in het weekend.'

'Waar ga je dan heen?' Lou had meteen spijt van haar vraag. Zou hij haar te nieuwsgierig vinden?

'Overal. Ik vind Cornwall leuk en ik heb vrienden in het Lake District, vlak bij Kendal... Norfolk is ook mooi. Daar wonen mijn ouders.'

Ze zaten naast elkaar in de metro en zeiden niet zoveel. Het was heel druk, en lawaaierig door de toeristen, allerlei talen door elkaar heen, dus kon Lou Harry's spiegelbeeld in het raam bestuderen. Wat zag hij er toch leuk uit, dacht ze, ook al was het niet echt een knappe man. Ze begon er lol in te krijgen.

Ik had me geen zorgen hoeven maken of we wel aan de praat zouden blijven, dacht Lou. Harry was diep verwikkeld in een discussie over de drie scripts die hij uit de misschien-stapel had gevist tegen de tijd dat ze hun voorgerecht geserveerd kregen. Tegen het einde van de maaltijd hadden ze die vanuit elke hoek belicht en waren ze het eens.

'Oké... klaar,' zei Harry, en hij deed de papieren die de hoek van de tafel in beslag hadden genomen in zijn koffertje. 'Ik ben blij dat je het met me eens bent. Dan gaan we dus voor *Harten in een draaimolen*. Fuentes vindt het vast geweldig. Het is geestig en ontroerend en er kunnen nooit genoeg liefdesverhalen worden gemaakt, dacht ik zo.'

'Dat denk ik ook niet. Maar ik dacht altijd dat mannen niet van dat soort films hielden. Meer iets voor de dames. Of voor een eerste afspraakje – je vindt ze toch niet echt leuk?'

'Als ze goed in elkaar zitten maakt het me niet uit. Chicklit, westerns, drama's, lachfilms, science fiction, thrillers. Hoewel ik niet gek ben op gebroken-glasfilms.' Harry lachte. 'Zo noem ik van die films waarbij de hele tijd auto's door winkelruiten vliegen, of waarin voortdurend exploderende ruimteschepen te zien zijn. Gewoon alles met een hoop botsingen en knallen en uit elkaar spattende toestanden. Mannenfilms, geloof ik. Maar zelfs die kunnen goed gemaakt worden, als je wilt. Een goed script maakt een groot verschil.'

Lou knikte en beet gedachteloos in een stuk naanbrood. Tijdens het eten waren er niet van die akelige stiltes gevallen, waar ze bang voor was. Dat was ook niet zo gek, want ze waren gewoon aan het werk geweest. En wat is daar mis mee? Ik wil toch ook helemaal niet dat hij me probeert te versieren, of wel soms? Maar ik vind hem wel heel leuk. Misschien... De gedachte aan zoenen met Harry verwarde haar ineens, want ze wist niet hoe ze zich daarbij zou voelen. Bang. Opgewonden. Allebei tegelijk. Wat zou ze doen als hij zou proberen om... Hij zei iets. Ze vroeg: 'Sorry Harry, wat zei je precies?'

'Niets belangrijks. Je was er even helemaal niet bij, zeg. Waar dacht je aan?'

Lou zocht naar een overtuigd leugentje en zei het eerste wat bij haar opkwam. 'Familie.'

'Ah. Oké.'

Dat was dus niet genoeg. Lou vervolgde: 'Ik vroeg me af hoe jouw familie in elkaar zat.'

'O.' Harry leek er niet mee te zitten. 'Nou, ik heb een vader en moeder in Norfolk, zoals ik al zei. Ze zijn inmiddels met pensioen, maar mijn vader was arts, huisarts, en mijn moeder was secretaresse op een school. Ik heb twee broers, die allebei veel ouder zijn dan ik. Eentje is ook arts. Die woont in Schotland, in de buurt van Aberdeen. Martin heet hij. Hij is getrouwd met Jeannie en ze hebben twee kinderen... geweldige kinderen. Pubers. Ze vinden mij wel cool omdat ik ze af en toe meeneem naar een filmpremière. Mijn oudste broer woont in Cardiff. Hij is architect en hij heeft momenteel geen relatie. Hij is homo, en dat vinden mijn ouders niet zo leuk, hoewel ze dat natuurlijk nooit zullen zeggen. Ze zeggen het niet, maar doen enorm hun best om te laten blijken dat het ze echt niet uitmaakt. Maar daar trapt Jack natuurlijk niet in. Jack, zo heet hij dus.'

'Je kunt beter met hem opschieten dan met Martin, klopt dat?'

'Ja, dat klopt inderdaad. Ook omdat hij jonger is. Hoe raad je dat zo?'

'Gewoon goed gegokt.' Toen hij het over Jack had, klonk er een bepaalde warmte door in zijn stem. Ze vroeg zich af of ze hem over zichzelf kon laten praten. Want hij was degene in wie ze geïnteresseerd was. Zou ze het hem vragen? Waarom niet? Niet geschoten, altijd mis. 'En jij, Harry?'

'Ik?'

'Ja, jij.' Ging ze nou te ver?

'Ik was getrouwd, maar nu niet meer. Geen kinderen, gelukkig. Ik vind kinderen heel leuk, maar de scheiding was gemakkelijker omdat we daar geen rekening mee hoefden te houden. We waren veel te jong toen we trouwden. Er was niks mis met Margie, maar na een poosje waren we twee katten in het nauw. Ik ken mensen die beweren dat ze als vrienden uit elkaar zijn gegaan, maar bij ons was dat echt zo. Nou goed, misschien niet echt als vrienden, maar ook weer niet echt als vijanden, en dat had wel gekund. We waren allebei gewoon zo opgelucht dat we van elkaar af waren. Er waren geen anderen in het spel. We waren gewoon... We werkten elkaar op de zenuwen. We konden helemaal niet met elkaar opschieten. Ik had het gevoel alsof ik in een uit de hand gelopen spel zat, en onze advocaten waren net ouders die ons uit elkaar haalden en zeiden: "Oké, we gaan nu naar huis. Genoeg gespeeld." Ik had echt het gevoel dat ze me gered hadden. Je kent dat gevoel vast wel.'

Lou knikte, en Harry zei: 'Sorry. Misschien ken je dat gevoel wel helemaal niet, maar ik weet dat jij single bent en dat je een baby hebt, dus ik neem aan dat er bij jou ook iets niet helemaal goed is gegaan. Je hoeft er verder niks over te zeggen, hoor. Ik zit niet te vissen.'

'Het geeft niet. Ik vind het niet erg.' En Lou vond het ook echt niet erg. 'Ik was niet eens getrouwd, maar toch weet ik precies waar je het over hebt. In mijn geval was het net alsof ik in een niet te stoppen onweersbui zat, met bliksemslagen die me voortdurend dreigden te raken. Die onweersbui is uiteindelijk afgedreven en toen was het over. Ik voelde me opgelucht. Nog steeds. Ik maak me soms wel zorgen dat hij weer terugkomt, die storm, maar ik denk het niet. Hij is echt helemaal verdwenen. Ik denk trouwens niet dat hij van me hield... Ik weet zeker dat hij weer iemand anders heeft, maar mijn vader staat klaar met straatverboden en andere juridische wapens voor het geval Ray – zo heette hij – toch weer opduikt.'

'Is Poppy zijn dochter?'

'Ja. Maar dat geloofde hij zelf niet. Hij was... hij was ziekelijk jaloers. Hij dacht ik vreemdging met elke man die ik tegenkwam. Obers, postbodes, de melkboer – wie dan ook. Elke man met wie ik sprak was meteen verdacht. Het was niet te doen.'

'Heeft hij je ook... Was hij... gewelddadig?'

'Soms. Maar dat was nog niet het ergste. Die voortdurende gemene opmerkingen, en die – hoe noemen ze dat tegenwoordig in de bladen? – verbale mishandeling. Dat klinkt eigenlijk veel te steriel en bijna respectabel. Hij schold me gewoon de hele tijd verrot. Ik was...' Tot haar ontzetting voelde Lou de tranen in haar ogen springen. O god, ik moet me beheersen, dacht ze. Zo denkt hij dat ik een slappeling ben. Dat ik het niet aankan in mijn eentje. Ze deed enorm haar best om luchtig te klinken. 'Hij was een regelrechte, spijkerharde klootzak en ik wil deze avond niet bederven door nog meer woorden aan hem vuil te maken, goed?'

'Goed,' zei Harry, en hij wenkte de ober. 'Zullen we koffie nemen? En een toetje, als je daar zin in hebt?'

'Nee, ik zit vol, maar koffie is wel lekker.'

Harry glimlachte. 'Hoelang blijft Poppy nog bij je moeder? Kun je er wel mee leven zo, of mis je haar?'

Wilde hij echt antwoord op die vragen, of wilde hij haar alleen maar opvrolijken door een onderwerp aan te snijden waar ze vrijwel zeker graag over wilde vertellen? Ze wilde net antwoord geven, toen hij haar hand vastpakte en er even in kneep. Het was een vriendschappelijk kneepje, niet romantisch bedoeld, maar het gaf haar toch een goed gevoel.

Hij zei: 'Jij vraagt je natuurlijk af of ik echt geïnteresseerd ben in Poppy, of dat ik je alleen probeer op te vrolijken, hè?'

'Hoe weet je dat nou?'

'Omdat ik gedachten kan lezen. Maar ik ben echt geïnteresseerd. Heb je foto's?'

'Thuis. Ik heb ze nooit bij me. Behalve op mijn telefoon...'

'Laat zien dan.'

'Echt?'

'Ja, tuurlijk. Geef eens?'

Lou deed wat haar werd opgedragen. Harry klapte haar telefoontje open en grijnsde. 'Je moet er eentje nemen waarmee je filmpjes kunt maken.'

'O god, een telefoonfreak.'

'Ik ben bang van wel.'

Ze keek naar Harry terwijl hij de foto's bekeek, kennelijk gebiologeerd. Hij had haar verteld over zijn scheiding, maar niet of hij op dit moment een vriendin had. Het ging haar ook niks aan, maar toch zou ze het best willen weten. Misschien niet nu. De volgende keer, dan zou ze het hem vragen.

'Wil je nog koffie, of een borrel, misschien?' Lou keek Harry aan en stelde de vraag in de hoop dat hij niet merkte dat ze haar twijfels had. De hele terugweg met de metro, en de hele wandeling de heuvel op naar haar huis, had ze in haar hoofd geoefend hoe ze dit zou vragen: luchtig, alsof het voor haar de gewoonste zaak van de wereld was om mannen binnen te vragen voor een drankje, en niet alsof ze geen idee had wat ze voelde. Ze wist niet eens of ze wel wilde dat hij de uitnodiging aannam. Haar mond was droog terwijl ze sprak.

'Beter van niet,' zei Harry, volkomen normaal en nonchalant. 'Ik moet morgen vroeg beginnen, dus ik moet weer terug naar de metro.'

Lou voelde zich meteen schuldig. 'O, sorry. Ik had gewoon alleen naar huis kunnen gaan. Dat doe ik altijd. Hè, dat vind ik echt vervelend, Harry, dat je zo'n omweg moet maken.'

'Ssst...' Hij stak een vinger uit en legde die op haar lippen. 'Geen denken aan dat ik jou in je eentje naar huis zou laten gaan. Het geeft niks. Die koffie komt een ander keertje wel, goed?'

'Goed. Bedankt, Harry. Ik vond het heel gezellig.'

'Ik ook. Moeten we nog eens doen. Slaap lekker, Lou.'

'Jij straks ook, Harry. En bedankt.'

Ging hij haar nu zoenen? Of haar hand schudden? Ze voelde zich nogal sullig en wist niet wanneer ze nu de trap op kon lopen, naar haar huis. Hij legde zijn handen op haar schouders en boog zich naar voren om haar op haar haar te zoenen. Niet helemaal op haar kruin, maar wel bijna. 'Dag,' zei hij. 'Ik zie je volgende week op kantoor, toch?'

'Ja, ik kom dinsdag.'

Hij liep de heuvel af, en Lou zwaaide hem na tot hij uit het zicht was verdwenen. Hij draaide zich nog twee keer om, om terug te zwaaien. Ze ging haar huis binnen en deed de deur op slot. Ze voelde zich gelukkiger dan ze zich een hele tijd had gevoeld.

De volgende dag ging Lou naar de bibliotheek om te werken. Ze kon zich thuis steeds minder goed concentreren en de stilte en ruimte waar ze zo van genoot toen Poppy pas bij haar opa en oma was, vond ze nu een beetje – ja, wat eigenlijk? Ze wilde het eerst niet toegeven, maar wat ze voelde was eenzaamheid. Als je een baby had werd het veel moeilijker om je vriendschappen te onderhouden. Ze voelde zich een beetje buitengesloten, geïsoleerd, de hele dag thuis zittend zonder haar kind. Ze miste haar veel te erg en liep vaak haar kamertje in, om naar de mobiel te staren die aan het plafond hing. Ze moest 's avond laat huilen bij de aanblik van het lege bedje. De achtergebleven knuffels waren het allerergste. De afgewezen speeltjes die niet mee mochten toen Poppy naar Haywards Heath ging. Ze zaten langs de kant van het bedje, hoewel de meeste voorover waren gevallen en slap tegen het laken lagen. Ze zien eruit zoals ik me voel, dacht Lou dan.

Ze ging nu vaker naar de bibliotheek om maar een poosje niet thuis te hoeven zitten. Ze had deze bieb ontdekt, die verstopt zat in een hoekje van het plein waaraan ook Poppy's dagverblijf zat. Dat was vlak na kerst, verleden jaar. Ze had een lievelingsplekje, dat ze stiekem beschouwde als haar plek: een tafeltje vlak bij het enorme raam, dat uitzicht bood op een kleine openbare tuin die de gemeente had ingericht voor de gebruikers van de bibliotheek en anderen. Iemand was zo fantasievol geweest om een appelboom vlak bij het raam te planten, en de hele winter had Lou zich verheugd op hoe die eruit zou zien in de lente.

Maar nu was ze zich helemaal niet van de boom bewust, ook al waaide er een storm van bloesem heen en weer voor het raam. Ze was naar de bieb gegaan om iets op te zoeken over de kampen op Noord-Borneo tijdens de Tweede Wereldoorlog, maar nu ze het boek voor zich op tafel had liggen, dwaalden haar gedachten af naar het etentje met Harry, gisteravond. Ze vroeg zich af waarom ze eigenlijk teleurgesteld was. Wat had ze dan verwacht? Ze dacht aan alles wat ze tegen elkaar hadden gezegd; aan de glimlachjes, hun gelach, aan zijn vingers op haar lippen, zijn kus op haar haren, de woorden 'moeten we nog eens doen. Die koffie komt een ander keertje wel.' Wat had hij daarmee bedoeld? Wat voor gewicht moest ze eraan toekennen?

Ik had meer gewild, dacht ze somber. Ik had gewild dat hij meer had gewild... Dat hij meer interesse had. Wilde ik dan dat hij me had versierd? Dit was zowel de meest hoopvolle als de meest wanhopige vraag van allemaal. Want als ze inderdaad had gewild dat Harry werk van haar zou maken, dan zou ze over haar angst voor alleen al het idee van iets lichamelijks met een man heen moeten komen. De wanhoop kwam met het besef dat hij waarschijnlijk niet geïnteresseerd was. Oké, hij vond haar leuk, gezellig om af en toe een hapje mee te eten, maar meer niet. Er was geen enkele aanleiding om te geloven in het droomscenario dat zij zich misschien in haar hoofd had gehaald. Ze staarde naar de bladzijde, zonder de woorden te zien, zonder zelfs maar in die woorden geïnteresseerd te zijn. Buiten waaiden de bloesemwolken heen en weer, en ze keek niet eens op.

'Mama komt morgen, liefje,' zei Phyl stralend tegen Poppy, die in haar box zat, in de zitkamer. Ze keek alsof ze genoeg had van de spullen die oma om haar heen had gezet: zachte blokken, boekjes, grote auto's met felgekleurde wielen. Ze trok zichzelf omhoog aan de spijlen van de box en zei: 'Mama.'

'Heel goed. Dan is het weekend. Wat heerlijk om haar weer eens te zien, hè?'

'Beertje...' zei Poppy, die zag dat er een knuffel ontbrak in haar plastic gevangenis.

'Beertje ligt boven te slapen,' zei Phyl. 'Hij doet een dutje. Wil jij ook een dutje doen? Dan gaan we even een flesje halen en dan gaan we naar beertje in het bedje.' Ze mompelde de woordjes in het zoetgeurende halsje van Poppy. Ze vond het heerlijk om haar zo te dragen, dat gewicht in haar armen.

Poppy greep het flesje en de linnen doek – genaamd Snoezel – die bij het drinkritueel hoorde, en die ze altijd vast wilde houden als haar luier werd verschoond. Terwijl Phyl de drukkertjes van haar rompertje losmaakte, vroeg ze zich af of ze nog tijd had om wat van Constances spullen uit te pakken voordat Lou kwam. Ze had al bedacht waar de belangrijkste dingen kwamen te staan. De twee enorme vazen zou ze waarschijnlijk in de hal neerzetten, of misschien in de serre, en een deel van het mooie servies zou ze in de keukenkast tentoonstellen. De snoezige theekopjes met de roosjes en de gouden randjes verdienden het om in het zicht te staan. Die oude bekers en borden breng ik wel naar de kringloop, of zo. Ze waren trouwens toch gebutst en lelijk geworden. Met een glimlach liep ze de kamer uit. Ze bleef even staan luisteren bij de deur en liep toen weer naar beneden om met het porselein te beginnen.

Eerst pakte ze de twee Chinese vazen waar zo van onder de indruk was geweest bij haar eerste bezoek aan Milthorpe House. Ze vond ze nog steeds schitterend. Ze kwamen tot haar middel – dus hoe hoog waren ze dan? – iets van negentig centimeter of zo. Ondanks hun hoogte vond ze ze slank en elegant, want het porselein was zo dun dat het bijna doorschijnend was. Niet te bol in het midden, en met slanke halzen en patronen van draken en blaadjes en vlinders in kleuren die tegelijkertijd heel intens waren – turkoois en blauw en rood en goud en diepzwart – en zo fijntjes aangebracht dat je het wit van het porselein door elke penseelstreek heen kon zien. In de hal, aan weerszijden van de deur naar de eetkamer – dat zou mooi staan, dacht ze.

Toen hoorde ze ineens de stem van Rosemary in haar hoofd. Phyl had John Barringtons moeder niet veel meegemaakt, maar ze herinnerde zich dat ze een keer met haar in de hal van Milthorpe House had gestaan, en dat Rosemary zich heel resoluut had uitgesproken, met een nogal harde stem ook. In Phyls herinnering sprak ze altijd alsof ze iets heel gewichtigs te zeggen had, ook al ging het over iets heel onnozels. Ze ging ervan uit dat alles wat er uit haar mond kwam van groot belang was voor iedereen, en dit keer verklaarde ze: 'Als je ooit door de Jappen bent gevangengehouden, dan waak je er wel voor om zoiets óósters in je huis te zetten.' Ze sprak het woord vol verachting uit.

'Maar oma,' had Matt gezegd om zijn moeder te verdedigen, 'deze vazen komen toch niet uit Japan? Ze zijn Chinees, en ze zijn al meer dan honderd jaar oud.'

'Maakt niet uit,' zei Rosemary, die naar de bibliotheek beende, en meer woorden wenste ze er niet aan vuil te maken.

Phyl glimlachte. Toen pakte ze een vochtige doek en begon de prachtige rondingen van de vazen af te nemen. Opstandig, dat was Rosemary geworden na haar ervaringen tijdens de oorlog. Van Matt had Phyl het verhaal grotendeels te horen gekregen. John Barrington had als kind in een jappenkamp gezeten. Een van zijn boeken speelde zich ook daar af. Misschien zou ze Lou vragen om het dit weekend mee te brengen. Ze had het natuurlijk eerder eens moeten lezen, maar het idee trok haar nooit zo. Mijn probleem, dacht Phyl, is dat ik niet te lang bij het verleden wil stilstaan. Ze vergat dingen meestal al zodra ze gebeurd waren, en ook al zei ze het nooit tegen iemand, ze dacht wel eens dat dat de reden was waarom ze over het algemeen zo'n tevreden mens was. Ik blijf niet hangen in wat er mis gaat, dacht ze. Ik ben geen piekeraar.

Bijna op hetzelfde ogenblik realiseerde ze zich dat sommige dingen, een handvol gebeurtenissen, wel degelijk waren blijven hangen. Zo herinnerde ze zich de trouwdag van Matt en Ellie, want ze was die dag ziek geweest. Ze had bijna de hele avond liggen overgeven, wensend dat ze dood was. Dat is mijn probleem, dacht ze. Ik word altijd ziek als het echt erg wordt. Ik ben allergisch voor ongelukkig zijn. Ze moest lachen om dat idee.

Constance had bijna nooit met haar gepraat. Ze had het volkomen duidelijk gemaakt dat ze helemaal niet blij was dat Ellie wegging, en dat de situatie wat haar betrof – hoe ze zichzelf zo voor de gek kon houden begreep Phyl nog steeds niet – van tijdelijke aard was. Haar geliefde schoondochter kon elk moment besluiten om weer terug te keren om de draad met Matt weer op te pakken. Ze had dat nooit met zoveel woorden gezegd, maar Phyl werd wel te verstaan gegeven dat het niet uit te sluiten viel. Constances liefde en toewijding waren ondertussen voorbehouden aan Nessa en Justin. Het feit dat ze haar antipathie ten opzicht van Lou nauwelijks onder stoelen of banken stak, hoorde daar ook bij. Constance onderstreepte in alles haar overtuiging dat Ellie veel beter was: belangrijker, geschikter, beter in alle opzichten. Maar bovenal was Ellie veel sexier.

Phyl haatte de moderne gewoonte om het met Jan en alleman over je seksleven te hebben. Zij had het daar nooit over en ze vond het ook heel vervelend als anderen haar tot in detail vertelden over hun avonturen op dat gebied. Ze had nooit verwacht dat Constance met dit soort onthullingen zou komen, en daarom herinnerde ze zich dat gesprek nog zo levendig. Ze was toen hoogzwanger. Wat deden ze eigenlijk in Constances slaapkamer? Dat was ze vergeten, maar ze zat in een stoel zonder leuningen, wist ze nog. Die stoel was bekleed met fluweel, en Constance lag op bed, gekleed in wat ze een 'peignoir' noemde. Hij was gemaakt van stof met borduursel, en zag eruit als iets wat je zou aantrekken naar een verkleedfeest, als je als Chinese keizerin wilde gaan of zoiets. Achteraf bezien vroeg Phyl zich af of Constance het niet expres overdreef met al dat oosterse gedoe om haar schoonmoeder te irriteren. Volkomen onverwacht kwam haar eerste opmerking.

'Ik neem niet aan dat jij Matt seksueel aan zijn trekken kunt laten komen, tegenwoordig? Ik bedoel, gezien je huidige staat...'

Phyl had gebloosd tot in haar haarwortels, en ze had geen idee wat ze hierop moest antwoorden. Het eerste, allesoverheersende gevoel dat bij haar opkwam was diepe gêne, die al snel plaats-maakte voor verontwaardiging. Hoe kon Constance zo ongelofe-lijk... onbeschoft zijn? Het ging haar niks aan, maar dat zou Phyl nooit durven zeggen. Constance had niet op antwoord gewacht, maar ging gewoon door met praten alsof Phyl haar publiek was, en geen gesprekspartner.

'Mannen doen rare dingen als hun vrouw zwanger is, weet je. Als jij het object van hun liefde bent, dan bedenken ze zich dat je binnenkort moeder zult zijn, en dat haalt op de een of andere ma-nier de sjeu eraf, wat hen betreft. Het zuigen aan borsten...' Had ze geknipoogd toen ze dit zei? Phyl kon het zich niet meer voor de geest halen. '... is plotseling functioneel in plaats van erotisch. Of hou jij daar überhaupt niet van? Ik vind het heerlijk – ik vond het althans heerlijk, maar helaas ben ik met de verkeerde man ge-trouwd voor dat soort dingen.'

Ze was toen ineens rechtop gaan zitten en zwaaide haar benen opzij, zodat ze op de rand van het bed zat. Ze wierp Phyl een boze blik toe en zei: 'Je hebt niks aan hem, aan John. Echt helemaal niks. En hij kan er zelf niks aan doen, maar het valt niet mee om zijn moeder steeds overal de schuld van te geven. Hoewel het wel haar schuld is. Rosemary. Die heeft hem naar die vreselijke school gestuurd en daar – daar hebben ze alle seksuele driften die hij nog had vakkundig de kop ingedrukt.'

Ze lachte. 'Ik heb ze nog wel even tot leven kunnen wekken toen we elkaar pas kenden. Een poosje. Ik heb het hem geleerd. Het was alsof ik een standbeeld tot leven moest brengen, dat kun je wel zeggen. Ik ben uren met hem bezig geweest, en hij... hij ont-dooide wel wat, maar toch werd het nooit... Nou ja, ik wilde meer. Ik had ook meer nodig, begrijp je wat ik bedoel, kind?'

Phyl nam aan dat ze nu iets moest zeggen, maar ze wist niet wat. Wat moest je zeggen tegen je schoonmoeder als die je vertelde dat je schoonvader niks klaarmaakte in bed? Het gaat mij helemaal niet aan, dacht ze. Kon ik maar weg. Kon ik maar gewoon opstaan en weglopen. Maar in plaats daarvan zei ze: 'Waarom bent u dan bij hem gebleven?'

'God, kind, wat ben jij toch naïef! Ik ben bij hem gebleven omdat hij zo knap was, representatief, iemand die werd gerespecteerd door de mensen waar ik om gaf en omdat...' Nu grijnsde ze naar Phyl. 'Omdat hij niet mocht klagen als ik minnaars had. En die had ik. Bij bosjes. Ik was altijd heel discreet, maar hij wist het. Dat moet wel. Dus waren we allebei tevreden. Ik ben nu een oude vrouw, maar vroeger, nou, toen was ik niet te houden. Ik was... Nou ja, ik was een beetje zoals Ellie. Die is ook niet te houden, immers.'

Dat was heel wreed van haar. Constance vond het leuk, besefte Phyl. Ze was heel goed in dit soort losse opmerkingen. En als je er iets van zei, dan riep ze meteen dat ze er helemaal niets mee bedoelde. *O, dat zeg ik toch alleen maar omdat Ellie zo lijkt op hoe ik vroeger was... Dat heeft toch verder niets met jou te maken.*

Maak dat de kat wijs, dacht Phyl nu. Constance had Ellie vergeleken met degene die ze na de scheiding kreeg opgedrongen, en Phyl voldeed bepaald niet aan haar normen. Ze wilde helemaal niet over Ellie praten. Geen denken aan. Ze bedacht een smoesje en wilde weggaan. Ze vroeg zich af wat ze zou zeggen als Constance een nieuwe aanval in zou zetten.

'Gelukkig kon John hem in elk geval lang genoeg omhoog houden om Matt te maken,' zei ze, terwijl ze haar benen weer op bed zwaaide en in de kussens ging liggen. 'Daarna ging al zijn energie alleen nog maar in zijn boeken zitten.'

Dit was als grapje bedoeld, maar Phyl was er beroerd van. 'Ik moet weg, Constance,' kon ze nog uitbrengen. 'Matt wacht op me.' Ze was naar beneden gewaggeld, en daar stond Matt, in de hal.

'Is er wat mis, lieveling?'

'Nee, niks aan de hand. Ik wil alleen naar huis, nu. Ik ben een beetje moe.'

In de auto had hij haar even aangekeken en gevraagd: 'Deed moeder soms lelijk tegen je, Phyl? Let er maar niet op. Ze kan het niet helpen, soms. Ze bedoelt het niet zo.'

'Nee, ze deed niet lelijk. Ik ben gewoon moe, dat zei ik toch.' Ze wist wel dat Matt haar had gesteund als ze over Constances gedrag zou hebben geklaagd, maar ze wist ook dat hij moeilijkheden het liefst uit de weg ging en hij zat niet te wachten op een ruzie met zijn moeder. Dus besloot ze om het er niet met hem over te hebben. Ze zou toch niet durven herhalen wat Constance tegen haar had gezegd.

Ze besloot om uit haar hoofd te zetten wat ze had gehoord en om het verder te vergeten. Maar ik ben het niet vergeten, dacht ze nu. Ik ben het nooit vergeten. Toen Lou geboren was, werd het allemaal nog veel erger, want wie had kunnen denken dat John Barrington, die bekendstond om zijn zwijgzaamheid en gebrek aan passie, zijn hart zo zou verliezen aan een baby? Maar het gebeurde, en Constance, zag Phyl nu in, had het Lou nooit vergeven.

De telefoon ging, en Phyl vloog ernaartoe om op te nemen. Ze wilde niet dat Poppy wakker zou worden voor ze nog wat spullen had kunnen uitpakken. 'Matt? Hallo…'

'Ha, Phyl. Wat zijn Poppy en jij aan het doen?'

'Zij slaapt, en ik ben aan het uitpakken.'

'Aha.' Matt was even stil, en zei toen: 'Ik kom vandaag niet thuis lunchen, schat. Dat wilde ik even melden. Ik hoop dat je niet al iets hebt klaargemaakt?'

'Nee, maak je geen zorgen, het is geen enkel probleem. Ik bewaar de soep wel voor het weekend. Doe ik gewoon in de vriezer. Heb je nog iets spannends te vertellen?'

'Ellie belde net, die wilde langskomen om over Justin en het huis te praten. En over Nessa, en zo. Ik kan haar maar beter mee uit lunchen nemen, in plaats van dat ze thuis langskomt. Dan ben ik er sneller vanaf.'

'Ik vind het anders helemaal niet erg als jullie hier willen afspreken, hoor. Is ook prima.'

'Ach, nee, het is wel goed, zo. Want jij zit toch ook met Poppy en... Nou ja, het is gewoon handiger om even buiten de deur te eten. Je vindt het toch niet erg, hè?'

'Welnee, joh,' zei Phyl, en ze klonk vrolijk, zelfs in haar eigen oren. Maar ik vind het wél erg, dacht ze toen ze ophing. Ik ben nog altijd jaloers op die vervloekte Ellie. Ik kan er niks aan doen. Matt zou toch niks met haar uitspoken, hè? Nee, natuurlijk niet. Daar was hij veel te – wat was het woord ook weer – te rechtschapen voor. Maar ze had net nog zitten denken aan Constance en John en hun seksleven – hoelang hadden zij en Matt het al niet gedaan? Ze bloosde toen ze zich realiseerde dat ze het zich niet eens kon herinneren. Daar moet ik echt iets aan doen, dacht ze. Ik kan niet steeds Poppy de schuld geven. Ben ik soms niet helemaal normaal, dat ik zo weinig zin heb? Matt en ik hadden het zo leuk met elkaar, in alle opzichten, dat we gemakkelijk in iets kunnen vervallen wat eerder op een vriendschap lijkt. Dat zou ik vreselijk vinden.

Ze deed nog een doos open en begon de andere Chinese vaas uit te pakken. Ik wil er niet over nadenken, zei ze tegen zichzelf. Ik doe het niet. Niet nu. Later. Ze kon het gevoel niet van zich afschudden dat er een schaduw over de ochtend was gevallen.

Met een zucht en met het gevoel dat hij er gemakkelijk van af kwam, hing Matt op. Ik heb mezelf niets te verwijten, dacht hij, dus waarom voel ik me dan zo schuldig? Hij zou bijna wensen dat Phyl wel een scène had gemaakt, dat ze woedend was, en jaloers, en dat ze het hem zou verbieden om Ellie te zien, laat staan om met haar te gaan lunchen. Maar dat had ze niet gedaan – want zo was ze nu eenmaal – en dus zat hij nu te wachten op zijn ex-vrouw, en deed hij tegenover zijn secretaresse, zijn partners en zichzelf alsof hij nog dingen te bespreken had wat betreft zijn moeders testament. Dat was niet waar. Constance had alles uitermate nauwgezet laten regelen, zoals te verwachten was, en het enige wat hij hoefde te doen was erop toezien dat alles conform haar wensen werd uitgevoerd. Ellie had er net zomin iets over te zeggen als hij, dus wat voor zin had deze lunch dan?

Ze had hem een paar dagen geleden gebeld, en Matt schaamde zich te moeten toegeven dat hij sindsdien voortdurend aan haar had gedacht. Hij haalde zich allerlei scenario's in zijn hoofd waarvan de meeste vrij snel overgingen in een of andere seksuele fantasie. Hij moest hardop lachen en hoopte vurig dat niemand hem door de open deur kon horen. Hij vond het een amusante gedachte dat hij dat soort capriolen uit zou halen in La Belle Hélène, want daar gingen ze heen, had hij besloten. Hij vond het eten daar lekker, en het was zo dichtbij dat ze konden gaan lopen.

Phyl had niet gezien hoe zorgvuldig hij zich die ochtend had aangekleed. Ze lette überhaupt niet op dingen die niet met Poppy te maken hadden. De enige manier waarop hij het kind weer terug zou kunnen krijgen naar haar moeder, was door zich aan Lous genade over te leveren en op te biechten dat de aanwezigheid van het geliefde kleinkind wat onvoorziene bijwerkingen had – geen seks meer, bijvoorbeeld. Als hij dat zou doen, zou ze haar onmiddellijk mee naar huis nemen, maar hij zou zich te veel generen om zoiets te doen, en bovendien wilde hij Lou niet onder druk zetten. Het was duidelijk dat die met iets bezig was dat veel tijd in beslag nam, maar waar ze hen niets over wilde vertellen. Het enige wat ze zei was: 'Het is geweldig om ongestoord door te kunnen werken. Ik ben jou en mama toch zo dankbaar.'

Dus er zou niet snel iets veranderen, en omdat hij van zijn kleindochter hield vond hij de verstoring nou ook weer niet zo'n drama. Hij stond op van zijn bureau en liep naar het toilet, waar naast het raam een spiegel hing. Hij wierp er even een blik in en was behoorlijk tevreden met wat hij zag. In elk geval heb ik al mijn haar en tanden nog, dacht hij. En ik ben ook nog niet te grijs. Tijdens hun huwelijk had Ellie zijn garderobe voor haar rekening genomen. Zij kocht al zijn overhemden en had hem toen geleerd dat blauw zijn kleur was. Hij nam het zo aan. Vandaag droeg hij een grijs pak met een lichtblauw hemd en een das waarvan hij hoopte dat die met beide goed combineerde. Ach, het zou er niet beter op worden als hij nog langer naar zichzelf zou blijven kijken, en dus waste hij zijn handen en liep de toiletten weer uit.

Bij terugkomst in zijn kantoor wachtte Ellie hem op in de leunstoel.

'Hallo Ellie. Het spijt me dat ik er niet was om je te verwelkomen...'

'Geen probleem, schat. Ik heb gewoon even de brieven op je bureau zitten gelezen. O god, Matt, dat was een grapje! Alsof ik zoiets zou doen. Nee hoor, al je geheimen zijn veilig bij me.'

'Jij verandert ook nooit, hè, Ellie. Ben je klaar voor de lunch? Ik heb een tafel gereserveerd om één uur.'

'Laten we dan maar gaan,' zei Ellie, die voor hem uit het kantoor uit liep.

Ze liepen in het lentezonnetje de straat uit.

'Heerlijk weer,' zei Matt, en Ellie maakte een geluid dat het midden hield tussen lachen en snuiven.

'Toe, zeg, Matt,' zei ze. 'We gaan het toch alsjeblieft niet over het weer hebben?'

'Ik zeg alleen dat het een mooie dag is.' Matt wist wel dat hij geprikkeld klonk, maar dat kon hem niet schelen. Hoe kwam Ellie erbij dat zij mocht zeggen waar ze het wel en niet over zouden hebben? Die houding had ze gemeen met Constance. Het was een van de vele dingen waar ze het over eens waren. Zijn moeder deed niet anders: hem zeggen dat het onderwerp dat hij had aangesneden oersaai was, of dom, of dat ze er niks over wilde horen.

'Ach, lieve Matt,' zei ze dan, 'zullen we het daar niet over hebben...' of 'Alsjeblieft, Matt, niet over...' en dan kon je een van de ongeveer duizend onderwerpen invullen waar zij geen enkele interesse voor kon opbrengen. Waaronder: hijzelf, zijn vrouw, zijn dochter, zijn werk, de politiek, sport, films, televisie. Waar hadden ze het dan over, in vredesnaam, vroeg hij zich af. Hij wist het antwoord al: ze hadden het over haar, over Constance. En over Rosemary, zijn grootmoeder. De verhouding tussen de dames was gespannen. En dat was nog zacht uitgedrukt.

La Belle Hélène was een klein, gezellig restaurant dat probeerde te lijken op een Franse bistro in de provincie en daar bijna in slaagde. Er lagen geblokte tafelkleedjes op tafel; op iedere tafel stond een rieten mandje boordevol lekker stokbrood. De rode huiswijn was meer dan goed te drinken en het pretentieloze menu sprak Matt aan. Hij hield absoluut niet van gerechten die drie regels bloemrijk proza nodig hadden als omschrijving. Phyl had hier voorzover hij wist nog nooit gegeten, en dat was voor een deel waarom hij voor dit restaurant had gekozen. Hij kreeg haar maar niet aan het verstand waarom je uit eten zou gaan als je thuis ook lekker kon eten. Ja, uit eten als je in een andere stad was, was tot daar aan toe, maar naar een restaurant om de hoek, dat vond Phyl ronduit krankzinnig.

Zodra ze zaten, zag Matt dat mevrouw Blandford met een vriendin wiens naam hij niet meer wist – mevrouw Whit-nogwat... Whitford, de vrouw van een gemeenteraadslid – aan de andere kant van de zaal zaten. Hij stortte zich maar snel op de kaart, maar mevrouw B. had hem al zien zitten en zwaaide even flirterig. Hij zwaaide terug en toonde een brede glimlach, alsof hij wilde zeggen: *Ik doe helemaal niets stiekems of onvertogens. Dit is allemaal volkomen in de haak.*

'Naar wie zwaai je?' wilde Ellie weten.

'Een of andere ouwe tang, mevrouw Blandford heet ze. Ik ken

haar nog van toen haar man bij haar wegging. Ik heb de verkoop van haar huis geregeld, na de scheiding. Jaren geleden.'

'Hm,' zei Ellie die alweer genoeg van het onderwerp had en nadacht over wat ze zou bestellen. Matt was opgelucht toen de ober kwam en ze hun aandacht op hun eten konden richten. Hij vroeg zich af of mevrouw B. Phyl soms kende. Waarschijnlijk wel. Veel mensen kenden Phyl van de dierenarts, en hij zag al helemaal voor zich dat mevrouw B. een stel pekinezen om haar nogal dikke enkels had lopen. Hij besloot om de dames in de hoek en wat ze allemaal over hem en Ellie te vertellen hadden helemaal uit zijn hoofd te zetten. Phyl wist immers dat hij ging lunchen. Hij deed niets verkeerds. Hij schonk Ellie en zichzelf een glas witte wijn in en zei: 'Ik heb de laatste tijd zitten denken over de familie. Jij hebt oma Rosemary nog gekend, toch?'

'Mijn god, nou,' zei Ellie. 'Eng mens.'

'Vond je dat echt?'

'Hm. Ze was een controlefreak, vond ik. Oppervlakkig gezien was ze heel stilletjes en ingetogen, maar daaronder was ze van staal. Ik heb me nooit laten misleiden door die façade van twinsets met parelkettingen. Je kon haar maar beter niet tegen je in het harnas jagen. Ze heeft jouw vader gemaakt tot wat hij was, toch?'

De ober kwam met hun eten, en terwijl hij de groente en de aardappels uitserveerde, dacht Matt na over wat Ellie net had gezegd. Hij zei: 'Hoe bedoel je, dat zij hem heeft gemaakt tot wat hij was?'

'Ze peperde het hem telkens weer in,' zei Ellie kalm, 'dat hij tweede keus was. Dat ze liever een meisje had gehad.'

'Hoe weet jij dat nou? Is dat echt zo? Mijn vader heeft daar nooit iets over gezegd.'

'Dat weet ik omdat ze dat aan mij heeft verteld.'

Matt staarde haar aan en liet een vork met aardappel voor zijn mond hangen. 'Dus jij wilt beweren dat mijn grootmoeder dit aan jou heeft verteld, maar niet aan mij? Waarom, in godsnaam?'

'Omdat het jou niet interesseerde, neem ik aan. Mij wel. Ik... ik haalde haar uit haar schulp. Ik stelde de juiste vragen. Ze was verbitterd, Matt. Een verbitterde vrouw, omdat ze zelf geen kinderen had kunnen krijgen. Dat heeft haar verpest, denk ik. Daardoor is ze geworden zoals ze was.'

'Maar wat zei ze dan precies? Ik bedoel, letterlijk – niet wat jij ervan hebt gemaakt...'

'Jij blijft ook altijd de advocaat, hè Matt? Nou, ze vertelde dat ze dood wilde toen ze in dat kamp zat. Ze had net gehoord dat haar man was vermoord in een of ander afschuwelijk gevecht. Dus dit kwam nog eens boven op jarenlang proberen om zwanger te worden, zonder succes. Het was de druppel. Ze hielden heel veel van elkaar, vertelde ze me, en een nieuwe echtgenoot was wel het laatste waar ze op zat te wachten. Maar ja, ze moest voor John zorgen, want hij was de zoon van haar vriendin. Zou jij dat niet ook hebben gedaan?'

'Nee, dat denk ik niet,' zei Matt. 'Ik zou op zoek zijn gegaan naar de familie van de moeder. Of zoiets. Ik zou daar in elk geval moeite voor hebben gedaan.'

'Maar we hebben het hier over de oorlog. Mensen gingen dood of verdwenen bij bosjes. Het moet een nachtmerrie zijn geweest om al je documenten bij je te houden. In elk geval heeft ze de autoriteiten ervan weten te overtuigen dat John werkelijk haar eigen zoon was.'

Matt dacht hier even over na. 'Waarom heeft mijn vader daar niets van gezegd? Hij was toch oud genoeg om zich precies te herinneren wat er met zijn echte moeder was gebeurd?'

Ellie legde haar mes en vork netjes op haar bord. 'Hij zei niets omdat hij doodsbang was. Rosemary had hem verteld dat ze – wie 'ze' dan ook mochten zijn – hem bij haar weg zouden halen en in een weeshuis zouden stoppen als hij ook maar een woord zou zeggen over dat zij niet zijn echte moeder was. Tegen de tijd dat ze weer terug waren in Engeland, en zij hertrouwd was en hem samen met Frederick Barrington had geadopteerd en hij naar school werd gestuurd – waar hij het overigens vreselijk vond –, had hij zichzelf er bijna van weten te overtuigen dat hij ook echt de zoon van Rosemary was. Dat was gemakkelijker, neem ik aan.'

Matt keek naar zijn bord. Zwijgend at hij verder, en probeerde zijn gevoelens te analyseren. Een deel van hem was geïnteresseerd in wat Ellie over zijn vader vertelde. Maar waarom kwam ze daar nu pas mee? Misschien had ze aangenomen dat hij het allemaal wel wist en had ze verder niet stilgestaan bij zijn vaders hardnekkige zwijgzaamheid en Constances gebrek aan interesse in alles wat met haar man te maken had. Maar een ander deel – en hij schaamde zich het te moeten toegeven – raakte steeds geïrriteerder dat deze lunch veel serieuzer was dan de plezierige flirtsessie die hij zich had voorgesteld. Een stemmetje in zijn hoofd zei: *dacht je nu echt dat ze iets zou proberen – iets romantisch – tijdens een lunch? En dan ook nog in La Belle Hélène? Nou, dan ben je niet goed bij je hoofd. Ze is waarschijnlijk totaal niet geïnteresseerd. Ze wil gewoon gratis juridisch advies van je.*

'Wat ben je stil?' vroeg Ellie.

'Sorry. Ik dacht na. Het was niet mijn bedoeling dat we het de hele lunch over mijn familie zouden hebben.'

'Nou,' zei Ellie met een glimlach, 'laten we het dan over iets vrolijkers hebben.'

'Iets vrolijkers? Maar je kwam toch voor advies? Of om over het testament te praten?'

'Welnee, hoe kom je daar nou bij? Ik wilde je gewoon zien. Justin houdt zijn mond stijf dicht, en Nessa klaagt ineens niet meer zoveel. Hoe zit het met Lou?'

'Die hoor ik er ook niet over. Ik ben eigenlijk de enige die nog steeds kwaad is. Dat geld, het huis – dat had voor haar zo'n groot verschil gemaakt, in haar situatie.'

'Bevalt het leven een beetje, met een baby?'

'Het is verdomd veel werk,' antwoordde Matt, en meteen voelde hij zich afvallig. Hij voegde eraan toe: 'Hoewel we het uiteraard heerlijk vinden dat Poppy er is. Het is een schatje, echt waar.'

'Maar je moet er steeds uit 's nachts, en Phyl ruikt naar baby-spuug.'

'Jij draait er ook nooit omheen, hè Ellie? Maar nee, het valt reu-ze mee, allemaal.'

Ellie legde haar hand voorzichtig op die van hem en staarde hem in de ogen. 'Je bent altijd al een waardeloze leugenaar ge-weest. Je vindt het vreselijk en je zou willen dat Lou haar op kwam halen en dat ze weer gewoon naar huis ging. Mij hou je niet voor de gek.'

Matt bloosde onwillekeurig. 'Wat ben jij toch een heks. Maar je hebt wel gelijk. Ik kan er niks aan doen. Ik ben stapel op Poppy, maar ik ben geloof ik te oud voor baby's. Maar Phyl is dolgelukkig, die vindt het allemaal heerlijk. Ze bloeit er helemaal van op.' Hij voelde dat ze zijn pols streelde met haar vingers.

'Ik vind dat jij wel een verzetje verdient.'

'Wat bedoel je?'

'Niks bijzonders. Gewoon, af en toe samen lunchen. Of naar de film of het theater, in de stad.'

'En wat moet ik dan tegen Phyl zeggen?'

'O, je verzint maar iets.'

'Ga weg, Satan,' zei hij lachend, maar zijn hart ging tekeer en voor het eerst sinds lange tijd voelde hij de opwinding die hoorde bij het overwegen van zoiets clandestiens. Het zou kunnen. Ellie wilde met hem naar bed, dat wist hij nu, maar hij was niet... Hij kon het niet! Wat zou er met Phyl gebeuren als ze erachter kwam? *Maar ze hoeft er helemaal niet achter te komen. Niemand hoeft er ooit achter te komen*. Nee, hij kon het niet. Hij was niet geschikt als leugenaar of schuinsmarcheerder. Zoals Ellie al zei: hij kon helemaal niet liegen. Hij zuchtte en zei: 'Misschien een lunch, dat wil ik niet uitsluiten.'

'Gauw weer,' zei Ellie. 'Kunnen we dat gauw weer doen? Ik vind het zo heerlijk om je te zien, Matt. Ik vraag me wel eens af waarom ik ooit bij je weg ben gegaan.'

Vanuit zijn ooghoeken zag hij dat mevrouw Blandford en mevrouw Whitford niet meer aan hun tafeltje zaten. Wanneer waren die vertrokken? Hij was veel te veel in beslag genomen om het te hebben opgemerkt. Zouden de dames dat als roddel gaan verspreiden: *gut kind, hij ging zo op in die vrouw dat hij zelfs niet opkeek toen wij het restaurant verlieten.*

Ellie wenkte de ober en vroeg om de dessertkaart. De tafeltjes waren maar klein. Hij voelde dat haar knieën de zijne bijna raakten, onder het tafelkleed. Hij kon zijn hand op haar knie leggen. Ze droeg een redelijk korte rok... Hij zou zijn vingers zachtjes onder de zoom kunnen schuiven en dan... Hij schudde zijn hoofd om die gedachte van zich af te zetten. Hij wist dat Ellie altijd kousen droeg in plaats van panty's. Hij deed zijn ogen heel even dicht bij de herinnering, de ontzettend levendige herinnering. Aan hoe zacht de witte huid was die boven die kousen uitstak...

'Neem jij een toetje?'

Ellies stem bracht hem weer op aarde, waar hij een respectabele advocaat was, die getrouwd was met een andere vrouw, en die nu volkomen keurig zat te lunchen met iemand waar hij zogenaamd al twintig jaar overheen was. 'Nee... nee, dank je. Ik wil alleen een kop sterke koffie.'

Hij hoopte vurig dat de cafeïne hem weer bij zijn positieven zou brengen. Hij voelde zich koortsig en probeerde twee volledig tegengestelde vragen te beantwoorden. De eerste was: *hoe kan ik zo snel mogelijk ergens alleen zijn met Ellie?* En de andere was: *hoe kom ik zo snel mogelijk van deze afgrijselijke verleiding af zodat ik mijn leven met Phyl niet in duigen gooi?* Die twee conflicterende verlangens zou hij natuurlijk nooit met elkaar kunnen verenigen, maar één ding wist hij zeker: wat Ellie ook van hem wilde en wat ze hem ook bereid was te geven, het zou nooit een blijvende relatie worden. Maar dat kan me niet schelen, dacht hij. Ik wil haar. Kon ik... kon ik haar maar mee naar kantoor nemen, naar die leunstoel waar ze een uur geleden in zat. Dan zou ik haar rok omhoog duwen, en...

'Uw koffie, meneer,' zei de ober.

5

*O*nze *excuses voor het oponthoud. Wij hebben te maken met een*
seinstoring…

De ingeblikte stem pruttelde nog een poosje door met de uitleg, putte zich uit in blikkerige excuses, maar waar het op neer kwam was vertraging. Snotverdomme, dacht Lou, die uit het raam staarde naar een wel heel saaie omgeving. Alleen maar gras, en die paarse bloemen waarvan ze de naam nooit kon onthouden, maar het was geen vlinderstruik. Dat spul dat overal zo uitbundig bloeide langs elke spoorlijn in het hele land, althans, dat leek zo. Ze pakte haar mobieltje en belde naar Haywards Heath om te vertellen dat ze later zou zijn.

'Geeft niks,' zei haar moeder. 'Bel maar als je er bijna bent, dan komen Poppy en ik je halen met de auto.'

Poppy. Ze waren pas een paar weken niet bij elkaar, maar nu ze eenmaal onderweg was naar haar dochter kon ze bijna niet wachten. Ik ga het zeggen tegen mama, dacht ze bij zichzelf. Ik ga vertellen dat ik Poppy weer meeneem zodra ik klaar ben met dit script.

Lou was tot de conclusie gekomen dat ze haar terug wilde, ondanks het gemak van de eenzaamheid, ondanks het feit dat ze kon doen en laten wat ze wilde, ondanks de vele uren die ze had kunnen werken in afwezigheid van Poppy. Ze wilde dat zij in haar kamertje lag. Haar stemmetje. Haar woordjes, haar kreetjes, haar geur, en die glimlach die ze altijd toonde als Lou haar uit haar bedje kwam halen: stralend, puur, vol liefde – en dat allemaal voor haar. Die kleine armpjes die zich naar haar uitstrekten, de slaapzak van roze met wit gestreepte fleece waar haar voetjes in verstrikt raakten, met haar rondbanjeren – dat mis ik allemaal, gaf Lou toe. En ik ben jaloers op mama, en bezorgd dat als ik Poppy daar laat, ze meer van mama gaat houden dan van mij. Lou begreep ook wel dat dat kinderachtig van haar was, maar toch was het zo. Ze wilde dat Poppy het meest van haar hield. *Ik hou van jou het allermeest* – dat zei haar moeder vroeger altijd tegen haar, en dat was Lou nooit vergeten. Nu zei Phyl het tegen Poppy. Vind ik dat erg? Ben ik jaloers op mijn eigen dochter? Dat is toch belachelijk. Het is zelfs krankzinnig. Ik hou nu meteen op met die belachelijke gedachten.

De trein bleef stilstaan. De passagiers werden rusteloos, stonden op om naar de wc te gaan, tuurden uit het raam, en de dikke vrouw tegenover Lou zat enorm te zuchten en te steunen en stond op het punt om een gesprek aan te knopen. Echt niet, dacht Lou, en ze grabbelde in haar tas naar *Blinde maan*, dat ze tegenwoordig overal mee naartoe sleepte. Ze had het als een schoolboek gekaft met een stukje behang om het originele omslag te beschermen. Het boek viel open op een passage die Lou al zo vaak had gelezen, dat ze hem bijna uit haar hoofd kende.

's Nachts was er altijd geschreeuw, en vaak sliep hij daar doorheen. Dus hij had geen idee waarom dat bij dit geschreeuw anders was. Waarom hij er wakker van was geworden. Peter lag in het donker en het geluid sneed dwars door hem heen. Hij ging rechtop zitten. Iedereen in de barak lag er heel stil bij en hij dacht: Misschien zijn er wel een paar dood, en komen we daar pas morgenochtend achter. Maar waarschijnlijk lagen ze gewoon te slapen. In de nacht kwamen de boze gedachten gemakkelijk op. Zo noemde Dulcie ze, boze gedachten.

Dingen die je 's nachts bedacht als je in je bed lag, en waarvoor je geen tijd meer had om je ze te herinneren als de zon aan de hemel brandde. Dingen als wat ze met mevrouw Atkins hadden gedaan. Die had in de zon moeten staan, en niemand mocht bij haar in de buurt komen. Urenlang. Uiteindelijk was ze omgevallen, en sindsdien had hij haar niet meer gezien. Waarschijnlijk was ze dood. Ze had geprobeerd te vluchten, en dat vonden ze niet leuk. Er waren zoveel dingen die ze niet leuk vonden, maar de ergste straf was weggelegd voor mensen die probeerden weg te komen, over het prikkeldraad, dat in grote krullen over de hekken was gespannen.

Het geschreeuw was wat afgezwakt. Plotseling wist hij het. Hij wist wie daar zo schreeuwde. Als je gilt, heb je niet echt een stem meer, en toch herkende hij het geluid. Het was het geluid van zijn moeder. Ze gilde.

'Wat is er? Waarom zit je rechtop?' Dat was Derek, die in het bed naast het zijne sliep. Derek was een papkindje, en Peter mocht hem niet, maar toch zei hij: 'Dat is mijn moeder. Hoor je dat geschreeuw? Dat is van haar. Ik ga naar de vrouwenhut.'

'Dat mag niet. Dan word je betrapt.'

'Hou je mond en ga weer slapen. En geen woord hierover, anders zal je het berouwen.'

Peter liep van schaduw naar schaduw door het kamp. Een ijle maan wierp kleine plasjes licht op de grond, en hij ging op het gegil af tot hij bij de vrouwenbarak was, waar hij de trappen op sloop. Hij bleef heel even staan, want van daaruit kon hij naar binnen kijken, en hij zag zijn moeder op de grond liggen. Hij zag de vrouwen rond de smerige matrassen zitten. Peter wist niet wat hij moest doen. Het gegil zwol aan. Mama was vast erg ziek, dacht hij. Waar blijven de bewakers? Die moeten een dokter sturen − er moet toch iemand zijn die kan helpen. Maar toen drong het ineens tot Peter door wat er aan de hand was. Dat hij dat niet eerder had begrepen! Hij was al net zo suf als Derek. Ze kreeg de baby. De baby kwam. Zouden ze hem wegsturen als hij nu iets zou zeggen? Hij besloot om zich muisstil te houden, en sloop naar een schaduw in de hoek van de barak, waar niemand hem kon zien. Niemand had het in de gaten. Het enige waar die vrouwen oog voor hadden was de pijn van zijn moeder.

Later wenste Peter dat hij was teruggehold naar de kinderbarak voordat hij het allemaal had gezien. Zijn moeder werd uit elkaar gescheurd. Zo zag het eruit. Er was zoveel bloed. De benen van zijn moeder zaten helemaal onder en er lag een hele plas op de grond. Het gillen was gestopt en nu huilde ze. Er was nog een ander geluid, van een wezen dat eruitzag als een gevild dier. Een konijn of iets anders kleins. Hoe kon zoiets kleins nou zo'n gapend gat slaan in het lichaam van zijn moeder en haar onder het kleverige bloed spatten? Het gevilde dier slaakte kleine kreetjes. Het lag boven op zijn moeder, die haar borsten had ontbloot en Peter schaamde zich en wilde wegrennen en huilen en hij wilde nooit meer zoiets zien. Het was verschrikkelijk. Zijn moeder was gebroken. Opengereten. Afschuwelijk, afschuwelijk, afschuwelijk.

Toen ze weer opkeek, was de trein weer in beweging gekomen, en de vrouw tegenover haar had de hoop op een praatje opgegeven en was in slaap gevallen. Ze was er nu bijna, bij Poppy, en bij haar ouders. Haar gedachten dwaalden weer af naar het script... Deze scène stond haar heel scherp voor de geest. Ze zag het donker, ze hoorde de stemmen, dat geschreeuw. En geen woorden. Althans, nauwelijks. Ze had besloten dat ze voor bepaalde delen van het verhaal een voice-over zou gebruiken. Die waren niet erg gebruikelijk, maar dat kon haar niet schelen. Het verhaal vroeg erom. Het hing zo aan elkaar van Peters gedachten, en het zou jammer zijn om te veel van zijn woorden te verliezen.

Toen de trein stopte, was Lou de eerste die uitstapte. Ze holde bijna naar de parkeerplaats, want daar zou Phyl haar opwachten. Ze zag haar meteen staan, naast de auto, met Poppy in haar armen.

'Liefie! Lieve Moppie-de-Poppy…' Ze nam het kind over van Phyl en drukte haar dicht tegen zich aan. Ze voelde hoe stevig ze was, en hoe mollig haar roze wangetjes, en die kleine handjes die haar maar bleven bevoelen om zeker te zijn dat dit inderdaad haar mama was. De tranen sprongen Lou in de ogen, en ze werd overweldigd door een wirwar aan gevoelens: geluk omdat haar kindje niet was vergeten wie ze was, sinds verleden week; schuldgevoel omdat ze zoveel uren bij haar vandaan was geweest, en dankbaarheid om haar gezondheid. Dankbaar ook dat zij niet de baby in opa's boek was – dat gevilde beestje, dat konijntje, dat pasgeboren kindje dat zo mager was, en zo klein, dat ze het nooit had kunnen overleven… 'Kom maar, snoetje,' zei ze, 'dan mag je weer in je autostoeltje. Oma brengt ons naar haar huis, en dan gaan we lekker thee drinken en taart eten, toch, oma?'

'Absoluut. Poppy heeft geholpen met het beslag, hè lieverd?'

'Mama!' riep Poppy, en ze begon te wriemelen terwijl Phyl de stoelriempjes vastmaakte. 'Mama schoot!'

'Als we thuis zijn, dan mag je bij mama op schoot,' zei Phyl, 'maar nu moet je zoet zijn, en in het autostoeltje blijven zitten.'

'Ik kom naast je zitten,' zei Lou, en ze glipte in de auto naast Poppy. Plotseling moest ze terugdenken aan de avond dat Poppy was geboren. De pijn – had zij ook geschreeuwd? Misschien wel, maar haar gegil was keurig binnen de muren van een wit met zilveren hightech verloskramer van het ziekenhuis gehouden. Daar hadden ze haar een ruggenprik gegeven en een keizersnede gedaan. Poppy was vanaf het allereerste begin beeldschoon, en ze had Lou aangestaard met een intense blik waarvan iedereen zei dat dat hoogst ongebruikelijk was. De meeste baby's, zeiden ze, konden de eerste tijd hun blik helemaal niet richten. Een van de verloskundigen had gezegd: 'Deze is hier al een keertje geweest.' Haar baby was meteen al blank en ongerimpeld en ze zag er helemaal niet uit als Winston Churchill of koningin Victoria.

'En, hoe gaat het, lieveling? Heb je een fijne week gehad?' vroeg Phyl over haar schouder.

'Ik ben donderdag met Harry uit eten geweest.'

'Echt waar?'

'Ach, toe, mam. Zo was het helemaal niet. We hebben zakelijke dingen besproken, en hij heeft me meegenomen naar een Indiaas restaurantje, meer niet.'

'Meer niet? Echt niet?'

Lou herkende de hunkering in haar moeders stem. Ze was altijd op zoek naar romantische ontwikkelingen in het leven van haar dochter. Ze zou het heerlijk hebben gevonden om een enorme bruiloft te kunnen organiseren. 'Ja, echt niet. Laat maar, mam. Je hoeft de bruiloft nog niet te plannen.'

Phyl zuchtte. 'Hoop doet leven.'

'Hoop leefe, hoop leefe, hoop leefe,' zong Poppy vrolijk pruttelend in haar stoeltje.

'Ze begint al echt geintjes te maken,' zei Lou. 'Maar zullen we nu een liedje zingen?'

Ze begon haar lievelingsliedje te zingen, maar halverwege zakten Poppy's oogjes dicht en haar mondje open. Lou wilde haar zoenen, maar ze wilde haar ook niet wakker maken. De golf van liefde die haar overspoelde was zo sterk, dat het bijna pijn deed aan haar hart. Zij deed ook haar ogen dicht en deed ontzettend haar best om niet te huilen.

Gareth snuffelde in haar nek en mompelde lieve woordjes. Hij kroop boven op haar op de manier die Nessa zo goed kende, dat ze kon reageren zonder haar hersens te hoeven inschakelen. Maar dit keer dacht ze vol walging: hoe lang geleden heeft hij ditzelfde met Melanie gedaan? Ze probeerde aan iets te denken wat helemaal niets met seks te maken had: of die wellnesslui akkoord zouden gaan met haar deal met Justin. Of zij daar beter van zou worden, en wat het voor Paper Roses betekende. Dat Tamsin nieuwe schoenen nodig had voor gym en nieuwe T-shirts, en onderbroeken, ook nog. Ze groeide de laatste tijd wel heel snel, en Nessa ging in gedachten haar agenda na om te zien of ze ergens een gaatje had om te gaan winkelen. Gareth was bijna zover. Dat kon ze horen, want zijn ademhaling ging dan altijd over in een rochelend geroep. Ze maakte zelf ook wat kreunende geluidjes om haar bereidwilligheid te tonen en een paar tellen later was het allemaal alweer voorbij. Haar echtgenoot lag naast haar, hijgend na zoveel inspanning.

'Hm,' zei Nessa. 'Dat was fijn, schat.' Dat zei ze altijd. Gareth antwoordde dan meestal iets als: 'Ja, schat, heel fijn', en dan duurde het nog maar een paar tellen of hij lag te snurken. Ze stond op om te gaan plassen. Tegen de tijd dat ze weer terugkwam, zou hij diep in slaap zijn.

'Schatje?' Toen ze terugkwam, lag hij helemaal niet te snurken. Hij zat tegen de kussens, had zijn leeslampje aangedaan en keek haar eigenaardig aan. Nessa fronste. 'Wat is er aan de hand, Gareth? Wil je thee, of zo?'

'Nee, laat maar. Ik wilde alleen... Nou ja, ik wilde met je praten.'

'Oké,' zei Nessa. Ze wist niet goed waar ze moest gaan zitten. Omdat ze niet wist wat hij wilde, had ze geen zin om weer naast hem te gaan liggen. Hij keek heel serieus, en dat was niks voor hem. Als er iets was wat haar aansprak in Gareth, dan was het wel zijn zorgeloze houding ten opzichte van bijna alles en de schattig sukkelige manier waarop hij door het leven hobbelde. Nooit piekeren, nooit een sombere bui, en bijna nooit een kwade bui. Ze moest toegeven dat hij heel relaxed was, en er was veel te zeggen voor zo iemand als echtgenoot, vooral als je zelf precies het tegenovergestelde was. Omdat Nessa alles altijd zo serieus nam, en zelf ook wel wist dat ze wel heel snel op haar teentjes was getrapt, vond ze het lekker rustig om met iemand te leven die meestal vrij stabiel was. Hij zou het gaan opbiechten, van Melanie. Ze wist het zeker.

'Nou, toe dan,' zei ze, en ze stond weer op. Ze liep naar de chaise longue die naast de muur aan zijn kant van het bed stond, en ging tegenover hem zitten. En zelfs al wist ze dat hij op het punt stond om zijn overspel op te biechten, nog kon ze het niet laten om even de bekleding van de stoel te aaien: hij was van weelderig, abrikooskleurig fluweel. Schitterend. De goede beslissing, vond ze. Het combineerde zo mooi met de gordijnen van bronskleurige zijde. Ze was heel even erg tevreden met zichzelf.

'Ik weet niet hoe ik dit moet zeggen, Nessa. Ik ben hier niet zo goed in.'

Nessa probeerde bezorgd te kijken, maar ze ging hem niet uit de brand helpen door behulpzaam vragen te stellen. Hij regelde het zelf maar.

'Ik... Dit...' Gareth zuchtte diep en haalde zijn hand door zijn haar, waardoor het idioot rechtop ging staan. Hij had een belachelijk ouderwets pyjamajasje aan: blauw met donkerbruine strepen. Misschien had hij de broek net ook wel weer aangetrokken, toen zij in de badkamer was. Ze hadden nooit naakt geslapen, samen. Vanaf het begin had Gareth altijd meteen na de daad zijn pyjama weer aangetrokken. Nessa deed hetzelfde, maar als ze alleen sliep, droeg ze nooit een nachtjapon. Het koele linnen op haar blote huid vond ze een heerlijk sexy gevoel. Ze had het Gareth een keer voorgesteld toen ze op huwelijksreis waren, maar hij keek zo paniekerig dat ze het er maar bij had gelaten.

'Ik wil scheiden, Vanessa.'

Niks zeggen, zei ze tegen zichzelf. Hij noemde haar nooit Vanessa. Haar hart ging tekeer, en ze knipperde met haar ogen. Daar gaan we. Zou ze net doen alsof ze van niks wist? Scheiden! Hoe haalde hij het in zijn hoofd? Wilde hij echt zijn huwelijk stukmaken? Er kwam een huiveringwekkende gedachte bij haar op: dit huis. Hij kon de pot op: zij ging niet verhuizen. Gareths geld. Hoe moest het nu allemaal verder? En Tamsin dan? Bezoekregelingen, tranen – allemaal heel traumatisch voor haar dochter, van wie ze meer hield dan van wie dan ook en die absoluut niet mocht lijden onder het stupide gedrag van haar vader. Wat moest ze doen? Om tijd te winnen, en niet omdat ze hem echt niet had verstaan, vroeg ze: 'Wat zei je nou?'

'Ik vraag je om een scheiding. Ik ben verliefd op iemand anders. Met haar wil ik verder. Het spijt me vreselijk, Nessa. Het was nooit mijn bedoeling om…'

'Om wat? Wat bazel je nou toch? Ik begrijp er niks van.'

'Nou, eerst dacht ik dat het gewoon een kantoorromance was. Je kent dat toch wel…'

'O ja?' Nessa klonk nu ijzig. 'Dus dat heb je wel vaker gehad, zo'n kantoorromance? Voor deze?'

'Nou, dat was allemaal nooit zo serieus. Niet echt…'

'Hoe durf je dat te zeggen? Hoe durf je? Dus jij wilt zeggen dat je me al zo vaak hebt belazerd?'

'Dat wilde ik helemaal niet zeggen, echt niet. En het is maar een paar keer gebeurd. Meer niet.'

'Meer niet?' schreeuwde Nessa. 'Meer niet? Ik geloof dit gewoon niet. En dit, dit nieuwe ding van je om wie je wilt scheiden – dat is dan zeker heel anders? Dat heeft zeker wel wat te betekenen?'

Hij knikte, met een rood hoofd. 'Ze is… Ik hou van haar. En… Nou ja, ze is zwanger.'

Nessa legde haar hoofd in haar handen. Dat had ze niet verwacht, en ze merkte dat ze het een beangstigende gedachte vond. Toen keek ze Gareth aan en spuugde haar woorden naar hem uit. 'Zwanger! O, dan snap ik het. Dus dat nieuwe kind gaat boven ons kind? Onze Tamsin? Daar geef je ineens geen ene moer meer om, hè? Die betekent helemaal niks voor je. Je ruilt haar gewoon in voor een nieuw model. Lekker makkelijk!'

'Hou op, Nessa. Je bent gek. Natuurlijk kan deze baby Tamsin nooit vervangen. Je weet ook wel dat ze altijd mijn lieve dochter zal blijven.' Ineens kwam er een angstige blik over Gareths gezicht, alsof hij zich plotseling iets bedacht. 'Je gaat haar toch niet bij me weghouden, hè? Want dan sleep ik je voor de rechter. Dat kun je niet doen, dat kan je echt niet doen.'

'Dat zou ik nooit doen,' zei Nessa, die uit alle macht probeerde om moreel boven hem te blijven staan, ook al kwam heel even de gedachte op om Gareth volledig verantwoordelijk te laten zijn voor Tamsin, omdat zij ook wel wist dat hij daar niet op zat te wachten. Ze toonde hem haar liefste glimlach. 'Nee, jij zult meer dan genoeg verantwoordelijkheid krijgen, maak je maar niet druk. Daar zal ik wel voor zorgen. We zullen nog wel eens zien hoe Melanie dat gaat redden, een baby en een waarschijnlijk behoorlijk getraumatiseerd kind van acht. Daar zal ze lekker haar handen vol aan hebben. Ik gok dat ze dan niet meer zoveel zin heeft om met jou te neuken als toen jullie nog gezellig op kantoor waren. Want zo'n baby doet je de lust wel vergaan, hoor. Dan wordt het nooit meer hetzelfde; dan komen de prioriteiten ineens heel anders te liggen.'

'Hoe weet jij hoe ze heet? Dat heb ik je nooit verteld. Nou, hoe ben je daar achtergekomen?'

'Ik heb een berichtje gelezen van een halve analfabeet, en die heette Melanie. Op jouw telefoon, toen je die in de auto had laten liggen, weet je nog wel? Jij bent ook echt een ontzettend incompetente zak.'

Gareth schaamde zich. Dat kon Nessa zien aan de manier waarop hij naar zijn voeten staarde en op zijn onderlip kauwde. Maar hij probeerde zich over zijn schaamte heen te zetten en een zeker bravoure op te brengen.

'Heb je je ooit wel eens gerealiseerd dat jij een deel van het probleem bent, Nessa? Heb je enig idee hoe het is om met iemand getrouwd te zijn die zo koud en zo egocentrisch is als jij?'

'O, dus het is mijn fout dat jij niet van de secretaresses kunt afblijven?' Ze stond op, liep naar de deur en hield die open. Ze zei: 'Ik heb genoeg van dit gesprek, als je het niet erg vindt. Je kunt gaan. Ga weg en kom nooit meer terug. Ik zal maandagochtend meteen contact opnemen met een advocaat om de scheiding aan te vragen. Geestelijke wreedheid, ontrouw, de hele handel. Ik pak je voor elke cent die je hebt, dat kan ik je vertellen. Ga jij maar lekker bij Melanie wonen. Jullie verdienen elkaar.'

Toen bedacht ze zich nog iets, en ze voegde eraan toe: 'Weet Melanie eigenlijk dat je het ook nog steeds met mij doet? Nog geen tien minuten geleden lag je boven op me te steunen en te kreunen. Weet zij dat wel? Misschien dat ik haar wel even een sms'je stuur om haar te melden wat voor grandioze minnaar jij toch bent. Nou, geef eens antwoord? Weet Melanie dat je nog steeds een beetje sneu op en neer gaat met mij?'

Gareth was zo beschaafd zijn hoofd te laten hangen. 'Nee... nee, dat weet ze niet. En hoe bedoel je, een beetje sneu? Je hebt anders nooit geklaagd. Je leek me altijd... nou ja, redelijk tevreden.'

'Ik kan goed acteren, stomme idioot. Je bent ongeveer zo sexy als een kom koude rijstepap. Ik durf te wedden dat je tegen haar hebt gezegd dat ik zo'n koele kikker ben, en dat je me niet meer mocht aanraken.' Uit zijn zwijgen kon ze opmaken dat ze dat goed gegokt had. 'Ik wist het. Jij bent echt walgelijk. Ga maar ergens anders slapen. Het interesseert me niet waar – op de bank, in de logeerkamer. Als ik je maar niet meer hoef te zien. Nou, toe dan! Weg jij.'

'Maar...'

'Geen woord meer, heb je dat goed begrepen? Ik zweer het je, als ik nog één woord van je hoor, dan pak ik deze lamp en die smijt ik naar je hoofd.'

'Ik ga al, ik ga al…' Hij zag er belachelijk uit met zijn pyjamabroek in zijn hand. Nessa moest bijna lachen toen hij zo de kamer uit liep. Toen hij weg was, bleef ze een tijdlang roerloos zitten. Ik ga niet meer in dat bed liggen, dacht ze. Dat is een symbolisch gebaar. Ik heb het met hem gedaan, terwijl ik wist dat hij het met iemand anders deed. Ik koop morgen meteen een nieuw bed. Ik ga een verhuisbedrijf bellen, dan kan dit bed naar een liefdadigheidsinstelling. Ze boog zich naar voren, trok het dekbed eraf – dat moest ook weg, en al dit beddengoed, dat zou ze ook nooit meer gebruiken; ze zou schoon schip maken – en wikkelde het om zich heen terwijl ze op de chaise longue ging liggen. Ze was nog nooit zo slapeloos geweest en nam zich voor om de rest van de nacht te bedenken wat ze verder zou gaan doen. Met Matt praten. Met Ellie praten. Met Justin praten. Het werd ineens een heel stuk belangrijker om een deel van zijn buit zeker te stellen. De tranen sprongen haar in de ogen. Mickey. Was Mickey maar hier. Heel even vroeg Nessa zich af of ze midden in de nacht naar haar toe zou kunnen rijden voor een troostend gesprek. Mickey zou het niet erg vinden, maar toch wachtte ze liever tot morgen. Ze zou eerst naar Matt gaan, en dan naar haar moeder. Dan had ze dat maar vast gehad. En dan zou ze 's middags naar Mickeys cottage rijden. Zou ze eerst even bellen om te zeggen dat ze eraan kwam? Morgen, dacht ze. Dat beslis ik morgen wel.

'Koffie, Ness?' Lou keek naar Nessa, die aan de keukentafel zat, met papa en mama elk aan een kant naar haar toe gebogen om hun steun te betuigen. Als het eruitziet als een crisis en als het klinkt als een crisis, dacht Lou, dan zal het ook wel een crisis zijn. En ja, het feit dat je zus zondagochtend vroeg langskomt met de mededeling dat ze gaat scheiden telt wel als iets dramatisch. Als je Lou zou hebben gevraagd wat nu het minst waarschijnlijke was dat ooit zou gebeuren, dan was het dit wel: dat Gareth ervandoor zou gaan met een secretaresse van zijn werk. Het cliché der clichés vond hier in de keuken plaats, en Lou was erg genoeg vooral geïnteresseerd in de sappige roddel, terwijl ze tegelijkertijd een gevoel van lichte verbolgenheid niet echt de kop in gedrukt kreeg. Nessa's toestanden en Nessa's problemen leken die van haar altijd te overtreffen. Maar jij hebt ook niks belangrijks te melden, zei ze tegen zichzelf, in een poging aardig te zijn. Nessa's hele leven is… Wat is het eigenlijk? Haar zus zag er niet uit alsof ze niet had geslapen. Lou zocht naar de tekenen van middernachtelijke huilbuien, maar er zat nog geen rood randje om haar ogen. Maar toch, wat een verbijsterend verhaal was dit! Lou dacht altijd dat Nessa de aanbiddende Gareth volkomen onder de duim had. Hij deed altijd alles wat ze hem opdroeg, maar misschien was dit daar wel het resultaat van. Misschien had hij nu iemand gevonden die het leuk vond om de dingen te doen die hij zelf ook leuk vond. Misschien was hij niet zozeer aanbiddend geweest, maar zat hij gewoon onder de plak. Een huwelijk met Nessa was vast een uitputtingsslag. Haar zus mocht graag van zichzelf zeggen dat ze zulke hoge normen stelde, maar wat Lou betrof was ze vooral een bazige muggenzifter, veel erger dan andere mensen.

'Nee, dank je, Lou. Straks krijg ik nog een overdosis cafeïne binnen. Is er misschien een of andere groene thee, of zo?'

'Ik heb allerlei soorten.' Mama sprong op en liep naar de keukenkast. Ze pakte een houten theedoos met allemaal keurige vakjes: groene thee met jasmijn, met sinaasappel, met citroen, je kon het zo gek niet bedenken of het zat erbij.

'O, god, het maakt me niet uit,' zei Nessa met een zucht. Lou nam het theezakje aan van haar moeder en goot er kokend water over. Nessa was nu ook weer niet zo in de war dat ze zich niet bemoeide met de kop waarin ze de thee geserveerd wenste te krijgen. 'Niet in zo'n dikke beker, dat vind ik toch wel zo vreselijk,' zei ze altijd, en mama had de gewoonte om de mooie porseleinen theekopjes te gebruiken als Nessa er was. En ook al was ze vandaag zogenaamd in alle staten langsgekomen vanwege de ondergang van haar huwelijk, toch herhaalde ze haar 'geen beker'-mantra toen ze iets te drinken aangeboden kreeg.

'Ik begrijp hem gewoon niet,' zei mama. 'Zo'n prachtig huis, en een kind, en een vrouw zoals jij, Nessa. Het is waanzin. Denk je niet dat hij toch misschien weer bijdraait en niet alles weggooit als jij daar je best voor zou doen?'

Lou moest lachen, maar kon zich nog net inhouden. In haar moeders wereld kwam de echtgenoot altijd weer netjes terug, en dat was ook altijd maar het beste, het meest wenselijke.

'Ik zou hem niet eens meer willen,' zei Nessa, terwijl ze in haar thee roerde. 'Laat hem maar lekker met Melanie gaan samenwonen, dan merkt hij vanzelf wel hoe dat is. Hij zal voor Tamsin moeten blijven betalen tot ze achttien is, en ik houd het huis, zonder meer. Dat kan toch wel, hè Matt?'

'Natuurlijk – jij bent de gegriefde partij. En bovendien, het huis staat op jullie beider naam, toch?'

Nessa knikte. 'Daar heb ik wel voor gezorgd,' antwoordde ze. 'Mijn god, wat een vervelend gedoe allemaal. Daar zit ik nu echt niet op te wachten. Het is zo ontzettend druk bij Paper Roses, en dan het afwikkelen van het testament, afschuwelijk. Ik heb geen oog dichtgedaan vannacht. Geen oog.'

Door de keukendeur zag Lou Poppy door de hal kruipen. Ze was eerst in de keuken en sjouwde rond onder de tafel waar ze allemaal aan zaten. Zelfs mama, die doorgaans ieder moment op het kind gefixeerd was, was afgeleid door Nessa's plotselinge komst en door wat ze te zeggen had. Poppy was inmiddels zoet aan het spelen met een paar Dinky Toys die nog van Justin waren geweest. Die had papa vast van zolder gehaald. Lou vroeg zich af of ze soms een eindje met haar moest gaan wandelen in haar buggy, terwijl de anderen dit soort dingen bespraken. Hoelang zou Nessa nog blijven? Zou ze blijven lunchen? Bleef ze de hele middag?

Ze luisterde naar de eindeloze verhalen van haar zus, die er verre van wanhopig uitzag. De hele nacht wakker gelegen? Of Nessa loog, of haar make-up verrichtte wonderen. Ze zag er precies even beheerst en verzorgd uit als altijd. Het feit dat ze vanochtend haar gezicht zo zorgvuldig had opgemaakt sprak boekdelen. Nessa zag de scheiding voornamelijk als een logistiek probleem, en als een financieel probleem, dat vooral. Maar Nessa's hart was niet gebroken. Absoluut niet. Lou vroeg zich af of ze zelfs niet voor een deel blij was met de scheiding. Als ze nooit echt verliefd was geweest op Gareth – maar Lou had niet het soort relatie met haar zus waarbij ze haar dit soort dingen op de man af kon vragen – dan was dit ook vast een opluchting, ook al was het dan op dit moment nog allemaal reuze vervelend en in allerlei opzichten onpraktisch.

Het onmiskenbare geluid van iets wat te pletter viel – glas, een raam? – sneed dwars door het gesprek.

'Poppy!' schreeuwde Lou, en ze rende de keuken uit. Poppy zat te gillen. 'O lieverd... heb je au? Wat is er dan?'

Terwijl ze haar dochter in haar armen nam, voelde Lou dat haar ouders vlak achter haar stonden, en dat Nessa bij de keukendeur stond en dat de vloer van de hal bedolven was onder duizenden stukjes porselein, als een tapijt van witte bladeren met scherpe randjes. Ze begroef haar hoofd in Poppy's halsje en mompelde steeds maar weer: 'Het is al goed, liefje, het is al goed. Niks aan de hand, schatje. Geen au, alles is goed.'

Poppy kalmeerde en vroeg sniffend om een flesje. Papa, mama en Nessa stonden nu alledrie in de deuropening naar de keuken. Mama keek intens verdrietig, alsof er iemand verongelukt was.

'Mijn god,' zei Nessa. 'Kleine kinderen zijn toch zo ongelofelijk. Al die tranen, en als ze klaar zijn, hebben ze nergens rare vlekken en zien ze er helemaal niet afschuwelijk uit. Ongelofelijk herstelvermogen.'

'Geef haar maar aan mij,' zei Phyl, die zich groot probeerde te houden. 'Dan geef ik haar wel een flesje en dan denk ik dat ze daarna maar even een slaapje moet doen. Kom maar bij oma, lieveling, kom maar.'

Lou overhandigde haar dochter en voelde een verbluffende mengeling van emoties. Ze wilde zeggen: *Nee, ze is van mij, ik ben haar moeder. Ik moet het doen.* Maar Phyl had haar al vast. Ze was duidelijk verdrietig vanwege de vaas, maar Lou begreep niet waarom ze die zonodig in de hal had moeten zetten terwijl ze de rest van het huis zo kindvriendelijk had gemaakt. Misschien had ze wel gedacht dat hij zo groot en zwaar was dat hij daar geen kwaad kon.

'Jemig, mam, het is je mooie Chinese vaas. Ik zal het wel opruimen,' zei ze. 'Ik weet hoe dol je erop was. Hoe is het mogelijk dat Poppy dat enorme ding heeft weten om te trekken?'

'Het geeft niet,' zei Matt, die Lou de stoffer-en-blik aanreikte die hij al uit de trapkast had gevist. 'Die vazen zijn heel kwetsbaar. Dat heeft mijn moeder me vaak genoeg ingepeperd. Nou, ze had dus gelijk. Het geeft niet, van die vaas, Lou, echt niet. Maar Poppy had zich verschrikkelijk kunnen verwonden. Ik moet er niet aan denken dat...'

'Maar dat is niet gebeurd, pap,' zei Lou. 'Er is niks met haar aan de hand. Ik denk dat ze een van die autootjes een te harde zet heeft gegeven en dat die toen tegen de vaas is gebotst. Precies op dat stuk ligt geen tapijt. Of misschien heeft ze hem wel omgeduwd. Ik vind het zo vreselijk, pap. Ik weet hoe gek mama op dat ding was.'

'Het geeft echt niet, Lou. Zo lang er maar niets met Poppy is...'

'Daar is echt niks mee aan de hand, pap.'

'In tegenstelling tot mij, Matt,' zei Nessa. 'Kan ik je even spreken? Ik moet zo weg en ik wil weten hoe ik het nu verder aan moet pakken.'

'Vind je het erg, Lou?' Haar vader keek verbouwereerd.

'Nee, ga maar, pap. Ga jij maar even met Nessa praten, dan ruim ik dit wel op. dan hoeft mama al die scherven niet te zien.'

Toen ze alleen in de hal zat, begon Lou de troep op te vegen. Er lag een stukje opgevouwen papier tussen de witte scherven. Wat doet dat daar nou, dacht ze. Dat heeft iemand zeker per ongeluk laten vallen. Een kind zou zoiets misschien doen, maar Poppy natuurlijk niet. Het was een papier van brieffformaat, keurig opgevouwen, een beetje omgekruld bij de randjes, alsof het daar al een poosje lag. Nieuwsgierig legde ze haar stoffer-en-blik neer, en vouwde het papiertje open. Het was een brief, geschreven in hanepoten, duidelijk van iemand uit het buitenland. Ze vroeg zich even af hoe het toch kwam dat mensen uit andere landen zo'n ander handschrift hadden dan de Britten. Zal wel iets met het schrijfonderwijs te maken hebben. Wat was dit? Ze bestudeerde het papier.

De datum was 27 juli 1985. De brief was dus twintig jaar oud.

Beste meneer Barrington,

Vergeef me voor het slechte Engels dat ik schrijf. Veel jaren ik heb deze taal niet geschreven. Ik vond een exemplaar van uw roman, Blinde maan, in de winkel met tweedehands boeken, en ik moet u vragen stellen. Ik denk dat de vrouw waarover u schrijft mijn jongere zus kan zijn, ook al hebt u de naam veranderd. Ze is bij ons weggegaan, naar Noord-Borneo, en ze trouwde met een Engelsman. Het waren andere tijden, toen. Mijn familie heeft haar nooit meer gesproken. Ik schrijf haar niet. Daarvoor ik schaam mij nu. Maar misschien u hebt alles verzonnen. Zo niet, en u bent inderdaad de zoon van Louise, mijn zuster, geef mij dan alstublieft snel antwoord. Ik ben nu vijfenzestig. Louise is zevenenzestig, als ze nog leeft. Mijn familie spreekt nooit over haar, maar wij denken dat zij is doodgegaan op Noord-Borneo, misschien wel in zo'n kamp als waar u over hebt ge-

schreven. Uw boek ik heb met afschuw gelezen, omdat ik zoveel ver-
driet heb. Stuurt u uw antwoord alstublieft naar dit adres: 4, Rue du
Treixel, Paris 14ième, France. Ik ben u zeer dankbaar.

Met oprechte groet,
Manon Franchard

Lou zat op haar hurken en las de brief drie keer door. Wat had dit
te betekenen? En waarom zat de brief in de vaas? Constance moet
hem erin hebben gegooid. Fronsend probeerde Lou te reconstrue-
ren wat er gebeurd kon zijn. Grootmoeder probeerde inderdaad de
fanmail bij haar man weg te houden, maar waarom had ze deze
brief dan niet ook gewoon verscheurd? Papa had haar verteld dat
Constance de post altijd deed en dat ze opa niet alles liet zien. Ze
was jaloers op zijn eventuele successen, en ze hield absoluut van
alles bij hem weg als dat haar zo uitkwam. En deze brief was er
zeker eentje waarvan ze niet wilde dat hij hem onder ogen kreeg.
Dat had ze voor zichzelf vast goed weten te praten. Lou kon Constances stem bijna horen. Resoluut en vastberaden sprak die tot
haar vanuit het verleden: *Ik wil het niet hebben dat hij achter zijn*
tante in Frankrijk aan gaat, want Frankrijk zit vol met oplichters.
Waarschijnlijk is het een of ander sluw mens die haar kans schoon ziet
en denkt dat ze op de een of andere manier kan profiteren van de fami-
lieband die ze beweert te hebben met een schrijver. Ongetwijfeld denkt
ze dat hij schatrijk is. Nou, hij krijgt dit niet te zien, en daarmee uit.

Dat zal dan allemaal wel zo zijn, maar deze vrouw wist dat opa's
moeder eigenlijk Louise heette. Zou een oplichter zoiets ook
weten? En waarom was die brief in de vaas beland? Het was haar
een raadsel. Misschien was iemand de kamer binnen gekomen, en
raakte Constance in paniek. Misschien heeft ze hem daarom snel
in de vaas gestopt met de bedoeling hem er later weer uit te vissen
en is ze hem toen verder vergeten. Ze moet gedacht hebben dat

het verder niks voorstelde, dat het niet iets was om je druk over te maken. Als ze de schrijver eenmaal had bestempeld als een gek, een buitenlandse gek nog wel, zou ze elke belangstelling voor de brief en de inhoud daarvan snel hebben verloren.

Rue de Treixel, Parijs. Misschien was het wel een trucje. Maar wat nu als die Mme Franchard inderdaad was wie ze beweerde te zijn? Er was niemand meer die zelfs maar wist of Franchard de juiste achternaam was. Opa's tante. Papa's oudtante. In 1985 was ze vijfenzestig, dus ze kon best al dood zijn. Ik kan naar haar schrijven, dacht Lou, en ze vroeg zich af of ze dit aan papa en mama moest vertellen. Voor een deel wilde ze dit mysterie graag voor zich houden, maar dat zou niet eerlijk zijn. Papa was nauwer verbonden aan deze Mme Franchard dan zij. Ze kon het niet voor hem verbergen en hem de brief niet laten zien. Maar Nessa zat nu met hem in de studeerkamer en legde beslag op hem, terwijl hij niet eens haar vader was.

Lou glimlachte. Het maakte kennelijk niet uit hoe oud je was: die kinderlijke jaloezie bleef toch altijd weer de kop opsteken. Maar serieus, dacht ze, waarom was Nessa niet gewoon haar hart gaan uitstorten bij haar eigen moeder? Nu Ellie niet meer in het buitenland woonde, was ze even gemakkelijk te bereiken als papa – maar hij was natuurlijk wel advocaat. Gratis juridisch advies, en een flinke dot medelijden, wat wil een mens nog meer? Ze vroeg zich af hoe de vriendin van Gareth zou zijn. Ze stelde zich voor dat het een rustig type was, precies het tegenovergestelde van Nessa.

Lou vouwde de brief zorgvuldig op en stopte hem in de zak van haar spijkerbroek. Ik laat hem straks wel aan papa en mama zien, dacht ze, en ze ging verder met opruimen. Veel van de stukjes die ze bijeenveegde om buiten in de afvalbak te gooien waren prachtig beschilderd: vlinders, bloemen, blaadjes, piepkleine vogeltjes. Zonde eigenlijk om dat allemaal weg te gooien, maar wat moest je er anders mee? Gelukkig was er precies nog zo'n vaas, die nog niet uitgepakt was. Misschien moest mama die eerst maar een paar jaar ingepakt laten, en pas neerzetten als Poppy wat ouder was. Lou gooide de scherven in stukken krantenpapier, stopte die in plastic tasjes, en bracht de tasjes naar buiten.

Toen ze het deksel van de afvalbak opendeed, schoot haar plotseling iets te binnen. Je was zo in Parijs, met de trein. Het was maar een uur of zo, met de Eurostar. Ik kan op één dag heen en weer. Ik zou haar kunnen opzoeken. Het zou natuurlijk verstandiger zijn om eerst te schrijven en zichzelf de reiskosten te besparen als Mme Franchard niet meer leefde. Maar dat wil ik helemaal niet, dacht ze. Ik wil naar Parijs. Een dagtripje, een leuk uitstapje. Papa wil wel met me mee. Ik zal het hem vragen. Ze zag niet helemaal hoe een gesprek met Mme Franchard haar zou helpen bij het schrijven van haar script, maar je kon nooit weten. Ze kon het research noemen, want dan voelde ze zich een beetje beter over de kosten. Het ging goed met het script, vond ze zelf, maar hoe kon ze dat nu zeker weten? Hoe wist je nou ooit zeker of je werk de goede kant op ging? Misschien waren alle woorden die zij zelf krachtig, beeldend en ontroerend vond eigenlijk wel heel stom. Misschien werkten ze helemaal niet. Ze wilde het aan Harry vragen, maar ze was er nog niet klaar voor om hem te vertellen waar ze mee bezig was. Ze werd overvallen door een plotseling verlangen om weer aan de slag te gaan, om haar laptop open te doen en om zich onder te dompelen in de verschrikkelijke wereld die John Barrington had beschreven. Ze was er helemaal klaar voor geweest om aan mama te vragen of ze Poppy weer mee naar Londen mocht nemen, maar misschien zou ze daar toch mee wachten tot ze in Parijs was geweest. Dus zou ze in plaats daarvan vragen of papa en mama nog even voor Poppy zouden willen zorgen.

Lou leunde tegen de muur bij de keukendeur en stond in de lentezon te denken of ze enig schuldgevoel bij zichzelf kon bespeuren. Ze vond het erg om Poppy bij haar ouders achter te laten, maar haar dochter genoot met volle teugen, en er werd goed voor haar gezorgd, dat maakte het makkelijker. Maar ik ben nog altijd haar moeder, dacht ze, en ze nam zich voor haar mee te nemen naar het park, als ze straks weer wakker was. Zolang ik hier ben kan ik maar beter elke minuut met haar doorbrengen.

Haar gedachten dwaalden af naar de brief in haar zak. Een oude Franse vrouw – Lou stelde zich haar voor als een stokoude versie van Isabelle Huppert, maar dat was natuurlijk onzin. De meeste mensen waren verre van mooi – die nu, op dit moment, misschien wel ergens in Parijs zat te wachten op haar warme omhelzing, na twintig jaar naar zo'n moment te hebben verlangd. Maar misschien ook niet. Misschien was ze die brief allang weer vergeten.

Matt keerde de brief om. De woorden dansten voor zijn ogen, en hij vroeg zich af of hij soms toch een leesbril nodig had. Hij werd een dagje ouder. Deze vrouw, deze Mme Franchard, als ze tenminste echt bestond en inderdaad was wie ze beweerde te zijn, zou nu ergens halverwege de tachtig zijn. Het had iets opwindends, het idee dat hij misschien nog ergens familie had, maar hij kon beter niet te hooggespannen verwachtingen hebben, voor het geval het toch niet zo bleek te zijn. De stilte werd verbroken door het ritmische geluid van Phyls mes op de snijplank. Ze stond bij het aanrecht, naast het fornuis, en ze sneed de groente voor het eten van vanavond. Hij zag dat Lou, die tegenover hem aan de keukentafel zat, haar adem inhield, in afwachting van zijn reactie.

'Als dit klopt...' begon hij, en Lou onderbrak hem.

'Hoe bedoel je? Waarom zou het niet kloppen? Wat wil je daarmee zeggen, pap?'

'Niks, niks, alleen... het kan een truc zijn. Iemand die schrijft dat ze familie van je is, zo maar. Misschien nam ze wel aan dat die Engelse schrijver heel rijk was. Dat ze voordeel kon behalen als ze zou beweren dat ze familie van hem was.'

Lou keek zo teleurgesteld, dat Matt bijna spijt van zijn woorden had. Hij vervolgde: 'Je hoeft niet zo verdrietig te kijken, Lou. Ik vind dit op een bepaalde manier net zo spannend als jij, maar ik ben bang dat je teleurgesteld wordt, snap je. Ze zal nu heel oud zijn, áls ze nog leeft. Of misschien is ze inmiddels wel seniel, of wat dan ook.'

'Maar wat nu als ze wel jouw oudtante is, pap,' zei Lou, 'zou je haar dan niet willen ontmoeten? Meer over haar te weten willen komen? Zien wat voor vrouw de tante van je eigen vader is? Misschien weet ze wel van alles over je grootmoeder; dingen die de moeite waard zijn om te weten.'

'Waarschijnlijk wel, ja.' Matt zuchtte. Hoe kon hij Lou nou vertellen dat hij behalve die opwinding ook een zekere angst voelde voor nieuwe ontdekkingen? Hij wilde niet graag allerlei dingen oprakelen. God weet wat dat voor gevolgen kon hebben: verwarrend, betreurenswaardig. Misschien zette het zijn hele leven wel op zijn kop. Matt hield niet zo van dingen die zijn leven op zijn kop zette. De meeste mensen moesten wel heel ontevreden zijn, nam hij aan, als ze voortdurend hun hele bestaan overhoop wilden gooien, en alles anders wilden. Hij zei: 'Jij bent er ook voor gevallen, hè Lou? Voor die rage van je voorouders zoeken op internet, en zo. Je kunt proberen om die Mme Franchard te googelen, kijken wat daar uitkomt.'

'Ik wil haar helemaal niet googelen. Ik wil haar zíén. Parijs is zo dichtbij, pap. Ik kan een dagje op en neer met de Eurostar.'

'Meen je dat? Wil je echt bij haar op bezoek?'

'Ja, dat meen ik. Waarom niet? Ik kan me niet voorstellen waarom jij dat niet ook wilt, want daar lijkt het op. Je kunt toch met me mee? Ben je dan helemaal niet nieuwsgierig?'

'En een brief? We kunnen alles eerst in een brief uitleggen, voor we halsoverkop het Kanaal oversteken.'

'Maar ik wíl halsoverkop gaan. Ik wil dolgraag naar Parijs. Daar ben ik nog nooit geweest.'

'Het spijt me, schat,' zei Matt. 'Zo had ik het niet bekeken. Het is waarschijnlijk ook een leuk uitje voor jou. En wil je mij dan echt met je mee sleuren?'

'Waarom niet? Is toch leuk?'

'En het werk dan?' vroeg Matt.

'Dat maakt toch niemand iets uit. Jij bent de baas, toch. En mam, jij vindt het toch ook niet erg? Dat je een hele dag alleen met Poppy bent?'

'Ik ben meestal de hele dag alleen met haar,' zei Phyl, terwijl ze de kraan opendraaide om de groente te wassen. 'En dat vind ik heerlijk. Ik snap niet dat jij niet wat enthousiaster bent, Matt. Een tripje naar Parijs, en een mogelijk familielid ontmoeten. Willen jullie nu alsjeblieft even de tafel dekken? Fijn.'

Lou liep naar de keukenkast om de messen en vorken te pakken.

'Ik zal erover nadenken,' zei Matt, en hij pakte de wijnglazen en zette die op tafel. Hij had ineens een visioen van hem en Ellie, wandelend langs de Seine, en hij schudde zijn hoofd om dat beeld van zich af te zetten. Kon het maar... Nee, hij moest dat soort gedachten meteen de kop indrukken. Hij zei: 'Wanneer wil je dan gaan? Ik betaal je kaartje, natuurlijk.'

'Echt? Fijn, pap. Heel lief van je. Nou, deze week. Wat voor dag dan ook, behalve dinsdag, want dan zit ik op kantoor.'

'Prima. We gaan,' zei Matt, en hij zocht in de kast naar het peper- en zoutstel. 'En we zijn al in geen eeuwen samen een dag op stap geweest. Het wordt vast leuk.' Hij voelde zich schuldig omdat hij liever met Ellie zou gaan. Wat was er in godsnaam met hem aan de hand? Lou wilde zo graag, en Matt begreep niet waarom hij zelf niet wat enthousiaster was. Misschien was er wel iets mis met hem. Wilde hij soms niet meer te weten komen over zijn eigen familie? Als Lou die brief niet had gevonden, dan zou zijn leven heus niet slechter zijn geweest, voorzover hij kon overzien. Wat kon zo'n stokoude Franse oudtante te vertellen hebben dat enige invloed op zijn leven kon hebben, behalve als ze een lastpak bleek te zijn... Een scenario waarbij Mme Franchard hem op de een of andere manier tot last zou worden flitste door zijn hoofd: hij zou verantwoordelijk worden voor haar welzijn. Misschien was ze wel aan de bedelstaf geraakt en leed ze aan Alzheimer en incontinentie en werd hij met haar opgezadeld... Nee, dat was onzin. Waarom was hij toch zo negatief over alles? Ik ga me nergens druk om maken voor het echt nodig is, nam hij zich voor. Het is hartstikke leuk om samen met Lou naar Parijs te gaan. Hij begon zich er al helemaal op te verheugen. Wat ze daar ook zouden aantreffen, het was al leuk om met haar op reis te zijn. Vroeger, toen ze klein was, gingen ze altijd dagjes uit, en dit was gewoon een grote-mensenuitje. Nu hij het zo bekeek, realiseerde Matt zich hoe hij dat soort dingen miste. Laten we hopen dat we Mme Franchard blakend van gezondheid aantreffen, dacht hij. Het zou toch wat zijn om een oudtante te vinden. Hij zou haar een warm welkom heten in de familie.

Waarom ging die verdomde telefoon nou altijd net als je ergens druk mee was? Lou hield op met typen en greep naar haar tas. Er zat veel te veel in. Misschien moest ze dat antieke schooltasachtige ding waar ze al jaren mee rondliep maar eens wegdoen en een fatsoenlijke handtas aanschaffen.

'Hallo! Sorry, mijn mobiel had zich ergens verstopt.'

'Hallo, Lou. Met Harry. Ik belde om te kijken of je toevallig thuis was.'

'Yep.' Wat was dit?

'Ik zou even langs kunnen komen voor een kop koffie, als je daar zin in hebt. Of je kunt hierheen komen.'

'Waar ben je dan?' Klonk dat ongastvrij? Ja. Ze probeerde enthousiast te klinken toen hij het haar vertelde.

'Kom dan maar hier, ik kan wel een pauze gebruiken. Maar Harry...'

'Ja?'

'Ik heb helemaal niks in huis. Ik heb net zelf het laatste koekje opgegeten.'

'Wat een ramp,' zei Harry. 'Maak je geen zorgen, ik neem wel wat mee. Tot zo.'

Lou legde haar mobieltje naast de computer en staarde weer naar haar scherm. Ze sloeg haar werk van die ochtend op voor ze de computer afsloot, en zodra ze de laptop op zijn plek onder de bank had gezet, kwam ze in actie. Wat was belangrijker: dat zij er zelf een beetje leuk uitzag of dat het huis netjes was? Ze duwde de kussens in vorm, pakte haar lege koffiebeker, die nog van haar ontbijt was, en spoelde die af onder de hete kraan in haar keuken. Ze haalde een doekje over het aanrecht en toen ze eenmaal in haar slaapkamer stond, op weg naar de spiegel, trok ze haar dekbed recht. Geen tijd meer om te verkleden. Spijkerbroek – oké. Ze droeg een witte bloes – schoon, dus oké. Ze haalde een borstel door haar haren en smeerde wat lipgloss op. Parfum? Nee. Dat zou er te dik bovenop liggen. Hoezo eigenlijk? Dat ze er leuk uit wilde zien voor Harry. Welnee, natuurlijk wil je dat niet. Maar vanwaar dan dat dekbed rechttrekken, beker omspoelen en haren borstelen? Om over de lipgloss nog maar te zwijgen. Nee, dat betekende allemaal dat ze probeerde om een goede indruk te maken op iemand die per slot van rekening haar baas was. Ze wilde een competente en georganiseerde indruk maken.

Er werd aangebeld. Terwijl Lou opendeed, zag ze ineens dat ze nog op haar sloffen liep: die belachelijke, wollige roze, in de vorm van konijntjes. O shit, shit, shit. Lekker modieus. Een skinny jeans met een roze Flappie en Snuffie die onder de broekspijpen vandaan piepten.

'Hoi, Harry, kom binnen,' zei ze.

'Dank je. Ik hoop niet dat je het erg vindt dat ik zomaar opbelde. Maar ik was in de buurt, zoals ik al zei. Ik had een afspraak met Ciaran Donnelly, en die woont hier vlak om de hoek, dus ik dacht...'

'Nee, gezellig. Ik wilde net koffie zetten. Ik zat te werken.'

'Echt?' Hij keek de kamer rond, die Lou ineens veel te opgeruimd leek. Misschien had ze een paar scripts moeten laten liggen, hier en daar, om de indruk te wekken dat ze heel hard aan het werk was voor Cinnamon Hill.

'Nee, ik zat geen scripts te lezen,' zei ze. 'Ik zat achter de computer. Die heb ik maar even opgeruimd toen jij belde.'

'Ben je iets aan het schrijven, dan?'

'Nee, nee... gewoon een probeerseltje. Ga zitten. Dan zet ik even het water op.'

'Hier.' Hij hield een plastic zak omhoog. 'Wat lekkere dingen. Ik hoop dat jij dat tenminste ook vindt.'

'Wat aardig, een traktatie. Bedankt.'

Lou liep naar de keuken, en Harry ging op de bank zitten. Ze deed koffie in haar cafetière, legde de stukken taart, die er heerlijk uitzagen, op haar mooiste schaaltje en zette de kopjes en schotels op een dienblad. Had ze Phyls aanbod om wat mooier servies voor haar te kopen nu maar aangenomen. Ze was zich ervan bewust dat Harry haar kon zien vanwaar hij zat. Zou ze haar pantoffels nog uit doen? Daar was ze net over aan het peinzen, toen hij riep: 'Geweldig, die rare konijnenpantoffels!'

'Hou op!' zei ze. Ze zette het dienblad op tafel en schonk de koffie in. 'Mijn moeder vond het wel een goed plan dat Poppy ze me met kerst cadeau deed. Gênant zijn ze, hè? Maar Poppy vindt het zo leuk als ik ze aanheb. Moet ze lachen.'

'Dat snap ik wel. Ik moet er ook om lachen.'

Hij grijnsde, en Lou moest een beetje giechelen. Hij heeft zo'n geweldige lach, dacht ze bij zichzelf. En nu vind ik mijn pantoffels nog leuk ook, dankzij hem.

'Melk?' vroeg ze.

'Graag. En een stukje taart. Wat heb ik eigenlijk gekocht? Walnoot? Of de worteltaart? Walnoot, graag, geweldig.'

Lou liet haar eigen stuk taart op het schaaltje liggen en nam een slok koffie. 'Wie is Ciaran Donnelly? Heb ik daar wel eens van gehoord?'

'Hij is producer. Het is een Amerikaan, maar hij woont de helft van het jaar hier. Op Ensley Gardens, nummer tweeënveertig. Je zou het eens moeten zien, daar. Het lijkt wel een ruimteschip. Aan de buitenkant is niks te zien, gewoon een twee-onder-een-kap, maar als je eenmaal binnen bent, nou ja, dan weet je meteen waar je bent. Hij had me uitgenodigd om het over dat script van Radcliffe te hebben, maar hij bleef de hele tijd het gesprek onderbreken voor telefoontjes van deze en gene regisseur. Steve, Martin... je weet wel.'

'Spielberg? En Scorsese? Dat meen je niet!'

'Ja, ja. Met dat soort jongens gaat Donnelly om. Ik was verbijsterd dat hij mij belde. Het verbaasde me niet dat hij niks van me moest. Wat verwacht je dan, als je zelf geen grote jongen bent.'

'Ben jij dan geen grote jongen, Harry?'

Hij schudde zijn hoofd. 'Niet echt, nee. Een kleine, onafhankelijke Britse productiemaatschappij? Nou, dan zit je ergens helemaal onder aan de totempaal, hoor, voor types zoals Ciaran. Maar hij is een aardige vent, die precies zei wat ik wilde horen verder. Maar goed, genoeg daarover. Waar ben jij allemaal mee bezig? Mis je Poppy erg? Ze is nou toch al een hele tijd weg, of niet? Een paar weken, of zo.'

'Ja, ik mis haar. Maar...'

'Je kunt doen en laten wat je wilt, als ze er niet is, bedoel je.'

Lou knikte. 'Ik voel me wel schuldig als ik er zo over nadenk, maar Poppy is hartstikke gelukkig en op haar gemak daar, en het loopt zo prima. Mijn moeder vindt het heerlijk om voor haar te zorgen.'

'Ik weet zeker dat je een hartstikke goede moeder bent. Waarom ben je zo streng voor jezelf, Lou?'

'Dat ben ik niet. Niet echt. Maar ik ken mijn eigen beperkingen. Laten we het ergens anders over hebben. Ik ga binnenkort met mijn vader naar Parijs. Dat wordt vast leuk.'

'Echt waar? Hoe dat zo?'

Lou haalde diep adem en begon Harry te vertellen over de brief van Mme Franchard. Toen ze uitgepraat was, zei hij: 'Wauw, dat is geweldig. Wat een verhaal. Ik wil er alles over horen als je terug bent, beloofd? Bel me dan maar, en dan gaan we nog een keer een curry eten, oké?'

'Ja, tuurlijk. Lijkt me leuk.'

'Hoewel het natuurlijk helemaal geen curry hoeft te zijn. We kunnen ook naar de Chinees gaan, als je wat anders wilt.'

'Ik ben niet moeilijk. Als ik maar iets heb om me op te verheugen.' Zodra die woorden haar mond uit rolden had Lou al spijt. Veel te gretig. Maar ze vond het zo leuk om uitgenodigd te worden, als een kind dat op een feestje mocht komen. Totaal niet bang meer. Ze vond het gezellig dat hij er was, om koffie met hem te drinken en met hem te praten.

Hij stond op. 'Ik moet er weer vandoor, Lou. Bedankt voor de koffie. Maar jij hebt nog niets van je taart gegeten.'

'Dat komt wel als je weg bent. Ik heb gewoon te veel zitten kletsen.'

Ze stonden bij de deur, en Lou deed hem open.

'Jij zit veel te veel alleen, vind ik. Je moet er echt vaker uit. Bij voorkeur met mij. Laten we een keertje naar de film gaan.'

Lou wilde net zeggen: *Graag, lijkt me leuk. We gaan, zeg maar wanneer.* Toen Harry zijn handen op haar schouders legde, haar voorzichtig naar zich toe trok en zei: 'Dag Lou, ik bel je, goed?' Daarna kuste hij haar zachtjes op haar mond. Halverwege de trap zwaaide hij nog een keer, en toen pas kwam ze weer bij haar positieven. Vervolgens hoorde ze zijn stem vanaf de verdieping onder haar roepen: 'Dag Vijfje! Dag Hazelaar!'

Het duurde even voor ze het begreep. Vijfje... Hazelaar. Dat waren die konijnen uit Waterschapsheuvel. Harry was zo aardig, zo lief. Een beetje geschrokken ging ze weer naar binnen en ging zitten op de plek waar Harry had gezeten. Ze verzonk in het soort dagdroom dat ze al sinds haar kindertijd had gehad. Zij en Harry... Nee, dat moet ik niet doen, nog niet. Ik moet ergens anders aan denken. Aan Ciaran Donnelly. Hier vlak om de hoek. Topproducent. Ensley Gardens, nummer tweeënveertig. Ze wist precies waar dat was. Ze had een visioen van zichzelf, waarin ze dat huis binnen liep met het script van *Blinde maan*. Zou ze dat durven? Waarschijnlijk niet, maar het was wel mazzel dat Harry zijn naam had laten vallen. Misschien was het wel een voorteken. Ach, doe normaal, vermaande ze zichzelf, je zit niet in een of andere film met Meg Ryan. Ze pakte de taart van het bordje dat voor haar stond en zei tegen haar pantoffels: 'Worteltjestaart, Vijfje en Hazelaar. Dat vinden kleine konijntjes toch zo lekker?'

'We kunnen wel buiten zitten, zo warm is het al,' zei Mickey, terwijl ze de deur van haar studeerkamer opendeed, die toegang gaf tot het terras. Het was niet echt een terras, maar zoals Mickey altijd zei: 'Waag het niet om het een plaatsje te noemen.' Het was er prachtig: grijs-beige tegels, en twee of drie blauwgeglazuurde potten met varenachtige planten erin. Nessa wist niet hoe die dingen heetten, maar ze was dol op het rustgevende effect dat ervan uitging.

'Nee, ik ziet hier wel prima,' zei ze. In werkelijkheid viel ze bijna in slaap. Mickey had thee gezet en geluisterd naar alle details van de onthullingen van gisteravond. Ze zei: 'Oké, Nessa, dan hebben we het er later wel over. Laten we nu maar gewoon even lekker relaxen, we hebben de tijd. Maar Tamsin, hoe moet het met haar? Hebben jullie het haar al verteld?'

Nessa zuchtte. 'Ik wil er nog even niet over nadenken. Gareth vond dat we het haar meteen moesten vertellen, maar ik zie niet in waarom. Ik wacht liever totdat we alles hebben geregeld en de juridische kant van de zaak rond hebben. Ik zie er als een berg tegenop, dat kan ik je wel zeggen.'

'Weet je al hoe je het wilt gaan zeggen?'

'Mijn moeder, met haar enorme expertise in het verlaten van haar koters heeft me precies verteld hoe het zou moeten: *We houden nog steeds van jou... Dit doet niets af aan onze gevoelens voor jou... We vinden elkaar nog gewoon heel aardig, maar we kunnen niet meer samenwonen, dat is alles.* Heeft ze regelrecht uit een of ander opvoedboekje, Mickey! En het klopt niet eens. Want ik haat hem op dit moment, dat mag duidelijk zijn.'

'Maar ze heeft wel gelijk. Ik zou er nog aan toevoegen dat ze niet moet denken dat het haar schuld is. Je moet zeggen dat het niets met haar te maken heeft.'

Wat was hier aan de hand? Nessa voelde de tranen opwellen en ze merkte dat er een brok in haar keel kwam – bestond dat, een brok van verdriet? – en voordat ze er erg in had, zat ze te huilen. 'Sorry, Mickey,' snikte ze. 'Maar het kwam daardoor – door wat jij net zei – ik weet nog dat ik dat dacht. Precies die woorden. Ik weet nog dat ik tegen Justin zei, eigenlijk om de verantwoordelijkheid ergens anders neer te leggen: *Het is jouw schuld. Onze schuld. Wij zijn stout en lelijk, en daarom is ze nu weg.* Wat was ik toen al een monster, hè? Maar nu snap ik het. Nu weet ik precies hoe het was. Hoe verdrietig ik ben geweest toen ze wegging, ondanks het feit dat Matt en Phyl zo hun best hebben gedaan. O god, ik zie er niet uit straks, als ik zo blijf huilen.'

'Het geeft niet, je mag best huilen.' Mickey hurkte naast Nessa's stoel en aaide over haar knie, heel voorzichtig, alsof ze een dier was dat gekalmeerd moest worden.

Nessa zei: 'Ik heb een tissue nodig, Mickey. Er komen walgelijke bubbels uit mijn neus.'

'Alsjeblieft. Altijd een Kleenexje bij de hand.'

'Dank je. Wat zou ik zonder jou moeten?'

'Je hoeft niet zonder mij. Ik ben er voor je, zoals dat heet. Je mag wel een paar dagen komen logeren, als je dat wilt? Als dat helpt.'

'Nee, dat is lief, maar dat hoeft niet. Ik ben niet van plan om dat huis op te geven. Straks verandert Gareth de sloten nog.' Ze giechelde. 'Nee, dat zou hij niet doen, tuurlijk niet. Het zou niet eens bij hem opkomen. Sorry, ik doe een beetje hysterisch. Kunnen we niet een stukje gaan wandelen, of zo? Ik ben zo... rusteloos.'

'Tuurlijk. Ik moet toch nog even naar het dorp om wat dingen te kopen voor het eten. Dan nemen we een omweg, door het bos. Goed?'

'Fijn. Heb je een paar ouwe gympen voor me te leen? Hier kan ik niet op lopen.' Nessa stak haar voeten omhoog.

'Nee,' zei Mickey, en ze glimlachte naar Nessa. 'En bovendien zijn ze in het dorp niet zo gewend aan Manolo's.'

'Manolo's! Was het maar waar. Nee hoor, dit zijn niet van die dure.'

'Maar ze zijn wel mooi.' En toen stak Mickey haar hand uit, liet haar vingers heel zachtjes over Nessa's been glijden, eerst omhoog, en toen weer naar beneden. Toen ze haar hand wegtrok en ging staan, stond Nessa ook op. Het kriebelige, rillerige gevoel van Mickeys aanraking over haar zijdeachtige panty echode nog na. Ze was nog nooit op die manier aangeraakt door een vrouw. Het was een streling. Onmiskenbaar. Het was vreemd, onbeschrijfelijk. Ze liep achter Mickey aan de hal in, een beetje trillerig. Nou ja, dat was natuurlijk ook niet zo verwonderlijk na al dat huilen van net. Daar kwam het natuurlijk door. Ze was helemaal niet gewend aan heftige emoties. Was dit nu waar mensen het over hadden als ze zeiden dat iemand zich kwetsbaar voelde? Ja, dacht ze. Dat moest het wel zijn. Dat ben ik nu ook. *Kwetsbaar.* Als een slak zonder zijn huisje.

'Nog een geluk dat we hier deze maand zijn en niet vorige maand.' Matt tuurde uit het raam van de Eurostar naar de buitenwijken van Parijs, die er volgens Lou precies zo uitzagen als die aan de Engelse zijde van het Kanaal. Misschien net iets schoner, zo op het oog. Hoewel je dat met deze snelheden moeilijk kon vaststellen.

'Hoezo, pap?'

'Omdat het nu april is, dus dan kunnen we dat liedje zingen: "April in Paris".'

'Zing jij het maar, ik doe niet mee.' Lou stond op en trok haar jas uit het bagagerek. 'Wat een geweldige trein is dit. Waarom zijn niet alle treinen zo?'

Die ochtend, op weg naar Waterloo Station, waar ze met haar vader had afgesproken, voelde Lou het soort opwinding dat ze associeerde met schoolreisjes. Toen ze bij de terminal van de Eurostar aankwam, stond Matt daar al op haar te wachten. Uiteraard. Haar vader kwam altijd zo vroeg aan op het station, dat hij vaak een eerdere trein kon nemen dan de trein die hij eigenlijk wilde halen. Lou bewonderde de vliegveldachtige vertrekhal met de koffietentjes en winkels vol met toeristische troep die je verder nergens kon kopen: koektrommels met de Union Jack erop. Vreselijk. Wie zat daar nou op te wachten?

'We kunnen niet met lege handen aankomen,' zei Matt, terwijl ze even later door Gare du Nord liepen. 'Laten we wat *marrons glacés* kopen. En als ze dan toch al het loodje heeft gelegd, eten wij die lekker op. En laten we een taxi nemen.'

'Nou ja, pap, zo praat je toch niet over je oudtante!'

Ze liepen het station uit. Matt zei: 'Parijs is duidelijk in lentesferen, moet je kijken.'

'Pap! Hou op met je Parijs-clichés. Ik word er gek van!'

Maar clichés waren moeilijk te vermijden, want voorzover Lou dat kon zien vanachter het taxiraampje, voldeed de stad aan allemaal. Een wolkeloze blauwe hemel, zonneschijn, bomen met een waas van ontluikend groen, en gebouwen die precies zo goed onderhouden en elegant waren als ze het zich altijd had voorgesteld. Het was gek om in een stad te zijn waar ze nooit eerder was geweest maar die ze toch zo goed kende uit honderden beelden en films. Waar ze niet op voorbereid was, was de schoonheid van de stad in het echt.

'Ongelofelijk hè, pap?' vroeg ze. 'En bedankt voor de taxi. Ik zou er zelf nooit eentje hebben genomen.'

'We zijn hier maar een paar uur, dus dan gaan we geen tijd verdoen onder de grond.' Matt leunde tegen de leren hoofdsteun. 'Mag ik je iets persoonlijks vragen, lieveling?'

'Ja... tuurlijk mag dat. Wat klink je ernstig?'

'Dat is niet mijn bedoeling. Ik ben alleen nieuwsgierig naar wat je in je schild voert. Ben je soms een boek aan het schrijven?'

'Hoe kom je daar nou bij?'

'Dat dacht ik gewoon. Nou?'

'Nee, pap. Het is geen boek. Ik zal het je binnenkort vertellen, dat beloof ik, maar ik wil het even voor me houden. Vind je het erg?'

'Natuurlijk niet. Zolang het maar goed gaat met je. Zolang het maar loopt zoals jij dat wilt, bedoel ik.'

'Ik geloof van wel. Maar ik beloof je dat ik het je binnenkort vertel.'

'Goed dan.' Matt lachte naar haar. 'Dan gaan we nu maar weer toeristje spelen. Kijk, daar ligt de rivier.'

Een *bateau mouche* voer onder de brug door, terwijl zij er net overheen reden, en links van haar zag Lou de onmiskenbare gevel van de Nôtre Dame. 'Geen woord, pap. Niks zeggen.'

'Wat mag ik niet zeggen?'

'Nou, wat dacht je van: "De klokken! De klokken!"'

'O, je bedoelt *De Klokkenluider van de Nôtre Dame*? Die heb ik nooit gezien, hoewel het cliché me niet onbekend is, natuurlijk.'

Ze lachten, terwijl de taxi alarmerend hard door de straten reed, die nu ineens veel smaller waren en veel minder grandeur hadden dan de grote avenues. De mensen hier waren ook heel gewoon: geen toeristen, geen filmsterren, maar mannen en vrouwen die gewoon hun dagelijkse leven leefden. De slagerswinkels, de patisserieën, de bloemenstalletjes, de cafeetjes met hun gestreepte luifels: alles zag er nog steeds uit als een filmset. Maar hier zag je tenminste ook dikke oude vrouwtjes en morsige mannetjes rondlopen, sommigen zelfs met een baret op. Heerlijk.

De taxi zette hen af bij een deur met daarop het cijfer 4 op een blauw bordje. Ineens was Lou heel zenuwachtig. Sinds ze vanochtend van huis was gegaan, was het haar gelukt niet aan dit moment te denken. Er was ook zo veel te zien geweest, dat het niet moeilijk was om alle gedachten aan Mme Franchard te verdringen. En bovendien was ze dinsdagavond tot heel laat opgebleven om alle vragen die ze wilde stellen en dingen die ze wilde zeggen op een rijtje te zetten. En nu waren ze er dan. Misschien woonde ze hier wel niet meer. Waarschijnlijk was ze inderdaad dood, zoals papa haar maar bleef voorhouden.

'We kunnen hier aanbellen, geloof ik,' zei Matt, en hij drukte vastberaden op de bel. Er gebeurde niets.

'Je had gelijk, pap. Ze is hier niet. Ze heeft waarschijnlijk inderdaad het loodje gelegd, zoals jij het uitdrukte. Kom, we gaan weer. Dan drinken we ergens een kopje koffie, of zo.'

'Onzin, zo makkelijk geven we het niet op. Ze is oud. Het zal best even duren voor ze bij de deur kan komen.'

'*Oui?*'

Lou schrok toen de deur openging. Een vrouw keek hen nieuwsgierig aan. Ze was niet jong, maar tachtig was ze zeker niet. Dus kon ze Mme Franchard niet zijn. 'Eh…' Lous Frans, voorzover ze het überhaupt sprak, had zich in een heel ver hoekje van haar hersens verstopt. Verdorie. *'Nous cherchons pour…'* Nee, fout. *Chercher* betekent al 'zoeken naar', dus dat *pour* hoeft er niet bij. De stem van Miss O'Callaghan, haar lerares Frans van vroeger, klonk heel even in haar hoofd, en Lou herstelde zich: *'Nous cherchons Mme Franchard. Je suis… –* nee! *– je pense que je suis la grande-nièce –* was dat wel een woord? Jammer dan *– de Mme Franchard. Nous sommes de la même famille.'* Lou glimlachte en was trots op haar poging Frans te spreken, en de vrouw die nog steeds de deur vasthield glimlachte terug.

'Ah, c'est vrai? C'est tout à fait étonnant. Elle m'a toujours dit…'

Lou luisterde naar een lang verhaal waar ze maar weinig van begreep. Wat ze ervan meekreeg was dat Mme Franchard aan deze vrouw had verteld dat ze geen familie had – dat was wat ze zo verbazingwekkend vond. Wie was deze vrouw dan? Lou haalde diep adem en hoopte dat haar vader zou bijspringen, maar nee, die stond alleen maar naast haar vriendelijk en respectabel te zijn, meer niet. Ze zou het zelf moeten doen. *'Est-ce que c'est possible de parler avec Mme Franchard? Est-ce qu'elle est ici? Dans cette maison?'*

Het was wel geen Voltaire, maar ze had in elk geval duidelijk gemaakt dat ze met Mme Franchard wilde praten, en ze had gevraagd waar die nu was. Lou wilde het niet hebben over sterven. Ze wist het woord voor 'dood' wel – *la mort* –, en ook het werkwoord voor sterven – *mourir* –, maar om nu de juiste vervoeging te vinden, dat was andere koek. Welke taal had ook weer alleen maar een tegenwoordige tijd, was dat niet het Japans? Superhandig.

Uit de woordenvloed die volgde op haar vraag kon Lou twee dingen opmaken. Het eerste was dat deze mevrouw de conciërge was en Solange Richoux, heette. En ja, Mme Franchard woonde hier. Solange hield de deur wijd open met een triomfantelijk air, en ging hen voor over een binnenplaats naar een andere deur, waar een kleine koperen naamplaatjeshouder hing. Op dat kaartje stond in verschoten bruine inkt de naam: *Madame Manon Franchard.* Solange haalde een sleutelbos uit de zak van haar overal, en wilde net de deur openmaken, toen ze zich plotseling omdraaide, en om de een of andere reden – misschien omdat dat wat ze wilde zeggen zo belangrijk was, dat ze geen risico wilde lopen – in gebroken Engels zei: 'Ze is antiek, Mme Franchard. Ze heeft meer dan tachtig jaren. Ik ga eerst. Ik vertel. Ze hoort niet goed.'

'O, natuurlijk,' zei Lou. 'Dat is een goed idee. *Bonne idée!*'

'Niet zo moeilijk kijken, Lou,' zei Matt.

'Maar ze is hier, en ze leeft. We gaan haar ontmoeten. O god, ik ben toch zo nerveus. Wat nou als ze...'

'U nu komen.' Solange was alweer terug en wenkte hen mysterieus, alsof ze in een sprookje beland waren. Het appartement had ook veel weg van een sprookjeshuis, trouwens. Lou en Matt liepen achter Solange aan een smalle, donkere gang door, die afboog naar rechts. Eerst kon Lou niet goed zien, maar achter haar knipte Solange het licht aan. Dat hielp niet veel, maar het was beter dan niks. De hele kamer stond vol met boeken. Naast de afgeladen boekenplanken lagen de boeken ook in stapels op de grond, en er liep een soort paadje tussen de wankele stapels boeken door dat leidde naar een stoel waarin een klein, iel, gerimpeld vrouwtje zat, omringd door kranten. Ze was in het zwart gekleed en mager als een skelet. Haar huid was bijna transparant en lag strak over haar beenderen. Een krachtige haviksneus en een blik die nog altijd heel scherp was, en die ooit snijdend geweest moest zijn, gaven haar iets vogelachtigs. Ze droeg twee brillen aan gouden kettingen rond haar nek, en – was dat een kat? Ja, er lag een kat op de tafel naast de stoel. Een rode kat, zo te zien, die zich waarblijkelijk niet bewust was van de gebeurtenissen om hem heen. Hij spitste alleen even een oor toen hij hun voetstappen hoorde, en spinde af en toe, maar verder gaf hij geen enkel teken van leven. Het had Lou ook niets verbaasd om in een kamer zoals deze een opgezet dier aan te treffen.

'Laat mij nu maar, Lou,' zei haar vader, en daar was ze hem dankbaar voor. 'Ik ben goed met oude dametjes, hoewel ik zoiets van mijn leven nog niet heb gezien. Zoveel boeken, dat is toch enorm brandgevaarlijk?'

'Toe maar, pap, ze zit te wachten,' fluisterde Lou, terwijl Solange zei: '*Approchez, approchez*. Mme Franchard wil u zien. Spreek.'

Uit de hoek klonk een ijle maar duidelijke stem, die in tegenspraak was met de Dickens-achtige sfeer. 'Neem me niet kwalijk dat ik niet op kan staan. Ik ben te oud om u te komen begroeten, maar vertelt u uw verhaal alstublieft.'

'Dank u, Madame. Dat is erg vriendelijk van u,' zei Matt.

'Ik ga de *thé* maken,' kondigde Solange aan, en ze waadde zich een weg door de boeken naar de deur. 'Ik kom snel terug.' Ze verdween en liet hen alleen achter met Mme Franchard.

Lou luisterde naar haar vader die uitlegde waarom ze naar Parijs waren gekomen. Hij vertelde aan Mme Franchard wie hij was en dat hij mogelijk familie was van de zuster van Mme Franchard en dat hij zeer geïnteresseerd was om zoveel mogelijk te weten te komen over zijn oudtante, omdat zijn eigen vader inmiddels overleden was. Lou bedacht dat het geen wonder was dat alle oude dametjes in Haywards Heath en de wijde omtrek naar haar vader kwamen om hun testament te laten opstellen. Hij was zo geruststellend. Hij had een vriendelijke manier van doen en een prachtige stem. En ze kon zijn emoties door zijn stem heen voelen. Deze bijeenkomst ontroerde hem duidelijk. Hij was een aantrekkelijke man, realiseerde ze zich. Je denkt nooit op die manier over je ouders – het zijn gewoon je vader en moeder, maar papa was een behoorlijke knapperd, voor een man van middelbare leeftijd. Lou was trots op hem. Nu sprak hij over haar. Lou bloosde toen hij haar omschreef als haar grootvaders lievelingetje, maar ze deed toch een stap naar voren toen haar dat gevraagd werd.

Mme Franchard keek naar haar. Toen ruilde ze de bril die ze op had om voor een andere, die op tafel lag, en toen bekeek ze haar een eeuwigheid, althans zo voelde Lou dat.

'*En effet...*' Mme Franchard hijgde een beetje en pakte een zakdoekje uit de zak van het gebreide kledingstuk dat over haar schouders hing. 'Dus jij bent Louise? Dezelfde naam, hetzelfde gezicht. *C'est incroyable... Tiens...* breng me die foto daar eens... die grote.' Ze wees naar een slechtverlichte hoek van de kamer, waar Lou twee of drie zilveren fotolijstjes boven een stapel oude brieven en uitgescheurde artikelen uit kranten en tijdschriften uit zag steken. Deze muur van papier ontrok de foto's bijna helemaal aan het zicht, maar ze liep ernaartoe en pakte het grootste lijstje op, dat ongeveer zo groot was als een ansichtkaart. Op de foto stonden twee jonge vrouwen, die in een tuin onder een boom zaten. Die boom kon wel de tweeling zijn van de boom bij haar bibliotheek – een appelboom, vol met bloesem. Een van de meisjes was mager en donker en zelfs in dit slechte licht en na bijna een heel mensenleven kon Lou er Mme Franchard nog in herkennen.

'Dit bent u,' zei ze, en ze legde de foto in de handen van de oude dame.

'*Oui*, en dit is mijn Louise. Ziet u wel. Wat lijkt ze op jou. *Incroyable*. Ik voel me... ik voel me *bouleversée*. Hoe zeg je dat? Op zijn kop gezet?'

'Uw wereld, die is op zijn kop gezet,' zei Matt, en hij boog zich naar voren om de foto te bekijken. 'Mijn hemel, Lou, het is echt ongelofelijk! Deze Louise lijkt inderdaad precies op jou. Echt waar. Dit is niet gewoon...'

'Laat mij eens zien?' Lou nam het lijstje weer over van Mme Franchard en bekeek de foto nu wat beter. Louise is veel knapper dan ik, dacht ze. Veel beter gekleed, ook. Ze draagt haar haar niet in zo'n slordige paardenstaart. Ze deed Lou een beetje denken aan de hertogin van Windsor: ook zo'n middenscheiding, en een soort rol langs haar hoofd. Dat deden ze door hun haar rond een soort worstvorm te spelden. Dat wist Lou omdat ze op school ooit eens in een toneelstuk had gespeeld dat ook in die tijd speelde. Maar het klopt. Ze lijkt inderdaad op mij. Wat gek, wat zorgwekkend en fascinerend en vreemd, dat zoiets kon gebeuren: een willekeurige verzameling cellen en enzymen en waar een mens verder nog meer uit bestond, die zich *twee keer* tot een persoon vormden die in sommige opzichten hetzelfde was, en in andere opzichten totaal anders, en die vele jaren van elkaar gescheiden waren. Lou huiverde. 'Ja,' zei ze. 'Ik lijk inderdaad op haar. Dat zie ik wel.'

'En je bent ook nog naar haar vernoemd.'

Lou knikte. Dat wist ze wel en daar was ze ook altijd trots op geweest.

Solange kwam binnen en maakte nogmaals haar wandelingetje tussen de boeken door, wat vast nog veel gevaarlijker was als je een dienblad in je handen had. Maar ze was er duidelijk aan gewend. Ze schonk de thee, deelde de kopjes rond, en vertrok toen weer.

'Jullie moeten even alleen zijn,' zei ze bij de deur. 'Jullie hebben zoveel te bepraten.'

'Vertel ons, Madame,' zei Matt. 'Vertel ons over uw zuster, Louise.'

6

'Het is zo leuk,' zei Ellie, 'om eens echt gezellig te kunnen kletsen. Het is eeuwen geleden dat wij elkaar voor het laatst zagen. Ik had nog contact op willen nemen, na de begrafenis. Maar het is zo'n gedoe, die verhuizing naar mijn nieuwe appartement en zo.'

'Ja, dat zal best,' antwoordde Phyl. 'Neem nog een scone, Ellie.' Ze was niet van plan om hier verder op in te gaan, want ze was totaal niet geïnteresseerd in Ellies verhuisverhalen.

'Nee bedankt. Ze zijn heerlijk, maar nee. Je hebt ze vast zelf gebakken, of niet? Je bent ook zo'n goeie huisvrouw.'

Phyl glimlachte. 'Ik zet nog even wat water op, want ik lust nog wel een kop thee. Jij nog?'

'Graag.'

Phyl zette de waterkoker aan, met haar rug naar Ellie gekeerd, en ze probeerde te bedenken wat ze er eigenlijk van vond dat de ex van haar man hier bij haar in de keuken stond. Ze had haar zelf uitgenodigd – ze kon moeilijk anders, want Ellie had gebeld dat ze 'in de buurt was' – en nu zat ze hier dus. Hadden ze elkaar eigenlijk wel iets te melden? Nessa. Ze konden het hebben over haar aanstaande scheiding, dacht Phyl. Poppy had even wat afleiding geboden. Ellie maakte het soort geluidjes dat je moest maken als

202

je een klein kind ontmoette, maar uit haar lichaamstaal kon Phyl opmaken dat ze zich absoluut niet op haar gemak voelde bij zo'n onvoorspelbaar en mogelijk destructief wezen. Ze kromp zelfs ineen toen ze het kind knuffelde, en dat vond Phyl wel amusant. Precies zo'n soort fysiek terugdeinzen zag ze soms in de kliniek, als mensen zich niet op hun gemak voelden bij dieren. Poppy zat nu aan de andere kant van de keuken, waar ze vrolijk aan het spelen was met een of ander ingewikkeld spelletje met twee poppen, een lepel en wat lege yoghurtbakjes. Haar gemompel werd doorspekt met wat echte woordjes, en Phyl vond het een geruststellend geluid.

'Matt is er niet, ben ik bang,' zei ze. 'Die zit vandaag in Parijs.'

'Parijs! Mijn hemel,' antwoordde Ellie. 'Wat moet hij daar, in vredesnaam?'

'Hij is met Lou, en ze zijn bij iemand op bezoek... Het is een lang verhaal. We hebben verleden weekend een brief gevonden. Van een Franse mevrouw die zegt dat ze de tante is van John Barrington.'

'Echt? Wat spannend! Dus we krijgen straks allerlei onthullingen te horen? Ik vond John altijd al zo geheimzinnig. Hij was veel te stilletjes, vond je ook niet?'

'Daar heb ik nooit bij stilgestaan, eerlijk gezegd. Hij was Matts vader, en hij zei nooit echt veel tegen mij, maar daar heb ik me nooit druk over gemaakt. En ik heb ook nooit gedacht dat hij iets te verbergen had. Ik nam gewoon aan dat hij een stil type was.'

'Hm. Nou,' zei Ellie terwijl ze zich samenzweerdiger naar voren boog, 'ik kreeg juist altijd de indruk dat hij ons van alles had kunnen vertellen, als hij maar had gewild.'

'Misschien heeft hij dat wel allemaal in zijn boeken verwerkt. Volgens Lou is *Blinde maan* erg goed.'

Ellie trok haar neus op. 'Ik heb het wel eens gelezen, jaren geleden toen Matt en ik elkaar pas leerden kennen. Ach, je kent dat wel – dan wil je alles weten wat ook maar iets met je geliefde te maken heeft, toch? Dus stel, je bent verliefd op een schaker, dan wil je ook leren schaken, ook al vind je er zelf niets aan. Nou, ik dacht dat ik dichter bij Matt zou komen te staan door de boeken van zijn vader te lezen.' Ze moest lachen. 'Zat ik er even naast!'

Phyl gaf geen antwoord. Ze vond het niet prettig dat Ellie het over Matt had als haar 'geliefde'. Ze had het uiteraard over een tijd die allang voorbij was, maar toch, het gaf haar een gevoel van... van wat eigenlijk? Verontrusting, zou je kunnen zeggen. Niet prettig. Ellie kletste maar door. Als die eenmaal bezig was kon je er nauwelijks nog een speld tussen krijgen.

'Ik kan me niet zoveel meer herinneren van *Blinde maan*, tussen ons gezegd en gezwegen. Absoluut niet mijn ding. Dat jongetje, in een land waar ik niets van begreep. Noord-Borneo of zo? Het was in elk geval ergens in het Verre Oosten, en ik weet ook nog wel dat ze vreselijk hebben geleden tijdens de oorlog, in die Japanse kampen. Weet je wel, die hadden ze ook in die film, *Empire of the Sun*, maar de avonturen en gedachten van een jongetje van acht, nou ja... Ik vind het raar om van volwassen mensen te verlangen dat ze een boek lezen dat is geschreven vanuit het standpunt van een kind.'

'Het schijnt heel indrukwekkend te zijn,' mompelde Phyl. 'Heel ontroerend. Triest.'

'Ja, precies. Dat was het ook, maar wie zit er nou te wachten op een boek waar je je ellendig bij voelt? Ik vind dat dus gekkenwerk.'

'Het eindigt kennelijk wel hoopvol. Het kind – dat jongetje gaat naar Engeland met de vriendin van zijn moeder. Die adopteert hem.'

'Wat John verder ook heeft gedaan...' Ellie sloeg haar samenzweerderige toontje weer aan. '... een succes is het niet bepaald geworden, toch? Constance zei altijd dat die boeken geen stuiver opleverden.'

'Geld is niet de maatstaf voor succes,' zei Phyl.

'Nee, maar het zegt wel iets.'

'Nou,' zei Phyl, 'John had duidelijk het gevoel dat hij die boeken moest schrijven. Ik neem aan dat hij er ook plezier in had. Wat afleiding.' Ze zocht naar een manier om het gesprek een andere wending te geven. Ze had zelf ook geen verstand van literatuur, zeker niet genoeg om er met Ellie over te kunnen praten. En ze gunde het haar niet om het met haar eens te zijn, hoewel *Blinde maan* ook niet bepaald haar smaak was, en ze het daarom nooit had uitgelezen. Dat was een van de redenen waarom ze zo overstuur was toen Constance Lou de auteursrechten had nagelaten. Phyl vond het een waardeloze erfenis, maar dat zei ze natuurlijk nooit hardop. Ellie gooide het nu zelf over een andere boeg. Ze begon weer over Parijs.

'Maar vertel, die Franse vrouw, wat beweerde die dan allemaal? Zou het echt waar zijn?'

'Daar zal Matt nu wel achter komen, denk ik. Ze zegt dat ze de zuster is van Johns echte moeder.'

'Spannend! Ik zal Matt zeker even bellen om te horen wat ze te vertellen had.'

Dus ze zou Matt binnenkort bellen. Phyl vroeg zich af hoe abrupt ze kon overstappen op een ander onderwerp. Niet geschoten, altijd mis. Dus haalde ze diep adem en vroeg: 'Hoe is het met Nessa? Dat was ook onverwacht, vind je niet?'

'Nou…' Ellie nam een slok thee, om zich op te laden, nam Phyl aan, voor weer een nieuwe woordenvloed. Ze droeg een vestje van lichtblauw kasjmier op een crèmekleurige blouse, die eruitzag als zijde. Haar schoenen hadden duidelijk nog nooit zoiets ordinairs gedaan als op een echte vloer lopen. Haar make-up was onberispelijk, en wat haar nagels betreft… Phyls eigen handen, met hun doodgewone, recht afgeknipte nagels die ze al zo droeg sinds ze op school zat, behalve dan dat ze nu hier en daar een levervlek vertoonden. Die handen zaten duidelijk te springen om wat Ellie ongetwijfeld 'lekker vertroetelen' zou noemen. Ze legde ze in haar schoot, uit het zicht, veilig onder tafel. Heel even wenste ze dat ze iets anders had aangetrokken toen Ellie die ochtend belde, maar Poppy eiste haar ontbijt en toen moest er nog een luier verschoond, en toen moest ze kiezen: ofwel scones, versgebakken en zo uit de oven, óf een halfuur spenderen aan haar uiterlijk. De scones waren heerlijk, en ze zou toch nooit zelfs maar in de buurt komen van Ellies stijlvolle verschijning, en dus vond Phyl nu dat ze de juiste keuze had gemaakt. Ze probeerde te luisteren naar wat Ellie te vertellen had. Het ging nog steeds over Nessa, dus ze had nog niet veel gemist.

'Het is natuurlijk moeilijk in het begin, maar ze zal er wel aan wennen. En ik weet zeker dat ze binnen de kortste keren weer getrouwd is, denk je ook niet? Ze gaan co-ouderschap doen. Tussen jou en mij: ik denk dat ze het vreselijk zal vinden als Tamsin bij Gareth is. Je weet toch hoe stapelgek ze op dat kind is? Het verbaasde mij eerlijk gezegd dat Nessa zo moederlijk is.'

Phyl zei: 'Ach, we zijn niet allemaal hetzelfde, hè.' Terwijl ze eigenlijk had willen zeggen: *Geen wonder dat jij zo verbaasd bent, want in dat opzicht lijkt ze helemaal niet op jou.*

Ellie lachte. 'Moet ik nodig zeggen, hè? Ik heb werkelijk geen greintje moederlijkheid in me, dus zij is in dat opzicht echt totaal anders.'

'En ze heeft het bedrijf, natuurlijk. Voor de afleiding, bedoel ik. Dat ze niet steeds aan haar problemen hoeft te denken.'

'En om wat mee te verdienen, mag ik hopen. Gareth betaalt voor het levensonderhoud van Tamsin, maar het is maar goed dat Constance Nessa dat geld heeft nagelaten. Hoewel het niet half zoveel is als je zou denken, maar daar ben jij ongetwijfeld ook al achter gekomen. Het grootste deel van het fortuin zit in het huis, en Justin geeft geen strobreed toe.'

'Jij zou toch ook wat van je juwelen kunnen verkopen,' zei Phyl onschuldig. 'Als je Nessa financieel zou willen helpen.'

'Niet nodig, gelukkig. Hoewel ik misschien de minder mooie stukken ga verkopen om wat van mijn hypotheek af te kunnen lossen. Je moet echt eens langskomen, Phyl, samen met Matt. Het is echt snoezig, heel klein natuurlijk, maar voor mij heeft het genoeg ruimte, nu ik alleen ben.'

'Eén slaapkamer?' vroeg Phyl.

'Nee, twee. Je wilt natuurlijk wel logees kunnen ontvangen.'

'Tamsin, neem ik aan?' Phyl kon het niet helpen. De verleiding om Ellie van haar stuk te krijgen was te groot. Terwijl Ellie aan het kletsen was, raakte Phyl steeds geïrriteerder. Hoe durfde ze te klagen over Nessa's financiële moeilijkheden, die volkomen denkbeeldig waren, als ze wist dat Lou geen cent te makken had. Misschien denkt ze wel dat wij bijspringen. Ja, dat doen we natuurlijk wel, maar Lou wil onze hulp vaak helemaal niet aannemen. Phyl wist dat haar dochter onafhankelijk wilde zijn, maar toch vroeg ze zich af of ze de basale dingen wel in orde had. Of ze bijvoorbeeld wel genoeg te eten had. Ze zou nooit op Poppy's eten bezuinigen, maar het was niet onwaarschijnlijk dat Lou zelf soms een maaltijd oversloeg. Als ze moest kiezen tussen een film zien of eten, dan won de film altijd. En als ze uitging, moest ze de oppas betalen, en daar mocht Phyl haar ook nooit geld voor geven. En dan begon Ellie een beetje te zaniken over die verdomde Nessa. Kalm zei ze: 'Wat heerlijk voor je dat je kleindochter nu kan komen logeren. Ik vond het vroeger altijd zo leuk om bij mijn oma te slapen.'

Bingo! Je zag Ellies afgrijzen bij het idee alleen al. Ze trok wit weg, en was even stil voor ze antwoordde: 'Nou, ja, ik ben natuurlijk heel vaak weg.' Ze stond op. 'Ik moet opschieten, Phyl. Ontzettend bedankt voor die goddelijke scones, daar wil ik echt het recept een keertje van.'

'Hm,' zei Phyl. Poppy was onder de keukentafel vandaan gekropen en stak haar armpjes uit. 'Op! Op!' zei ze.

Ze liepen naar de voordeur en Phyl rook een vlaag van Ellies parfum terwijl ze elkaar gedag zoenden. Toen de auto de oprit af gereden was, wendde ze zich tot Poppy en zei: 'Wat vind jij nou van zulke mensen, Poppy? *Daar wil ik echt het recept een keertje van.* De kans dat Ellie ooit scones gaat bakken is net zo groot als de kans dat ze mij vragen voor het Nationaal Ballet. Wat een onzin.'

'On on onzin!' schalde Poppy, en Phyl moest lachen. Ze zette haar in de kinderstoel en gaf haar een halve scone om te eten, of te verkruimelen, waar ze maar zin in had. Toen raapte ze het speelgoed van de grond. Waarom zou Ellie haar eigenlijk gebeld hebben, vroeg ze zich ineens af. Toch niet alleen om mij dwars te zitten? Of om me in te peperen hoe succesvol Nessa was? Ach, misschien ook wel, maar het meest waarschijnlijke was dat ze Matt had willen spreken. Dat geklets van 'we hebben elkaar niet meer gesproken sinds de begrafenis,' zoog Ellie gewoon uit haar duim. Ik had haar helemaal niet hoeven uitnodigen, bedacht Phyl zich. Maar dat zou wel erg ongastvrij zijn geweest. Alsof ik haar helemaal niet wilde zien. Ze zuchtte. Wat natuurlijk ook waar was. Ellie had iets wat Phyl op de zenuwen werkte. Ze was nooit zichzelf bij haar in de buurt en ze was blij weer alleen met haar kleindochter te zijn.

'Waarom,' vroeg ze aan Poppy die haar scone uiterst nauwlettend onderzocht, 'waarom heb ik niet gewoon gevraagd wat ze van Matt wilde? Nu gaat ze nog een keer bellen.'

Poppy murmelde en mompelde iets door een mondvol kruimels. Phyl lachte. 'Jij bent echt ideaal om mee te kletsen. Je geeft op jouw manier antwoord en je luistert, en je zegt nooit iets waar ik het niet mee eens ben. Perfect.'

'Perrrrrrrrrrrfect!' zei Poppy.

'Inderdaad, guppie,' zei Phyl lachend. 'Inderdaad.'

Ze handelden eerst de papierwinkel af. Mme Franchard had Matt instructies gegeven over hoe hij de geboorteakte van haar zuster kon vinden, en ze wees hem de juiste stapel papier. Daar moest hij in spitten tot het document boven water was. Het verbaasde Lou totaal niet dat haar methodische vader ook opa's geboorteakte bij zich had, die de oorlog en alle toestanden tijdens zijn jeugd op miraculeuze wijze had overleefd. De namen kwamen overeen. De geboortedata kwamen overeen. Naam moeder: Louise Martin geboren Franchard. Naam vader: William Martin. Hoelang had het geduurd voordat opa gewend was geraakt aan de naam Barrington? Miljoenen vrouwen raakten uiteindelijk gewend aan de achternaam van hun man, maar die verloren hun eigen naam toch niet helemaal. Lou zou het Phyl eens vragen. Zelf was ze absoluut niet van plan om haar naam te veranderen, mocht ze nog eens gaan trouwen. Als dat al ooit al zou gebeuren, verbeterde ze zichzelf

Mme Franchard nam de tijd, want er moest eerst ruimte worden gemaakt waar zij konden zitten, voor ze wilde beginnen. De bank lag letterlijk bedolven onder de boeken en de papieren, en Mme Franchard hield zeer doortastend toezicht op de opgraving.

'Wil je dat alsjeblieft hier neerleggen, en die papieren daar op de grond…' Het ging allemaal niet zo snel, maar uiteindelijk was er voldoende verschoten rood fluweel vrijgemaakt zodat Lou en haar vader konden gaan zitten, ook al zaten ze nu bijna bij elkaar op schoot.

Toen Mme Franchard vond dat ze er goed bijzaten, pakte ze een tas die eruitzag als een ouderwetse dokterstas: zwart leer, met een koperen slot bovenop. Mme Franchard slingerde de tas op haar schoot en deed hem open. Er zaten nog meer documenten in… Lou had het gevoel alsof ze in een surrealistische film was beland. Ze dacht aan *Eraserhead*, de film van David Lynch, en aan *The Trial* van Orson Welles. Zoveel papier, dat was niet normaal. Het zou ronduit griezelig zijn geweest, zelfs als de oude dame niet zo nuchter en redelijk had geklonken, zich ondertussen verontschuldigend voor haar slechte Engels.

'Ik sprak ooit Engels goed,' zei ze. Het klonk alsof ze zaten te luisteren naar een oude machine die weer langzaam in beweging kwam. 'Maar je vergeet het, als je het niet gebruikt. Zoals metaal. Je wordt – hoe zeggen jullie dat ook weer – roesterig.'

'Roestig, inderdaad,' zei Matt vriendelijk.

'*C'est ça*. Roestig. Ik ben erg roestig voor het Engels. Maar het is fijn om een verhaal te vertellen dat ik al zo heel veel jaar heb willen vertellen. Ik zoek jouw vader al veel jaar.'

Lou zei: 'Mijn grootmoeder, de vrouw van John Barrington, heeft hem uw brieven nooit laten zien. Ze heeft ze voor hem verstopt. Deze brief heb ik bij toeval gevonden. Het is de enige die ik kon vinden. Hebt u meer dan één brief geschreven?'

'Ik heb vele, vele brieven geschreven.' Mme Franchard haalde haar schouders op, en Lou moest bijna giechelen om dat stereotype Franse gebaar. Constance moest al die andere brieven hebben vernietigd... Hoe durfde ze, verdomme! '*N'importe*. Jullie zijn nu hier, en dat vind ik gelukkig. Ik ben niet gelukkig dat ik mijn neef niet kan zien, maar u bent zijn zoon.' Ze boog voorover om Matt een klopje op zijn knie te geven. 'En uw dochter is als mijn zuster, en dat doet mij zo goed.'

Ze stak haar gezicht in de tas en rommelde erin – allerlei papieren, documenten en wat er verder ook tussen mocht zitten – tot ze vond wat ze zocht: een platte, zwartleren portefeuille, ongeveer ter grootte van een A5-envelop. Daar haalde ze een stuk papier uit, dat zo klein opgevouwen was, dat het bij de naden bijna stuk was. Toen ze het openvouwde, viel het haast uit elkaar.

'Dit is de enige brief die ik heb van mijn zusje. Ze schrijft vanaf Noord-Borneo. De datum is 1942, dus vlak voor ze het kamp in ging met haar zoon. Ze verwacht nog een kind.'

Matt nam de brief van haar aan, en Lou las met hem mee. Het

papier was dun van ouderdom, en de inkt was zo vervaagd, dat ze de woorden maar met moeite kon lezen. Uiteraard was de brief in het Frans gesteld.

'Ik zal jullie vertellen wat er staat,' zei Mme Franchard. 'Ik ken hem namelijk uit mijn hoofd. Ze zegt: alles is zwaar, want binnenkort moeten ze naar het kamp. Ze vertelt dat ze verdrietig is dat ze me zoveel jaar niet heeft geschreven. Ze zegt dat ze nu heel veel naar me zal schrijven en al haar gedachten zal vertellen. Ze zegt dat haar zoon een prachtige jongen is, en dat ze zou willen dat ik hem kon zien en dat hij mij kon zien. Ze wil graag het graf van onze vader bezoeken.'

Mme Franchard zuchtte en bette haar ogen met haar zakdoekje. 'Ik kan er nog altijd om huilen. Het had niet zo moeten gaan. Mijn vader, hij vergeeft niet. Nooit. En ik vergeef ook niet. Ik ben al zoveel jaren boos. Maar ik mis haar ook zo erg. Dus uiteindelijk, ik schrijf en ik schrijf naar haar, maar zij geeft geen antwoord.'

Lou zag dat haar vader iets meer rechtop was gaan zitten. Hij wilde haar onderbreken en wachtte op een mogelijkheid om iets te zeggen. Zodra er even een korte stilte viel in het verhaal, sprak hij, heel langzaam, om er zeker van te zijn dat Mme Franchard begreep wat hij zei.

'Madame, er zijn dingen die ik niet begrijp. Zou u het erg vinden om bij het begin te beginnen? Waarom waren uw vader en uw zuster van elkaar vervreemd geraakt? En u en uw zuster ook? Ik bedoel: waarom sprak u elkaar niet meer?'

'Ah! Dat kwam door mij. Wij toen wonen in ons huis in Bretagne. Het grote huis, voor we verhuisden naar het kleinere huis bij Penmarc'h. Mijn vader is een goede winkelman. *Epicier*, kruidenier. Een heel mooie winkel in de stad. We zijn welvarend. Hij betaalt een Engelsman om ons les te geven, mij en mijn zus. Hij wil dat wij goed Engels leren praten en hij kan het betalen. Mijn zusje is ouder dan ik. Ik voel passie voor onze leraar. Hij is knap.

211

Lang, met donker haar, en donkere ogen, zo intens... *C'est un prince, en effet*. Ik vertel het Louise, maar verder niemand. Zelfs William – dat is zijn naam, William Martin – weet dit niet. Ik hou van hem, maar ik spreek er niet over. Louise is mooier dan ik. En iets ouder. En ze is charmant en praat met glimlach en ik vind het moeilijk om dan ook iets te spreken. Ik ben dan verlegen.'

Mme Franchard zweeg een poosje en liet haar hoofd op haar borst zakken. Zoveel te praten moest erg inspannend zijn voor iemand zo fragiel als zij. Het enige geluid in de kamer kwam van de kat, die nog altijd lag te slapen, en van het tikken van de klok aan de muur. Lou keek haar vader vragend aan en vroeg zich af of ze iets zouden moeten zeggen.

'Ik stop niet,' zei Mme Franchard, terwijl ze haar hoofd weer optilde. 'Mijn vader vindt Louise en William samen in bed, en gooit hem het huis uit. Louise huilt en huilt en zegt dat ze van hem houdt en mijn vader zegt tegen haar, nee, jij blijft niet in dit huis als mijn dochter als je hem ziet. En Louise, zij is koppig, en ze gaat. *Pouf!* Zo maar – ze pakte haar *valise* en loopt weg van het huis. Ik smeek haar, ga niet. Blijf. Ik ben verscheurd, hoe kan ze mij dit aandoen terwijl ze weet sinds een lange tijd hoeveel ik hou van William? Ik vraag haar, ik zeg: jij weet dat ik hou van hem. Hoe kan je met hem vrijen als je weet dat het mijn hart zal breken?'

De klok tikte en tikte. Lou zag het voor zich: de zusters, die elkaar aankeken, huilend – had Louise ook moeten huilen, of was Manon de enige? Waar speelde de scène zich af? In een van de slaapkamers? Buiten, in de tuin? Aangezien het in Bretagne was, waren ze misschien gaan wandelen, en stonden ze op een klif... Lou riep zichzelf tot de orde. Waar was ze mee bezig? Dit was geen filmscript, dit was echt. Het was deze vrouw overkomen. En nu, zestig jaar later, leed deze vrouw er nog steeds onder.

'Ze houdt me vast, ze kust mijn haar en ze zegt: ik kan er niets aan doen. Ik hou ook van hem, en hij houdt van mij. We gaan trouwen. Vergeef me. Vergeef me alsjeblieft, ik kan het niet helpen. Maar weet u, ik vergeef haar niet, want in mijn hart ben ik gebroken. Ik schreeuw tegen haar. Ik zeg: ga dan en kom nooit meer terug en schrijf mij nooit, nooit, want ik wil niets meer van jou horen. Dus gaat ze, en ik ben een stijfkop en jong en dom en ik vergeef niet. Een vriendin vertelt mij over Louise, wat er is gebeurd met haar. De vriendin vertelt dat ze naar Noord-Borneo gaat – dat is zo ver weg. Mijn vader is verdrietig en hij gaat heel snel dood. Een grote aanval van het hart. Hij schrijft ook niet naar Louise. Haar vriendin van school is degene die schrijft om te vertellen van onze vaders begrafenis, maar ze komt niet. En dat was het. We vinden elkaar nooit meer terug.'

'En toen,' zei Matt, 'hebt u de roman van mijn vader gelezen. *Blinde maan.*'

'Ik vond het per ongeluk. Vele jaren na de oorlog. U ziet dat ik boeken verzamel. Ik denk: dit is Louise. Het lijkt op haar, in het verhaal. Dus ik schrijf. Wat een toeval, *n'est-ce pas?*'

'Ik weet precies welke dingen in het boek u op die gedachte hebben gebracht,' zei Lou. 'Het was goed dat u contact opnam.' Ze knielde voor Mme Franchard neer en pakte haar hand vast. 'Het is zo'n verschrikkelijk droevig verhaal. Ik vind het heel erg. Wat vreselijk dat u uw zusje nooit meer hebt gevonden. Dat u uw neefje nooit hebt gevonden. Het is verschrikkelijk. Echt verschrikkelijk.'

'Maar nu zijn jullie hier! Jullie allebei, en dat is goed. Ik ben nu gelukkig. Vertel mij alstublieft van John Barrington. Ik wil het zo graag horen.'

Terwijl haar vader sprak, raakte Lou bijna in trance. De moeder uit grootvaders roman was een schimmig karakter, en Lou had besloten om alle verwijzingen naar haar achtergrond weg te laten toen ze met haar script begon. Ze wilde dat alles in het hier en nu speelde, en dat het voor de ogen van het publiek gebeurde, zonder flashbacks. Maar nu ik iets meer weet over het verhaal van opa's echte moeder, dacht ze, lees ik de roman met heel andere ogen. Hoe precies had John Barrington zijn Annette gebaseerd op zijn moeder? Maakt het wat uit voor wat ik van een karakter vind als ik er meer van weet?

'Tamsin, lieverd. Wil je alsjeblieft even gaan zitten?'

Tamsin bleef bij de deur staan en trok een chagrijnig gezicht. Ze had haar schooluniform nog aan. 'Maar ik wilde me net omkleden, mam. Kan het straks niet?'

Nessa antwoordde: 'Nee. Want straks is papa weg, en we willen iets met je bespreken. Samen.' Ze deed haar best om monter en toch ernstig te klinken, en dat viel nog niet mee. Ze keek even naar Gareth en trok een zuur gezicht, waarmee ze wilde zeggen: *Zeg jij ook eens wat, lul. Dit is allemaal jouw schuld, dus doe goddomme ook eens je best.*

'Kom eens even bij me zitten, schatje,' zei Gareth vanaf de bank, en hij stak een arm uit, klaar om haar te omhelzen. Ze liep onwillig naar de bank en ging naast hem zitten. Hij gaf haar een knuffel. 'Hoe gaat het met mijn kleine Tamsy?' vroeg hij.

Nessa werd er misselijk van. Al dat schattige gedoe zou hem niet helpen als hij straks vertelde wat er aan de hand was. Deze bijeenkomst volgde op zeer uitgebreide onderhandelingen. Het leek net een vredestop voor het Midden-Oosten, of zoiets. Een van de dingen die daarbij was besloten, was dat Gareth het zou vertellen. Nessa genoot ervan om te zien hoe moeilijk hij het hiermee had. Hij haalde zijn arm van de schouders van zijn dochter, stond op en keek haar aan. Ja, dat was waarschijnlijk een goed idee. Het was bijna onmogelijk om iets te zeggen tegen iemand die je zo dicht tegen je rechterzijde geklemd hield.

'Tamsy, heb je eigenlijk gemerkt dat ik tegenwoordig niet meer thuis ben?'

'Hm,' zei Tamsin. 'Mama zei dat je extra hard moet werken, en dat je meer op kantoor moet zijn.'

'Heb je me gemist, schatje?'

Nessa ging rechter zitten en keek Gareth fronsend aan. Die was onder de gordel, die vraag naar haar emoties. Hadden ze niet besloten om het zakelijk af te handelen en om de emoties er zoveel mogelijk buiten te laten?

'Ja hoor.'

'Nou... Mama en ik wilden vanavond met je praten, want we denken dat je groot genoeg bent om te weten wat er aan de hand is.'

'Wat is er dan aan de hand?' Tamsin leek nu toch geschrokken.

Jemig, schiet eens op, man, dacht Nessa. Zeg het dan gewoon.

'Niks. Nou, nee, niet niks. Er is wel degelijk iets aan de hand. Natuurlijk...'

Bla, bla, bla, dacht Nessa.

'Ahum... Nou, het zit dus zo. Ik ga het huis uit, schatje.'

'Waar ga je dan wonen?' wilde Tamsin weten. 'En waarom ga je trouwens het huis uit? Gaan jullie scheiden, of zo?'

'Eh, ja, inderdaad. Hoe weet je dat?'

'Duh!' zei Tamsin boos. 'Dat was niet zo moeilijk. Iedereen gaat scheiden. Ik weet heus wel hoe dat gaat. Chloé's vader en moeder zijn gescheiden, en die van Brett ook. En die van Freddy.'

'Maar één ding is heel belangrijk om te weten,' zei Gareth, 'en dat is dat we nog steeds evenveel van jou houden als altijd, en dat we willen dat jij gelukkig bent, en dat jij hier helemaal niets aan kan doen. Het is niet jouw schuld dat we hebben besloten om uit elkaar te gaan.'

Nessa ontspande een beetje. Dat was er tenminste uit. Maar het kon nog wel wat meer nadruk gebruiken, en dus zei ze: 'Papa heeft gelijk, Tamsin. Absoluut. We houden allebei van jou en we zullen ontzettend ons best doen om te zorgen dat jij gelukkig bent en dat jij het eens bent met hoe wij het allemaal regelen, oké?'

Tamsin knikte, en het begon langzaam tot haar door te dringen wat dit nieuws allemaal betekende. Gareth ging op de bank zitten en begon haar weer te knuffelen. Zoals gebruikelijk werd ze hier niet vrolijker van, eerder minder vrolijk. Haar gezicht vertrok op een manier die aangaf dat er tranen aan zaten te komen. Nessa stelde haar vlug gerust.

'Je hoeft echt niet verdrietig te zijn, liefje. We zullen papa nog heel vaak zien. Je mag daar heel vaak logeren, toch, Gareth?'

'Tuurlijk,' zei Gareth. 'Ik ben bezig om een heel leuk huisje te kopen, vlak bij school. En je mag zo vaak langskomen als je maar wilt, echt waar. Dan heb je twee kamers, dat is toch leuk?'

Maar Tamsin zei: 'Ik zou liever willen dat het allemaal blijft zoals het is. Waarom kan dat niet?'

'Omdat je vader niet meer van mij houdt zoals vroeger,' zei Nessa. Het kind moest de waarheid weten. Waarom moesten ze deze bittere pil zo nodig in zoete woorden verpakken? 'Dat gebeurt nu eenmaal soms, met grote mensen. Dan komen ze iemand anders tegen, en daar worden ze dan verliefd op. Dat is wat er is gebeurd. Je vader is verliefd op iemand anders. Melanie heet ze.'

'O,' zei Tamsin, die deze informatie verwerkte en met nogal viezige vingers aan de zoom van haar rokje plukte. 'Is ze leuk?'

'Ik weet zeker dat je haar leuk vindt,' zei Gareth vlug. Hij keek naar Nessa alsof hij verwachtte dat die dat tegen zou spreken, maar ze zei niets.

'Wanneer kan ik haar zien?' vroeg Tamsin. Nessa vond haar haast een tikje onbehoorlijk. Haar dochter leek nu al minder verdrietig. Ze had een enorme klap gehad, maar het leek erop alsof ze dit gesprek door zouden komen zonder de tranen en het gejammer die Nessa had verwacht. Ze had genoeg bladen en kranten gelezen om te weten dat de littekens van de scheiding vaak heel diep zaten, en dat de wonden zich op allerlei manieren konden aandienen.

Laten we hopen dat ik er zonder al te veel kleerscheuren voor Tamsin mee weg kan komen, dacht ze. Ik vind het vreselijk als ze verdriet heeft. Als Gareth en ik dit beschaafd doen, dan kunnen we voorkomen dat Tamsin te zeer beschadigd raakt. Ze had eigenlijk wel zin gehad om een scène te schoppen, zijn pakken aan stukken te knippen en zo, gillen om wraak en tekeergaan als een feeks, maar als ze heel eerlijk was, had ze nooit genoeg van Gareth gehouden om een plotselinge uitbarsting van woeste passie te rechtvaardigen.

'We moeten snel maar eens samen uit eten gaan, goed?' Gareth straalde, opgelucht omdat het ergste nu achter de rug was.

'Naar McDonald's?' Tamsin keek alweer veel vrolijker.

'Nee, iets veel en veel lekkerders,' antwoordde hij met een enorme grijns.

Ontzettende domoor. Hij had geen idee dat er in Tamsins beleving geen lekkerder restaurant was dan McDonald's. Maar goed, hij zou binnenkort nog wel meer dingen leren waar hij geen flauw idee van had. Nessa was van plan om hem vrije omgang met Tamsin te gunnen. Ze vroeg zich af wat Melanie ervan vond dat hun dochter deel uit zou maken van haar nieuwe gezinnetje. Ze zou haar handen meer dan vol hebben aan haar baby. Nessa glimlachte bij het vooruitzicht, al voelde ze ook medelijden met die arme Melanie. Ja, die kreeg het heel wat drukker dan ze het op kantoor ooit had gehad. En Gareth zou met iedereen problemen krijgen. Wat een heerlijke gedachte.

Lou zat in haar appartement aan tafel, met *Blinde maan* open voor zich. Ze had net gegeten: een pitabroodje met houmous, een tomaat en een paar olijven. Een dezer dagen zou ze toch echt weer eens iets moeten koken. Ze had haar bord en bestek in de gootsteen gezet – het moment dat ze zich het meest alleen voelde. Dit was het moment dat ze het ergst naar Poppy verlangde. Haar moeder zou haar nu in bad stoppen, en in bed, en liedjes voor haar zingen, en haar kleine lijfje vasthouden en haar heerlijke babygeurtje besnuffelen, en haar schone haartjes. Lou maakte een kop koffie en nam die mee naar de tafel. Ik moet eerst dit script afmaken. Dat wil ik, en het is ook goed. Echt goed. Dit besef drong tot haar door in zo'n plotselinge vlaag van zelfvertrouwen, die ze af en toe had… Momenten waarop de herinneringen aan de woorden die ze had opgeschreven haar een trots gevoel gaven. Dat gebeurde niet vaak. Meestal werd ze midden in de nacht wakker en herkauwde ze wat ze die dag had gedaan en dan was het alsof de moed steeds verder in haar schoenen zonk, zodat ze zich nogal ellendig voelde.

Ze sloeg de bladzijden om tot ze de passage had gevonden waar ze naar op zoek was. Toen ze het boek voor het eerst las, wist ze niet goed wat ze met dit stukje aanmoest. Ze had zich afgevraagd wat opa hier precies mee bedoelde, met dit – hoe noem je zoiets? – dit intermezzo. Hij had het ingevoegd tussen het verontrustende en het ronduit hartverscheurende stuk, een soort tussenstuk vol vrede en koelte in de verzengende hitte en het oorverdovende lawaai. Peter komt erachter dat hij de andere jongens in het kamp verhalen kan vertellen. Hij ziet wat dit voor effect heeft; hoe het hen kan kalmeren en troosten en, dat is nog het mooiste, hoe het hen even buiten de omheining van de gevangenis brengt waarin ze allemaal opgesloten zitten. Hij kan hen naar een andere plek brengen met zijn verhalen. Een mooiere plek.

Het meest hielden ze van verhalen over de zee. Er waren eens twee meisjes, vertelde hij, en die woonden bij de zee. Derek en Nigel vroegen: 'Waarom moeten het nou meisjes zijn? Kunnen het geen jongens zijn?' En Peter zei: 'Nee, dat kan niet, want in dit verhaal zijn het meisjes. Zo heeft mijn moeder het mij verteld, dus zo vertel ik het ook.' Hij ging rechter op zijn mat zitten en staarde naar de lichamen van al die kinderen in de hut. Buiten in het kamp waren de bomen zwart en de lucht was ook zwart, maar ze konden de vormen van de bomen nog steeds zien. Iedereen was stil. Ze zaten ademloos naar hem te luisteren. Niemand huilde zolang hij aan het woord was.

Peter zei: 'Dit is een verhaal over twee meisjes die aan zee woonden. De zee was donkerblauw, met wit schuim op de golven, en in de winter werden die golven heel hoog. Op een dag gingen de meisjes wandelen langs de zee. Ze klommen op de rotsen en plukten zeewier uit poeltjes water en keken naar krabben die het strand op krabbelden en wegliepen voor het water. De zusjes woonden in een klein wit huis met een rood pannendak en blauwe luiken. Hun moeder was dood. Ze waren gelukkig, maar er was iets wat zij niet wisten. Zij wisten namelijk niet dat hun vader een tovenaar was, en hij hen betoverd had.

'Hoe had hij ze dan betoverd? Wat voor betovering dan?' Dat vroegen ze altijd, en Peter zei: 'Ze konden daar niet weg, uit dit huis met het rode pannendak op die rots boven het strand. Want als ze weg zouden gaan, dan gingen ze dood.'

'Maar het huis is fijn en het strand is fijn,' zei een van de jongens. 'Waarom zouden ze dan weg willen?' Daar had Peter geen antwoord op. Hij had het zijn moeder een keer gevraagd, en die zei: 'Je hebt gelijk. Er is geen enkele goede reden om weg te willen.'

Lou stelde zich voor hoe Mme Franchard die passage had gelezen. Het moest toch over hen gaan: Louise en Manon, die over het strand renden en op de rotsen klommen... Misschien had hun huis inderdaad een rood pannendak gehad en blauwe luiken. Als ik de volgende keer in Parijs ben, zal ik het haar vragen. De gedachte aan Mme Franchard gaf Lou een blij gevoel. Op de terugweg had ze het met papa gehad over deze verbijsterende ontwikkeling: een nieuw familielid – wat zouden ze daar verder mee doen? Kon Mme Franchard langskomen en Milthorpe bekijken? Zou ze dat wel willen? Ze hadden besloten dat Lou binnenkort nog een keer langs zou gaan, en ze had laten vallen dat ze dan graag een vriend mee wilde nemen. Dat had papa kennelijk niet verstaan... Hij luisterde vaak niet zo goed als eigenlijk zou moeten. Soms dwaalden zijn gedachten af en dan kon je hem niet meer bereiken. Lou wilde aan Harry vragen of die soms met haar mee wilde. Ze vroeg zich af of ze de moed zou hebben om hem uit te nodigen. Was dat niet een beetje té? Ze glimlachte. Misschien wil ik alleen dat hij weet hoe leuk ik hem vind. Het kan natuurlijk zijn dat hij niet mee wil. Het kon, maar ze wilde daar niet te lang bij stilstaan, want dan kon ze er niet meer zo heerlijk over dagdromen, wat ze de laatste tijd steeds deed.

Matt zat in zijn kantoor en dacht aan Mme Franchard. Zijn mobieltje, dat in zijn zak zat, begon te trillen en te rinkelen tegelijkertijd. Hij werd nog altijd een beetje zenuwachtig van een mobiele telefoon. Jarenlang had hij kunnen vermijden om er eentje aan te schaffen, en hij vertelde altijd aan iedereen hoe overbodig ze waren. En wat een plaag, in het openbaar vervoer – niet dat hij zo vaak met het openbaar vervoer reisde. Maar vooral hoe ongezond ze waarschijnlijk waren. Hij zei altijd dat hij zich voorstelde dat er elke dag afschuwelijke golven van een of andere blauwachtige straling naar duizenden oren vlogen, en dat de eigenaar van de telefoon elke dag een beetje minder zichzelf werd. Nee, hij zou geen mobieltje kopen. Nooit.

Hij was van gedachten veranderd toen Ray Lou zo slecht begon te behandelen. Ineens was het absoluut noodzakelijk dat hij vierentwintig uur per dag bereikbaar was. Hij wilde zeker zijn dat zijn geliefde dochter hem zou kunnen vragen of hij haar kwam redden. Dat had ze weliswaar nooit gedaan, maar dat schreef Matt toe aan haar vastberadenheid en moed. Het kwam niet bij hem op dat Lou zich misschien wel schaamde, en dat ze hem daarom niet durfde te bellen. Phyl, die zag hoe haar man gekweld werd door die relatie, zei altijd: 'Als je je zo bezorgd maakt, bel haar dan gewoon, dan weet je het,' maar hij wist dat hij niet zo goed was, aan de telefoon – niet zichzelf – en dus probeerde hij dat zoveel mogelijk te vermijden. Phyl en Lou hingen altijd eindeloos met elkaar aan de telefoon, maar zijn gesprekjes met Lou duurden hooguit een paar minuten. Het feit dat Phyl die telefoontjes van haar en Lou als 'bijkletsen' beschouwde, gaf al aan dat zijn vrouw volkomen anders dacht over communicatie per telefoon. Hij beschouwde het als een manier om informatie over te brengen en afspraken te maken. Het was in zijn optiek geen vervanging voor een echt gesprek.

Hij had zijn mobieltje heel lang met grote omzichtigheid gebruikt. Hij belde wel eens iemand, en hij werd soms gebeld door die paar mensen die hij zijn nummer had gegeven. Maar dat was het. Hij wist wel dat er zoiets bestond als sms – dat kon je niet zijn ontgaan, want iedereen zat de hele tijd te sms'en – maar hij piekerde er nooit over om er zelf aan te beginnen. Dan dook hij net zo lief van de rotsen van Beachy Head.

Daar had Ellie verandering in gebracht. Zij was helemaal verzot op sms'en en mobieltjes, en had er eentje met 'alle toeters en bellen', zoals ze dat noemde. Een elegant, ontzettend duur zilveren rechthoekje met een onnatuurlijk blauw schermpje en een ringtone die altijd veel te veel aandacht trok. Een elektronische versie van Händels "Water Music" – waarom zou iedereen dat in 's hemelsnaam elke paar minuten willen horen? Hij zou er stapelgek van worden.

Zijn eigen ringtone leek gewoon op een rinkelende telefoon. Toen Ellie hem voor het eerst een sms'je stuurde, sprong hij bijna tegen het plafond van schrik. Dat was tijdens een vergadering. Hij had zich uitbundig verontschuldigd en zijn telefoon toen uitgezet. Dat zou hij later wel afhandelen.

Maar hij kon aan niemand vragen hoe dat moest. Phyl zou hem natuurlijk zo kunnen laten zien hoe je je berichten moet openen, en hoe je ze kunt beantwoorden, maar hij was absoluut niet van plan haar te laten weten dat Ellie hem berichtjes stuurde. Misschien was het wel de nieuwigheid, maar hij vond deze manier van berichtjes ontvangen nogal erotisch: en dat was niet een gedachte die hij graag met zijn vrouw wilde delen. Het kostte hem een paar uur, maar toen was hij er dan ook achter hoe het werkte. Wekenlang was hij al korte berichtjes aan het intoetsen, maar in de trein terug uit Parijs had Lou hem laten zien hoe de woordenboekfunctie werkte, en dat maakte het allemaal een stuk gemakkelijker. Hij was nu, nou, snel kon je het nog steeds niet noemen, maar hij kon er aardig mee overweg, dat zeker.

Lou had hem ook die trilstand gedemonstreerd – ongelofelijk! Hij klapte zijn telefoontje open en las het bericht. Hij wist meteen al dat het van Ellie was, want die was de enige die hem ooit een sms stuurde. Hij vroeg zich af wat de mobiele telefoon had bijgedragen aan het overspelige leven van mannen en vrouwen. Hij gooide alle berichtjes die ze hem stuurde weg zodra hij ze had beantwoord, en onlangs kwam hij erachter dat hij ook zijn verstuurde berichten moest wissen. Niet dat hij overspel aan het plegen was, en niet dat hij zulke onbehoorlijke tekstjes verstuurde, maar toch.

Hoe was parijs wil dolgraag weten bel me 4 lunch xxx

Ellie was niet zo van de interpunctie, en Matt nam maar aan dat er een vraagteken achter het zinnetje had moeten staan. En dat van die '4' vond hij toch wel zo aanstellerig. Dankzij het woordenboek stond het hele woord er zo. Hij zuchtte en tikte zijn antwoord in.

Bel je morgen, Matt.

De drie xxx die Ellie achter al haar berichtjes zette vond hij spannend, maar waarschijnlijk deed ze dat bij iedereen. En misschien deden alle mensen dat trouwens wel. Als Phyl en hij een briefje aan elkaar schreven, zetten ze daar ook altijd een kruisje onder. Had dat iets te betekenen? Misschien wel, misschien niet.

Hij zou Ellie wel bellen, maar moesten ze nou echt weer met el-kaar lunchen? En wat kon hij haar vertellen over Parijs? Toen hij terugkwam, was hij een beetje in de war. De ontmoeting met zijn oudtante had gevoelens bij hem losgemaakt die hij al jaren verge-ten was. Hij was verdrietig om zijn vader op een manier zoals hij dat nog nooit was geweest toen John Barrington nog leefde. Wat walgelijk van Constance, om zoiets te doen: zijn brieven bij hem weghouden. Godallemachtig. Hij wist het niet zeker, maar hij nam aan dat het nog wettelijk verboden was ook. Knoeien met de post. Dat zal ik haar echt nooit vergeven, dacht Matt. Hoe meer hij er-over nadacht, des te gemener vond hij het. Mijn moeder was een kreng, dacht hij, en zelfs die gedachte schokte hem, maar toch was het waar. Door wat zij Lou had aangedaan, begon hij gedesillusio-neerd te raken wat betreft zijn moeder, en dit bevestigde alleen maar dat hij gelijk had.

Mme Franchard was heel frêle. Hij had het met Lou gehad over de mogelijkheid om haar hier te logeren te vragen, om haar mee te nemen naar Milthorpe House, maar hij dacht eigenlijk niet dat dat ooit zou kunnen. Ze leek wel vastgesoldeerd aan haar stoel, en je had het idee dat ze zou verpulveren tot grijs stof als je haar zou verplaatsen. Haar verstand was nog scherp genoeg, maar hij had wel gezien hoe dicht ze de brief bij haar ogen moest houden, en Solange had hem verteld dat ze amper genoeg at 'om een holle kies mee te vullen'. Matt wilde graag weten wat haar financiële situatie was, en of hij misschien iets zou kunnen bijdragen aan het levens-onderhoud van zijn nieuwe oude familielid, maar het leek hem niet tactvol om dat meteen bij het eerste bezoek al te vragen. Lou zei dat ze snel weer naar Parijs zou gaan, maar hij moest zelf ook nog een keer bij Mme Franchard langs. Misschien kon hij haar leven op de een of andere manier wat gemakkelijker maken, en hij voelde zich verplicht om dat op zijn minst te proberen.

Zijn vader was geen familieman. Telkens als Matt hem er als

kind naar vroeg, probeerde John de vragen te ontwijken, en trok hij zich terug in zijn rol van 'ik ben een schrijver, dus stoor mij niet'. Matt vermoedde inmiddels dat hij die rol gebruikte als een onzichtbaarheidsmantel als hij het niet over een bepaald onderwerp wilde hebben. Ik ben zelf trouwens geen haar beter, dacht hij. Het had hem verrast te merken hoe geschokt hij was door de ontdekking dat er een oudtante was, van wie hij nog nooit had gehoord. Voor een deel was hij geïntrigeerd, verwonderd, maar ook geïrriteerd dat dit nieuwe familielid hem niets kon vertellen over Johns moeder, los van wat hij al wist, behalve dan wat achtergrondinformatie over haar jeugd in Frankrijk. Maar hij was vooral bezorgd. Nu Mme Franchard tegen wil en dank deel uitmaakte van zijn familie, voelde hij zich verantwoordelijk. Ik moet wel terug, dacht hij. Ik kan Phyl meenemen voor een weekendje, als we tenminste Poppy niet hadden. In zijn achterhoofd kwam het beeld op van hem en Ellie, wandelend langs de Seine, en hij deed ontzettend zijn best om zich op Phyl te concentreren. Phyl en ik, wandelend langs de Seine. Matt zuchtte. Waarom paste zijn vrouw niet in dat romantische cliché, en Ellie wel? Omdat ik de kans niet heb gehad om weer dichter tot Phyl te komen, sinds Poppy bij hen was. Het was natuurlijk heel belangrijk dat Lou kon doen wat ze moest doen. Hij had wel een flauw vermoeden wat dat zou kunnen zijn, want al toen ze klein was, had ze al voortdurend in een schriftje zitten krabbelen. Ongetwijfeld was ze bezig met een boek, en voorzover hij het zich kon herinneren van zijn vader was dat een lang en moeizaam proces. Wat nu als het haar een jaar zou kosten? Of twee jaar? Hij rechtte zijn schouders en besloot om het er die avond met Phyl over te hebben.

Hij wierp een blik op zijn horloge. Het was bijna tijd om te lunchen. Hij zou wel even naar de pub verderop in de straat gaan. Dan bel ik Ellie daar wel, uit de telefooncel, en dan vertel ik haar over Mme Franchard. Hoe zou dat eigenlijk voor haar zijn geweest, om haar hele volwassen leven gescheiden te zijn van haar zuster en alleen maar te kunnen raden naar wat er met haar was gebeurd? Hij had zich al vaak afgevraagd hoe het zou zijn om een broer of zus te hebben. Volkomen onverwacht kwam er een herinnering bij hem op – een dag die hij helemaal was vergeten kwam tot in detail bovendrijven. Ze waren samen een dagje weggeweest, Matt en zijn vader, om te vissen. We hielden allebei niet van vissen, dacht hij nu, dus waarom gingen we dan? Hij had geen idee. Misschien wel gewoon om thuis weg te kunnen. Hoe dan ook, daar zaten ze, in de zon, aan de rivier. Ik had een hoedje op, herinnerde hij zich. Een blauw katoenen hoedje en ik droeg een blauw met witte korte broek die ik haatte omdat ik hem meisjesachtig vond. Hoe oud zal ik toen geweest zijn? Zes? Zeven misschien? Hij wist het niet meer. Wat hij nog wel wist, was waarover ze gepraat hadden. Hij had zijn vader gevraagd: 'Waarom heb ik geen broertjes of zusjes?'

'Dat hebben sommige mensen nu eenmaal niet. Jij bent enig kind. Dat is niet zo erg, hoor.'

'O nee? Het is anders wel een beetje eenzaam. Als ik een broertje had, dan konden we samen spelen.'

'Ik had ook geen broertjes of zusjes.'

De stilte die toen viel leek wel een eeuwigheid, vond de kleine Matt. Toen slaakte zijn vader een zucht en zei: 'Nou ja, ik had wel een zusje, maar die is doodgegaan. Weet je nog wel? Ik heb het wel eens verteld. We zaten met zijn allen in zo'n kamp, tijdens de oorlog.'

Zelfs op die leeftijd had Matt al wel over de oorlog gehoord. Hij wist hoe afschuwelijk het moest zijn geweest om een dood zusje te hebben, maar toch vond hij het jammer dat hij zelf geen zusje had. Hij nam aan dat zijn vader uitgepraat was, maar dat was niet zo.

'Iedereen zei dat er niks aan te doen was, dat mijn zusje doodging, maar ik vond... Nou ja, ik vond dat het mijn schuld was dat ze stierf.'

'Hoezo? Waarom was het jouw schuld?'

'Dat is moeilijk. Je hoeft het niet te begrijpen, denk ik, en ik geloof ook niet dat ik het je kan uitleggen. Ik had alleen het gevoel dat... Soms vond ik dat ik beter had kunnen doodgaan in haar plaats. Dat gebeurt wel eens als je heel erg verdrietig bent. Dat verandert hoe je tegen dingen aankijkt.'

Nu hij terugdacht aan deze dag, vroeg Matt zich af wat echte herinneringen waren en wat hij erbij had verzonnen – maar het klopte allemaal wel. Hij wist zelfs nog dat hij medelijden met zijn vader had, om zijn dode zusje. Hij had hem er nooit meer naar gevraagd, niet uit gebrek aan nieuwsgierigheid, maar omdat hij aanvoelde dat John Barrington het er liever niet meer over had. Hij had al jaren niet meer aan die dag teruggedacht, maar toen hij jong was – waarschijnlijk nog voor hij Ellie had leren kennen – kwam de gedachte nog af en toe op, en daarom stond het hem nu nog zo helder voor de geest. Hij vroeg zich af wat zijn vader precies had bedoeld. Waarschijnlijk had hij last van overleversschuld, want dat was, zo wist hij, niet ongebruikelijk: het gevoel dat je geen recht had om te leven als iemand van wie je veel hield gestorven was.

'Deze zijn mooi,' zei Nessa, en ze raakte een van de handgemaakte zijden bloemen aan die in een la lag van een kast die leek op een archiefkast. Zo'n kast met heel veel brede, platte compartimenten, wel een stuk of twintig. Zij en Mickey waren samen naar Dorset gegaan, naar iemand die Clarrie Armitage heette – zal wel een afkorting zijn van Clarissa, dacht Nessa, of misschien van Clarice –, want Mickey had haar handwerk zien staan in een oud nummer van *Country Life*, bij de tandarts. Clarrie bleek een dame van middelbare leeftijd van het soort dat zichzelf altijd zo zou noemen:

dame, in plaats van vrouw. Ze woonde in een kleine cottage, twee onder een kap, in een beeldig dorpje. Ze droeg haar staalgrijze haar in een knotje, en langs de zoom van haar nogal boerse rok van bordeauxrode wol waren bloemen geborduurd in felle tinten paars en bleekroze. Haar vissersbloes van roze corduroy flatteerde haar borsten niet bepaald, want die waren daar net iets te fors voor. Een v-hals zou haar veel beter staan, dacht Nessa, terwijl Clarrie hen voorging naar haar atelier waar bloemen in alle stadia van hun ontwikkeling uitgespreid lagen op een gigantische tafel die bijna de hele ruimte in beslag nam. De archiefkast nam bijna een hele muur in beslag, en ze waren al een uur bezig om de inhoud van die kast te bekijken. Clarrie had dan wel geen verstand van flatterende bloesjes, haar bloemen waren wondertjes van schoonheid. Elk blaadje was perfect en precies, en toch op de een of andere manier net niet als een natuurlijke bloem… Ze waren kunst geworden, juist door de kleine details: hier een subtiel glittertje, daar een randje fluweel. De tinten waren ook natuurlijk, maar net wat verfraaid of veranderd, en omdat deze bloemen van zijde waren, stond Clarrie een oneindig kleurenpalet ter beschikking, waar ze graag gebruik van maakte. Nessa's oog viel op een zwarte roos, van zijde en afgezet met fluweel. Voor zoiets kunnen we een fortuin vragen, dacht ze, en het zou stormlopen. Nessa was er namelijk van overtuigd dat hoe duurder iets was, des te meer mensen het zouden willen hebben.

Terwijl Clarrie in de keuken thee aan het zetten was, bespraken Nessa en Mickey fluisterend of ze de bloemen in hun assortiment konden opnemen. Ze waren totaal anders dan de andere producten die Paper Roses verkocht, maar dat hoefde geen probleem te zijn.

'Ze is de enige die zulke dingen maakt,' zei Mickey. 'We kunnen maar een heel beperkt assortiment opnemen.'

'Geeft niet. Zelfs al hebben we er maar een paar – vooral als we er maar een paar hebben – dan vliegen ze weg. Wacht maar. We benadrukken dat het handwerk is. Misschien met een foto erbij van Clarrie, terwijl ze ermee aan de slag is. Exclusief. Geen twee bloemen die hetzelfde zijn. Je weet wel.'

'Hoeveel rekenen we er dan voor?'

'Clarrie vraagt zelf twintig pond per bloem. Dat is echt niks. Ik vind veertig pond een redelijke prijs.' Nessa fronste. 'Misschien kunnen we zelfs vijftig vragen. Als we haar kunnen overhalen om alleen aan ons te leveren en nergens anders te verkopen. Wat denk jij? Zou ze dat willen?'

'Misschien. Hoeveel zal ze er anders per jaar verkopen? Als wij garanderen dat wij alles afnemen wat zij maakt, en als we haar een betere prijs geven dan ze kan vragen op handwerkbeurzen, waarom zou ze dan weigeren?'

Nessa ging aan tafel zitten. 'Misschien heeft ze geen zin in de druk van aan ons te moeten leveren. Misschien is ze bang dat ze niet aan de bestellingen kan voldoen.'

'Dan moeten we benadrukken dat er helemaal geen druk is. Ze maakt er precies zoveel of zo weinig als ze zelf wil, en wij verkopen ze. Ze kan er flink aan verdienen, want wij geven haar veel meer per bloem dan ze ergens anders kan krijgen.'

Nessa voorzag nu al problemen. 'Maar als ze er geen zin meer in heeft? Als ze ermee stopt? Of als ze artrose in haar vingers krijgt…'

'Dan stoppen wij met de verkoop. Dat is het hele punt. Ze blijven niet eeuwig voorradig. Clarrie is niet zo heel jong meer. Als we een foto van haar erbij doen, dan krijgen de potentiële kopers die boodschap heus wel door, op subtiele wijze.'

'Ik weet niet,' zei Nessa, 'of ik wel geloof in subtiel. Ik ben meer van luid en duidelijk. Wat denk je, zou ze met ons in zee willen?'

'We vragen het gewoon. Ze zijn wel echt waanzinnig mooi, hè?' Mickey pakte de zwarte roos op en hield die bij Nessa's gezicht, waarbij haar vingers haar gezicht net raakten. 'Je bent prachtig, zo,' zei ze. 'Ik koop deze voor je als cadeautje, om je op te vrolijken. Dat zal Clarrie leuk vinden.'

Op dat moment kwam hun gastvrouw het atelier weer in met een blad vol theespullen. Mickey nam het van haar over, en Clarrie haalde voorzichtig wat bloemen weg om ruimte te maken.

'Clarrie,' zei Nessa, 'we willen je een aanbod doen.'

'Dat geeft me toch zo'n kick, om zo'n deal te maken,' zei Mickey terwijl ze door het dorp reden. De zon ging onder. De lucht was abrikoos en lila gestreept, en witte wolken stonden prettig symmetrisch langs de horizon. 'Ik heb zin om het te vieren. Jij ook?'

'Hoe dan? We gaan toch nu naar huis? Gareths moeder past op Tamsin, maar ik moet morgen dingen doen op kantoor. Helmut zou morgenochtend bellen.'

'Helmut is een zakenpartner. Als hij ons niet op kantoor treft, dan probeert hij het later wel, hoor. Hij denkt vast dat we voor het werk buiten de deur zijn, en dat is ook zo, in zekere zin.'

'Wat wil je dan doen? Ergens wat eten, of zo?'

Mickeys glimlach veranderde haar anders nogal scherpe trekken, vond Nessa. Ze was bijna mooi, zo. Vanwege haar jongensachtige, slanke figuur en haar heel blonde, korte haar, zou Nessa haar anders nooit als mooi omschrijven, maar nu het late zonlicht de auto binnen stroomde leek het wel alsof er een stralende aureool rond haar hoofd hing. 'Je lijkt wel een engeltje, zo,' zei Nessa hardop, en ze bloosde. Ze had haar gedachte uitgesproken zonder erbij na te denken.

'Laten we gaan logeren in een geweldig hotel,' zei Mickey. 'We kunnen wel wat verwennerij gebruiken. Jij zeker.'

Nessa dacht er even over na: een heerlijk etentje. Een lang bad, een zacht bed en niks om haar aan huis te herinneren, of aan haar debiel van een echtgenoot, of haar hebberige broertje, of de rest van haar familie. Ze zou zelfs haar geliefde Tamsin even vergeten. Ze zou even helemaal alleen zijn. Alleen met Mickey. 'Maar we hebben geen kleren bij ons, zelfs geen tandenborstel.'

'Die kunnen we kopen. En dan slapen we wel in ons blootje.'

Nessa zei helemaal niets. Het idee dat ze naakt zou slapen in een hotel terwijl niemand wist waar ze precies uithing maakte haar een beetje giechelig. 'Waarom ook niet,' zei ze. 'We doen het. Maar als er helemaal geen leuk hotel in de buurt is?'

'O, maar dat is er wel. Ik heb al gekeken toen ik wist dat we deze kant op zouden gaan.'

'Jij bent echt een stiekem duiveltje.' Nessa lachte.

'En net was ik nog een engel.'

'Je bent het allebei.' Nessa had ineens een eigenaardig gevoel, alsof er iets fladderde onder haar ribben.

'Ik vind dat heel oneerlijk van je. Onredelijk,' zei Phyl. Toen ze besefte dat ze scherper uit de hoek kwam dan ze van plan was geweest, voegde ze eraan toe: 'Ik weet ook wel dat het zwaar is voor jou, Matt. Dat begrijp ik, maar vind je niet dat we het Lou verplicht zijn om haar even wat uit handen te nemen? Jij bent er in Parijs achter gekomen dat ze iets aan het schrijven is, en toen ik haar laatst sprak, heb ik natuurlijk gevraagd of ze Poppy al terug wilde. En natuurlijk wilde ze dat ook dolgraag, maar aan de andere kant is het voor haar veel gemakkelijker om te werken, waar ze ook maar mee bezig is, als ze niet ook voor Poppy hoeft te zorgen.'

'Het is verdomme háár taak om voor Poppy te zorgen, niet die van ons, Phyl.'

'Dat weet ik, maar toch.' Ze ging verder met het opruimen van het speelgoed dat op de grond lag. Ze stopte het in een doos die ze in de zitkamer had neergezet, om het zich wat gemakkelijker te maken.

'Kom hier, Phyl,' zei hij ineens op een heel andere toon. 'Ik wil met je praten. Serieus.'

'Jemig.' Ze ging naast hem op de bank zitten. 'Dat klinkt dreigend.'

'Nee. Niet echt. Alleen, nou ja... ik weet niet goed hoe ik dit moet zeggen, Phyl. We praten nooit...nou ja, we praten over van alles en nog wat, maar nooit over dit soort dingen. Nooit gedaan, ook...'

'Wat voor dingen?' Ze had wel een idee waar hij het over had. Zou hij dan echt...

'Seks,' zei hij na een korte stilte. 'We hebben geen... Ik bedoel, het is nu alweer weken geleden dat we...'

'Dat weet ik, dat weet ik. Het spijt me zo, lieve Matt. Maar... maar het is niet omdat ik er geen zin in heb, dat weet je best.'

'Dat weet ik wel, maar ik vind het toch moeilijk. Ik voel me... ik voel me niet geliefd.'

'Maar dat is helemaal niet zo! Hoe kun je dat nou zeggen? Ik hou meer van jou dan van wie dan ook.' Phyl had het gevoel alsof er een steen door haar lichaam viel. Wat eigenaardig. Ze voelde de moed letterlijk in haar schoenen zakken. 'Het spijt me, maar je hebt natuurlijk gelijk. We hebben het inderdaad veel minder gedaan, sinds Poppy hier is, maar hoe kan ik nu tegen Lou zeggen dat ze haar maar moet komen ophalen?'

'Ik doe het wel en ik heb een excuus. We gaan naar Parijs. Lijkt je dat niet leuk? Ik moet Mme Franchard binnenkort nog een keer spreken. Vlug al. We hadden geen tijd om alle dingen te bespreken die we moesten bespreken. Ik wil zeker weten dat het goed met haar gaat... financieel gesproken. Ik wil mijn steentje bijdragen. Zo vaak vind je geen oude familieleden terug. En jij wilt haar toch ook ontmoeten, of niet?'

Phyl knikte. Het zou fantastisch zijn om naar Parijs te gaan. En Matt had gelijk: zo kon het ook niet doorgaan, elk nacht wakker gemaakt worden door de baby. Het was doodvermoeiend. Ze wist dat ze zelf overdag veel minder energie had dan normaal, omdat ze uit haar slaap werd gehaald. 'Oké,' zei ze. 'Jij mag het vertellen. En dan spreek ik haar daarna wel...'

'Zal ik het nu meteen maar doen?'

'Uitstellen heeft geen zin, denk ik.'

Terwijl Matt het nummer draaide, was ze toch een beetje verdrietig. Het maakte niet uit met hoeveel redelijke argumenten haar man kwam, of dat het misschien zelfs beter voor Poppy was om weer gewoon bij haar moeder te zijn. Zij, Phyl, zou diepbedroefd zijn. Ze zou het missen, iemand om zich heen, die lachjes en – ook al zou ze dat nooit aan iemand toegeven – wat ze vooral zou missen waren die kostbare momenten midden in de nacht, als Poppy warm en slaperig tegen haar schouder lag terwijl ze haar uit haar bedje haalde voor een flesje en een schone luier. Ze zou het missen om liedjes voor haar te zingen in haar donkere slaapkamertje, en om te zien hoe haar kleindochter dan uiteindelijk in slaap viel, met haar lievelingsknuffel, een ijsbeertje, tegen zich aangedrukt. In ruil daarvoor zou ze veel vaker met Matt kunnen vrijen. Nou, dat was best leuk, maar Phyl moest toegeven dat de gedachte haar niet meer zo opwond als vroeger, en daar voelde ze zich onmiddellijk schuldig over. En dan die brede glimlach waarmee Poppy haar elke ochtend begroette, die zou ze ook moeten missen. Het allerergste was wel het feit dat ze het kind niet zou zien opgroeien en veranderen. Als ze Poppy de volgende keer weer zou zien, was het alweer een heel ander kind. Ze probeerde te luisteren naar wat Matt zei.

'Niet dat we niet stapeldol zijn op Poppy, natuurlijk. Dat weet jij ook wel, lieveling... Ja, natuurlijk. Natuurlijk, dan kom je elk weekend langs, als het maar even kan. Ik zal je nog wel even laten weten wanneer mama en ik naar Parijs gaan.' Hij zweeg en luisterde een poosje naar wat Lou te zeggen had. Ze was kennelijk lang aan het woord, en Matt hield de hoorn bij zijn oor en knikte af en toe. Toen zei hij: 'Goed. Dat is uitstekend. Kom dan vrijdag hier. Rond een uur of zes, goed? Prima, prima. Bel dan even als je wegrijdt van Victoria Station, dan pikken we je op van het station. Ja... ja, bedankt schat. Ik wist wel dat je het zou begrijpen.'

Phyl zwaaide naar hem en wees naar de telefoon en toen naar zichzelf. Hij zei: 'Wacht even, schat. Mama wil je ook nog even spreken. Ja, ja, doe ik. Slaap lekker, liefje.'

'Hallo, lieve Lou. Je vader loop net de kamer uit... wacht even.'

'Jemig, mam, wat erg. Is het zo vreselijk voor jullie?' Lou klonk heel ver weg, en Phyl hoopte maar dat haar mobieltje niet raar ging doen, wat soms gebeurde.

'Vreselijk? Welnee, hoe kom je daar nou bij. Eerder het tegenovergestelde. Ik zal haar verschrikkelijk missen, dat weet je ook wel. Maar je vader, hè. Niet dat hij niet dol is op Poppy, want dat is hij echt wel, maar hij wil dat het kalm en vredig is in huis. En hij vindt, nou ja, dat hij me tegenwoordig niet meer zo vaak alleen ziet als hij zou willen. Hij vindt dat ik altijd maar druk ben met Poppy.' Phyl moest lachen. 'Hij heeft natuurlijk gelijk. Dat ben ik ook echt. Bovendien wil hij me meenemen naar Parijs, om Mme Franchard te ontmoeten. Dat lijkt me enig.'

'Ik wil zelf ook weer bij haar langs. Dan ga ik wel een keer in een weekend als jij tijd hebt om op Poppy te passen. Misschien kun je wel hier komen logeren, als ik weg ben. Dan ga ik een dagje op en neer. Hoewel het leuk zou zijn om een heel weekend te gaan en ook een beetje de toerist uit te hangen. Dan kan ik iemand meenemen, of zo.'

Wat was het in Lous stem dat bij Phyl de alarmbellen deed rinkelen? Was het de warmte waarmee ze het woord 'iemand' uitsprak? Had ze het soms over een man? Zou ze het vragen? Ze besloot het erop te wagen. 'Een vriendin?'

'Nee, niet echt.'

'Heb je… Ben je…'

'Hou op met dat omzichtige gedoe, mam. Je wilt gewoon weten of ik een vriendje heb, en het antwoord is absoluut nee – maar ik heb wel een gewone vriend, en die zou ik best mee willen nemen.'

'O,' zei Phyl, en ze probeerde niet al te teleurgesteld te klinken.

'Je klinkt teleurgesteld.'

'Nee, hoor. Echt niet.' Phyl vroeg Lou naar haar werk, maar werd onderbroken.

'Ik moet ophangen, mam. Ik ga even wat eten, buiten de deur.'

'Met die iemand die je vriendje niet is?'

'Niet zo nieuwsgierig!' Lou lachte.

'Oké, nou, dag!' zei Phyl, die ineens vol optimisme was. Lou klonk echt heel vrolijk. Dat was goed.

Plastic lucht. Dat had je in hotels, dacht Nessa, terwijl ze in haar eenpersoonsbed lag in een kamer die weliswaar niet voldeed aan Mickeys beeld van een idyllisch hotelletje op het platteland, maar dat er van buiten helemaal niet zo slecht had uitgezien. Maar op de een of andere manier was het meeste geld in de publieke ruimten gaan zitten, en dat kon je merken in de kamers. Heel even raakte Nessa verzonken in een dagdroom over het soort hotel dat zij wel zou willen runnen. Ze zou ervoor zorgen dat de kamers zowel luxe als eenvoud uitstraalden. Veel wit. Lichtgrijs en abrikoos voor de gordijnen, misschien. Bedrukt fluweel, chenille… iets met een hoge aaibaarheidsfactor. Overal heel veel bloemen van Paper Roses. Het zou een gimmick kunnen zijn: takken kunstbloemen in alle kamers. Zou je daarmee wegkomen? Ze zuchtte en ging rechtop zitten, knipte het lampje naast haar bed aan, keek naar de beige met rode aankleding, de opgehaalde gordijnen met ruches, de lampenkampen die veel te overdadig waren, en vroeg zich af of het de moeite was om op te staan om een kop thee te zetten. Ze kon niet slapen. Dat naakt slapen had er ook iets mee te maken. Ze was rusteloos. Ze was net nog naar de wc geweest en weer in bed gekropen, maar nu vroeg ze zich af of iets te drinken misschien zou helpen.

Mickey lag in de kamer naast haar. Het hotel bleek verdacht onderbezet toen ze incheckten, ook al was het midden in de week, en ook al zat je hier midden op het platteland. Niemand zei er iets van dat ze helemaal geen bagage bij zich hadden. Het eten was heerlijk geweest. Alleen het feit al dat ze rustig met iemand kon praten, zonder lastige vragen. Mickey was grappig en stelde precies de goede vragen. Ze praatten over van alles: de scheiding, Tamsin, Justin, en ook over Ellie. Misschien, dacht Nessa, is Mickey ook nog wel wakker. Misschien stuur ik haar even een sms'je... maar dan wordt ze wakker, als ze slaapt. Hoewel ze meestal pas laat gaat slapen.

Ze lag nog steeds te overwegen wat ze zou doen toen haar eigen telefoon, die ze in haar hand had, trilde. Ze liet hem pardoes vallen, op de grond naast het bed. Even sloeg de schrik haar om het hart. Was er iets met Tamsin? Wie stuurde haar in godsnaam een sms, midden in de nacht? Ze las de boodschap: *Wakker?* M. Mickey, gelukkig. Ze sms'te terug: *Kan niet slapen, verveel me suf. Kom anders op visite. N.*

Snel daarna werd er op de deur geklopt. Nessa sloeg de bloemetjessprei om zich heen en deed open. Mickey stond op de gang met een fles wijn en een doos Pringles. Ze had haar jas aan, een trenchcoat, maar daaronder droeg ze helemaal niets, realiseerde Nessa zich. Net als zij, onder haar sprei.

'Nachtfeestje,' fluisterde Mickey, en Nessa deed de deur verder open, zodat ze naar binnen kon.

'Hoe kom je aan die fles?'

'Ik ben even naar de bar geweest, en toen heb ik zitten slijmen bij de barman.'

'Echt waar?'

'Echt waar.'

'Voor- of nadat je je kleren uit had gedaan?' Nessa giechelde.

'O, daarna, uiteraard. Als beloning heb ik hem even mijn borsten laten zien.'

'Ik bewonder je ten zeerste. En ik ben een beetje geschokt. Dat zou ik nou nooit doen. Maar bedankt, het is precies wat ik nodig heb. Ik kon niet slapen.'

'Ik ook niet,' zei Mickey. 'Mag ik op het bed zitten?'

'Ja, tuurlijk.'

'Ik zal eerst even de wijn inschenken.' Ze liep naar de badkamer en kwam terug met het glas dat daar stond. 'Moeten we wel delen, vrees ik.'

'Geeft niet,' zei Nessa. Ze lag alweer in bed en was zich ineens heel erg bewust van haar lichaam. Ze voelde het laken overal op haar huid.

Mickey overhandigde haar het glas en zei: 'Jij eerst.' Ze liep naar de andere kant van het bed en strekte zich naast Nessa uit.

Ze bleven een poosje zo liggen en zeiden geen woord, maar dronken om beurten uit het glas. Zo ging de wijn net iets te snel op.

'Pringle?'

'Nee, bedankt,' zei Nessa zachtjes.

'Ben jij al moe?'

'Niet echt. Ik ben geloof ik een beetje dronken. Eerst de wijn bij het eten, en nu deze... Mickey?'

'Hm?'

'Zit je aan mijn haar?'

'Vind je het erg?'

Het voelde heerlijk, Mickeys hand door haar haren. Ze streelt me, dacht Nessa, en ze sloot haar ogen. Echt. Ik ben al in geen jaren meer door iemand gestreeld. Had Gareth haar haar ooit zo aangeraakt? Het werd steeds mistiger in haar hoofd, maar ze kon zich niet één keer herinneren dat hij... O, wat voelde dit heerlijk.

'Wil je dat ik stop?' fluisterde Mickey.

Ze heeft zich op haar zij gedraaid, dacht Nessa. Ik voel haar adem tegen mijn wang. Ze schudde haar hoofd. 'Nee, niet stoppen.'

Nessa durfde haar ogen niet open te doen, bang dat alles voor haar ogen zou oplossen: zij en Mickey op het bed, Mickey die haar haren streelde, de wijn die zo'n warm gevoel gaf, het beddengoed tegen haar huid. Mickeys vingers leken zich nu naar haar gezicht te bewegen. Ze trokken een lijntje langs haar profiel en bleven even liggen op haar lippen, en gingen toen verder naar haar kin tot ze het laken raakten. En nu? Zou ze... zou ze nog verder gaan? Wat doe ik als ze het vraagt? Stel dat ze nu iets zegt? Wat moet ik dan antwoorden? Plotseling huiverde Nessa, en ze kreeg kippen- vel... O, niet stoppen, alsjeblieft, zei ze geluidloos. Ga door. Raak me aan... en dat deed Mickey. O god, ze raakt mijn borst aan...o...

'Nessa.' Mickeys mond tegen haar oor. Nessa dacht dat ze zou flauwvallen. 'Ik wil je overal aanraken. Mag dat? Mag ik je overal aanraken?'

Nessa kon geen woord uitbrengen; wilde geen woord uitbren- gen. Nu iets zeggen zou gevaarlijk zijn. Dan zou ze moeten toe- geven hoe ze zich voelde: alsof ze smolt. Haar lichaam was als een kaars, voor een deel vloeibaar, in brand, dansend onder de aanra- king van Mickeys vingers. Die vingers, ze waren hard maar ook zacht – hoe kon dat nou? Hoe deed ze dat? De handen bleven haar maar aanraken tot Nessa's hele lichaam in brand stond en klopte, en toen haalde Mickey de dekens weg en kroop tussen Nessa's benen. Meteen barstte er een geluid los uit haar keel. Het was te- gelijkertijd een schreeuw en een snik. Ze voelde zich helemaal elektrisch, alsof ze door de bliksem was getroffen, en meteen daar- na was ze slap en nat en huilde ze voluit. Ze klampte zich aan Mickey vast, die haar hoofd op Nessa's schouder had gelegd, en haar naakte lichaam om dat van haar had geslagen.

'Nessa?'

'Hm.' Nessa had geen idee wat ze moest zeggen. Absoluut geen benul van wat ze nu moest doen. Ze wilde zelfs haar ogen niet openen, omdat ze niet wist waar ze moest kijken, en dus bleef ze liggen, met haar ogen stijf dichtgeknepen.

'Kijk me aan, Nessa.'

'Moet dat echt?'

'Wil je dat dan niet?'

Nessa zei: 'Ik weet niet wat ik... Ik heb geen idee hoe...'

'Je moet me aankijken. Met me praten.'

Nessa deed haar ogen open. 'O, Mickey...' zei ze.

Mickey bracht haar mond vlak bij Nessa's oor en fluisterde: 'Geneer je je?'

Nessa knikte. 'Een beetje. Ik heb nog nooit... Ik wist helemaal niet...'

'Nu ga je me vertellen dat je altijd hetero bent geweest en dat je nog nooit iets voor een vrouw hebt gevoeld, dat je niet snapt hoe je het in je hoofd haalde, en dat het door de wijn kwam. Dat soort dingen, toch?'

'Ik ben ook echt altijd hetero geweest, maar...'

'Maar wat?'

'O, Mickey, dat was zo lekker. Ik... ik geloof niet dat ik me ooit zo... En jij, jij bent me zo dierbaar, Mickey. Je bent mijn allerbeste vriendin, al eeuwen. Het is zo verwarrend. Ik ben in de war. Ik weet niet wat ik moet denken of wat ik moet voelen, maar het was geweldig, Mickey. Ik dacht ik zou sterven van genot.'

'Je moet niet zoveel denken, Nessa. Niet nu. Het is laat, tijd om te gaan slapen.'

'Je gaat toch niet weer terug naar je eigen kamer, hè?' Plotseling was Nessa bang om helemaal alleen in bed achter te blijven.

'Wil je dat ik ga, dan?'

Nessa schudde haar hoofd.

'Ik hou van je, Nessa,' fluisterde Mickey.

'Zeg dat nou niet, Mickey. Alsjeblieft niet zeggen!'

'Waarom niet? Het is zo: ik hou van je. Ik ben niet bang om dat toe te geven. Toen ik je voor het eerst zag, was ik meteen verliefd op je. Maar je was getrouwd en je was hetero, dus kon ik niet... Nou ja, we waren vriendinnen en daar moest ik maar tevreden mee zijn. Maar vanavond... ik kon het niet helpen, Nessa. Ik verlang al zo lang zo ontzettend naar jou. Het was vreselijk.'

'Had dan iets gezegd.' Nessa draaide zich om, zodat ze naast Mickey lag, en haar in haar blauwe, blauwe ogen keek.

'Dan was je keihard weggerend. Je vindt het waarschijnlijk nog steeds een schandelijk idee, om met een vrouw te zijn. Geef maar toe.'

'Ja, een beetje. Ik heb wel het gevoel dat ik heel erg superstout heb gedaan – maar dat maakt het des te spannender, op de een of andere manier. Ik heb een beetje vlinders in mijn buik.'

'Ik ga je nu zoenen, Nessa. Heb je wel eens een vrouw gezoend?'

'Nee,' zei Nessa hees. Hun monden waren heel dicht bij elkaar. Ze voelde de adem aan Mickeys lippen ontsnappen tegen haar eigen huid. Ze deed haar ogen dicht en voelde een hand in haar hals, die zachtjes aan haar trok tot hun monden elkaar zachtjes raakten. Nessa deed haar lippen van elkaar en liet zichzelf opgaan in de kus. Ze kon Mickey proeven. Voelen. Het was totaal, totáál anders dan gekust worden door een man. Mickey rook naar zichzelf: een combinatie van huis en zeep en het parfum dat ze altijd droeg: *Boudoir*, van Vivienne Westwood. Haar huid was zacht, en haar slanke lijf was glad en haar haar voelde als zijde. Ik raak haar haren aan, dacht Nessa. Echt. Ze drukte Mickey stevig tegen zich aan, omdat ze wilde dat hun lichamen in elkaar op zouden gaan. Ze wilde zelf verzwolgen worden, en toen wilde ze ineens, o, zo overweldigend graag, zo ontzettend graag dat zij degene was die aanraakte; dat zij degene was die streelde. Nessa bracht haar mond naar Mickeys

borst en begon die te likken. Het was Mickeys beurt om te kreunen en te zuchten, en Nessa voelde zich machtig en liefhebbend en
ging door met aanraken en aanraken en strelen en aaien totdat
Mickey ook huiverend klaarkwam en glimlachend terugviel op de
lakens.

'Zeg,' fluisterde Nessa, terwijl ze zich naar voren boog om
Mickey zachtjes op de mond te kussen. 'Nu zou ik wel een
Pringle lusten. En we hebben ook nog een slok wijn over.'

7

De bloesem aan de boom voor het raam van de bibliotheek was van de takken gevallen en had een poosje op de grond eronder gelegen als een hoop confetti. Lou probeerde zich te concentreren op het boek dat ze voor zich had en deed haar best om niet te letten op de groene mist van bladeren die tegen het glas drukte. Ze knipperde met haar ogen. Het maakte niet uit hoe vaak je erover las, of hoe vaak je het zag in films of televisieseries, de realiteit van de jappenkampen was zo verschrikkelijk dat het nauwelijks te bevatten was: de verpletterende hitte, het gebrek aan voedsel en drinkwater, de onhygiënische sanitaire voorzieningen, de insecten, de ontoereikende behuizing en slaapplaatsen, het stof en als het dan eens regende de modder. Alsof dat nog niet genoeg was, had je bij dat alles ook nog eens de bewakers. De aardigste onder hen waren onbuigzaam, onverzettelijk en onredelijk. De ergste onder hen waren onbeschrijfelijk wreed. De commandanten van sommige kampen gingen prat op de vernedering van hun gevangenen en legden de meest sadistische straffen op bij de minste overtreding van de regels. Iedereen wist dat, en hoewel Lou bezig was te checken of alle details in haar script wel klopten, wilde ze niet dat het de zoveelste opsomming van wreedheden zou worden.

Het gaat om Peter, dacht ze. Zijn leven daar, zijn problemen, de mensen met wie hij te maken heeft. Het is een menselijk verhaal. Dat interesseert me, en dat is ook waar de film over moet gaan. Over mensen. Er was natuurlijk wel wat extra's nodig, maar Lou had haar cast van hoofdrolspelers beperkt tot negen mensen: Peter, Annette, Dulcie, Derek en Nigel, nog twee jongens met tekst, en twee vrouwelijke gevangenen, Marjorie en Shirley. Al die namen had ze uit opa's boek, dus daarmee was een van Lous problemen opgelost.

Hoe kleiner de cast, wist ze, des te goedkoper zou het zijn om de film te maken. Je zou maar één set nodig hebben: het kamp, en dat kon je overal wel nabouwen. Ze had nog even serieus overwogen om flashbacks op te nemen, in de kolonie, voor ze in het kamp terechtkwamen. Of misschien in Frankrijk, nu ze meer wist van opa's echte moeder. Toch besloot ze ervan af te zien, niet alleen om economische redenen – meer dan een set, filmen op locatie –, maar ook omdat ze een voice-over wilde gebruiken en allebei was te veel van het goede. Ze zuchtte, sloeg het boek dicht en keek op haar horloge. Nog maar een halfuur en dan moest ze Poppy ophalen uit het kinderdagverblijf.

Lou had haar het weekend voordat haar ouders naar Parijs zouden gaan opgehaald, maar hun uitstapje ging uiteindelijk niet door, omdat papa iets dringends had op zijn werk. Dus zij hadden Mme Franchard niet meer gezien, en zijzelf ook niet. Toch waren ze allemaal van plan te gaan, wist ze. Poppy was nu alweer drie weken thuis, en Lou moest toegeven dat het in veel opzichten heerlijk was om haar weer bij zich te hebben. Nou ja, het is natuurlijk niet alleen maar heerlijk, dacht ze, en ze voelde zich meteen schuldig. Natuurlijk was ze dolblij dat haar dochter weer veilig in haar eigen bedje lag, en dat ze haar lekker vaak kon knuffelen en met haar kon kletsen en voor haar kon zorgen, maar het was allemaal zo... zo eindeloos. Alles bleef zich maar herhalen. En maar sloven en ploeteren. Ze was niet geschikt voor het moederschap. Tenminste, dat dacht ze als ze midden in de nacht uit bed moest. Het badje, het eten, de knuffels waren allemaal leuk, en ze had goddank elke ochtend drie uur de tijd aan zichzelf.

Op die manier was het haar gelukt om het script af te krijgen. Het was geweldig om EINDE in te kunnen typen. Ze voelde zich buiten adem, dolblij, en ze had de galerij wel op willen rennen om het nieuws uit te gillen tegen alle dichte deuren. Maar omdat ze zo geheimzinnig had gedaan over wat ze schreef, was er niemand die ze kon bellen. Geen van haar vrienden wist ervan, en haar familie ook niet. Dus toen deelde ze het maar met Poppy.

'Ik ben klaar, klaar, klaar!' zong ze, terwijl ze tijdens het aankleden plofkusjes gaf op het zachte buikje van haar dochter. 'Ik ben een scenarioschrijver. Een echte. Ik ben klaar, klaar, klaar!'

Poppy werd meegesleurd door de opwinding en riep: 'Kla, kla, kla...' en dat was bijna goed.

De vreugde duurde precies een dag, want die avond, toen Lou haar laptop opendeed, werd ze overspoeld door angst, zonder aanwijsbare reden. Wat nu als het afschuwelijk slecht is? Wat nu als ik alleen maar denk dat het goed is, maar dat het eigenlijk helemaal niet goed is? Straks zegt iedereen dat het overdreven sentimenteel is. Of sensatiebelust. Of domweg slecht. Ze haalde diep adem en begon te lezen. Ze was er al zo'n tien keer doorheen geweest, sinds die avond, en inmiddels was ze er bijna van overtuigd dat het precies zo goed was als op de dag dat ze het script af had.

Maar het was tijd om op te houden met overlezen. Ze had nu het aller-, allerlaatste redigeerrondje gedaan. Het was zo goed als ze het ooit zou krijgen. Ze had het laten printen, en het nog een keer overgelezen op papier, wat er toch anders uitzag. Volgende week zou ze iets gaan doen wat haar nu al een beetje misselijk van angst maakte als ze eraan dacht: ze had besloten om ermee naar Ciaran Donnelly's huis te gaan en net te doen alsof Harry vond dat de grootheid zelve ernaar moest kijken. Ze had eindeloos zitten piekeren wat ze met het script zou doen, als ze er eenmaal mee klaar was. Ze wilde een belangstellende lezer, maar niet iemand die haar persoonlijk kende, zodat zijn mening over het script gekleurd werd door zijn mening over haar. Harry lag voor de hand, maar ze werkte voor hem, nog afgezien van al het andere. Hij kon haar script dus absoluut niet beoordelen. Ze wilde hem niet voor het blok zetten.

De gedachte om ermee naar Ciaran Donnelly te gaan was midden in de nacht bij haar opgekomen, maar er zaten ook haken en ogen aan. Stel dat hij het helemaal niks vond, dan zou hij contact opnemen met Harry en zeggen: *Hé, hoe kom je er nou toch bij om me zo'n waardeloos script te sturen, man?* En dan zou Harry zeggen: *Waar heb je het over?* Dan zou haar bedrog uitkomen. Wat voor gevolgen zou dat hebben? Wat nu als Harry haar nooit zou vergeven dat ze niet eerst naar hem was gekomen? Dat ze hem haar geheim niet toevertrouwde? Dat ze hem niet de kans had gegeven om eerst zijn mening te geven voor ze het een topproducent uit Hollywood onder zijn neus had geduwd? Dan zou ze het op haar naïeve domheid moeten schuiven: 'Gut, ik heb er helemaal niet bij stilgestaan' enz. enz. En ze zou zoveel berouw tonen dat hij haar vast wel zou vergeven. Hij was niet het type dat heel lang boos bleef, en ze wilde het risico wel nemen dat hij dat inderdaad zou worden.

Waarom had Harry nu juist deze periode uitgekozen om een maand naar Amerika te gaan, net nu het zo lekker liep? Nou ja, hij was snel genoeg weer terug, en ondertussen konden ze e-mailen. Om de paar dagen stuurden ze elkaar een berichtje. Lou had de aanvechting om meteen te antwoorden, maar ze dwong zichzelf om dat niet te doen. Het was niet zoals in *You've Got Mail* – wat een belachelijk weeïge en romantische film was dat. Ze zou nooit toegeven dat ze hem best leuk vond –, maar toch wel een beetje, want de afgelopen weken verheugde ze zich er steeds op om 's ochtends haar laptop aan te zetten. Harry's berichtjes kenmerkten hem: kort, geestig, en zonder toespeling op de gevoelens die hij volgens haar uit had gestraald, de laatste keren dat ze elkaar hadden gezien. Het leek toen alsof hij zich voorbereidde om haar te vertellen dat zijn interesse in haar meer was dan vriendschappelijk.

Lou had hem bijna gevraagd met haar mee te gaan naar Parijs, maar op het allerlaatste moment durfde ze toch niet, en toen was hij op het vliegtuig gestapt naar wat hij 'the coast' noemde. Helemaal Hollywood. Daardoor had ze hem per e-mail kunnen uitnodigen en ze was met dat bericht bijna even lang bezig geweest als met hele stukken van *Blinde maan*. Ze kende het bericht uit haar hoofd:

Ik ben van plan om binnenkort nog eens bij Mme Franchard langs te gaan. Heb je zin om mee te gaan?

Lou glimlachte toen ze bedacht hoeveel varianten van die woorden ze had overwogen voor ze eindelijk op 'verzenden' had geklikt. Ze had alle mogelijk dubbele bodems achterwege willen laten. Het was doodvermoeiend geweest en het deed haar denken aan haar schooltijd. Toen besteedde ze immers ook uren en uren aan het analyseren van briefjes, telefoongesprekken, of woordjes. Er was dus niks veranderd. Varianten die ze had afgewezen waren: *Kom je ook? Laten we er een leuk weekendje van maken. Ook zin? Met jou wordt het vast nog leuker. Ik vind jou zo leuk…* Dat had ze ook nog ingetypt, op een gegeven moment, en ze had er eindeloos naar zitten staren voor ze de boodschap weer wiste. Vind ik hem wel zo leuk, dacht ze, en ze kwam tot de conclusie dat dat inderdaad zo was, en dat ze niet zou tegenstribbelen als hij haar ook leuk vond. Harry zou haar nooit pijn doen, daar was ze zeker van, en sinds ze bij Cinnamon Hill werkte, dacht ze steeds minder aan Ray. Soms kwamen de akelige gedachten bovendrijven, in de donkere uurtjes, als ze haar best deed om te slapen omdat ze nog maar een paar uur had voor ze op moest staan en het echt heel, heel belangrijk was om niet wakker te blijven liggen. Ray was eerst ook heel lief. Hij

was eigenlijk heel lang heel lief gebleven. Pas later werd hij gewelddadig en eng. Misschien was Harry ook wel zo. Nee, zo is hij
niet, echt niet. Hij is echt een lieverd. Niemand op kantoor zegt
ooit een onvertogen woord over hem.

Uiteindelijk had ze het berichtje verstuurd, en hij had geantwoord. Ze moest lachen om de titel van zijn e-mail, omdat het zo
typisch voor hem was, en zo schattig: *We'll always have Paris.*
Harry en zij: Bogart en Bergman in Casablanca – allebei geen
keuze! Ze printte zijn mailtje uit en prikte het op haar memobord
in de keuken. En elke dag werd ze weer blij als ze ernaar keek: *Sure
thing, kid. Zeg maar wanneer. Kan niet wachten Harry x.*

Dat was de eerste x, en sinds die keer had zij dat ook achter haar
naam gezet. Hij bleef er ook mee doorgaan, bij elke e-mail die hij
stuurde. Het was natuurlijk schoolmeisjesachtig van haar, maar ze
kende die x enorme betekenis toe. Was ze niet goed wijs om dat te
doen? Ze kende heel veel mensen – Nessa, bijvoorbeeld – die een
x achter hun naam zetten en die dat automatisch deden, zonder
dat het iets betekende. Wat nou als Harry ook zo was? Het kan me
niet schelen, dacht ze. Mijn x is als kus bedoeld, en ik doe gewoon
net of dat bij hem ook zo is, totdat het tegendeel bewezen wordt.

Bijna tijd om Poppy te halen. Lou zette het bibliotheekboek,
waar ze een hele tijd geen letter in had gelezen, weer op de plank.
Na de lunch gaan we naar het park, bedacht ze. Dan gaan we de
eendjes voeren en dan ga ik bedenken wat ik tegen Harry moet
zeggen in mijn volgende e-mail. Die ga ik dan vanavond schrijven. En morgen ga ik met het script naar Ciaran Donnelly. Als ik
durf.

Matt las de brief twee keer. De boodschap was meteen duidelijk,
maar hij wilde er zeker van zijn. Zijn secretaresse had de brief ge-
opend, en ze had hem direct naar hem toe gebracht, voordat ze de
rest van de post van die dag behandelde. Waarschijnlijk was haar

aandacht getrokken door het dikke, crèmekleurige papier van de envelop, en door het feit dat het eruitzag als een echte brief, en niet als een ordinair printje.

'Ik denk dat u dit even moet zien,' zei ze, en ze legde de brief voor hem neer. 'Het lijkt me interessant.'

Het briefhoofd was al even indrukwekkend als het papier waar-op het gedrukt was. GOLDEN INK, stond er, met een klein logo er-naast van een inktpot met een pen erin. Het zag eruit alsof de woorden GOLDEN INK net vers waren geschreven met – je raadt het al – gouden inkt. Matt, die dol was op flauwe grapjes, vond dit een hele leuke van zichzelf. De brief was geschreven door ene Jake Golden, met een adres ergens in Bloomsbury.

Geachte heer Barrington,

U bent, naar ik hoop, degene naar wie ik op zoek ben, namelijk de zoon van John Barrington zaliger, die in de jaren zestig een roman heeft geschreven met de titel Blinde maan (naast verscheidene andere titels).

In een tweedehands boekwinkel stuitte ik enige tijd geleden op een exemplaar van Blinde maan, en ik heb begrepen uit de biografie van de schrijver dat John Barrington werkzaam was als advocaat in Haywards Heath. Op internet vond ik alle overige informatie, en dus schrijf ik nu om u te vragen of u inderdaad, zoals ik aanneem, de zoon bent van John Barrington.

Als dat zo is, dan zou ik heel graag eens met u willen praten over een mogelijke heruitgave van uw vaders prachtige boek. Wij zijn een kleine uitgeverij, maar ik kan denk ik zeggen dat wij ons mannetje staan, in een wereld die meer en meer wordt gedomineerd door de zoektocht naar de volgende bestseller. Wij zijn een bedrijf dat meer geïnteresseerd is in de kwaliteit van de tekst dan in grandioze winst-cijfers.

Ik zou u graag willen spreken, wanneer dat u maar uitkomt. U
kunt bij mij bereiken op...

Matt fronste en stond zichzelf een klein vreugdesprongetje toe. Als hij het goed begreep, dan bood deze kerel – deze Golden – aan om zijn vaders boek opnieuw uit te geven. Dat zou dus geld opleveren voor Lou, en hij was dol van blijdschap bij dat vooruitzicht. Hij pakte zijn mobieltje om het meteen aan haar te vertellen. Hij wilde niet via zijn secretaresse bellen, want hij wilde dit verder voor zichzelf houden. Hij was een beetje bijgelovig en wilde geen enkel risico lopen met wat er misschien zou gaan gebeuren.

'Lou? Hallo, lieveling,' zei hij toen ze opnam. 'Ik wil je even een brief voorlezen. Kan dat nu? Goed, moet je horen.'

Hij las de brief voor en wachtte de vragen van zijn dochter af.

'Ja, ja, dat weet ik. Ik zal eens even navraag doen naar die uitgever. Maar mag ik deze Jake jouw nummer geven? Ik zal hem wel uitleggen dat jij het auteursrecht hebt, en dan wachten we het wel af. Hij zal ongetwijfeld contact opnemen. Oké? Prima. Ik moet ophangen, schat. Ik moet zo naar Justin... Nee, nee, niks bijzonders. Moet zijn nieuwe appartement bekijken, meer niet. Goed. Zorg goed voor jezelf. Ik ga die Jake Golden meteen bellen.'

Hij belde het mobiele nummer dat in het briefhoofd stond en wachtte tot meneer Golden opnam. Hij raakte steeds meer opgewonden. Nee, even kalm blijven, sprak hij zichzelf streng toe. Tussen lepel en mond valt tenslotte veel pap op de grond...

Lou was te vroeg bij het kinderdagverblijf en ging buiten op het muurtje zitten wachten. Ze probeerde te bevatten wat er zojuist was gebeurd. Misschien droomde ze wel. Nee, het was echt zo. Papa's nummer stond op haar mobiel als bewijs. Voorzover zij het had begrepen was deze meneer Golden van plan om opa's boek opnieuw uit te geven, en papa zou hem haar nummer geven. Ze had geen idee wanneer en hoe. Ze wist helemaal niet hoelang het duurde voor een boek in de winkels lag, en ook niet wat daar allemaal bij kwam kijken, maar ze stond zichzelf heel even toe wat te dagdromen. Stel je nou toch eens voor dat het boek en de film naar aanleiding van haar script tegelijk uit zouden komen! Maar nee, dat kon helemaal niet. Een film maken duurde eeuwen. Er waren zoveel hordes die ze nog moest nemen, dat ze alleen bij de gedachte al depressief werd. Zelfs als Ciaran Donnelly er iets in zag, en dat was nog maar zeer de vraag, wilde dat nog helemaal niet zeggen dat de film echt gemaakt zou worden. Maar ja, er werden maar weinig scripts uitverkoren, en waarom zou het niet het hare zijn? Goed, zelfs als ze een optie namen op je script, dan was dat vaak het eind van het liedje. Heel weinig scripts resulteerden uiteindelijk echt in een film. Zo weinig, dat je bijna net zoveel kans had om de loterij te winnen.

Ze had geen verstand van de uitgeverswereld, maar ze wist wel dat er verschillende initiatieven waren om boeken die niet meer leverbaar waren opnieuw in de winkels te krijgen. Ze had zelf een aantal boeken van Persephone gekocht, met van die schitterende zilveren stofomslagen, die verkocht werden met hun eigen boekenlegger. Deze Golden Ink – dat was vast een woordspeling op Golden Inc. – was waarschijnlijk net zoiets. Opa's boek was minstens net zo goed als die heruitgaven van Persephone, dus het idee dat het weer in de winkel zou liggen, na al die jaren van verwaarlozing, vond ze helemaal niet zo onwaarschijnlijk klinken. Ik had er zelf aan moeten denken, dacht ze. Als ik niet zo druk was geweest met het script, had ik zelf uitgevers kunnen benaderen. Dan had ik kunnen kijken wie er interesse in hadden. Haar mobieltje ging.

'Hallo? Ja, u spreekt met Louise Barrington. Met wie zegt u? O, neem me niet kwalijk…' De telefoon viel bijna uit haar hand. Het was Jake Golden. Niet te geloven. Papa had haar pas een uurtje geleden gebeld, of zoiets. Jake Golden was Amerikaans. Dat was wel een verrassing. Hij klonk net als Clint Eastwood: een rustige stem.

'Mevrouw Barrington, ik heb uw vader net gesproken en hij vertelde me dat u John Barringtons kleindochter bent en dat u de auteursrechten van zijn werk bezit?'

'Ja, dat klopt.'

'Dan is het me een eer om met u te spreken. Ik ben een bewonderaar van de boeken van uw grootvader, en ik zou u heel graag willen ontmoeten om er eens met u over te spreken.'

'Eh… ja, natuurlijk. Of, nou ja... ik bedoel, graag.'

'Mooi. Ik bedoel natuurlijk niet alleen om een literaire discussie met u aan te gaan, dat begrijpt u wel. Hoe goed ik de boeken ook vind – en ze zijn echt erg goed – nee, ik wil het graag met u hebben over de mogelijkheid om *Blinde maan* opnieuw uit te geven. Ik ga binnenkort naar de States, maar mag ik u bellen voor een afspraak als ik terug ben? Dan kunnen we misschien lunchen. Lijkt u dat iets?'

Een uitgever die met haar wilde lunchen! Lou probeerde nonchalant te klinken, alsof haar dagelijks dit soort dingen overkwamen. 'Tuurlijk,' zei ze, want dat vond ze wel Clint Eastwood-achtig klinken. 'Prima, hoor.' Toen bedacht ze zich iets en vroeg: 'Is uw bedrijf dan in de Verenigde Staten gevestigd?'

'Nee, we zijn hier gevestigd,' antwoordde Jake Golden lachend. Hij had een prachtige lach. 'Maar ik ben van plan om een kantoor te openen in New York. Ik heb wel internationale ambities, maar ik woon al tien jaar in Londen en ik vind het hier geweldig.'

Ze namen afscheid, en hij beloofde haar snel weer te bellen. Lou stopte haar telefoon terug in haar tas; ze kon nauwelijks geloven wat ze net had gehoord. Ze kon niet wachten om het aan Harry te mailen. Een heruitgave! Ze vroeg zich af hoe Jake Golden eruit zou zien. Vast zo'n charmante oude heer als die Leo McGarry uit

The West Wing. Mocht ze willen. Maar dat hij even oud was als papa, dat wist ze wel zeker.

Ze wierp een blik op haar horloge. Tijd om naar binnen te gaan om Poppy op te pikken. Een paar andere moeders gingen de glazen deuren al door.

'Zeg eens iets, in godsnaam. Jezus, Matt, dit is al moeilijk genoeg zonder dat jij zo dichtklapt. Waarom zeg je niks?' Justin stond onrustig bij het raam. Hij wiebelde van zijn ene voet op de andere, en ging met zijn hand door zijn haar. Steeds maar weer.

Matt bleef zijn stiefzoon aanstaren en hield zijn kaken op elkaar geklemd. Dat zal die klootzak leren, dacht hij. Ik zeg geen woord meer totdat ik precies weet wat ik moet zeggen. Laat hem maar zweten. Hij wacht vast op een flinke klap, alsof iemand op het punt staat hem in zijn buik te schoppen. Matt was even gestopt met ademhalen, maar nu staarde hij naar de strepen in het goudkleurige parket in Justins appartement, die afliepen naar het raam. De visgraat waarin het was gelegd leek groter en kleiner te worden voor Matts ogen; net zo'n effect als je wel eens bij een stuk gaas ziet. Hij had Justin eerder die ochtend gebeld en gevraagd of hij even langs kon komen. Hij was al een paar dagen over de zaak-Justin aan het piekeren geweest. Dat was begonnen toen iemand op de bridgeclub langs zijn neus weg had gezegd: 'Mijn hemel, Matt, jij laat er ook geen gras over groeien. Ik zag dat Milthorpe House nu al verkocht is?'

Matt had alle zeilen bij moeten zetten om zijn kalme pokerface te behouden en niet naar verdere details te vragen. Hij had iets vaags gemompeld en was snel weggelopen. Zodra hij thuis was had hij Justin gebeld, en nu zat hij hier en het verhaal, waarvan hij had gehoopt dat het maar een gerucht was, bleek waar te zijn. Matt was heel goed in zwijgen.. Dat kon hij eindeloos volhouden. Al vanaf zijn vroegste jeugd was hij daarin getraind. Constance duldde geen driftbuien. Ze tolereerde ze gewoon niet, en dat had Matt snel genoeg geleerd. Er waren maar twee of drie gelegenheden waarbij hij echt uit zijn dak was gegaan. Hoe oud was hij toen? Vier? Vijf? Heel jong, in elk geval. Hij had gegild en gejammerd en met zijn hakken op de grond gestampt. Hij zou bij god niet meer weten waarom dat was. Wat hij zich nog wel levendig herinnerde, was de reactie van zijn moeder. Ze had hem bij de arm gepakt, niet ruw, maar wel stevig, en hem naar het trappenhuis achter in het huis gebracht. De trap leidde van de kamer van juffrouw Hardy naar de keuken, beneden. Het was er aardedonker, en zelfs als het licht aan was, zag je niks. Dan was het zelfs nog erger, want dan zag je vreemde schaduwen in de hoeken. Schaduwen die in Matts beleving veel dieper waren, en waar nog veel meer monsters in zaten en andere vreselijke dingen dan in welke andere schaduw dan ook.

Constance had hem op de eerste traptrede gezet, en ze had met ijzige stem gezegd: 'Zo, en hier blijf je zitten, Matthew, tot jij beseft dat gillen en schreeuwen niet de manier zijn om mijn aandacht te trekken. Ik kom over een poosje terug, en van nu af aan praten wij alleen nog met elkaar op een volwassen manier, zonder onze stem te verheffen, heb jij dat goed begrepen? En vooral ook zonder tranen. Jongens huilen niet. Ik weet zeker dat jij mij straks heel goed begrijpt.'

Ze was weggegaan en toen zat hij daar, op het linoleum, rillend van angst in het donker en in de stilte, vervuld van woede op zijn moeder en schuldgevoel over die woede. De tranen welden op in zijn ogen, rolden langs zijn wangen. Wat moest hij nu doen? Hij kon er niets aan doen dat hij moest huilen, maar zijn moeder had gezegd dat *jongens niet huilen*. Hij veegde zijn ogen en neus af aan zijn mouw, en hij zat daar maar, en zat daar maar, en zijn armen en benen werden zo koud dat hij ze nauwelijks nog kon bewegen. Niemand kwam naar hem toe. Waar was juffrouw Hardy? Heel even vroeg hij zich af of zijn vader hem zou komen redden, maar hij wist wel dat dat er niet in zat. Vader werkte in 's ochtends altijd in zijn studeerkamer en niemand mocht hem daar storen. Helemaal niemand.

Uiteindelijk was de tijd voorbijgegaan, en na wat uren had geleken kwam Constance terug om hem uit zijn gevangenis te bevrijden. 'Geen driftbuien meer, Matthew. Begrijpen wij elkaar goed?'

Hij knikte. Hij had al besloten dat hij nooit meer iets zou doen om zijn moeder boos te maken. Als hij wilde dat alles gladjes verliep, als hij zijn moeders goedkeuring wilde, dan zou hij heel stil moeten worden. Die dag had hij besloten dat hij nooit meer zou schreeuwen of gillen, en dat hij nooit meer zou huilen, tenzij hij bijvoorbeeld zijn arm brak, of zoiets, en dat was tot nu toe nooit gebeurd.

Hij keek Justin aan. Na wat hij zojuist te horen had gekregen, vond hij dat schreeuwen hier volkomen op zijn plaats was. Hij keek even naar zijn handen. Hij was geen gewelddadige man, nooit geweest ook, maar een golf van razernij sloeg over hem heen en hij kneep zijn handen tot vuisten. *Het helpt niks als ik Justin sla. Het maakt geen enkel verschil.* Dat was de enige gedachte die maar door zijn hoofd bleef spoken. Nee, natuurlijk zou het geen enkel verschil maken. Matt deed zijn ogen dicht. Zou hij iets zeggen? Hij zei: 'Justin, ik wil graag dat je het nog een keer uitlegt. Ik heb nu even de tijd gehad om het op me in te laten werken, maar ik wil graag alle details. Feiten, cijfers. Die dingen.'

'Maar van die dingen heb ik toch helemaal geen verstand, Matt. Dat weet jij ook best. Als ik nou gewoon even mijn accountant vraag om contact met jou op te nemen, of nog beter, de accountants van Eremount? Dan kunnen die de deal uitleggen.'

'Later. Ik wil ze uiteraard zeker nog spreken.'

Justin staarde naar zijn voeten. Hij durft me niet aan te kijken, dacht Matt. Dus hij is niet alleen een stommeling, hij is nog een lafaard ook. Hij ging verder: 'Ik zou nu alleen graag van jou willen horen waarom jij het een goed idee vond om het landgoed van onze familie van de hand te doen.'

'Ik heb het niet van de hand gedaan, ik heb het verkocht. Aan Eremount. Ik heb het toch net allemaal al uitgelegd, Matt. Ze gaan er een heel luxe wellnesscentrum van maken.'

'Wellness-centrum? Jezus, Justin, praat toch eens normaal.'

'Het betekent kuuroord. Waar je je kunt laten masseren en zo.'

'Ik weet heus wel wat het betekent, ja.' Matt voelde dat hij steeds woedender werd, en hij hoorde zijn stem steeds harder worden. Hij slikte. 'Goed, een luxe wellnesscentrum. Ik snap het helemaal. Waarom wilde jij zonodig van Milthorpe House een kuuroord maken? Wat was er mis mee als huis? Als thuis, zelfs?'

'Matt, het is niet dat ik niet van Milthorpe House hou...'

Nee, natuurlijk niet, dacht Matt bij zichzelf. Jij kon niet wachten om het hele zwikje te verkopen. Daaruit blijkt precies hoeveel je ervan houdt.

Justin ging verder. '... maar ze kwamen met een bod dat ik niet kon weigeren.'

'Bespaar me je clichés, alsjeblieft. Je kon prima weigeren. Je had ook moeten weigeren. Op zijn minst had je het eerst even met mij kunnen bespreken.'

'Schreeuw niet zo tegen me, Matt.'

'Ik schreeuw niet.'

'Nou, zo voelt het anders wel.'

Matt zuchtte. 'Als ik tegen jou schreeuw, Justin... als ik ook maar een fractie zou laten merken van wat ik nu echt voel, dan lag jij nu op de grond en kon je minstens een week niet meer overeind komen.'

'Is dat een dreigement?'

'Nee, nee... dreigen heeft geen zin. Je hebt het allemaal al geregeld zonder het er met iemand over te hebben. Als ik die geruchten niet had gehoord op mijn bridgeclub en ik jou er niet zelf naar had gevraagd, vraag ik me af of je het überhaupt wel had verteld.'

'Ik had het uiteindelijk heus wel verteld.'

'Precies. Uiteindelijk. Maar je had niet de moed om dit eerst met de familie te bespreken. Je hebt gewoon het familiehuis verkocht. Ik kan er nog steeds niet bij. Mijn huis. Waar ik ben opgegroeid. Hoeveel hebben ze je ervoor gegeven?'

'Dat gaat je niets aan. Een heleboel geld. En dat geld is niet van jou, Matt. Nu Constance dood is, is het allemaal van mij. Ik mocht ermee doen wat ik wilde. En kom niet aan met die bullshit van familiehuizen en zo. Milthorpe House kon jou geen bal schelen.'

'Omdat ik dacht dat het er altijd zou zijn, stomme idioot! Ik geloof mijn eigen oren niet. Ik was er kapot van toen Constance het aan jou naliet, dat weet jij best...'

'O ja, dat weet ik best. Dat weten we allebei, hoor. Nessa en ik tellen nooit mee vergeleken met die lieve Lou van je. Dat was overduidelijk. Nou, heel erg jammer dan, Matt. Constance heeft het huis aan mij nagelaten. En aan niemand anders. Alleen aan mij. En ik zit niet bepaald te wachten op al dat gedoe met de belasting en zo, snap je? Ik hoefde jou helemaal niet in te lichten en ik had je toestemming niet nodig en ik ben blij dat ik het gewoon heb gedaan, en dat het zooitje al verkocht is. Want in plaats van dat iedereen nu een potje sentimenteel kan zitten doen over een hoop stenen waar niemand in wil wonen, wordt het nu het kroonjuweel van het Eremount-imperium, en ben ik bijna drie miljoen pond rijker en het interesseert me geen fuck wat jij er verder van denkt.' Hij plofte op de bank, doodmoe na zijn uitbarsting.

Matt stond op. Hij had heel lang geleden besloten dat het zinloos was om iets te bespreken met iemand die grof in de mond was; niet vanwege iets wat Constance had gedaan in zijn jeugd, maar na jaren van werken met hysterische en soms grove cliënten. 'Dag, Justin. Ik ga.'

'Je loopt weg omdat je geen poot hebt om op te staan.' Justin zat nu zelf te schreeuwen. 'Jij wilt gewoon niet toegeven dat ik het recht aan mijn kant heb.'

Matt dwong zichzelf om vriendelijk te glimlachen. Het kostte wat moeite, maar dat was het ook wel waard. Hij wist maar al te goed dat niets Justin meer over zijn toeren zou helpen als het feit dat hij nu weg zou gaan zonder verder nog een woord te zeggen, dus dat was precies wat hij nu ging doen. Terwijl hij naar de begane grond liep, weergalmde de klap waarmee Justin de deur achter hem had dichtgesmeten door het trappenhuis. Dat gaf Matt heel even een goed gevoel, maar dat gevoel hield niet lang aan. Eenmaal buiten haastte hij zich de straat uit. Justin staat me na te kijken, dacht hij. Ik moet fier rechtop blijven lopen, want die lol gun ik hem niet. Maar zodra hij de hoek om was, leunde hij tegen de muur, sloot zijn ogen en ademde in en uit in een poging zichzelf te kalmeren. Wat nu? Waar moest hij heen? Hij had geen zin om terug te gaan naar kantoor. Hij pakte zijn telefoon en staarde ernaar. Ellie woonde vlakbij. Portland Place. Zou ze thuis zijn? Was het idioot van hem als hij bij haar langs zou gaan? Nee, dat was het niet. Per slot van rekening was Justin haar zoon. Misschien kon zij nog wel op hem inpraten. Hij kon het allicht proberen. Dus klapte hij zijn telefoontje open en toetste Ellies nummer in.

Ik heb ontwenningsverschijnselen, dacht Phyl, terwijl ze achter de balie van de dierenkliniek zat te wachten tot de laatste patiëntjes met hun baasjes zouden vertrekken. Ze had net Montpelier Tango bij dokter Hargreaves binnengelaten. Het was een barzoi, met een verwend, arrogant vrouwtje. En aangezien er die dag verder geen dieren meer op het spreekuur kwamen, liep ze naar achteren waar de katten en honden zaten die geopereerd waren en in hun hokjes zaten te wachten tot de narcose uitgewerkt was.

'Je mag bijna weer naar huis,' fluisterde ze tegen Mimi, een van haar lievelingskatten, die hier al tien jaar kwam voor haar inentingen. Mimi was een hartelijk dier. Ze had een kleine ingreep gehad en was inmiddels voldoende bijgekomen om een beetje te spinnen, terwijl Phyl haar over haar kopje aaide en tegen haar praatte. 'Kon ik jou maar mee naar huis nemen. Eigenlijk was ik liever niet hier, weet je dat? Ik zou veel liever op Poppy passen.'

Toen Lou kwam om de baby mee terug te nemen naar Londen, had Phyl precies gezegd wat ze moest zeggen. Ik heb niet laten merken hoe zeer ik haar zou missen, dacht ze, en hoe leeg mijn dagen zouden zijn. Ik heb maar doorgerateld over dat dokter Hargreaves toch zo blij zou zijn als ik weer kwam werken; dat ik de dieren zo miste. Misschien geloofde Lou me niet, maar dan deed ze goed alsof.

Eerlijk is eerlijk: Lou leek tegenwoordig een stuk beter om te kunnen gaan met Poppy. Misschien raakte ze eindelijk gewend aan het moederschap. Of misschien – en dat hoopte Phyl eigenlijk – was er wel iemand in haar leven die haar gelukkig maakte.

'Een vriendje, Mimi,' zei ze tegen de kat. 'Dat zou mooi zijn, of niet? Een papa voor Poppy.'

Zodra ze die woorden uitsprak, huiverde ze even. Ik heb zeker te veel enge krantenartikelen gelezen, dat is het probleem, dacht ze, en ze zei bij zichzelf dat ze niet zo dom moest doen. Niet alle stiefvaders maakten zich schuldig aan mishandeling of seksueel misbruik van hun stiefkinderen, en dan nog: zo ver was het nog lang niet, dat iemand Poppy's stiefvader was, toch? Als Lou überhaupt al een vriendje had. Ze had het er helemaal niet over gehad. Met geen woord. Het was eerder een gevoel dat Phyl zelf had. Ze zuchtte. Zodra ze ophield met piekeren over Lou, was er Matt over wie ze zich zorgen kon maken. Hij was de afgelopen tijd zichzelf niet. Ze had hem ernaar gevraagd, maar hij ontkende dat er iets aan de hand was. Dat was overduidelijk een leugen, maar ze waren nooit een stel geweest dat eindeloos doorvroeg naar de ander, op zoek naar elkaars diepste zieleroerselen. Hij zou het haar wel vertellen als hij er zelf klaar voor was.

Het gesprek over Parijs, de reden waarom ze had ingestemd met Poppy's vertrek, was nog nergens op uitgelopen, en het was nu al halverwege mei. Toen hij erover was begonnen, dat gedoe met Poppy, had Phyl de indruk gekregen dat het reisje naar Frankrijk snel zou plaatsvinden, maar toen gebeurde er een paar dingen op het werk waar Matt bij moest zijn, en toen moest het 'maar een ander keertje'. Zo had hij het gezegd. 'Binnenkort,' zei hij nog, om haar teleurstelling de kop in te drukken.

En ze was inderdaad opgevrolijkt. Ze was geen klager. Ze zouden naar Parijs gaan als de tijd rijp was, en dat was iets waar ze zich op verheugde. Nu Poppy weg was, waren ze ook weer gaan vrijen. Ze moest toegeven dat het prettig was om in Matts armen te liggen. Zijn liefkozingen en kussen waren fijn. Hoewel ze het aan geen mens zou toegeven, had ze toch het gevoel dat ze niet precies snapte wat er zo geweldig was aan seks. Ze had er helemaal niet van die hemelse gevoelens bij zoals andere mensen. Ze was niet zo'n vrouw die nog nooit een orgasme had beleefd, maar te oordelen aan de romans die ze las wist ze wel dat anderen veel eerder te porren waren voor seks dan zij. Of zoiets. Je had van die schrijvers bij wie de heldinnen klaarkwamen als een raket zodra een man ook maar binnen een paar centimeter van hun erogene zones kwam. Was dat een leugen, of overdreven ze maar wat? Misschien waren sommige mensen wel echt zo, en zagen ze het als iets waar de doodgewone lezeres zich aan kon optrekken... Haar gedachten kwamen meteen op Ellie. Phyl had altijd aangenomen dat die er wel pap van lustte. Ze was absoluut een van die raketvrouwen. Toen kwam er een andere gedachte op: misschien deden die seksueel explosieve types wel alsof, althans, voor een tijdje. Zelf was ze niet geraffineerd genoeg op amoureus gebied om te weten hoe ze kon doen alsof. Ze zou zich trouwens heel dom voelen als ze zou liggen kreunen en steunen en kronkelen als ze er niks van meende.

Haar mobiel ging. Snel liep ze terug naar de receptie, waar haar tas onder de balie stond. Tegen de tijd dat ze daar was, was de telefoon opgehouden. Ze luisterde naar het bericht dat Matt had ingesproken op haar voicemail.

'Eh, met mij, schat... Ik vrees dat ik wat later ben... Ik moet nog iets doen. Ik zal het straks wel vertellen, als ik thuis ben. Je hoeft geen eten voor me te bewaren. Ik... Nou ja, je ziet me wel verschijnen, goed? Sorry, Phyl.'

Ze beluisterde het bericht nog een keer en maakte zich zorgen. Dat was vreemd van haar. Het kon niks met Lou of de baby te maken hebben, want dan had Matt het wel gezegd. Wat was er dan aan de hand? Hij zou het haar later vertellen, dus dan was het niet iets privé's, maar hij klonk... Ja, hoe klonk hij eigenlijk? Hij was nooit echt zichzelf aan de telefoon en hij vond het vreselijk om een boodschap in te moeten spreken. Ze besloot hem terug te bellen. Toen hij opnam en 'hallo?' zei, meende ze iets van paniek in zijn stem te bespeuren. Waarom? Vlug zei ze: 'Ik ben het maar, Matt. Ik maakte me een beetje bezorgd, vanwege je boodschap.'

'O. O, nou, maak je maar nergens zorgen om, schat. Er is niks aan de hand, echt niet.'

'Is er iets gebeurd, dan?'

'Nee, nee, er is niks gebeurd. Alleen...'

'Vertel toch, Matt. Anders maak ik me toch zorgen. Toe nou.'

'Je hoeft je echt geen zorgen te maken. Ik vertel het je liever straks. Ik ben net bij Justin geweest, dat is alles.'

'Gaat het wel goed met hem, dan?'

Matt lachte even, ook al was het duidelijk dat hij het niet echt grappig vond. 'O, ja, met hem gaat het uitstekend, geloof me. Ik vertel het je als ik thuis ben.'

'Waarom kom je dan nu niet meteen naar huis? Waar ben je eigenlijk?'

'O.' Hij zweeg, en Phyl vroeg zich af waarom hij niet meteen antwoord gaf. Hij kende toch het antwoord op allebei die vragen. Ze wilde net doorvragen toen hij zei: 'Ik ben in Brighton. Ik liep Neil Freeman tegen het lijf, ken je die nog? We gaan even een hapje eten, voor hij weer terug gaat naar Londen. Goed?'

'Prima. Ja hoor, prima. Dan zie ik je straks.'

'Ja. Natuurlijk, ik blijf niet te lang. Dag hoor.'

Phyl liet de telefoon in haar tas vallen en ging weer bij Mimi zitten, die in slaap gevallen was.

'Aan jou heb ik ook niks,' fluisterde ze, en ze staarde voor zich uit. Ze voelde zich niet helemaal op haar gemak. Er was iets mis. Matt klonk alsof er iemand mee had zitten luisteren naar hun gesprek. Dat was natuurlijk ook zo, waarschijnlijk. Hij kon moeilijk vrijuit spreken als Neil Freeman kon horen wat hij te zeggen had.

De kamer waarin Poppy's bedje het grootste deel van de ruimte innam was schemerig, en ze zag haar kindje, dat zoet lag te slapen tussen haar lievelingsknuffels. Ze was bijna onmiddellijk in slaap gevallen zodra Lou haar had neergelegd, en nu lag ze daar met haar mollige wangetje, dat zo'n mooi, gladde, lijn had, en haar handje boven de dekens, met gespreide vingertjes. Het leek wel een kleine roze bloem. Poppy's haar viel in kleine pijpenkrulletjes. Gesponnen goud, dat was een heel goede omschrijving. Jemig, waar kwam al die poëtische onzin ineens vandaan? Lou liep het kamertje uit en voelde zich een beetje suf. Toch kon ze die prettige gloed van tevredenheid en geluk niet onderdrukken, die vooral te maken had met het lekkere glas wijn dat ze zichzelf in het vooruitzicht had gesteld. Maar voor een deel had dat gevoel ook te maken met het feit dat haar dochter in een diepe slaap in de kamer naast haar lag. Misschien kreeg ze het nu toch te pakken, dat moederlijke. Ze zou dat glas wijn inschenken en dan nog één keer het filmscript doornemen voor ze ermee naar Ciaran Donnelly zou gaan.

Ze ging zitten en nam een flinke slok van haar wijn. Opa's boek lag op tafel, en ze pakte het op, heel voorzichtig, zoals ze altijd deed. Ze zag het nog altijd als een levend stuk van haar grootvader, ook al zou niemand anders het zo zien. Een boek dat niet meer in de handel was, en dat zelfs toen het pas verschenen was geen bestseller was. Maar nu was er toch wat hoop dat het opnieuw zou worden uitgegeven, en dan zouden andere mensen het ook weer kunnen lezen. Wat zouden die ervan vinden? Zelfs als het echt zou gebeuren, en dat was nog helemaal niet zeker, dan maakte het niet uit voor wat ze van het script had gemaakt.

Ik vraag me af of ik het goed heb gedaan, dacht ze. Hoe zou het eruitzien als film? Sommige dingen waren zo lastig te beschrijven. Bijvoorbeeld de scène waarin Peters kleine zusje doodgaat. Ze wist het precies te vinden.

Dulcie zei dat het niet zijn schuld was, maar dat was het wel. Zij wist er niks van. Hij haatte de baby. Hij was meestal niet zo slecht, maar toch was het zo. Hij had haar vermoord. Dulcie kwam het hem vertellen. 'Je moet een flinke jongen zijn, lieverd,' zei ze tegen hem. 'Je arme kleine zusje is dood.'

'Dat weet ik,' fluisterde hij. 'Ik heb haar vermoord.'

'Hoe kom je daarbij! Waarom zeg je zoiets, in vredesnaam? Je bent een stoute jongen, weet je dat? Dit heeft helemaal niks met jou te maken. Het gaat om die arme kleine Mary... en nu wil jij weer aandacht voor jezelf. Dat is niet... Dat helpt niet bepaald. Wij zijn namelijk allemaal erg verdrietig. Je arme moeder...'

Ik ben niet verdrietig. Ik haatte haar. Peter zei het niet hardop. Zulke dingen kon je niet zeggen. Maar je kon ze wel denken. Dat wezen – hij kon haar niet bij haar naam noemen – was afgrijselijk. Haar huid was grauw en klam en haar vingers waren niet meer dan een stel piepkleine botjes. Ze had een gigantisch hoofd, veel te groot voor dat magere lijfje. Als ze ademhaalde, zag je haar hart zowat uit haar vel barsten. En hij had haar vermoord. Hij lag altijd in het donker en stelde het zich voor: je hoefde er niet zoveel voor te doen. Je hoefde alleen maar een poosje een kussen op haar gezicht te leggen en dan zou ze ophouden met ademhalen, en dat was dat. Peter zou haar dan nooit meer hoeven te zien, en nooit over haar te hoeven nadenken. Dan zou hij net kunnen doen alsof ze nooit geboren was. Dan kon hij vergeten hoe de benen van zijn moeder onder het bloed hadden gezeten. Hoe ze gilde. Dan zou hij nooit meer hoeven te luisteren naar het gehuil van de baby, want dat sneed hem dwars door zijn hart als hij het hoorde; het sneed zijn hart in kleine stukjes en die stukjes voelde hij pijnlijk door zijn lichaam dansen. Zijn moeder was ziek. Ze werd steeds magerder en ze had geen kracht meer om nog met hem te praten. De laatste keer had ze hem nauwelijks aangekeken. Niet echt. Ze wilde hem niet spreken. De baby, dat was het enige waar ze in geïnteresseerd was en dus wenste hij nog vuriger dan eerst dat de baby dood zou gaan. Ga dood, ga dood, prevelde hij in zichzelf. Ik wil dat je dood gaat. Ik wil niet dat jij daar ligt, naast mama. In haar armen. Te zuigen aan haar borsten. Er zat geen melk in zijn moeders borsten, en dus was de baby inderdaad doodgegaan. Dat was de reden. Het had helemaal niks met hem te maken, althans, niet echt, maar toch had Peter het gevoel van wel. Hij had het gevoel dat hij het had laten gebeuren. Ik heb haar vermoord. Mijn eigen zusje. Hij deed zijn ogen dicht en het enige dat hij nog kon zien was zijn hand, die zich uitstrekte door het donker, als een monsterlijke klauw, over de slapende lichamen van de andere kinderen in zijn barak. Als een slang baande die klauw zich een weg door het kamp, langs de latrines, tot in de barak van zijn moeder, haar bed in en over de neus en mond van de kleine Mary. Die broodmagere skeletbaby die niet wilde leven. Die liever echt een skelet wilde zijn. Haar vermoorden. Het kon. Als je iets maar vaak genoeg wenste, dan kon je wens uitkomen. Niemand wist het, niet met zekerheid.

Lou nam een slok wijn. Eerst deze scène, en dan later de dood van de moeder van de jongen. Hoe had haar grootvader, haar lieve, milde, een beetje strenge en ernstige opa, zo'n scène kunnen bedenken? Het leek totaal niet op hoe ze hem in het echt had gekend. Nou ja, zo ging dat waarschijnlijk met echte goede romanschrijvers: die hadden het vermogen om zich in totaal verschillende mensen in te leven. Schrijvers moeten zich vaak in hun karakters verplaatsen. Ze moesten zich in diezelfde omstandigheden inleven, hoe verschrikkelijk die ook waren. Voor opa was het vast gemakkelijker dan voor sommige anderen, omdat hij tenslotte echt in een jappenkamp had gezeten. Hij had dus veel minder onderzoek hoeven doen dan de meeste anderen, maar de kracht van deze scène was opmerkelijk. Misschien kon Constance de gedachte dat hij zoveel in zijn eigen hoofd leefde niet verdragen. Misschien was dat wel een van de redenen waarom hij zo'n moeizame relatie met haar had. Als hij wel met zijn vrouw had kunnen praten over hoe vreselijk het in het kamp was geweest, dan had hij misschien het boek helemaal niet hoeven schrijven. Lou glimlachte toen ze zich probeerde voor te stellen hoe Constance zou hebben gereageerd op een omschrijving van het leven in het kamp:

O engel, wat is dit wal-ge-lijk! Mijn hemel, is het echt nodig dat we ons met dat soort affreuze zaken bezighouden? Dat is toch alweer zo lang geleden, gelukkig, en ons leven nu heeft toch helemaal niets meer wat je daar aan kan doen denken. Ga lekker golfen of iets dergelijks. Wat heeft het voor zin om te zwelgen in dit soort zaken? Ik heb er niets tegen dat je een boek schrijft, lieve, maar wie zit er op te wachten om dit soort gruwelijkheden te lezen? Waarom schrijf je niet een fijne komedie? Of een detective? Mensen zijn dol op detectives, toch?

Ze heeft vast geprobeerd om hem ervan te weerhouden, en toen hij toch volhield is ze vast alle interesse in zijn hele schrijverij verloren en dat was dat. Lou bedacht zich nog iets anders. Hij had haar bepaalde delen van het boek voorgelezen toen ze nog heel jong was, alsof hij wist dat zij degene was die dit wel zou waarderen. Maar aan Matt had hij nooit iets voorgelezen. Dat wist Lou, want dat had haar vader haar verteld.

'Je mag je wel vereerd voelen,' had hij gezegd. 'Misschien weet hij wel dat jij de enige bent die *Blinde maan* echt interessant vindt.'

Ze wist ook wel dat ze bevoorrecht was. Ze was vernoemd naar John Barringtons echte moeder, en ook al was het maar een roman, uit *Blinde maan* bleek duidelijk dat John dezelfde liefde voor haar had gevoeld die Peter voelde voor zijn moeder. Zoiets kon je niet verzinnen. Opa had heel veel van zijn moeder gehouden. Dat was wel duidelijk.

Ze stond op van de bank en pakte haar script. De dood van Annette, het moment waarop Peter ineens beseft hoe Dulcie werkelijk is, het moment waarop hij alles begrijpt: dat was de scène die echt heel goed moest zijn. Die moest echt werken.

'Leuk hoor, dit,' zei Matt, terwijl hij zich ontspande in de kussens. Ellies kleine souterrain was ingericht in een wat bohémienachtige stijl, vond hij: heel veel kussens met satijnen en fluwelen hoesjes, en veel te veel dingen aan de muur, naar zijn smaak. Het was er ook niet echt schoon, en vreselijk rommelig, maar toch was het gezellig. Stapels tijdschriften, een paar boeken, hier en daar een beeldje, en nogal imposante gordijnen van brokaat die weliswaar betere tijden hadden gekend, maar nog altijd indruk maakten. Licht oranje, dacht hij. Dat zou Phyl wel interesseren, de kleuren in Ellies appartement en hij vroeg zich meteen af of hij de waarheid wel had moeten verzwijgen. Hoe dan ook, het was nu toch te laat. Hij had haar nu dat verhaal over Neil Freeman al op de mouw gespeld. Nu zou hij iets moeten verzinnen over hun etentje.

Er was niet echt een reden waarom hij Phyl niet kon vertellen dat hij hier nu zat. Justin was immers Ellies zoon. Hij wilde zich beklagen, stoom afblazen enzovoort, dus wat was er dan logischer dan dat hij op bezoek ging bij de moeder van die jongen? Maar hij wist dat Phyl hoe dan ook jaloers zou zijn. Ze probeerde haar gevoelens over zijn ex-vrouw altijd te verbergen, maar toch kwamen ze altijd op de een of andere manier aan de oppervlakte. Bijvoorbeeld in het subtiele samenpersen van haar mond, telkens als Ellie ter sprake kwam. Ze had er zelf geen idee van dat ze dat deed, maar Matt begreep prima wat het inhield.

'O schat, veel van mijn spullen staan nog in de opslag,' zei Ellie vanuit de keuken, waar ze thee aan het zetten was. Gek was dat met ex-vrouwen, dacht hij, en hij vroeg zich af of andere mannen dat ook zo voelden. Het was misschien net als wat met eendenkuikens gebeurde: die hechtten zich toch ook aan de eerste grote eend die ze zien? Ze gaan een band aan met die ene eend en marcheren onmiddellijk achter haar aan naar de vijver, of waar ze hen ook maar mee naartoe neemt. En baby's, waren die niet op precies zo'n manier op hun moeder gefixeerd? Ik denk dat zoiets ook met mij is gebeurd, wat Ellie betreft. Ik hield zoveel van haar dat het maar niet lukt om de… Hoe noem je dat?... De restanten van die liefde van me af te schudden. Een van die restanten was het verlangen. Zijn seksuele verlangen naar haar was nooit verdwenen. Ze is veel te snel bij me weggegaan, dacht hij. We zijn niet lang genoeg getrouwd geweest om haar zat te worden, in bed. Hij glimlachte. Zou een man Ellie überhaupt ooit zat worden in bed? Zou het met haar ooit een sleur worden? Wat hij wel wist, was dat zijn hele lichaam zich haar nog jaren herinnerde, nadat ze bij hem weg was gegaan, en dat het heel wat wilskracht had gekost om haar uit zijn hoofd te zetten als hij met Phyl aan het vrijen was. Wat niet altijd lukte. Het was een gênant geheim en hij had zich er heel lang vreselijk onder gevoeld, maar allengs waren de herinneringen aan Ellie steeds meer vervaagd en kwam de gedachte aan hoe het met haar was nog maar heel af en toe bij hem op. En toen was ze ineens weer verschenen, op Constances begrafenis, en daarmee kwamen ook alle herinneringen terug.

'Alsjeblieft, lieverd. Zo.' Ellie schonk de thee in. 'Vertel me dan nu maar eens wat je over Justin te roddelen hebt.' Ze droeg een soort kimono. Hij leek wel van zijde, en hij was helemaal bedrukt met felroze bloemen tegen een achtergrond van donkergroene bladeren. Terwijl ze hem zijn kopje overhandigde, boog ze zich naar voren, waarbij haar kimono openviel en hij een glimp opving van de roomkleurige kanten beha die moeite leek te hebben om haar borsten binnenboord te houden. Ze ging rechtop zitten, en alles zag er weer fatsoenlijk uit. Ze zei: 'Wat heeft hij nu weer uitgespookt?'

Matt vertelde haar over Eremount en het wellnesscentrum en de gigantische bom duiten en Ellie hoorde hem zwijgend en met volle aandacht aan. Toen hij klaar was, nam hij in afwachting van haar medeleven een slokje thee, die lauw was geworden, zo lang was hij aan het woord geweest.

'Volgens mij,' zei ze uiteindelijk, 'maak jij van een mug een olifant.'

'Wat?' Matt kon zijn oren niet geloven. 'Dus je wilt zeggen dat jij aan zijn kant staat? Ik... ik ben verbijsterd, Ellie. Jij ziet toch ook wel dat...'

'Kalm, kalm, schatje. Jij bent degene die het hier niet helemaal scherp ziet, hoor. Dit gaat jou helemaal niet aan. Justin is eigenaar van het huis, en oké, het was wel een schok toen bleek dat Constance had besloten om het landgoed aan hem na te laten, maar daar moeten we toch zo langzamerhand wel overheen zijn, toch? We hebben ons er maar bij neer te leggen.'

'Maar het was mijn huis, verdomme.'

'Doe niet zo krankzinnig, Matt. Het is al jaren jouw huis niet meer. Wat kan jou het schelen dat het er straks vol ligt met dames van middelbare leeftijd die zich in vijf verschillende soorten warm water onderdompelen? Laat het gaan.'

'Het is niet eerlijk!' Zodra hij die woorden had gezegd, realiseerde hij zich hoe kinderachtig hij klonk. Ellie moest lachen. 'Nou en?' zei ze. 'Kom eens hier…' Ze klopte op de bank en Matt ging naast haar zitten. Het zou niet galant zijn om te weigeren. Zodra hij binnen handbereik was, sloeg Ellie een arm om hem heen en trok hem nog wat dichterbij.

'Ik zal je wel eens even opvrolijken, schatje,' zei ze, en voor hij wist wat er gebeurde, voor hij zich terug kon trekken en iets kon doen om het te voorkomen… Wilde hij het eigenlijk wel voorkomen? Niet echt, o god, hij wilde het helemaal niet voorkomen. Hij wilde het, ja, hij dacht al dagen bijna nergens anders meer aan. Weken, zelfs… Ze had haar mond op de zijne gedrukt en zijn lippen weken onder de hare. Het was als een liedje dat je nooit meer zong, maar dat je je noot voor noot bleek te herinneren. Hij kreunde en wilde zich terugtrekken, maar Ellie had een hand in zijn haar en hield zijn hoofd zo vast dat hij zich niet kon bewegen. Ze stopte heel even met kussen en zei: 'Ga met me mee naar bed. Nu.'

'Dat kan niet, Ellie, dat is gekkenwerk. We moeten hier meteen mee ophouden. Nu. Echt onmiddellijk.'

'We hoeven helemaal niet op te houden. Toe, Matt, je wilt het zelf ook. Dat zie ik heus wel.'

'Ik moet weg, Ellie…' stamelde hij.

'Ga nou niet. Blijf toch bij me. Nog even. Toe nou.'

'Het kan niet. Dat weet je heel goed.'

'Maar je wilt het wel. Zeg dat je het wilt. Je wilt me, hè?'

Hij ging zitten, heel bang ineens, zodat de erectie die hij had proberen te verstoppen in een tel verdween. Angst voor ontdekking, angst dat Phyl erachter zou komen: het had al zijn lustgevoelens verjaagd. 'Nee, ik wil je niet, Ellie… Het kan niet, begrijp je dat dan niet? Ik kan het Phyl niet aandoen.'

'Het lijkt me eerlijk gezegd dat je al halverwege was.'

'Dat was ik niet, Ellie. Het moet… Ik voelde me… Nou ja, het was een zwak moment. Ik wilde alleen maar…'

'Oké, schat. Ik zal geen moeilijkheden maken. Maar je komt echt wel weer terug, hoor, dat weet ik zeker. Dan weet je weer hoe het kan zijn, en dan kun je toch niet bij me wegblijven.' Ze lachte. 'Misschien chanteer ik je wel om je terug te krijgen. Dan zeg ik: "Kom hier, anders vertel ik het aan Phyl."'

'Wat ga je haar dan vertellen? Er is helemaal niks gebeurd.'

Ellie haalde haar schouders op. 'Volgens mij is er genoeg gebeurd. Je bent hier naartoe gekomen in plaats van naar huis te gaan, toen je boos was. Dat zegt wel wat.'

'Nee, dat zegt niets. Justin is jouw zoon. Daarom kwam ik hier. Ik vond dat jij moest weten waar hij mee bezig is.'

'Dat had je me toch ook gewoon aan de telefoon kunnen vertellen?'

'Ja, maar…'

Ellie glimlachte. 'Je was op zoek naar troost. Van mij. Niet van haar.'

'Ach, Ellie, in godsnaam, hou hier mee op. Het was maar een kus. Meer niet. Laten we erover ophouden, ja?'

'Als jij dat wilt.'

'Ja, dat wil ik. En ik ben al laat, dus ik moet echt weg.'

Ze stonden op en liepen samen naar de voordeur. 'Geef dan tenminste nog een afscheidskus,' zei Ellie, en ze boog zich naar hem toe. Ze stond daar met verleidelijk bedoelde, getuite lippen. Matt kuste haar zo afgemeten mogelijk en ging het huis uit. Toen hij de deur achter zich dichtdeed, voelde hij een mengeling van misselijkheid, opluchting en spijt.

Toen hij eenmaal veilig en wel in de auto zat, keek hij op en zag zichzelf in de spiegel. Wat had hij nou gedaan? Niets. Niet echt. Het was maar een kus. Even heel dicht bij Ellie zijn, na jaren en jaren met Phyl. De onrust die hij voelde kon gewoon worden toegeschreven aan een onverwachte herontdekking van iets van jaren en jaren geleden. Het had echt niets te betekenen. Maar die borsten, zo romig onder de zijden plooien van de kimono... Hij schudde zijn hoofd. Niet aan denken. Hij dacht expres weer aan Justin in een poging dat vage verlangen te vervangen door de irritatie die hij had gevoeld toen hij op Portland Place aankwam.

'Pot. Lesbo. Dat soort dingen.' Nessa zat aan haar kaptafel en smeerde crème op haar gezicht. Mickey, die al aangekleed was, lag uitgestrekt op de chaise longue, klaar om naar kantoor te gaan. 'Als ik besluit om geen geheim te maken van onze relatie, dan gaat hij zoiets zeggen. Want dat soort dingen zegt hij ook altijd over jou, Mickey, en dit zal het er niet veel beter op maken. Hooguit slechter. Dus ik zou echt liever niet... Nou ja, ik zou het liever nog even...'

'Je zou het liever geheim willen houden, bedoel je. Wat we in bed doen, vind je allemaal wel lekker, maar je bent niet dapper genoeg om het toe te geven. Van twee walletjes eten is wel een specialiteit van jou hè, Nessa?'

'Ik eet helemaal niet van twee walletjes. Ik wil alleen Tamsin beschermen en er zeker van zijn dat haar vader niet om de voogdij gaat vechten. Ik weet wel dat je Gareth een beetje dommig vindt, maar hij heeft hier gek genoeg heel stellige ideeën over. Hij zou zeggen dat ik niet geschikt ben als moeder. Zoiets. En ik zou het gewoon niet aankunnen als ik Tamsin kwijt zou raken.'

'En jij denkt dat de rechter in zo'n geval zijn kant zou kiezen? Wie zou het in godsnaam in zijn hoofd halen om jou een slechte moeder te noemen?'

'Mickey, doe alsjeblieft niet zo naïef. Een rechter met dezelfde vooroordelen als Gareth zou dat doen, en ik geef je op een briefje: die zijn er zat. Gareth zou doen alsof we hier aan de lopende band woeste orgieën hebben, en dat Tamsin gevaar loopt om ook lesbisch te worden. Dan kan ik dat gedeelde ouderschap wel op mijn buik schrijven. Misschien raak ik dan zelfs het huis wel kwijt. Dat wil ik absoluut niet, Mickey. En als jij van mij hield, dan zou je dat begrijpen.'

'Ik begrijp het ook. Maar daarom hoef ik het nog niet leuk te vinden. Waar het allemaal op neerkomt, uiteindelijk, is dat jij je schaamt. Dat kan niet anders.'

Nessa ging door met het aanbrengen van haar make-up. Ze boog zich naar de spiegel en deed haar ogen wijder open om mascara op te doen. Ze hadden die nacht bij Nessa thuis geslapen, omdat Tamsin bij haar vader was. Het zou perfect zijn geweest, als ze niet in deze verdomde ruzie verzeild waren geraakt, vlak voor het opstaan. Ze had eerst helemaal niets gezegd en na een poosje was Mickey toen maar uit bed gegaan.

'Ik ga ontbijt maken. Ik zie je wel weer beneden. Als we nog aan het werk willen, mogen we wel opschieten.'

Ze had de deur nog net niet achter zich dichtgeslagen, maar het scheelde niet veel. Nessa voelde de irritatie door de lucht golven, als een onzichtbare trilling. Ze deed haar ogen dicht en haalde diep adem. Mickey had gelijk. Nessa kon het wel voor zichzelf toegeven, maar ze zou het nooit tegen iemand anders willen zeggen. Een deel van haar – oké, niet een heel groot deel, maar toch – vond het hele gebeuren wel degelijk een tikje vreemd. Een beetje gêne had zich ergens diep in haar hersens vastgezet, en ze deed ontzettend haar best om ervanaf te komen, want ze hield ontzettend veel van Mickey, en de seks van ongelofelijk.

Ze bloosde al bij de gedachte. Hoe vaak had ze al niet gesprekken tussen vrouwen bijgewoond waarin gekletst werd over dat die-en-die er met een andere vrouw vandoor was? Nooit enige lesbische neigingen gehad, en moest je haar nu eens zien! Heeft zomaar haar man en bloedjes van kinderen in de steek gelaten voor een andere vrouw! Nou vraag ik je? Wij zouden zoiets niet in ons hoofd halen – ondenkbaar. Volkomen. Wij hebben nooit enige aanvechting gevoeld om zelfs maar te zoenen met een andere vrouw, laat staan dat we ooit iets van al dat andere zouden doen… Wat deden ze trouwens in bed? Had iemand daar ervaring mee? Vreemd genoeg had niemand dat ooit. Geen enkele vrouw binnen Nessa's kennissenkring was ooit op de proppen gekomen met verhalen uit een lesbisch verleden, laat staan met details over 'wat ze in bed deden'. Er gingen geruchten over dildo's en apparaten en seksuele hulpmiddelen, maar niemand wist er het fijne van. Tenminste, dat zeiden ze. Misschien waren er wel meer vrouwen zoals zij onder haar kennissen: verliefd op een vrouw, maar niet dapper genoeg om daarvoor uit te komen.

Ik zal wél dapper zijn, dacht ze. Ik schaam me niet voor Mickey. Ze stelde zich een scenario voor waarbij iedereen rond de tafel zat, bij Matt en Phyl thuis, en zij was er ook, samen met haar minnares, in plaats van met Gareth. Phyl zou het niet erg vinden. Die was altijd al heel tolerant geweest. Te tolerant, wat Nessa betrof, want ze trok nooit eens een grens. Het feit dat ze altijd zo slap en zo overdreven aardig was geweest had Nessa gruwelijk geïrriteerd, toen ze puber was. Bij Phyl had je niets om tegenaan te schoppen, en ze gaf je altijd het gevoel dat je een monster was, om zo tekeer te gaan. *Als ik vriendelijk en redelijk ben, waarom ben jij dat dan ook niet?* was de boodschap die ze uitstraalde en de jonge Nessa kon haar wel slaan om die reden. Phyl zou nu wel weer precies zo reageren.

Matt was een ander verhaal. Zijn houding ten opzichte van homoseksuelen was redelijk modern en verlicht, maar dat was nog nooit in de praktijk getoetst. Geen vooroordelen hebben als je artikelen las of moest lachen vanwege iets op televisie was één ding, maar om een lesbisch stel welkom te heten bij je thuis was een heel ander verhaal. Vooral als een van die twee lesbo's je stiefdochter was. Maar nee, hij zou vast niet moeilijk doen. Hij zou er geen toestand van maken, maar ze wist zeker dat hij zich stiekem toch zou afvragen hoe dat dan moest met het welzijn van Tamsin. Het is al erg genoeg om een kind te zijn van gescheiden ouders, zou hij denken, maar dan ook nog een moeder die lesbisch is!

Ik zou het aan Ellie kunnen vertellen. Die zou alleen maar lachen en vragen naar wat zij ongetwijfeld 'de vunzige details' zou noemen. Het zou me trouwens niet eens verbazen, dacht Nessa, als ze zelf ook het een en ander op dat gebied had uitgevreten. Altijd alle seksuele tijdperken ver vooruit, die Ellie. De gedachte om haar in vertrouwen te nemen zou geruststellend zijn. Nessa zou dan iemand hebben met wie ze het over Mickey kon hebben, maar het probleem was dat je Ellie nooit een geheim kon vertellen. Discretie was niet haar sterke punt. Nee, het was veel beter om het allemaal maar onder de hoed te houden. Trouwens, dacht ze, terwijl ze naar beneden liep om het goed te maken met Mickey, ik vind het hartstikke leuk om iets te weten, iets te doen, waar verder niemand vanaf weet. Zo was het: ze hield van geheimzinnigheid. Het gaf haar een kick als mensen niet beseften wie ze was: dat ze aannamen dat ze een bepaald soort vrouw was, terwijl ze in werkelijkheid volkomen anders was. En het is al zoveel jaren geleden dat ik zo'n overweldigend verlangen heb gevoeld, dat ik zo graag altijd bij iemand wil zijn, dat ik haar naam tegen iedereen wil zeggen, dat ik haar wil, en wil en wil. Ik hou van haar. Ik ben verliefd op haar, dacht ze. Ik ben verliefd op een vrouw. Nessa schudde haar hoofd. Het was zo, en toch aarzelde ze, wilde ze het aan niemand vertellen, en had ze het gevoel alsof... alsof deze relatie een soort duizelingwekkend zalige vakantie was als onderbreking van haar echte leven. Dat het niet echt zo was.

8

'Zou ik Ciaran Donnelly misschien kunnen spreken?' De vrouw die opendeed voor Lou zag eruit alsof ze kunstmatig uitgerekt was: ze was maar een paar centimeter langer dan gemiddeld, maar ze was zo verschrikkelijk dun dat Lou, die in het voorportaal van het huis van Donnelly stond, het gevoel had alsof ze boven haar uit zwaaide. Lou had voor deze ene keer Poppy's buggy op het kinderdagverblijf laten staan, met permissie van mevrouw Warren, die erbij keek alsof ze toestemming gaf om een tank binnen te parkeren. Lou had voor de gelegenheid een rokje aangetrokken en dat voelde wonderlijk, na maanden in broeken te hebben gewoond. Haar schoenen, die voor haar doen nogal hoge hakken hadden, deden haar verlangen naar haar gymschoenen.

Het had eeuwen geduurd voor ze genoeg moed had verzameld om de oprit op te lopen en aan te kloppen, maar uiteindelijk had ze het toch gedaan. Ze was wel teleurgesteld dat de man zelf niet open had gedaan, maar dat was natuurlijk belachelijk. Natuurlijk zou een topproducent uit Hollywood personeel hebben: een secretaresse, een personal assistent, of zelfs een huishoudster. Hoe kwam ze erbij dat hij net als een normaal mens zelf zijn deur zou opendoen?

'Het spijt me, maar meneer Donnelly heeft het vanochtend nogal druk. Kan ik u misschien helpen?' Dat is wat ze zei, maar uit

273

haar lichaamstaal, en de manier waarop ze in de hal stond, sprak dat ze klaar was om eenieder die een voet over de drempel waagde af te maken.

'Harry Lang heeft me gestuurd. Ik werk voor Cinnamon Hill Productions, en ik…'

'Wie is dat, Monique? Waar blijft mijn koffie?' Een kleine, dikke man, die veel weg had van de kerstman zonder uniform, stak zijn hoofd om de deur van een van de kamers die op de hal uitkwamen. 'Hoorde ik daar de naam Harry Lang?'

'Ja, dat zei ik,' zei Lou, en ze helde over naar rechts, zodat deze man – dat moest Ciaran Donnelly zelf zijn – haar kon zien. Ze schonk hem een glimlach en probeerde zo nonchalant mogelijk te doen, alsof het persoonlijk afleveren van filmscripts dagelijkse kost voor haar was.

Monique was zo vriendelijk een stap opzij te doen en meneer Donnelly zei: 'Kom binnen, kom binnen… Monique, koffie graag. Drink je ook een kopje mee?'

'Ja, graag.' Lou stapte naar binnen. 'Maar ik wil u verder niet storen.'

'Je stoort niet, *I swear*. Ik verveel me helemaal te pletter. Ik krijg alleen maar telefoontjes van mensen die om geld zeuren. Vind jij dat ook zo erg?'

Hij klonk Amerikaans, vond Lou, ook al bespeurde ze nog steeds een licht Iers accent in zijn stem. Ze zei: 'Mij belt nooit iemand om geld, en als ze het wel zouden doen: ik heb niks.'

Ciaran Donnelly bulderde van het lachen, harder dan haar grapje verdiende, en ging toen achter een bureau zitten dat vol lag met cd's, boeken, kranten, tijdschriften en papieren. Ze kon hem pas goed zien toen hij daar wat van had opgeruimd. Dat deed hij door een stapeltje op te pakken dat hij lukraak op een stoel gooide, die eigenlijk al vrij vol met spullen lag.

'Dus Harry Lang heeft je gestuurd. Waarom?'

'Er is een script waar u even naar moet kijken, vindt hij.' Lou werd rood van schuldgevoel. Ciaran Donnelly was zo aardig, zo vriendelijk tegen haar, en zij zat hem te bedotten. En het was ook al niet zo netjes tegenover Harry.

'Hij zit in de States, toch?'

'Ja, hij stuurde me een e-mailtje...' begon Lou, maar toen hield ze het niet meer. Ze stond op. 'Sorry, meneer Donnelly. Ik heb iets heel ergs gedaan. Ik moet gaan... Het is... Ik ga maar. Echt. Ik wil u niet verder lastigvallen...' Tot haar totale verbijstering en ontzetting stonden de tranen in haar ogen, en ze had nog nooit zo vurig gewenst dat ze ergens anders was. Waar dan ook. Ze draaide zich om en liep terug over het kleed dat wel een kilometer lang leek, en dat tussen haar en de deur lag.

'Wacht eens even, alsjeblieft. Ik weet niet eens hoe je heet. Toe nou, kom terug en ga even zitten. Je lijkt zo... Je bent overstuur. Ga nou maar gewoon even zitten en haal even diep adem.'

Ze kon het niet. Ze kon het gewoon niet. Waar moest ze de moed vandaan halen om zich om te draaien en hem aan te kijken? Terwijl ze zich afvroeg of ze het op een lopen moest zetten, en de voordeur moest zien te halen, merkte ze dat iemand haar stevig bij de arm pakte en haar als een invalide naar de leren stoel bracht die voor het bureau stond. Zachtjes werd ze daar ingeduwd.

'Het spijt me,' zei ze weer. 'Ik moet gaan. Echt, u...'

'Hou nou maar op met die excuses, juffrouw... Zou ik mogen weten hoe ik u moet noemen?'

'Ik heet Lou. Louise Barrington.' Lou snufte. Ze deed ontzettend haar best om niet te janken van schaamte. Hoe had ze het in godsnaam in haar hoofd gehaald? Dacht ze nou echt dat dit krankzinnige plan ooit had kunnen werken? Stom. Stom en roekeloos, en als Harry er ooit achterkwam zou hij nooit meer met haar praten, en nooit meer een van haar leesverslagen lezen, laat staan dat hij zich romantisch met haar zou willen inlaten. O god, dacht ze, laat me ontsnappen uit deze ellende, dan beloof ik dat ik nooit, nooit, nooit meer zoiets krankzinnigs zal doen.

'Het is me een genoegen, Louise. Zo,' zei hij stralend vanaf de andere kant van het bureau, 'vertel me dan nu maar eens waarom je zo overstuur bent. Ik ben nieuwsgierig. Echt. Want van wat je me tot nu toe hebt verteld, begrijp ik geen bal. Harry Lang heeft een script gestuurd, en nu heb jij een paniekaanval.'

'Harry weet helemaal niet dat ik hier ben. Dit is allemaal mijn eigen idee. Ik wilde... Nou ja, ik wilde zo graag dat u mijn script zou lezen, en ik dacht eerst dat dit wel een slimme manier was om dat voor elkaar te krijgen. Maar het is belachelijk, dom en onprofessioneel en als Harry het zou weten, zou hij me vermoorden. Alstublieft, vertel hem niet dat ik hier ben geweest. Zou u dat voor me willen doen?'

'Ik zou het niet durven. En bovendien ben ik nu geïntrigeerd. Waarom heb je dit script niet gewoon aan Harry zelf laten zien?'

'Ik dacht... Ik denk dat hij me misschien niet zou zeggen wat hij er echt van vindt, omdat hij me kent. Misschien wil hij me niet kwetsen, en dan zou hij niet helemaal eerlijk tegen me zijn. En ik wil graag iemand die er honderd procent eerlijk over is.'

'Dus je werkt voor Harry? Als wat?'

'Niks belangrijks. Ik lees dingen die mensen opsturen naar Cinnamon Hill en dan schrijf ik leesrapporten over de scripts die me de moeite waard lijken.'

'Niks zeggen: je leest zoveel rotzooi dat je het zelf maar eens wilde proberen, zit het zo?'

Lou schudde haar hoofd. 'Nee, dat is niet de reden waarom ik dit heb geschreven – dit specifieke script, bedoel ik.' Ze haalde diep adem. 'Ik bedoel, ja, ik heb altijd al willen schrijven voor de film, maar dit... Nou ja, dit is iets persoonlijks. Dit is een bewerking van een roman die mijn grootvader heeft geschreven. *Blinde maan*, heet het boek.'

'Dus jouw opa heeft een boek geschreven? Oké, Louise Barrington. Ik zal je zeggen wat er gaat gebeuren. Ik moet je eerlijk zeggen dat mijn nieuwsgierigheid nu wel geprikkeld is. Dus ik zal je script lezen, en dan bel ik je om je te vertellen wat ik ervan vind. En we hebben het er allebei niet over met Harry. Afgesproken?'

'Echt waar? Wilt u dat doen? Ik weet niet wat ik moet zeggen. Dat is... dat vind ik echt heel aardig van u. Ik... ik ben sprakeloos. Sorry, dat is een beetje dom, maar ik kan niet...'

Hou je mond nou eens, dacht Lou bij zichzelf, straks vindt hij je een wauwelneus en bedenkt hij zich nog. Ze glimlachte en gaf hem de map die ze tegen haar borst gedrukt had gehouden. Hij nam hem van haar aan en legde hem boven op een enorme en wankele berg papier. Lou keek de kamer rond. Ze zag minstens tien van dit soort mappen liggen. Waarschijnlijk waren dat ook scripts. Heel even vroeg ze zich af of het hier nu allemaal mee zou eindigen. In die andere mappen zaten hoogstwaarschijnlijk veel betere scripts dan die van haar; commercieel interessantere, artistiekere, hoe dan ook betere. Ze had geen schijn van kans, dat was haar nu wel duidelijk. Maar toch, Ciaran Donnelly was bereid om te lezen wat zij had geschreven.

'Ontzettend bedankt,' zei ze terwijl ze opstond. 'Het is echt ontzettend aardig van u.'

'Niks te danken, niks te danken,' antwoordde hij, en hij kwam achter zijn bureau vandaan en begeleidde haar naar de voordeur. 'En mondje dicht tegen Harry, hè?'

'Graag. Ik ben u echt erg dankbaar.'

'Het is me een genoegen, Louise,' zei Ciaran Donnelly. 'Ik verheug me erop te lezen wat je allemaal hebt geschreven. Je hoort van me...'

Lou had het gevoel alsof ze de oprit af zweefde. Was ze nou maar zo slim geweest om Ciaran Donnelly te vragen waarom. Waarom zou hij een script willen lezen van iemand die zo maar bij hem had aangeklopt? En waarom hij ook nog eens zijn mond wilde houden tegen Harry. Ach, wat maakt het uit, hij zou het lezen, dus nu kon ze alleen nog maar afwachten. Ze had geen idee hoe lang het zou duren voor ze iets van hem zou horen, maar ze had geduld. Als hij het maar niet zou vergeten, zodat het onder het script van iemand anders terecht zou komen, dacht ze. Pas toen ze in de metro zat op weg naar Poppy's kinderdagverblijf besefte ze dat Monique die koffie waar Ciaran Donnelly om had gevraagd nooit was komen brengen. Misschien was dat wel uit protest, omdat haar baas het van haar had overgenomen en Lou zo maar had binnengelaten.

'Ik heb dit echt wel eens eerder gedaan hoor, Lou,' zei Phyl. 'Poppy heeft immers een paar weken bij ons gelogeerd, weet je nog wel?'

'Ja, maar niet in Londen. Dat is iets heel anders. Je bent helemaal niet gewend aan de metro... en dan is de buggy misschien lastig.' Lou doorzocht haar appartement en liep nu naar het kleine koffertje dat ingepakt naast de deur stond toen Phyl binnenkwam. Ze had een lijst met etenswaren, het telefoonnummer van de huisarts en de nummers van drie taxibedrijven boven de tafel in de keuken gehangen. De kasten barstten bijna uit hun voegen van alle spullen die Lou noodzakelijk achtte voor Poppy's welzijn, de komende achtenveertig uur.

'Ik red me prima met de buggy,' zei Phyl, 'en je hebt genoeg eten ingeslagen voor een hele maand. Dus aangezien je morgenavond alweer terugbent, denk ik dat het allemaal best in orde zal komen.'

'En je moet echt ruim op tijd weggaan als je haar gaat halen, hè? Want er gaat vaak iets mis met de metro.'

'Hou op! Echt Lou, nu ophouden. Ik word stapelgek van je. Je lijkt wel... Ik weet niet eens waar je zo op lijkt. Je hebt nog tijd om iets te drinken voor je weggaat, dus ga nou maar rustig zitten. Toe, zit! Dan zal ik nog even een lekker kopje thee maken.'

'Koffie.'

'Oké, oké, koffie, dan. Zolang jij maar niet meer van je plek komt. Dan regel ik het verder wel. En dan maak ik zelfs een rol koekjes open, wat zou je daarvan zeggen?'

Lou ging op de stoel zitten. Vanuit de keuken riep Phyl: 'Is het nou serieus, met die Harry? Ik bedoel, als hij met je mee gaat naar Parijs…'

'Ik zou de champagne nog maar even dicht laten, mam. Ik heb echt al mijn moed bij elkaar moeten rapen om hem mee te vragen. En toen heeft hij zichzelf uiteindelijk uitgenodigd, toen ik zei dat ik zou gaan.'

'Zomaar, ineens?' Phyl gaf Lou haar beker.

'Nee, niet echt. Het was oorspronkelijk wel mijn idee. Ik had hem gemaild toen hij in Amerika zat. Toen heb ik een hint laten vallen – of nee, eigenlijk heb ik voorgesteld dat hij het misschien leuk zou vinden om mee te gaan. Omdat hij zo dol is op Parijs, en zo. En toen vroeg hij me er verleden week weer naar. Of ik het nou echt meende, dus toen moest ik wel ja zeggen. Ik bedoel, ik had dit tripje al gepland. Ik wilde al eeuwen gaan.'

'Aha…'

'Het is allemaal keurig geregeld hoor, mam. Aparte slaapkamers, en zo. Hij is gewoon een vriend, meer niet.'

Phyl zei: 'Luister, dit is de eerste keer sinds… Nou ja, sinds een heel lange tijd dat jij ook maar een klein beetje interesse toont in een man, dus ik laat mijn hoop op een vriendje niet zomaar varen. Je vindt hem vast aardig. Nou, toe, biecht op. Vind je hem leuk?'

Lou zweeg zo lang dat Phyl zich begon af te vragen of ze misschien te ver was gegaan. Hoelang zou ik eigenlijk nog zo op mijn tenen moeten lopen, vroeg ze zich af. Waarom kan ik haar niet gewoon vragen of ze hem ziet zitten en of het iets kan worden?

'Ik vind hem heel leuk, ja,' antwoordde Lou uiteindelijk. 'Maar ik weet niet zeker of hij mij net zo leuk vindt.'

'Daar kom je dan in Parijs wel achter. Het is toch zo'n romantische stad…'

'Maar jij had eigenlijk moeten gaan. Met papa. Het spijt me zo… Het is mijn schuld dat jullie niet gaan, hè? Zodra ik zei dat ik zou gaan, heeft hij jullie tripje uitgesteld, of niet soms?'

Phyl glimlachte. 'Het geeft niet. We komen er nog wel eens. Je vader is blij met elk excuus om niet ergens naartoe te hoeven. Je kent hem toch? En we zouden toch nooit door de week kunnen gaan.'

'Het is goedkoper, en Harry kan gemakkelijk vrij nemen van kantoor.'

'Dan is het dus heel verstandig dat jullie nu gaan.'

Lou schoot in de lach. 'Jullie zijn wel heel doorzichtig, hoor. Zodra ik de naam "Harry" liet vallen, wilden jullie meteen dat ik in jullie plaats ging. Je zou het wel prettig vinden als ik een vaste relatie met hem kreeg, of niet? Of met wie dan ook.'

Phyl fronste. 'Nu lijkt het zo… ongevoelig. Dat is het niet, Lou. Het enige wat wij willen is dat jij gelukkig bent. En het zou ook goed zijn voor Poppy om een vader te hebben. Als het een goede man is, natuurlijk.'

'Harry is een goede man. Hij is geweldig.'

'Lou? Je klinkt… Het klinkt alsof je het zelf graag zou willen. Wil je het ook echt graag?'

'Ik moet zo gaan, mam. Nou, ik hoop dat jullie het leuk hebben met zijn tweetjes.'

'Goed. Oké. Dat zal wel lukken. Poppy en ik hebben het vast heel gezellig. Maak je maar geen zorgen.'

'Tuurlijk niet. Ik heb haar vanochtend wel verteld dat oma haar op zou halen. Ik geloof dat ze het begreep, maar misschien dat ze toch even schrikt als ze jou ziet. Ik heb haar een heel dikke knuffel gegeven, maar ik weet niet zeker of zij begrijpt waarom dat was.'

'Maak je nou maar niet druk. Ik vrolijk haar wel op als ze jou mist. Het zal je verbazen hoeveel ze al begrijpt! En bovendien ben je weer terug voor ze er erg in heeft dat je weg was.'

'Ja, dat weet ik ook wel. Nou, het wordt echt laat, mam. Ik moet opschieten. Super bedankt dat je dit voor me wilt doen. Zonder jou zou ik het allemaal niet redden.' Lou stond op en trok haar jas aan. Phyl liep achter haar aan naar de deur. Ze had niet gezegd dat ze graag iets met Harry wilde. Ze had de vraag ontweken. Het had geen zin om er nog verder op door te gaan, en dus gaf ze haar dochter een knuffel en zei: 'Ik hoop dat je het heel leuk hebt, schat. Maak je nou maar verder nergens zorgen om.'

Ze keek Lou na, die haar koffer achter zich aantrok op weg naar de lift. Terwijl de metalen deuren zich achter haar sloten, boog ze zich nog een beetje naar voren en riep: 'Ik wil wel, mam. Echt. Heel graag zelfs.'

Phyl glimlachte en ging weer naar binnen. Misschien, dacht ze. Misschien was die Harry wel degene die Lou weer zou omtoveren tot het meisje dat ze was voordat ze Ray tegenkwam.

'Vind je het erg, Lou? Ik heb dat altijd in de trein. Zelfs in de Eurostar. Dan vallen mijn oogleden dicht. Het is niet uit onbeleefdheid, of zo.'

'Het geeft niks, Harry. Ga maar lekker slapen. Ik maak je wel wakker voor we in Parijs aankomen. Poppy was vannacht een poosje wakker, dus misschien ga ik zelf ook nog wel even dutten.'

'Fijn,' zei hij, en hij zakte onderuit in zijn stoel. Binnen een paar minuten was hij vertrokken, en Lou was wakkerder dan ze ooit in haar leven was geweest. Ze staarde naar hem. Hij zat tegenover haar, aan de andere kant van het tafeltje, en ze voelde zich een beetje licht in haar hoofd als ze dacht aan wat er zou kunnen gebeuren. Ze zouden samen in een hotel overnachten. Niet dat ze van plan was om zelf actie te ondernemen, maar misschien dat hij onder invloed van de beroemde Parijse romantiek – waar Lou niet echt in geloofde – in elk geval zou proberen haar echt te zoenen. Ze staarde naar Harry's mond en probeerde zich voor te stellen hoe dat zou zijn. De gevoelens die dit idee bij haar losmaakte wisten haar er in elk geval van te overtuigen dat de gedachte aan seks haar niet meer zo afschrikte. Dat was op zich al iets om te vieren. Ik ben over Ray heen, dacht ze. Dat moet haast wel. Ik kan nu aan hem denken zonder in elkaar te krimpen. Zonder angst.

'Ik boek de kamers wel via internet,' had ze afgelopen dinsdag gezegd toen ze op kantoor was. Terloops en nonchalant vanbuiten, maar gegeneerd en een beetje zenuwachtig vanbinnen. Dit was de eerste keer dat ze weer bij Cinnamon Hill was sinds Harry terug was. 'Voor één nachtje maar. Dan gaan we woensdagochtend weg, en zijn we donderdagavond terug. Ik geloof dat ze een speciaal tarief hebben voor door de week.'

'Ja, geweldig, dat is een briljant plan, Lou. Er is daar iemand die ik moet spreken, en dan kunnen we dat mooi combineren met wat bezienswaardigheden en zo.'

'Ik moet wel bij mijn oudtante langs. Oud-oud-tante, bedoel ik. Dat is de reden waarom ik ga.'

'Tuurlijk. Hartstikke mooi, toch? Het moet wel wat zijn, zeg, dat je haar ontmoet terwijl je niet eens wist dat ze bestond. Ongelofelijk dat jullie elkaar hebben gevonden, eigenlijk. Als jij dan bij haar langsgaat terwijl ik met die kerel afspreek, dan zien we elkaar daarna om wat leuks te gaan doen. Vertel me maar wat mijn kamer kost als je hebt geboekt.'

Hij ging er dus van uit dat ze geen kamer zouden delen. Nou, prima, dacht Lou. Hij kon ook moeilijk van iets anders uitgaan, tenminste niet op basis van hoe ze elkaar nu kenden. Hoe zou je dat eigenlijk omschrijven? Lou wist het niet precies. Harry vond haar leuk. Hij had haar een paar keer hartelijk – maar eerlijk gezegd niet gepassioneerd – gekust. Ze waren een paar keer uit eten geweest, en toen was hij naar de VS gegaan. Nu was hij terug – en ze vergat natuurlijk ook de e-mails niet, die ze koesterde – en waren ze op weg naar Parijs. Samen. Dat zou hij natuurlijk nooit doen als hij niet op zijn minst ietsepietsie in haar geïnteresseerd was.

Harry's hoofd was naar één kant gezakt, en Lou voelde hetzelfde wat ze altijd voor Poppy voelde als die lag te slapen: tederheid, de behoefte om hem te beschermen, het verlangen om hem tegen zich aan te drukken. Belachelijk, toch? Ze deed haar ogen dicht en probeerde aan iets anders te denken. Mme Franchard. Ciaran Donnelly. Het script. Het hielp allemaal niks. Haar gedachten bleven maar afdwalen naar dat hotel dat ze op internet had gevonden en de halve droom over hoe ze op miraculeuze wijze niet in de twee gescheiden kamers zouden belanden die ze had geboekt maar in een weelderige kamer zoals die in de film *Moulin Rouge*. Maar ze wist natuurlijk wel beter.

'Ach liefje, val me niet lastig met de feiten!' Ellie draaide met haar ogen naar Justin op een manier die Nessa ergerde, zo overdreven. Haar moeder was toch ook zo'n theatraal type en ook al hinderde dat meestal niet – het was soms ook amusant – onder de huidige omstandigheden was dat niet de geëigende reactie. Ze waren op uitnodiging naar een restaurant gekomen dat in deze streek bekendstond om zijn extreem hoge prijzen, maar wat Nessa betrof hadden ze beter naar de plaatselijke Chinees of Indiër kunnen gaan. Al het eten dat op tafel werd gezet zag er zo prachtig uit dat het lomp leek om te klagen over de grootte van de porties, of om de ober erop te wijzen dat de pasta niet gaar was. Zelfs zou ze het zo teruggestuurd hebben, maar Justin trakteerde en ze had geen zin om te voldoen aan het beeld dat Justin toch al van haar had: dat ze nooit ergens tevreden mee kon zijn. En dus kauwde ze dapper op iets wat nooit langer dan vijf minuten in kokend water kon hebben gelegen en probeerde zich te concentreren op de reden waarom Justin hen hier mee naartoe had genomen.

Hoewel ze dat ook licht misselijkmakend vond. Drie miljoen pond, zo'n beetje. Ze werd al beroerd als ze zich dat probeerde voor te stellen. Ze zag het voor zich in stapeltjes bankbiljetten die keurig op een plank lagen met honderden bij elkaar, zo ver het oog reikt, en dat het nu allemaal op Justins bankrekening stond – nou ja! Ze was wel min of meer over het idee heen dat hij haar iets verschuldigd was. Mickey had haar duidelijk gemaakt dat ze geen poot had om op te staan, wat dat betrof, en als ze bij Mickey was, kon ze dat ook geloven en hield ze op met tobben. Als ze met Mickey was dacht ze altijd alleen maar aan Mickey. Nessa was inmiddels zo verliefd dat het niet veel scheelde of ze had Justins glorie overschaduwd door het hem en Ellie te vertellen. Ergens in haar achterhoofd, op een plekje dat zo goed verborgen was dat ze er alleen aan mocht denken als ze alleen was en door niemand werd gestoord, droomde ze over een burgerlijk huwelijk met Mickey. Die gedachte was op kousenvoeten bij haar binnengeslopen, maar nu ze hem had binnengelaten bleef hij maar door haar hoofd schieten. Het kon Nessa niet schelen wat anderen van dit plan vonden, maar ze wilde het pas met Mickey bespreken als de scheiding van Gareth helemaal rond was. Zodra dat allemaal achter de rug was, en ze ook zekerheid had over de voogdijregeling voor Tamsin, dan zouden ze hun verloving aankondigen.

Haar bruiloft met Gareth destijds kwam regelrecht uit een tijdschrift. Ze wilde toen alles erop en eraan: de verbluffend mooie jurk, de locatie voor de prijs van een tweede hypotheek, en een geweldig menu, en een huwelijksreis naar een hotel in Zuid-Frankrijk. Hoewel dat hotel toch niet helemaal haar smaak was. Het was allemaal hartstikke leuk geweest, toen, en ze had zelf alles georganiseerd omdat Ellie ergens in Argentinië zat. Phyl kon je zoiets niet toevertrouwen, want die had er de flair niet voor. En bij het organiseren van haar bruiloft had ze Mickey leren kennen en waren ze bevriend geraakt – iets wat ze nu heel symbolisch en mooi vond. Mickey deed de bloemen, want in die dagen werkte ze nog met echte bloemen voor een heel chique bloemist in Brighton. Nessa probeerde zich voor te stellen hoe anders haar leven zou zijn gelopen als ze die rozen ergens anders had besteld, maar dat lukte niet. Ze kon zich een leven zonder Mickey helemaal niet indenken, en dat was al zo vanaf hun eerste ontmoeting, dacht ze. Dat had niets te maken met deze recente ontdekking – Nessa had er nog altijd een beetje moeite mee om eraan te denken, laat staan om het hardop uit te spreken – van haar lesbische neigingen. Als zij en Mickey zouden trouwen, dan zouden ze dat samen doen, met alleen Tamsin erbij. Die zou hun bruidsmeisje zijn, en Nessa bedacht nu al wat haar mooie dochter het best zou staan. Ze had geen zin om andere mensen uit te nodigen. Ze had geen zin in borrelhapjes, dure kleren, een grote, glimmende auto... Ze wilde alleen met haar geliefde zijn, ergens ver weg – Amerika, de Caribische eilanden, Italië – waar dan ook, als ze maar lekker alleen konden zijn in een geweldig hotel met een zwembad. Vijf sterren. Wat het ook moest kosten.

Maar wat nou als Mickey helemaal niet met haar wilde trouwen? Nee, daar wilde ze vandaag niet aan denken. Vandaag had ze genoeg aan haar hoofd. Die vervloekte Justin die maar van geen ophouden wist. Wat zou ze hem graag inpeperen hoe zij de dingen zag, maar Ellie was inmiddels bezig, en die deed het ook niet slecht.

'Ik begrijp gewoon niet dat je nog meer wilt, schattebout. Zelfs al zet je dat bedrag op een doodordinaire spaarbank, dan nog kan je een luxeleventje veroorloven van de rente alleen al. Het is een gigantisch bedrag en ik vind echt dat je een beetje dom doet. Maar dat is mijn mening. Heb je er al een deskundige bij gehaald, voor advies? Financieel advies, bedoel ik?'

'Jij denkt echt dat ik op mijn achterhoofd ben gevallen, hè?' zei Justin, en hij nam nog een slok wijn. Die kostte vijftig pond per fles, had Nessa gezien, en smaakte niet veel anders dan de meeste andere wijn. Justin vervolgde: 'Ik heb de meest ervaren adviseurs bij Eremount geraadpleegd. Maak je vooral geen zorgen.'

'Ja, alsof die neutraal zijn,' merkte Nessa op. 'Die hebben er alle belang bij dat jij afscheid neemt van een deel van je drie miljoen.'

'Iedereen die ik erover heb gesproken vindt het een heel mooie kans om in iets heel bijzonders te investeren.' En hij begon opnieuw te beschrijven wat voor opwindende portfolio de mensen bij Eremount voor hem hadden samengesteld en dat dat precies de juiste investering was van zijn gigantische fortuin. Nessa sloot zich af voor zijn stem want al dat gepraat over geld verveelde haar onnoemelijk. Ze hield wel van het werk dat leidde tot het verdienen van enorme sommen gelds, maar ze hield niet van dat gezeur over hoe en waarom en waar en welke bedrijven en welke opties en aandelen en hedgefondsen en al dat soort gezeur. Dat verveelde haar alleen maar.

'Maar goed...' Justins college was kennelijk ten einde. Dat kon Nessa aan zijn stem horen. Hij was nu kennelijk toe aan het leggen van zijn troef, als een soort triomfantelijke climax: 'Sinds ik mijn geld daarin heb gestoken zijn de aandelen met meer dan een half procent gestegen. Een half procent!'

'Geweldig,' zei Nessa, die ineens weg wilde. Ze wilde terug naar Mickeys huisje en ze wilde patat eten. De wetenschap dat dat niet kon, dat ze Mickey pas morgen weer zou zien, maakte haar zowel boos als verdrietig. Ze moest met Gareth naar de ouderavond bij Tamsin op school. Samen, dus. Snotverdomme. Nou ja, dan belde ze straks wel even vanuit de auto, dacht Nessa, en ze luisterde naar haar moeder, die nog altijd op Justin inpraatte maar geen enkele indruk maakte. Hij zakt er maar lekker in, dacht ze. Hij zoekt het maar uit. Het kan me niks schelen. Niks kan mij nog iets schelen, behalve Mickey

Het hotel, l'Etoile de Montparnasse, bleek net iets minder fantastisch dan het op de website had geleken, maar ach, dacht Lou, ik klaag niet. Haar kamer lag aan dezelfde gang als die van Harry. Hij was schoon en best prettig, en ook al waren de handdoeken aan de dunne kant, ze mocht niet mopperen met haar uitzicht over de daken van Parijs, vanaf haar kamer op de derde verdieping. Ze zag de Nôtre Dame en een brug waarvan de naam haar even was ontschoten en 's avonds lagen de lichtjes van de stad aan haar voeten. En ze was dan wel niet Nicole Kidman in de Chanel-reclame, ze voelde zich toch een heel stuk stralender en sprankelender dan ze zich normaal voelde.

Harry was bijna meteen vertrokken. Hij had even aangeklopt en toen ze opendeed, stak hij zijn hoofd om de deur en zei: 'Even onze klokken gelijk zetten, mannen. Ik zie je hier om vijf uur, oké?'

'Prima, dan ben ik er.'

Hij zwaaide vrolijk, en Lou was nogal voorzichtig uit lunchen gegaan. Ze nam een tosti en een *citron pressé* in een cafeetje vlak bij de metro, en ze gaf zichzelf een schouderklopje voor het feit dat ze dat allemaal in het Frans had besteld en dat de ober haar ondanks haar accent meteen had begrepen. Ze vertrok naar het huis van Mme Franchard en toen ze daar aankwam, was ze trots dat ze het in haar eentje had kunnen vinden, zonder taxi, maar heel dapper met de metro. Tot zover ging alles goed.

Ze klopte op de donkere houten deur van Rue du Treixel nummer 4 en wachtte tot Solange opendeed. Dat deed ze onverwacht snel, voor iemand die zo langzaam liep als zij, en deze keer aarzelde ze ook helemaal niet. Toen Solange Lou zag staan riep ze haar naam.

'*Mlle Louise… oh, quelle surprise…*' Ze begon te praten en te praten, en terwijl ze naar het appartement van Mme Franchard liep ving Lou een paar belangrijke woorden op in de eindeloze stroom Franse zinnen: *faible… malade… joie… ravie…* Uit deze woorden kon ze opmaken dat haar oud-oudtante zich niet al te goed voelde, maar dat ze het heel fijn zou vinden om haar weer te zien.

Solange liet haar binnen in Mme Franchards slaapkamer. Dat arme mensje, dacht Lou. Ze moet wel heel *faible* en *malade* zijn als ze hier ligt, en niet in die papierwinkel zit die ze haar *salon* noemt. Ze stond in de deuropening en voelde zich een beetje opgelaten. Mme Franchard had haar ogen dicht, maar Solange liep naar haar toe en boog naar voren om haar mevrouw iets in te fluisteren, terwijl Lou bleef wachten en zich afvroeg wat er zou gebeuren.

'*Approchez, approchez, ma chère Mlle Louise.*' Solange liep bij het bed vandaan en gebaarde Lou dat ze dichterbij kon komen. Ze haalde een stoel bij het raam weg en gebaarde dat Lou daarop moest gaan zitten.

'*Le thé... j'arrive...*' Solange was weg, en Lou zat daar in haar eentje. Wat moest ze in 's hemelsnaam zeggen? Ze pakte de hand van Mme Franchard vast. Hij was nog magerder dan eerst, en bedekt met dooraderde huid, papierachtig en bleek en toen ze hem eenmaal in haar hand hield, wist ze eigenlijk niet wat ze ermee aanmoest. Niet zo kleinzielig, sprak ze zichzelf toe. Ze is oud en ze voelt zich niet goed.

'Je bent er,' fluisterde Mme Franchard. '*Merci, ma petite*, ik ben dankbaar dat je gekomen bent. Ik heb zo vaak aan je gedacht.'

'Ik had al eerder willen komen, maar ik ben zo druk geweest. Ik heb een script geschreven.'

'*Qu'est-ce que c'est que ça?* Een script?'

Lou kon haar maar net verstaan. Ze antwoordde: 'O, het spijt me. *Je m'excuse.* Dat is zoiets als een uitgeschreven toneelstuk, maar dan voor de film. *Un film,*' voegde ze er toen voor de zekerheid aan toe, en voor het geval dat nog niet duidelijk genoeg was, zei ze: '*Les mots pour les acteurs dans un film.*'

'*Je comprends.* Dat is vast niet gemakkelijk. En is jouw film een liefdesverhaal, toevallig?'

288

Waarom hebben we het nu over filmscripts terwijl zij zo ziek en zo zwak is? Ach nou ja, waarom ook niet. Lou antwoordde: 'Nee, het is een film gebaseerd op het boek van mijn grootvader. *Blinde maan*. Het boek dat u ook hebt gelezen.'

'Dat is mooi,' zei Mme Franchard. 'Ik ben blij dat daar een film van wordt gemaakt.'

Dit was niet het moment om haar lastig te vallen met hoe moeilijk het was om een script verkocht te krijgen en wat daarna nog allemaal kwam. Dus in plaats daarvan zei ze: 'Mijn vader wilde ook graag nog een keer bij u op bezoek komen. Hij komt binnenkort, zei hij. Hij laat u...' Ze wilde zeggen: groeten, maar Mme Franchard zag eruit alsof ze wel iets beters kon gebruiken dan een groet. 'Ik moest zeggen: veel liefs.'

'Dat vind ik fijn...' Het viel stil, en Lou bedacht wat ze verder nog zou kunnen zeggen. Mme Franchard had haar ogen alweer gesloten, en het enige geluid in de kamer kwam van haar raspende ademhaling. Waar bleef Solange met die thee? Lou keek om zich heen. Tegen de ene muur stond een enorme ladekast met daarop een aantal fotolijstjes, systematisch gerangschikt op een gehaakt kleedje. Een kast van heel donker hout nam het grootste deel van een andere muur in beslag en het bed was een vrij hoog, ouderwets koperen ledikant. De kussens onder Mme Franchards hoofd waren afgezet met een gehaakt kantje, net als de kleedjes op de ladekast, en onder het raam stond een tafel. De bekleding van de stoel waar ze op zat was ooit fluweel geweest, maar de vleug en de kleur waren bijna helemaal verdwenen, zodat het nu alleen nog maar grauw en kaal was. Als ze bewoog, voelde ze het een beetje wiebelen.

Solange kwam binnen en zette het blad op het tafeltje. Lou stond op om haar te helpen, maar ze gebaarde dat het niet nodig was. Nadat ze Lou een kop thee had gegeven, hees ze Mme Franchard op tot een zittende houding. Daarop volgde een enorm gecompliceerd en delicaat proces om ervoor te zorgen dat de oude dame wat vocht binnen kreeg. Lou vroeg zich af of zij dat wel zou kunnen, voor een ouder iemand zorgen, ook al hield ze nog zoveel van haar. Het was vast nog veel zwaarder dan voor een baby zorgen. Wat is die Solange toch een lief mens, dacht Lou. Ze voelde dat de tranen opwelden en ze knipperde met haar ogen en zuchtte diep.

Toen de theeceremonie eindelijk volbracht was, zat ze weer alleen met Mme Franchard. Misschien had het drinken haar kracht gegeven, want ze begon te praten. Niet zo vloeiend als de vorige keer toen Lou op bezoek was, maar toch.

'Er is een brief, *ma chère*. Daar... bovenop.' Ze wees met een magere hand naar de ladekast. Breng hem eens hier, alsjeblieft?'

Lou was blij dat ze even bij het bed weg kon. Ze zag de brief tegen een van de zilveren fotolijstjes staan. Terwijl ze hem pakte, vroeg ze: 'Dit is een foto van uw zus, toch? Van Louise?' Ze pakte de foto en hield hem omhoog, alsof Mme Franchard hem dan wel kon zien.

'*Bien sûr*. Breng maar. Ik wil haar zien. Ah, je lijkt toch zoveel op haar... Zoveel.'

Als mensen zeiden dat je veel op iemand anders leek, klopte dat meestal niet. Dan zag je misschien met een beetje goede wil iets van een gelijkenis, maar vaak moest je goed zoeken. In dit geval was de gelijkenis zo sterk dat het bijna griezelig was. Net alsof ze naar een foto van zichzelf in verkleedkleren keek. De andere Louise droeg een jurk met een matrozenkraag en een strooien hoed. Ze stond naast een raam met luiken ervoor, en glimlachte tegen de zon in, met haar hand aan de rand van haar hoed. Lou pakte de brief en de foto en gaf ze aan Mme Franchard.

'We zullen het hebben over de brief, maar eerst wil ik dat jij deze foto met je meeneemt. Wil je hem meenemen?'

'Echt? Weet u het zeker?'

'Ik zie niet zo goed. Het is beter dat jij hem hebt, en dat jij kijkt.

Ik zal er niet lang meer zijn. De brief is voor jou, maar je mag hem pas openmaken als ik er niet meer ben. Wil je dat alsjeblieft doen?'

Lou begreep even niet wat Mme Franchard bedoelde, maar toen viel het kwartje. De oude dame dacht dat ze snel zou overlijden. Dus ze was haar bezittingen aan het weggeven, in de verwachting dat ze die zelf niet lang meer nodig zou hebben. Wat moet ik daar nou op zeggen?

'Ik zal de brief goed bewaren,' probeerde Lou, en ze voegde daaraan toe: 'Nog heel lang, hoop ik.' Ze vroeg zich af wat er in 's hemelsnaam in kon staan dat moest wachten tot Mme Franchard er niet meer was, maar dat was haar zaak verder niet.

'Ik vertel mijn notaris wat er in die brief staat...' zei Mme Franchard, en Lou nam aan dat de oude dame misschien een paar van haar spullen aan haar zou vermaken. Wat moet ik als ze mij die zwarte kast nalaat, dacht ze. Kan ik dan zeggen dat ik hem niet wil? Misschien kan ik hem dan verkopen – of wat ze me verder maar na wil laten. Het enige wat Lou wilde hebben, had ze inmiddels al in haar bezit: de foto van John Barringtons moeder.

'Mijn grootvader zou deze foto vast ontzettend graag hebben willen zien,' zei ze. 'Hij sprak nooit over zijn echte moeder, maar in het boek spreekt Peter zijn liefde voor haar zo ontzettend mooi uit. Ik weet zeker dat opa voor een deel ook zo over zijn moeder moet hebben gedacht.'

'Ik heb gedacht sinds ik het boek heb gelezen. Wil je weten wat mijn mening is?'

'Ja. Ja, natuurlijk.'

'*Eh bien*. Ik denk dat dit boek geen roman is. Niet... Hoe zeg je dat? Niet bedacht. Ik denk dat het de waarheid is. De dingen die gebeuren in het boek, die zijn ook gebeurd in het echte leven.'

Lou dacht er even over na. Nee, dat kon niet. Want dat zou betekenen dat... Ze probeerde het heel voorzichtig uit te leggen, want het laatste wat ze wilde was Mme Franchard beledigen. Ze zei: 'Maar als dat zo is, zou dat betekenen dat wat uw zus is over-komen...'

Ze zweeg. Als het inderdaad allemaal echt gebeurd was, en daar had ze nooit bij stilgestaan, dan betekende dat dus dat grootvader zijn hele leven... Nee, het móést wel verzonnen zijn. Ze wilde iets zeggen om dit onderwerp af te sluiten. Dat moest niet zo moeilijk zijn, gezien Mme Franchards huidige conditie. Ze zei: 'Wat wel echt waar is, is dat opa het verlies van zijn moeder nooit te boven is gekomen. Van zijn echte moeder.'

'*Evidemment,*' fluisterde Mme Franchard. 'Van zo'n wond her-stelt men niet.'

De stilte daalde weer in de kamer neer. Lou wierp een blik op haar horloge. Nog twee uur voor ze met Harry had afgesproken. Wat moest ze doen, in de tussentijd? Ze had geen idee. Toen zei Mme Franchard: 'Wil je aan mij voorlezen, alsjeblieft?'

'Voorlezen?'

'Alsjeblieft. Uit *Blinde maan*. Het ligt hier, bij de andere boeken – zie je het liggen?' Elk woord dat ze uitsprak was verpakt in een dikke laag moeizame ademhaling. Lou voelde hoeveel moeite het Mme Franchard kostte om ze een voor een haar mond uit te krij-gen. 'Lees mij alsjeblieft een kort stukje voor...'

Lou zat op de kale fluwelen stoel en sloeg het boek open. Dit exemplaar, dat Mme Franchard bij een kraampje met tweedehands boeken had gevonden, was sleets en duidelijk gebruikt. Het had geen stofomslag en de linnen kaft zat onder de vlekken. Koffie... of zoiets. Ze ging op zoek naar een geschikte passage, en toen sprak Mme Franchard nogmaals, zo zachtjes dat Lou haar oren moest spitsen om haar te kunnen verstaan.

'De dood van mijn zusje. Lees me voor over haar dood.'

Lou deed haar mond open om te zeggen dat ze echt geloofde dat het allemaal maar fictie was, maar ze wist dat protesteren geen zin had. Ze vond de passage, haalde diep adem en begon te lezen:

Dulcie week nauwelijks van zijn moeders zijde, zolang de baby nog leefde. Ze hing over het kleine ingepakte lijfje te staren en aaide het de hele tijd. Ook knuffelde ze Mary veel, en hij herinnerde zich wat mama altijd zei voordat ze hier kwamen. Dat Dulcie zelf ook graag kinderen had gewild en dat het zo zielig was dat ze geen kinderen kon krijgen. 'Waarom dan niet?' vroeg hij dan, maar niemand wist het, zei mama. Sommige mensen kregen nou eenmaal geen kinderen, en dat was dat. Toen de baby doodging zei Dulcie tegen hem: 'Daarom ben ik zo dol op jou. Jij komt nog het dichtst in de buurt van een eigen kind.' Haar man was dood, net als papa, en je kon geen kind krijgen zonder man.

Er was hem iets opgevallen. Zijn moeder kon het niet zien, want die was veel te zwak, maar hij kende de waarheid. Dulcie wilde Mary hebben. Ze wilde dat het haar baby was, en niet die van mama. Dat kon je zien aan hoe ze haar altijd vasthield, en aan hoe ze naar haar keek. Alsof ze haar op wilde eten. Alsof ze een grote vogel was die met de baby wilde wegvliegen, om nooit meer terug te komen. Toen de baby doodging, kon Dulcie niet meer ophouden met huilen. Ze ging er urenlang mee door en hij vroeg: 'Waarom huil je, Dulcie? Jij huilt nog meer dan mama.'

'Ik hield van haar. Daarom huil ik. Ik hield van haar alsof ze mijn eigen kind was. En ik had je moeder iets beloofd. Ik had haar beloofd dat als... als er iets... iets ergs... met haar zou gebeuren, dat ik dan voor Mary zou zorgen. Alsof ze mijn kindje was.'

Peter wilde het zeggen. Hij had het wel uit willen schreeuwen, zodat ze wel naar zijn woorden moest luisteren. Hij wist het. Hij wist dat Dulcie wilde dat mama dood zou gaan. Ze zei het niet, maar ze had het eigenlijk andersom gewild: dat mama dood was en dat de baby nog leefde en dan zou ze echt voor eeuwig met haar zijn weggevlogen.

En nu was zijn moeder ziek. Echt ziek. En niet van de honger, zoals de rest, maar brandend van de koorts waardoor ze gekke din-

gen zei en brabbelde in het Frans. Mama sprak anders nooit meer Frans. Nooit. 'Ik ben nu Engels. Sinds ik met je vader ben getrouwd.' Maar nu was haar huid zo heet als hij haar een kus gaf. Peter wilde haar helemaal niet kussen, maar hij dwong zichzelf ertoe. Hij moest wel, want als hij haar brandende huid niet zou aanraken met zijn lippen, en als hij haar hand niet in de zijne nam, dan zou ze denken dat hij niet van haar hield en dat was niet waar. Hij hield wel van haar. Hij hield meer van haar dan van wie dan ook, of van wat dan ook, in de hele wereld. Maar hij haatte haar ook, omdat ze zo zwak was en zo dun en zo nutteloos en omdat ze daar zo lag te huilen om de baby, terwijl hij nog leefde en terwijl hij het zo nodig had dat ze naar hem keek. Dat ze keek naar iets wat er nog was, en niet iets wat zo ver weg was en alleen nog bestond in haar hoofd. In haar herinnering. Hij wilde zo graag dat ze zou zeggen: Ik zorg voor jou, Peter. *Maar dat kon ze niet en dat deed ze niet en er was alleen nog maar Dulcie die af en toe voor hem zorgde. Ze gaf hem soms wat eten. Ze praatte wel eens tegen hem aan. Hij wist niet wat hij van Dulcie moest vinden. Vroeger vond hij haar best aardig, maar nu was hij een beetje bang voor haar en hij dacht dat hij haar eigenlijk helemaal niet zo aardig vond, omdat hij wel zag waar ze mee bezig was. De baby was dood en zij kon haar niet krijgen en dus wilde ze hem dan maar in plaats van de baby. Kon dat?*

De zon ging net onder en de hele lucht was oranje, alsof iemand hem in de brand had gestoken. De vormen van de palmbomen en de hutten van het kamp staken als uitgeknipte, zwarte silhouetten af tegen de lucht. Hij wilde helemaal niet naar zijn moeder toe. Die was naar de barak gebracht waar de vrouwen lagen die te ziek waren om tussen de anderen te liggen. Ze lag daar maar, meestal heel stil, dus wat had het voor zin? Maar als hij niet zou gaan, was zij verdrietig. Ze was al verdrietig, dat wist hij wel, maar ze zou zeker nog verdrietiger zijn als hij niet bij haar kwam zitten. Peter liep het kamp door. Zijn sandalen waren nu zo dun dat het voelde alsof hij op blote voeten over de aarde liep. Hij voelde elk steentje op het pad.

Hij zag de ziekenbarak voor zich liggen. Daar stond Dulcie, met haar rug naar hem toe. Zijn moeder was aan het praten. Ze praatte anders nooit. Bijna nooit. En als ze wat zei, dan was het in het Frans, dus daar had niemand wat aan. Maar nu zei ze iets in het Engels. Hij bleef staan en deinsde achteruit, omdat hij haar niet wilde onderbreken en omdat hij wilde luisteren, want zijn moeder huilde. Ze sprak tegen Dulcie en ze huilde.

'Dat kan best. Ik heb meer water nodig, meer eten. Vraag het toch aan de bewaker. Vraag het hem. Iemand van de medische staf – wie dan ook – er moet toch... Ik kan niet... ik mag niet doodgaan. Ik kan Peter niet alleen laten.' Dat zei zijn moeder en ze snikte zo hevig dat alle woorden uit haar mond kwamen borrelen, drijvend op haar tranen.

'Hij is helemaal niet alleen, Annette. Dat is hij niet. Ik zal voor hem zorgen. Beloofd. Beloofd, Annette. Maak je maar geen zorgen. Ik ga, ik probeer iemand te zoeken. Ik weet wel met wie ik moet praten. Er is wel iemand – een van de bewakers. Dan breng ik je water... aspirine zelfs. Hou nog maar even vol, en maak je geen zorgen om Peter. Die blijft bij mij. Het komt goed met hem, ik beloof het.' Toen liep Dulcie de vier treden af en Peter verstopte zich in de ruimte onder de barak tot ze weg was. Hij staarde haar na terwijl ze het pad af liep naar de vrouwenbarak. Waarom? Waarom deed ze dat nou? Ze had mama toch beloofd – dat had hij zelf gehoord – dat ze op zoek zou gaan naar de bewaker, de bewaker die misschien wat aspirine aan Dulcie zou geven om mama beter te maken. Die water zou geven, misschien, en eten – iets waardoor mama in leven zou blijven. Misschien ging ze wel iets halen wat ze mee wilde nemen naar de barak van de bewakers, ook al kon hij zich niet voorstellen wat dat kon zijn. Maar dat moest het zijn. Ze moest even iets halen en als ze dat had, kon ze hulp gaan halen voor zijn moeder. In de tussentijd zou hij tegen mama praten. Hij zou proberen haar een beetje op te vrolijken en dan zou Dulcie straks komen met hulp. Water en aspirine. Misschien zelfs iets te eten.

'Mama?' vroeg hij zachtjes.

'Ben jij dat? Kom eens hier, mijn lieve Peter.'

Ze nam zijn hand en bracht die naar haar lippen en kuste hem. Peter haatte het gevoel van die koortsige, droge lippen en hij voelde de tranen prikken. Maar hij wist dat hij niet zou huilen – dat mocht niet, want hij was de hele tijd al heel dapper geweest en hij had bijna niet gehuild sinds ze naar het kamp waren gebracht, ook al had hij dat best gewild. Vaak, zelfs, maar tot nu toe had hij het nooit gedaan. En nu huilde hij niet eens om de goede reden. Hij wist niet wat hij moest doen. Moest hij iets zeggen? Ja. Ja, hij moest iets zeggen.

'Mama, Dulcie is teruggegaan naar de barak. Ze is helemaal geen bewaker gaan halen.'

'Ja, ze is een bewaker halen. Ik heb het haar gevraagd... want anders ga ik... als zij...'

Hij wilde het wel uitschreeuwen tegen haar. Nee, nee, ze wil dat jij doodgaat. Ze geeft helemaal niets om jou. Ze wilde de hele tijd al dat jij dood zou gaan. Ze wil ons, mij en Mary. Kinderen. Niet jou. Ze houdt niet van jou. Ze wil helemaal niet dat je blijft leven. Begrijp dat dan! Hij zei niets. Zijn moeder was in slaap gegleden.

'Mama? Word wakker, mama! Praat tegen me. Toe nou...'

Peter begon aan haar hand te trekken en toen ze nog steeds niet reageerde duwde hij tegen haar schouder, en ze schommelde heen en weer als een kapotte pop.

'Mama! Mama!' Zijn stem klonk harder dan hij wilde.

'Sssj!' zei iemand. 'Er liggen hier zieke mensen te slapen, hoor. Ga jij nou maar weg, en kom morgen maar weer terug.'

'Ze wil niet meer wakker worden. Alstublieft. Help me. Mijn moeder wil niet meer wakker worden.' Peter hoorde zijn eigen stem. Hij leek wel een baby, zo gilde hij. 'Help... toe nou, help me nou!'

Een van de vrouwen kwam naast hem zitten. Hij kende haar wel. Ze heette Magda, of Myra, of zoiets. Ze legde een arm om hem heen en zei: 'Niet huilen, lieve jongen. Ze is er niet meer. Ze slaapt niet meer. Het spijt me zo, lieve schat. Ze is dood. Ze hoeft nu niet meer te lijden. Ze is zo vredig, nu. Ze is vredig bij de engelen in de hemel.'

Peter sprong op en begon te schreeuwen: 'Ik geloof niet in de hemel. Die bestaat helemaal niet. Er zijn geen engelen, geen god, niks. Ik geloof er allemaal niks van. Mijn zusje is dood en die is ook niet naar de hemel gegaan. Ik heb heus wel gezien waar die naartoe is. Die ligt daar, in de grond. En als mijn moeder dood is, dan is dat Dulcies schuld. Die heeft haar vermoord. Ik heb het zelf gezien. Ik stond daar, en ik heb het zelf gezien.'

Een paar van de andere vrouwen kwamen om hen heen staan. Eentje was naar de bewakersbarak gerend en een ander bedekte zijn moeders gezicht, en dat was maar goed ook, want Peter wilde haar helemaal niet meer zien. Ze leek net een schedel met haar. Een gelige, enge schedel met touwachtig, geel haar. Dit was zijn moeder helemaal niet, dit was een monster waar je 's nachts naar over droomde. Hij ging naast haar lichaam zitten, en haar bedekte gezicht, en begon te huilen. Het maakte nu toch niet meer uit of hij dapper was. Er was niemand meer die zich voor hem zou schamen. Nog erger dan de schedel van zijn moeder, nog erger dan dit kamp, nog erger dan alles, was hoe alleen hij nu was. Er was in de hele wereld niemand meer die met hem verbonden was. Hij hoorde bij niemand en het was alsof hij in het donker stond, en wist dat er in de buurt een klif was. Hij hoefde maar één stap te zetten en hij zou in het peilloze duister vallen, om er nooit meer uit te komen.

'O... o, Annette... hoe kan ze nu dood zijn? Ik was bij haar, nog maar net. Wat is er dan gebeurd? O god, hoe kan ik dit verdragen?'

'Jij hebt haar vermoord,' gilde Peter. 'Ik heb je wel gezien. Ik heb je wel gehoord. Jij zou hulp gaan halen, maar je deed niks. Jij bent gewoon naar je hut gegaan en je bent niet meer teruggekomen. Ik heb *je wel gezien. Ik zat verstopt onder de trap en ik heb alles gezien. Je bent gemeen. Je bent een verschrikkelijk mens. Jij wilde dat ze doodging. Dat weet ik heus wel. Dat weet ik.'*

Peter had alles verwacht. Hij had verwacht dat de aarde zou opensplijten en de hele barak zou verzwelgen. Hij wachtte tot de hemel boven op hem zou vallen. Hij zat klaar voor de klappen die hij van Dulcie zou krijgen. Hij wilde haar slaan. Hij wilde op haar spugen omdat ze zijn moeder had vermoord. Zijn prachtige moeder, die van hem hield en die zulk lang, goudblond haar had. En zo'n gladde, blanke huid en zulke zachte handen. Die moeder was geen skelet onder een vuile deken in een jappenkamp, dat kon niet. Zij werd niet in de grond gestopt waar de mieren en de wurmen haar zouden opeten en vanwaar ze nooit meer met hem kon praten. Hij wilde zelf ook dood. Hij zou dolblij zijn als er nu een kogel kwam uit een of ander geweer om aan al zijn pijn een einde te maken.

Maar in plaats daarvan, in plaats van al die dingen die hij verwachtte, voelde hij Dulcies armen om hem heen. Hij voelde hoe ze hem dicht tegen zich aan trok, en hij hoorde haar steeds maar weer zeggen: 'Ik zal voor je zorgen. Dat heb ik je moeder beloofd. Dat wilde ze. Jij bent mijn jongen. Mijn zoon. Ik zorg voor je. Voor altijd. Mijn zoon. Jij bent van mij.'

'Ik wil niet van jou zijn! Hoe kan ik nou van jou zijn als jij mijn moeder hebt vermoord!'

Dulcie lachte terwijl ze zich omdraaide naar de anderen en zei: 'Hij weet niet wat hij zegt. Natuurlijk heb ik haar niet vermoord. Dan kon helemaal niet. Ik was hier niet eens.'

Hij wist dat het geen zin had. Praten had geen zin. Het had geen zin om aan iedereen te vertellen wat er was gebeurd. Dulcie had zich van zijn moeder afgekeerd, was bij haar weggelopen en had haar dood laten gaan. Ze wist – ze had moeten weten – dat haar vriendin dood zou gaan, en ze had ervoor gekozen om dat aan niemand te vertellen. Dulcie was een moordenaar en zijn nieuwe moeder. Nie-

mand anders zou zijn moeder zijn. Iedereen was dood dood dood en
nu waren alleen hij en Dulcie nog over. Zij wilde dat hij haar zoon
zou worden. Hij zou haar zoon zijn als ze dat zo nodig wilde, maar
vergeven zou hij haar nooit. Helemaal nooit.

'Dat moet verschrikkelijk zijn geweest,' zei Harry. 'Verschrikkelijk moeilijk, bedoel ik. Wat erg voor je.'

Harry hield haar hand vast. Hij had hem achteloos gepakt terwijl ze wandelden, op de manier waarop stelletjes in Parijs hoorden te wandelen: langs de Seine, in de schemering. De hitte van de dag was weggetrokken, maar de lucht was nog steeds warm en geurde naar Parijs: een mengeling van tabaksgeur en Frans eten en uitlaatgassen en een bepaalde ondefinieerbare essence die het zo volkomen ánders maakte dan in Londen.

'Ze viel in slaap, maar dat vond ik niet erg,' zei ze, en ze dacht: we lopen hand in hand en ik kan er niet eens echt van genieten omdat ik nog steeds bezig ben met wat Mme Franchard tegen me zei. Lou ging verder: 'Het is een van de stukken uit het boek waar ik nog altijd door geschokt ben. Het is zo ontroerend, en meestal moet ik er verschrikkelijk om huilen, maar nu ik het hardop moest voorlezen ging het wel. Ik kon niet huilen, dit keer. Er zat publiek bij, en dus moest ik mezelf in de hand houden. Maar het is een gruwelijke dood, veel erger dan wat je wel eens in thrillers leest – weet je wel, met al dat bloed en verminkingen, en zo. En wat nog erger is...'

'Vertel het nou maar, Lou. Dat kun je gerust doen. Vertel me maar wat ze tegen je zei.'

'Zij heeft me ervan weten te overtuigen dat het allemaal echt zo gegaan is. Ik dacht altijd... Nou ja, dat hij zijn tijd in het kamp had gebruikt als achtergrond voor zijn verhaal.'

'Misschien is dat ook wel zo. Misschien klopt het niet, wat Mme Franchard denkt.'

'Maar wat nou als het wel klopt? Dan heeft mijn grootvader dus bijna zijn hele leven moeten doorbrengen met de vrouw van wie hij dacht dat die zijn moeder had vermoord. Dat is... Ik kan me niet eens voorstellen hoe dat moet zijn. Ik moet het aan mijn vader vertellen. Die wist wel dat Rosemary opa had geadopteerd, maar hij denkt juist dat zij hem had gered. Hij weet niet dat ze opa's moeder had vermoord om hem te kunnen stelen. Dat zal hem behoorlijk aangrijpen.'

'Ja, je moet het hem wel vertellen. Maar Lou, je kunt er toch niets aan doen, nu je hier bent, of wel?'

'Je hebt gelijk. Natuurlijk niet. En ik wil de tijd die we hier hebben ook niet bederven. Het komt wel goed, echt. Maar Mme Franchard heeft me ook een brief gegeven. Die mag ik pas openmaken na haar dood. Wel een beetje morbide, vind je ook niet?'

'Helemaal niet. Dat komt toch regelrecht uit een Victoriaanse roman? Waarschijnlijk laat ze je een paar juwelen na, of zo.'

'Laten we het hopen, want qua meubels heeft ze niets wat ik zou willen hebben, helaas.'

Ze voelde zich meteen ontrouw aan de arme Mme Franchard. Ze dacht aan hoe iel en broos ze eruit had gezien, zachtjes snurkend terwijl Lou aan haar voorlas. Harry had haar niet gezien, dus die kon er gemakkelijk grappen over maken. Maar zij had het idee dat het niet erg respectvol van haar was, en dus nam ze zich heilig voor om nooit meer zoiets over haar oud-oudtante te zeggen.

'Je kunt die brief natuurlijk best nu al openmaken,' zei Harry. 'Om te zien wat erin staat.'

'Nee!' riep Lou ontzet. 'Dat zou ik nooit doen. Jij was vast zo'n kind dat naar de kerstcadeautjes zocht die je ouders hadden verstopt, of niet?'

'Ja, uiteraard. Jij dan niet?'

'Nee, ik niet. Ik wachtte af, want ik was een braaf meisje. Pas toen ik een jaar of zestien was zijn we gestopt met de kerstkousen.

Mijn vader sloop altijd mijn kamer in, en dan legde hij hem op mijn stoel terwijl ik keurig mijn ogen dichthield en net deed of ik sliep. Dan keek ik pas de volgende ochtend wat erin zat. Ik had de mandarijntjes en de chocola er natuurlijk uit kunnen halen zodra hij mijn kamer weer uit was, maar dat deed ik nooit. Echt nooit.'

'Brave Hendrik,' zei Harry. 'Altijd al gedacht dat jij er zo eentje was, weet je dat?'

Ze zwegen, en Harry liet haar hand los. Toen pakte hij haar bij de schouders en kuste haar. Lou deed haar ogen dicht en dacht: het gebeurt echt, hij kust me. Ze probeerde te denken aan het hoe en het waarom en het wat, maar raakte toen helemaal verstrikt in de zoen. Ze voelde dat ze eerst even verstijfde en een beetje weerstand bood, maar daarna gaf ze zich eraan over en ze wilde dat hij doorging met zoenen en leunde tegen hem aan. Ze opende haar lippen onder de zijne en liet haar gevoelens de vrije loop. Ze liet zich gaan, en meteen werd ze wee van verlangen. Toen liet ze Harry los. Ze keek naar hem en naar de lila hemel achter hem en naar de schaduw van de grootse kathedraal boven zijn linkerschouder. Ik, dacht ze. Harry en ik, in Parijs, zoenend aan de oever van de Seine.

'Moet je ons nou eens zien,' zei Harry met een glimlach. 'Zoenend aan de oever van de Seine… Als je het nu hebt over een filmcliché…'

'Dat zat ik nou ook net te denken,' antwoordde Lou.

Matt maakte zichzelf wijs dat hij anders nooit akkoord zou zijn gegaan met een etentje bij Ellie thuis. Het was een vergissing en hij wist het meteen zodra hij de woorden had uitgesproken, zodra hij tegen haar zei dat hij er rond achten zou zijn. Op weg naar Brighton probeerde hij een goed excuus te verzinnen voor zijn gedrag, maar hij kon niets bedenken. Hij had moeten zeggen: 'Nee, sorry.' Ze maakte misbruik van Phyls afwezigheid, dat was het. Totdat hij had laten vallen – was dat een freudiaanse verspreking? – dat Phyl in Londen zat, was er totaal geen sprake van een etentje, en achteraf gezien wist hij dat ze ook best aan de telefoon had kunnen zeggen wat ze te vertellen had. Als hij al een excuus had – en dat had hij niet, tenminste, niet echt – dan was het misschien wel dit: anders zou ze het misschien in haar hoofd hebben gehaald om naar zijn huis te komen. Dan zou ze zijn zitkamer binnendringen, en zijn eetkamer en… Nee, hij wilde niet eens nadenken over de mogelijkheid dat ze ook zijn slaapkamer zou binnendringen. Die van hem en Phyl. Dat kon niet. Ondenkbaar. Ik blijf alleen voor het eten, nam hij zich voor, en dan ga ik meteen weg, zodra het maar even kan.

Hij dacht even aan Lou, die waarschijnlijk al bij Mme Franchard was geweest en die nu met die Harry was, wie dat ook mocht wezen. Phyl had iets over hem gezegd, maar afgezien van wat algemene informatie – dat het een man was voor wie Lou werkte en dat hij praktisch haar baas was – had hij niks opgevangen van wat ze allemaal vertelde. Dat was een gewoonte waar je in verviel als je al zo lang getrouwd was. Je kon onmogelijk elk woord van de ander in je opnemen; dan werd je gek. Als hij één ding zou mogen wensen, dan was het wel dat Lou gelukkig werd. Dus als die Harry ervoor kon zorgen dat zij die afgrijselijke Ray kon vergeten, dan zou hij heel blij zijn. Dolgelukkig, zelfs. Hij duimde voor haar in gedachten en parkeerde zijn auto in een zijstraat van Portland Place. Daarna liep hij naar Ellies huis. Hij zag zichzelf als een soort gladiator die op het punt stond de arena te betreden. Zijn hart ging nogal onprettig tekeer in zijn borstkas.

'Dag lieve schat!' Ellie stond hem al in de deuropening op te wachten. Ze droeg een zwarte broek met een losse, blauwe bloes van een soepel soort materiaal waar je bijna doorheen kon kijken. 'Kom binnen, ga zitten. Wat fijn dat je er bent… dat is toch ook veel gezelliger dan in je eentje in dat grote huis van je. Hoe komt Phyl erbij om 's avonds naar Londen te gaan?'

'Ze past op voor Lou, die zit in Parijs.'
'Jeetje! Parijs! Wat romantisch!'

Matt leunde achterover in de overdreven hoeveelheid kussens op Ellies bank en realiseerde zich dat hij absoluut niet kon doen wat hij van plan was geweest. Hij kon niet weg. Hij had nog zo willen oppassen met wat hij dronk, maar Ellie had steeds maar weer met de fles naar hem gezwaaid en aangedrongen dat hij er best 'nog eentje' nemen kon. En dus nam hij er nog maar eentje. En nog eentje, en nog eentje, totdat het volkomen duidelijk was dat hij niet meer achter het stuur kon. Hoeveel had hij eigenlijk gedronken? Hij wist het niet meer. Dat was natuurlijk precies haar bedoeling, dacht hij wazig. Ze zat naast hem, met haar hoofd op zijn schouder, en hij had niet eens de energie om er weerstand aan te bieden. Het was ook zo comfortabel. Hij vond het prettig dat Ellie zo tegen hem aan zat. Wat stak er ook voor kwaad in?

'Je moet slapen, Matt. Kom mee. Dan stop ik je in, en dan kun je een beetje dutten. Dan ben je straks beter in staat om naar huis te rijden.'

Hij liep achter haar aan en voor hij het wist lag hij uitgestrekt op haar bed. Ze trok een zijden dekbed over hem heen, en terwijl ze zich voorover boog om hem een beetje in te stoppen, raakte ze zijn torso aan met haar borsten. Hij voelde de kussenachtige zachtheid en zijn neusgaten vulden zich met een geur die hij nog kende. Als in een reflex stak hij zijn armen uit.

Ellie deed wat er van haar verwacht werd. Hij had geen idee wat er zou zijn gebeurd als ze dat niet had gedaan, en als ze zich had teruggetrokken, maar het hele idee dat ze dat zou doen was krankzinnig. Zij wilde dit. Zij had dit allemaal zo in scène gezet. Hij voelde dat hij wegviel toen ze hem kuste. *Ik doe dit, ik doe het en ik wil er niet mee stoppen,* gonsde het steeds door zijn hoofd, bijna alsof hij onder narcose was. Hij voelde dat ze zijn riem losmaakte, zijn hemd losknoopte, zijn borst kuste, en haar eigen naakte lichaam… Hè? Wanneer had ze dat gedaan, dan? Hij had helemaal niet gemerkt dat ze zich uitkleedde. Haar naakte lichaam onder de zijde naast zijn lichaam vlijde. Toen was hij plotseling klaarwakker en bruiste hij van de energie, terwijl hij nog geen seconde geleden voor halfdood had gelegen. Hoe was dit mogelijk? Hij worstelde zich uit zijn kleren, geholpen door Ellie die tegen hem lag te mompelen. Daar lag hij, plat op zijn rug, en zij was overal tegelijk. Hij werd overspoeld door haar; ze snuffelde in zijn nek en hij was duizelig van verlangen naar haar en van zijn herinnering aan haar en hij wilde wel bewegen maar kon het niet. Dus lag hij daar maar en voelde hoe ze boven op hem lag, met haar borsten in zijn gezicht, en hij likte ze en likte ze en hij wist dat hij dit wilde en verder helemaal niks. Al snel hoorde hij zichzelf kreunen terwijl zij boven op hem kroop. Hij kon zich niet meer inhouden en schreeuwde het uit en werd toen overvallen door zo'n intens genot dat hij bijna flauwviel.

Later, hoeveel later wist hij niet, werd hij zich bewust van een piepend geluid vanaf de vloer. Wat was dat in godsnaam? Hij tilde zijn hoofd op. Hoe laat was het? Hij keek even op zijn horloge en schoot overeind. Bijna één uur, dus dan had hij een paar uur geslapen. Ellie lag nog naast hem, met haar mond een beetje open, diep in slaap. Haar bleke huid gloeide op in het duister. De kamer was niet helemaal donker omdat er nog een lamp aan was in de zitkamer, die naar binnen scheen. O god, wat moest hij nou? En daar had je dat gepiep ook weer. Nu hij goed wakker was, realiseerde hij zich waar het vandaan kwam: het was zijn mobieltje. Iemand had hem een sms'je gestuurd. Wanneer dan? Meestal hoorde hij het schrille signaal meteen, maar ja, deze avond was er een heel stuk geweest dat er een jubelkoor in zijn oor had kunnen tetteren, en dan nog had hij niks gehoord. Hij stapte zo stilletjes mogelijk uit bed en zocht naar zijn broek. Hij vond de telefoon en deed hem open. Het berichtje luidde: *Waar ben je? Sms terug als je dit leest ajb. Phyl.*

Drie kusjes. Drie keer x. Ze stonden er niet. Waar waren de drie kusjes? Ze had ze er niet achter gezet, en Matt vroeg zich af of ze soms wist waar hij was. Nee, dat kon toch niet? Ze had hem waarschijnlijk thuis gebeld... Wat moest hij tegen haar zeggen? Wat kon hij doen? Tijd winnen. Hij sms'te: *Is alles goed met Poppy? Met mij alles wel. xxx.*

Hij liep de zitkamer in en ging op de bank zitten. Het voelde glad en fluwelig tegen zijn naakte huid en de kussens in zijn rug waren net een streling. Hij probeerde niet na te denken over wat er met Ellie was gebeurd en bedacht zich dat als hij de laatste paar uur uit zijn leven zou kunnen uitwissen, hij dat onmiddellijk zou doen. *Leugenaar*, zei een stemmetje in zijn hoofd. *Je vond het geweldig. Zulke seks heb je al in geen jaren meer gehad.*

Het getril van zijn mobiel kwam precies op het juist moment. Hij had zich al bedacht dat hij weer terug wilde. Hij wilde weer naar de slaapkamer en hij wilde weer gaan liggen, en hij wilde Ellie wakker maken en wat hij het allerliefste wilde was zich nog een keer onderdompelen in dat bad van puur genot. Nee, dit is van de gekke, dacht hij. Dat moet ik echt niet doen. Hij klapte zijn telefoon open en probeerde zijn erectie te negeren.

Bel me morgenochtend bij Lou.

Nog steeds geen xxx, zelfs geen naam. Ze wist het – maar hoe kon dat? Hij zou het ontkennen. Hij maakte zichzelf wijs dat het helemaal niet zo erg was, wat hij had gedaan, omdat het niet nog een keer zou gebeuren. Nooit meer. Hier zou nu een einde aan komen. Het was het begin, en meteen het einde. Hij was absoluut niet van plan om bij Phyl weg te gaan, want Ellie zou hard weglopen als hij zou voorstellen om samen te wonen... Nee, dit was absoluut eens, maar nooit weer. Hij had even zijn honger gestild, meer niet. Hij was vastbesloten. Hij had nog tot morgenochtend om met een plausibel verhaal te komen – een bridgeavondje, misschien. Hij was lid van een bridgeclub, en Phyl wist dat hij regelmatig speelde. Hij had te veel gedronken en was bij Paul blijven slapen. Dat was het. Zou ze dat controleren? Zou hij Paul eerst even moeten inlichten? Ja, dat was wel zo verstandig, misschien. Hij haalde diep adem en probeerde zich te concentreren op een plausibele verklaring om aan Phyl te sms'en. Hij zuchtte en drukte de zilverkleurige toetsen in. *Te veel gedronken bij het bridgen. Blijf bij Paul slapen. Bel je morgen xxx.*

Hij keek naar het kleine blauwe envelopje dat over het schermpje van zijn telefoon danste en klapte die toen weer dicht. Hij was even bevrijd van zijn schuldgevoel, alsof dat virtuele envelopje hem van zijn blaam had gezuiverd. Hij had zich voorlopig even ingedekt, en het enige waar hij op dit moment in geïnteresseerd was, was dit moment. Hij liep weer terug naar de slaapkamer. Ellie lag nog te slapen. Ach, als je dan toch moet hangen, dacht hij, dan kan het maar beter de moeite waard zijn geweest.

'Ellie?' Hij draaide haar om en nam haar in zijn armen.

'Hm?'

'Ik ben het.'

'Hallo,' zei Ellie, en er borrelde een lachje op vanuit haar keel. 'Wat leuk om je weer eens te zien.'

Matt deed zijn ogen dicht en alles wat maar een beetje leek op een samenhangende gedachte verdween onmiddellijk uit zijn hoofd.

Dit was zonder meer de leukste avond die ze de afgelopen twee jaar, of eigenlijk sinds ze bij Ray weg was, had gehad. Als je de perfecte avond zou moeten verzinnen, dan zou je hiermee komen. Zelfs de schok over wat Mme Franchard had gezegd, deed niets af aan hoe blij ze was dat ze hier nu was, met Harry.

Lou had geen idee hoelang ze hier al op dit bankje aan de rivieroever zaten te kleffen. Kleffen, wat een puberaal woord was dat eigenlijk. Ze had het al niet meer gebruikt, niet eens meer gedacht, sinds ze een jaar of vijftien was. Zo was het vroeger altijd: kussen en kussen alsof je leven ervan afhing. Alsof er verder helemaal niets meer bestond in de wereld behalve monden, adem en de nabijheid en tederheid van iemands armen om je heen. Ze had nooit beseft hoe erg ze dat had gemist.

Het was de honger die uiteindelijk toch een einde maakte aan al dat geklef. Ze liepen weg van de rivier naar een brasserie met de naam La Coupole, die kennelijk nogal beroemd was. Toen ze binnenkwamen wees Harry haar op de bovenkant van de zuilen die het plafond ondersteunden, en vertelde door welke kunstenaars die waren versierd. Ze staarde ernaar met open mond, maar haar gedachten sprongen alweer naar later: naar als ze klaar waren met hun maaltijd. Dan zouden ze teruggaan naar hun hotel en dan... Wat zou er dan gebeuren? Dan zouden ze met elkaar naar bed gaan. Hij zou met haar vrijen, dat wist ze zeker. En ze wilde het ook. Dat was zo'n vreemd gevoel nadat ze zo lang bang was geweest voor seks, voor elke vorm van lichamelijk contact, dat het haar nogal afleidde van praktische zaken, zoals het bestellen van eten.

'Het maakt mij eigenlijk niet uit,' zei ze toen Harry haar de menukaart voorhield. Ze wuifde hem weg. 'Ik neem wat jij neemt.'

'De *choucroute* is hier fantastisch... Weet je wel, heerlijke worstjes en zuurkool en stukjes spek en zo. Lijkt het je wat?'

Ze knikte en keek naar hoe hij het eten en twee biertjes bestelde alsof dit allemaal ergens heel ver weg gebeurde. Later... dat was het enige waar ze aan kon denken. Aan wat er zou gebeuren. Aan wat ze zouden doen. Ze droeg haar mooiste ondergoed – dat zei wel iets. Het zei in elk geval dat ze het vanochtend al zo'n beetje verwachtte. Of dat ze het in elk geval hoopte. Toen ze zich die ochtend om zes uur aankleedde, het tijdstip waarop Poppy meestal wakker werd, had ze zich niet letterlijk bedacht dat iemand die avond haar kanten beha en slipje zou zien. Ik heb mijn mooiste ondergoed aangedaan omdat ik op vakantie ga, en omdat het een bijzondere dag is, meer niet. Harry had er helemaal niks mee te maken... Of speelde hij toch al die tijd door haar hoofd? Ach, wat maakt het uit... Ze hoorde hem praten, maar een deel van haar was nog altijd mijlenver weg, bezig met een soort scenario. Misschien zou hij toch haar ondergoed niet te zien krijgen, straks. Misschien zou hij wel wachten tot ze in bed lag en dan bij haar aankloppen en dan zou zij iets tegen hem roepen en als ze de deur opendeed stond hij daar met het licht in zijn rug en dan kwam hij naar het bed toe, en zij zou het dekbed opslaan zodat hij naast haar kon komen liggen... Ze huiverde.

Ze aten. Ze kletsten. Harry nam nog een biertje, en Lou vroeg om een cappuccino. En toen viel hij ineens helemaal stil. Het contrast met hoe het geweest was, kletsend en lachend... Lou begreep er niets van, en ze kon er ook niet precies haar vinger op leggen. Het was alsof er een schaduw over hun tafel was gevallen, waardoor alles ineens heel donker was geworden. Zo voelde het. Harry was veel te stil. En zij ook. Ze wist niet wat ze moest zeggen. Om hen heen, aan de andere tafeltjes in de drukke brasserie, leek iedereen zich opperbest te vermaken. Er klonk rauw, schel gelach. De lampen tegen het hoge plafond schenen stippen licht op de muren die haar opeens veel te fel leken, en die pijn deden aan haar ogen. Toen ze eerder die avond waren gaan zitten, vond Lou nog dat hun diamanten schittering precies haar eigen stemming weerspiegelde: sprankelend, twinkelend van geluk en opwinding.

'Lou... Lou, luister je wel? Het lijkt wel alsof je heel ergens anders zit met je hoofd.'

'Nee, ik luister, Harry. Wat is er mis? Je lijkt zo...'

Hij pakte een van haar handen in de zijne.

'Ik heb me ontzettend misdragen, Lou. Het spijt me zo.'

Misdragen? Hoezo dan? 'Ik vind van niet, hoor,' zei ze uiteindelijk. Wat had ze anders kunnen zeggen dat niet belachelijk zou klinken? Waarom deed hij dit nou? Hij wist toch best dat ze het zoenen heerlijk vond? Besefte hij dan niet dat ze al helemaal had gerepeteerd wat ze straks zouden gaan doen? Heel snel al. Dit leek *Alice in Wonderland* wel; niets was wat het leek. Ze zei: 'Maar je hebt je toch helemaal niet misdragen, Harry? Ik vond het hartstikke gezellig.'

Duh! Wat een stompzinnige manier om dat te zeggen. Waarom zaten ze hier eigenlijk, zo en public, gescheiden door een kil marmeren tafelblad? Waarom kon ze eigenlijk niet gewoon naast hem gaan zitten en haar armen om hem heen slaan? Hem weer kussen? Kon ze hem maar weer kussen, dan kwam alles wel weer goed en dan zouden ze opstaan en de rekening betalen en naar het hotel gaan. 'Zullen we weer naar het hotel?' vroeg ze.

'Straks. Ik wil je eerst iets vertellen.'

Lou voelde een kille angst opkomen. Ze dacht: het is net of ik in een afschuwelijke achtbaan zit. Ze denderde een zwarte diepte in, terwijl haar maag achterbleef. Ze wilde flauwvallen, ze wilde eruit. Ze wilde dat alles weer normaal werd, maar ze had het niet meer zelf in de hand. Ze slikte. Haar mond smaakte naar de knoflookworstjes die ze net had gegeten en ze dacht dat ze misschien moest overgeven. 'Oké,' antwoordde ze fluisterend. Als ik harder praat en mijn mond verder open moet doen, weet ik zeker dat ik over mijn nek ga.

'We moeten niet... Ik bedoel ík moet niet... Nou ja, we hebben ons een beetje mee laten slepen. Ik vind je zo aardig, Lou, en je bent zo mooi en je was zo vol van je bezoek aan Mme Franchard en zo. En dan die rivier. Dan ben je je verstand natuurlijk zomaar kwijt. Dat is mij in elk geval gebeurd. Vergeef me, alsjeblieft.'

Wat moest ze daar nu op zeggen? 'Er valt je niets te vergeven,' stamelde ze uiteindelijk. Ach wat, ze had niks te verliezen. Ze keek op en sprak met meer zelfvertrouwen en liet een beetje boosheid op Harry toe. Daardoor had ze minder zin om te huilen, en meer zin om hem op zijn hoofd te slaan met een van de zware wit porseleinen kopjes. 'Ik vond het fijn. Ik vond het heel fijn, zelfs. Je hebt geen idee hoe belangrijk het voor me was.'

'Dat weet ik. Ik dacht...'

'Dat weet jij helemaal niet!' Lou realiseerde zich dat ze bijna schreeuwde en keek gegeneerd om zich heen. Maar niemand lette op haar. 'Dit was de eerste keer sinds ik bij Poppy's vader weg ben dat ik me liet kussen, dat ik iemand wilde, dat ik niet doodsbang was voor wat er zou gebeuren als ik me liet meeslepen – ach rot ook maar op, wat maakt het allemaal uit. Jij bent duidelijk van gedachten veranderd tussen de *choucroute* en de koffie. Laat maar. Ik ga.'

Ze stond op en Harry greep haar hand. 'Alsjeblieft, ga nou niet weg, Lou. Ga zitten. Ik wil het uitleggen.'

Ze zakte in haar stoel. 'Nou, ik luister.'

'Ik heb iemand leren kennen, in Amerika.'

'Wat?'

'Een vrouw. Ik kwam haar tegen op mijn eerste dag in Hollywood. Ik... We... Nou ja, ik ben verliefd op haar.' Hij leunde voorover en greep haar hand steviger beet. 'Daar doe je niks aan, Lou, aan verliefd worden. Dat gebeurt soms gewoon. Pats. Zomaar.'

'Ja, ja, zij is Meg Ryan en jij bent Tom Hanks. Ik snap het, Harry. Oké? Meer hoef ik er niet over te horen. Ik snap het helemaal.'

'Ik had het je moeten vertellen voordat ik vanochtend in de trein stapte.'

'Waarom heb je dat dan niet gedaan?'

'Omdat ik naar Parijs wilde. Ik wilde met jou naar Parijs.'

'Waarom, in godsnaam?'

Harry keek naar de tafel en bloosde. 'Ik vind je leuk. En ik ben gek op je, ook nog. Dat weet jij toch ook wel.'

'Nee. Nee, dat wist ik niet. Tot vandaag in elk geval niet. Ik bedoel, ik wist wel dat je me mocht. Dat dacht ik in elk geval.' Lou ging rechtop zitten en trok haar hand uit Harry's greep. 'Oké, even voor mijn begrip: je vindt me leuk, je bent gek op me, je dacht dat een tripje naar Parijs wel even lollig zou zijn, maar aan de andere kant ben je helemaal verliefd op een of ander sterretje in Hollywood, dus had je helemaal niet moeten meegaan. Je had gewoon thuis moeten blijven nadat je me meteen toen je terug kwam uit de VS had verteld over je grote liefde. Zo zit het dus?'

'Ja, zo'n beetje. Maar ze is geen sterretje. Ze is advocaat.'

'O, neem me niet kwalijk. Ally McBeal, dus dan is ze Calista Flockweetikveel en niet Meg Ryan. Mijn excuses.'

'Nee, ik ben degene die zijn excuses moet aanbieden.'

'Ja, dat kun je verdomme wel zeggen. Maar het is nu wel een beetje laat, vind je ook niet?' zei Lou, die zich nu een beetje roekeloos begon te voelen. 'Maar goed, beter laat dan nooit, dacht je natuurlijk, of niet soms? Je kop verliezen, mij kussen en dan op het punt staan om me mee terug te nemen naar het hotel om daar de nacht in een storm van woeste passie door te brengen, en dan krijg je ineens last van je geweten en bedenk je je dat het toch niet zo aardig is: om het eerst met iemand te doen en daarna pas te melden dat je eigenlijk verliefd bent op iemand anders. Goed van je, hoor. Je kunt inderdaad maar beter wat zeggen voor het allemaal al gebeurd is. Dat zou ik ook zeggen, alleen…'

En weg was haar roekeloosheid. De tranen liepen over haar wangen, en ze voelde zich afschuwelijk: ellendig, teleurgesteld, woest, veel te veel gegeten… Ze wilde in bed gaan liggen en zich verstoppen onder een deken en er nooit meer onder vandaan komen.

'Alleen wát, Lou? Huil nou niet. Alsjeblieft, niet huilen. Laten we proberen om…'

'Niet zeggen, Harry. Niet zeggen dat we weer moeten proberen om te doen zoals het voor vandaag was.'

'Waarom niet? Toen hadden we het toch prima?' Hij fronste ineens. 'Je gaat toch niet weg bij Cinnamon Hill, hè? Ik heb je nodig. Ik vaar blind op jouw oordeel, echt waar. Alsjeblieft niet weggaan.'

'Denk je nou echt dat ik ook nog mijn baan opgeef om jou? Vergeet het maar! Ik ga niet weg. Ik hou van mijn werk. Ik hou ervan om scripts te lezen.' Ze huiverde. Het idee dat ze weer op zoek zou moeten naar werk, vooral na wat er net was gebeurd, was gewoon te gruwelijk om bij stil te staan.

'Maar dan komt dit toch niet tussen ons in te staan, of wel?'

Lou keek hem woedend aan. 'Het kan me niet schelen of jij er last van hebt, als je het weten wilt. Het interesseert me niet. Ik ga in elk geval mijn best doen om te vergeten wat er vandaag is gebeurd. Ik ga nu terug naar het hotel, en jij wacht hier nog maar tien minuten. Ik wil nu alleen zijn.'

De rekening. Terwijl ze zich een weg baande tussen de tafeltjes door, realiseerde Lou zich dat ze niet eens had aangeboden om haar deel van de rekening te betalen. Nou, jammer dan, dacht ze, laat hem maar mooi betalen. Dat is wel het minste. Hij heeft me pijn gedaan. Hij dacht dat hij aardig was, maar dat was hij niet. Ze liep over de stoep, zonder iets te zien: geen lantaarnpalen en geen mensen en geen bomen, vol in het blad. Ze rende bijna terug naar het hotel en naar haar kamer. De ouderwetse sleutel klemde een beetje in het slot, en Lou barstte in tranen uit. Dit was de druppel. Uiteindelijk lukte het haar om de deur open te wrikken, en ze tuimelde de kamer in. Ze smeet de deur achter zich dicht. Fuck die Harry Lang! Wat een eikel! Een beetje meegaan naar Parijs onder valse voorwendselen. Mannen waren ook zo... Ze had er geen woorden voor. Hij was gewoon bijna met haar in bed beland. Wat zei dat eigenlijk over zijn liefde voor dat Amerikaanse mens? Die magere, goed geklede advocate van hem? Het had niks gescheeld, of hij had het nog gewoon gedaan ook, en dan lagen ze hier nu, op dit moment.

Lou zat op de rand van het bed, viel achterover op de sprei en staarde naar het plafond. De tranen stroomden nu langs haar slapen in haar haren. Ergens wilde ze dat Harry inderdaad zakkig genoeg was om vreemd te gaan. Wat kon het haar nou bommen als hij zijn Jennifer Aniston dubbelgangster besodemieterde? Ze wilde het met hem doen. Het was voor het eerst sinds eeuwen dat ze zich door iemand had willen laten aanraken, en ze had zichzelf toegestaan zo naar hem te verlangen dat ze het niet aankon dat die kans nu verkeken was. Was dat het? Haar woede, haar tranen, haar verdriet: kwam dat allemaal omdat zij nu haar verzetje niet had gekregen? Nee, dat was het niet. Ze mocht Harry echt graag. Ze bewonderde hem, dacht hetzelfde als hij over films... Ze had niet nagedacht over de toekomst, maar ze had soms, als ze naar Poppy keek, wel gedroomd over een toekomst voor hen samen: als gezin.

Lou kwam plotseling overeind en liep naar de wastafel. Ze liet hem vollopen met koud water en stak haar hoofd erin. Toen graaide ze naar een handdoek – te dun – en begon over haar haar, haar ogen en haar gezicht te wrijven. Daarna ging ze op een stoel bij het raam zitten. Dat is nou Parijs, dacht ze. Stad van een miljoen romantische clichés die daar liggen te glitteren in de fluwelen nacht. Parijs helpt me niet echt. Ik zou liever in mijn bedompte appartementje zitten, met mijn kindje. Poppy. Vanochtend – die ochtend nog maar, maar het leek weken geleden – was ze maar al te blij dat ze even aan de zorg kon ontsnappen, maar nu miste ze haar verschrikkelijk. Het zou zo'n troost zijn om dat kleine lijfje even tegen zich aan te kunnen houden, en die mollige wangetjes te kunnen zoenen. Ze pakte haar mobiel uit haar handtas en vroeg zich af of het te laat was om haar moeder een sms'je te sturen. Nee, het was pas tien uur, in Engeland. Ze typte: *Bel me als je dit leest. Zo laat als je maar wilt. Zo niet, dan zie ik je morgen.*

Ik sta op zodra het licht wordt, dacht Lou. Dan ga ik naar Gare du Nord, en dan neem ik de eerste Eurostar waar ik op mee kan. Ze ging weer in bed liggen, ook al wist ze dat ze niet veel zou slapen. Ze glimlachte wrang. De scène met Harry had Mme Franchard helemaal uit haar gedachten verdrongen. Ze zuchtte en dacht aan *Blinde maan*. Hoe moest ze er nou ooit achter komen of het waar was? En was het belangrijk, behalve dan voor haar vader? Iedereen die er verder bij betrokken was, was nu dood. Als al die dingen werkelijk waren gebeurd, dan verklaarde dat wel waarom opa niet over zijn jeugd wilde vertellen. Ook kon ze aan de foto zien dat ze erg veel leek op die andere Louise. Die gelijkenis was vast voor een deel de reden waarom opa zo dol op haar was geweest. Haar hoofd liep om van de vermoeidheid, de woede, de frustratie en de nieuwsgierigheid, en ze deed haar ogen dicht. Het beeld van Harry leek wel vastgeroest in haar hersenen. O god, gewoon een paar minuten slaap, wat zou dat al heerlijk zijn.

Niemand had het ooit over dit aspect van het oppassen op een klein kind: je mocht niet instorten als de zorg aan jou was toevertrouwd, wat er ook gebeurde, en hoe erg de omstandigheden ook waren. Je moest je kop erbij houden tot je je het kon veroorloven om je te laten gaan.

'Zo dan, liefie,' zei Phyl, die zich vaag bewust was van het feit dat haar telefoon een paar uur eerder had gepiept. Dat had ze genegeerd, en dus had ze de boodschap niet gelezen, want ze kon zich niet indenken wie haar om deze tijd zou sms'en, behalve Matt. En aan hem wilde ze nu absoluut niet denken.

'Hij zit bij haar,' fluisterde ze tegen Poppy, terwijl ze de plakstrip van de schone luier vastmaakte, het rompertje dichtklikte en het donzige witte dekentje over de baby heensloeg. Ze zette een paar knuffeltjes bij haar in de buurt, zodat Poppy erbij kon, mocht ze die vannacht nodig hebben, maar ze had inmiddels haar oogjes al weer dicht. Phyl liep voorzichtig het kamertje uit met de vieze luier in het speciale luierzakje in haar hand. Het rook vaag naar viooltjes – waarom moesten fabrikanten zo nodig een luchtje geven aan dingen die toch voor de vuilnisbak bedoeld waren? Weer hoorde ze dat haar telefoon geluid maakte. Ze wist niet precies hoe ze zich voelde. Wat waren de feiten, voorzover zij die kende? Alleen maar dat Matt niet thuis was. Hij beweerde dat hij bij Paul logeerde, na een potje bridge waarbij hij te veel had gedronken, maar dat klonk... Ze wist niet waarom ze het in twijfel trok, maar dat deed ze toch. Paul en Matt behoorden niet tot het soort man dat snel te veel dronk. Matt was de vleesgeworden gehoorzaamheid aan de wet. Hij dronk nooit als hij wist dat hij nog moest rijden. Dat betekende dus dat hij voor het zogenaamde spelletje kaart al wist dat hij bij Paul zou blijven slapen. En dat was ook al hoogst onwaarschijnlijk. Dus waar hing hij dan uit?

Phyl ging zitten en bedekte haar ogen met haar handen. Hij was bij Ellie. Ze durfde er heel wat om te verwedden dat hij met haar had afgesproken omdat hij wist dat hij die nacht alleen zou zijn. Zij zat immers in Londen en had het veel te druk met Poppy. Ellie... Sinds de begrafenis van Constance was Phyl al bang voor haar. Dat was niet nog een overblijfsel van wat ze van Ellie vond toen die nog met Matt getrouwd was, dacht ze. Ellie had gewoon naar de begrafenis kunnen komen en dan weer kunnen verdwijnen, maar dat was niet gebeurd. Ze was verhuisd naar een appartement dat veel te dicht bij Haywards Heath lag, en meteen vanaf het begin had ze zich als een roofdier gedragen, wat Matt betrof. Toen ze bij Phyl langskwam, in kleren die je eerder droeg naar een cocktailparty, met dat slappe smoesje van haar, wist Phyl meteen dat ze iets in haar schild voerde. De enige vraag die haar toen bezighield was wat dan precies.

Maar daar had ze inmiddels een aardig beeld van, hoewel ze het nog niet zeker wist. Als zou blijken dat Matt de nacht had doorgebracht bij zijn ex-vrouw, dan zou Phyl moeten beslissen wat ze daarmee aan moest. Nu nog niet. Ik hoef er pas iets aan te doen als ik er helemaal klaar voor ben, dacht ze. Ik kan het nog even laten rusten, tot ik het zeker weet. Ik kan doen wat ik wil. Een paar minuten lang kauwde ze op een scenario waarbij ze hem zou verlaten. Ze zou bij hem weggaan. Dan zou ze een appartement nemen in Londen, samen met Lou en Poppy – dat zou toch niet zo erg zijn, of wel? Zodra dit beeld bij haar opkwam, begon ze te huilen. O nee, dacht ze. Niet huilen, wat er ook gebeurt. Phyl zocht in haar handtas naar een zakdoekje. Ze snoot haar neus en schudde haar hoofd en sprak zichzelf streng toe. Niet zo slap zijn. Maar een toekomst zonder Matt was ondenkbaar. Ik ga het niet laten gebeuren, dacht ze, voordat het tot haar doordrong dat ze er niet veel aan kon doen als hij het ineens in zijn hoofd had gehaald om haar te dumpen. Maar dat zou hij nooit doen, dacht ze. Hij zou zich veel te bezorgd maken om wat Lou daarvan zou denken. Hij begrijpt natuurlijk ook wel dat die aan mijn kant staat... En zo bleef ze maar piekeren, net zolang tot ze het gevoel had dat haar hoofd ervan zou barsten. Ze legde haar handen tegen haar slapen, deed haar ogen dicht en drukte hard tegen haar hoofd. Ophouden nu, dacht ze boos. Je bent moe en hysterisch en je kunt nu toch verder geen beslissingen nemen. Wacht nou maar af wat er morgen gebeurt.

Ze ging op bed liggen in Lous kamer en staarde naar het plafond. Het werd maar later en later en ze was klaarwakker. Ik moet bedenken wat ik ga doen, dacht ze, maar wat nou als ik ernaast zit? Wat nou als hij helemaal niet bij Ellie is? Wat als dat bridgeverhaal klopt? Het minste wat ze kon doen was uitzoeken wat er echt aan de hand was: waar hij uithing en wat hij had gedaan. Wat hij misschien zelfs nog steeds aan het doen was. Maar ze moest ook zien dat ze wat slaap kreeg, dat wist ze best, anders was ze morgen kapot. Met Poppy wist je nooit precies hoe vroeg je dag begon. Het kon wel eens een vreselijk kort nachtje worden.

Net toen ze in bed wilde stappen, begon haar mobieltje weer te trillen. Het maakte de hele tijd van die stomme geluidjes, al een paar uur lang. Alsof het wilde zeggen: Ik hou pas op met irritant doen als jij je berichtje hebt gelezen, hoor. Phyl zuchtte en klapte hem open. Het was vast van Matt – misschien moest ze maar eens zien wat hij van haar wilde. Ze staarde naar het berichtje: het was van Lou, en Phyls maag draaide zich om en ze voelde zich ijskoud en doodsbang. Waarom zou Lou haar sms'en? Er moest iets gebeurd zijn. Visioenen van berovingen, verwondingen, ziektes… Alle denkbare scenario's flitsten haar door het hoofd terwijl ze het nummer van haar dochter intoetste.

'Mam, ben jij dat? O god, wat ben ik blij dat je belt!'

Ze leefde nog. 'Lou, is alles wel goed? Wat is er gebeurd?' vroeg Phyl. 'Wat is er aan de hand?'

In plaats van een antwoord volgde er een golf van gesnik. 'Lou, lieverd, probeer eens even niet te huilen. Ik kan zo niet met je praten. Ga eens even rustig zitten. Zit je?'

'Ja. Het gaat wel. Ik voel me alweer beter.'

'Vertel eens wat er is gebeurd, dan?'

'Harry heeft iemand ontmoet. In Amerika. Hij zegt dat hij verliefd op haar is. Ik weet niet wat ik nu moet doen.'

'O.' Er was vast iets intelligenters dat ze had moeten zeggen, maar ze was zo ontzettend opgelucht. Niet gewond, niet ziek, niet beroofd, niet beschadigd op wat voor manier. Alleen maar ontzettend gekwetst. Die arme Lou. 'Maar je dacht toch dat – je dacht toch dat hij jou leuk vond, en je… Ik weet dat jij hem ook graag mocht.'

'Jezus, mam, druk je toch niet altijd zo verdomd neutraal uit! Het ging er niet om dat ik hem wel mócht. Dat komt er zelfs niet eens bij in de buurt! Ik wilde met hem naar bed en dat was ook bijna gebeurd... Hij heeft me wel gekust, mam, alsof hij het meende, weet je wel? Echt kussen. Heel lang. En toen ineens trok hij zich terug, zomaar... En toen begon hij over die Amerikaanse trut van hem en toen zei hij dat hij haar niet wilde bedriegen en dat het verkeerd was van hem dat hij me had gezoend en zo en nu weet ik niet meer wat ik moet...'

'Lou. Luister naar me, Lou. Het heeft geen zin om er nu nog verder over na te denken. Het is laat. Het is echt ontzettend laat, zelfs, en je bent vast doodop. Ga naar bed. Probeer wat te slapen. En dan kom je morgenochtend naar Londen. Dan blijf ik een paar dagen bij je logeren. Ik vind het niet erg om op de bank te slapen.'

'En papa dan? Wil die niet dat je weer thuis komt?'

'Misschien. Ik zal het er wel met hem over hebben. Ik denk niet dat hij bezwaar zal maken. Hij vindt het vast wel lekker, al die rust.'

'Oké. Dat vind ik heel lief van je, mama.'

'Het is me een genoegen, schat. Maar ga je dan nu wel proberen te slapen?'

'Ja, het moet maar. Ik ga het proberen...'

'En Lou?'

'Ja?'

'Ik vind het heel erg voor je, echt. Maar probeer toch ook een beetje optimistisch te blijven. In elk geval ben je er nu klaar voor om weer aan een nieuwe relatie te denken, toch? Weet je nog dat je dacht dat je dat nooit meer zou willen?'

Lous lachje klonk ingeblikt en licht hysterisch, zo door de telefoon. 'Het lukt me ook nooit, hè? Heb ik eindelijk mijn seksdrive weer terug, en meteen valt de enige man die ik in tijden heb ontmoet als een blok voor een andere vrouw. Geweldige timing.'

'Je bent nog zo ontzettend jong, Lou. Er komen nog heel veel andere mannen.'

'Ik zou er maar geen geld op inzetten, mam. Dat doe ik zelf in elk geval zeker niet. Slaap lekker.'

'Je gaat me toch niet vertellen dat jij Tamsins verhaal gelooft?' Nessa keek Gareth fronsend aan. Hij zat op het puntje van zijn stoel, alsof hij klaar zat om elk moment op de vlucht te kunnen slaan.

'Ik weet het niet. Ze leek wel heel zeker over wat ze had gezien...'

Blijf kalm, zei Nessa bij zichzelf. Niet laten merken dat je geschrokken bent. Hoe moest ze zich hieruit zien te redden? Ze had zich er wel zorgen over gemaakt dat Tamsin had gezien hoe ze Mickey laatst iets te enthousiast zoende bij het afscheid, maar ze had aangenomen a) dat een kind daar verder geen betekenis achter zou zoeken, en b) dat ze het niet meteen aan haar vader zou doorvertellen. Zo vaak zagen ze elkaar tegenwoordig niet. 'Hebben jullie niets beters om het over te hebben dan waar ik me allemaal mee bezighoud?'

'Ja, nou ja, dit heeft kennelijk nogal indruk op haar gemaakt. Ze zei dat je Mickey overdreven zoende.'

Oké, tijd voor afleidingsmanoeuvres, dacht Nessa, en ze glimlachte naar haar aanstaande ex. 'Ik gaf de vrouw een knuffel. Godallemachtig. Ze is mijn zakenpartner. Mijn beste vriendin, ook nog. Het spijt me vreselijk als je dat niet gelooft, want als iemand weet hoe ik in bed ben, dan ben jij het wel. Weet je nog?'

Gareth bloosde en legde zijn hand op Nessa's knie. Ze wilde zich terugtrekken maar zette zich schrap en grijnsde dom. 'Ja, dat is zo,' zei hij. 'We hebben het ook wel heel leuk gehad, samen, of niet?'

'Nou niet sentimenteel gaan doen, schat. Je hoort het helemaal niet over dit soort dingen te hebben met je ex.'

'Maar je bent mijn ex nog niet. Niet helemaal, tenminste.'

Hij klonk treurig. Ze hoefde maar in haar vingers te knippen en ze had hem weer terug. Dan zou hij zich eindeloos verontschuldigen voor de fout die hij met Melanie had gemaakt. Nou, jammer dan vriend, dacht ze. 'Kom, kom, je krijgt een baby. Ik denk niet dat Melanie het op prijs zou stellen als ze je zo zou horen praten.'

Gareth keek haar beschaamd aan, en Nessa had nog medelijden met hem ook. Maar goed, hij was in elk geval opgehouden over dat ze Mickey zo 'overdreven' had gezoend. Ze moest bijna lachen. Overdreven kwam niet eens in de buurt, maar ze nam zich wel voor om voorzichtiger te zijn met Mickey als Tamsin ook thuis was. Tenminste, voorlopig. Het zou niet lang meer nodig zijn. Als haar plan zou lukken, en als Mickey haar huwelijksaanzoek zou accepteren, dan zou Tamsin het natuurlijk moeten weten. Waarschijnlijk zou die het maar wat leuk vinden om bruidsmeisje te zijn. Mijn god, dacht Nessa, ik ben echt niet goed snik, wat is er toch met me aan de hand? Op de meest ongelegen momenten schoot ze in een dagdroom over bruiloften, compleet met visioenen van zichzelf en Mickey languit op een Caribisch strand... want daar zouden ze naartoe gaan op huwelijksreis. Naar Saint Lucia. 'Sorry, wat zei je? Ik was er even niet bij.'

'Dat zag ik, ja,' zei Gareth. 'Het was ook niet belangrijk. Ik zei alleen dat de advocaten denken dat de scheiding er volgende maand wel door zal zijn.'

'Zo snel al?' Ze probeerde niet al te blij te klinken, maar ze had zin in een vreugdedansje. 'Dat doen ze dan wel heel rap, vind je ook niet?'

'Omdat we het overal al over eens waren, neem ik aan. Ik heb het je ook niet erg lastig gemaakt, immers. Nou goed, ik moet maar weer eens gaan. Melanie wacht op me.'

Het was waar: Gareth was extreem gemakkelijk geweest sinds de avond dat ze hem haar slaapkamer had uitgetrapt. Hij werkte enorm mee en beknibbelde niet op de alimentatie. Hij was niet eens de strijd aangegaan om het huis. Dat laatste bleek trouwens ook te danken aan het feit dat Melanie het huis 'zo ouderwets' vond. Die was dus nog gekker dan Nessa al dacht. Ze hadden een pand gekocht waarvan de verf nog maar net was opgedroogd, nou, fijn voor hen. Door haar eigen geluk gunde Nessa iedereen van alles. Ze stond op om met Gareth mee te lopen naar de deur en ze gaf hem een zoen voor hij wegging. 'Doe de groeten aan Melanie,' zei ze, en ze zwaaide toen hij in zijn auto stapte en achteruit reed, de straat uit. Ze wachtte tot ze zeker wist dat hij weg was, en vloog toen naar de telefoon om Mickey te bellen.

'Lieveling?' vroeg ze. 'Hij is weg. Nou, dat was kantje boord. Tamsin had hem verteld dat we overdreven hadden gezoend.'

'Klinkt goed, lekker overdreven zoenen. Moeten we nog maar eens doen.'

'Toe nou, Mickey, hou op... ik moet nog veel te veel doen. Dat schiet niet op als ik nu al zoveel zin in je heb.'

'Later dan, goed?'

'Ja... Ik ben er rond een uur of zes. Maar luister, Gareth zei dat de scheiding er waarschijnlijk volgende maand al door is. Dat wil ik vieren. Laten we naar Londen gaan, om te lunchen. In een of andere Franse bistro in Soho, of zoiets. En dan in een belachelijk chique hotel. Wat zeg je ervan? Ik trakteer.'

'Ja, dan gaan we lunchen, en daarna blijven we de hele middag en avond in bed.'

'Mijn god, heb jij dan helemaal geen gevoel voor dit soort dingen? Ik wil er een feestje van maken. Ik wil luxe. Een hotel met een spa. Ik hou van je, Mickey. Weet je dat wel?'

'En ik hou van jou.'

Nessa merkte dat haar stem een beetje trilde toen ze zei: 'Dan ga ik vast reserveren. Over twee weken, goed? Die donderdag.'

'Oké, maar nu moet ik hangen. Nessa. Een van ons zal het bedrijf toch draaiende moeten houden.'

'Tot straks. Dan ga ik nu eens even het internet op om een zalig hotel voor ons te zoeken... Doeg!'

Ze zette de telefoon in de standaard en liep naar de computer. Ze typte *luxe spa-hotels+Londen* in de zoekbalk van Google en tuurde naar de resultaten op het scherm. Dit werd leuk!

Een toevluchtsoord, dacht Lou. Dat is dit huis. Lelijk, klein, niet echt handig gelegen en niet echt aantrekkelijk in wat voor opzicht dan ook, maar toch: het was een plek waar je kon schuilen als je je gekwetst voelde. Ze had de nabeschouwing doorstaan waar ze zich volgens haar moeder beter door zou voelen, maar waardoor ze zich alleen nog maar beroerder voelde. Ze zat nu in de slaapkamer en dacht na over de puinhoop die doorging voor haar leven.

Ze had niet eens de moeite genomen haar koffer uit te pakken. Ze had hem in haar piepkleine linnenkast gegooid; dat kwam later wel. De inhoud van haar mooie leren handtas schudde ze leeg op haar bed en toen stopte ze hem in een katoenen zak en hing die op aan een koordje. Daarna deed ze de inhoud over in de versleten handtas waar ze altijd mee rondliep. Terwijl ze daarmee bezig was, zag ze de witte envelop met haar naam erop.

'O god...' fluisterde ze. Het was de brief van Mme Franchard. Die was ze helemaal vergeten. Kun je zien in wat voor staat ik verkeer. Mme Franchard en Lous bezoek aan haar waren totaal vergeten sinds ze weer thuis was. Die arme Mme Franchard. De tranen sprongen haar in de ogen als ze eraan dacht dat ze de oude dame misschien nooit meer zou zien. Maar ik ga niet huilen, dacht ze, en ze borg de envelop veilig weg. Ze kon eerst geen goede plek verzinnen, maar uiteindelijk legde ze de brief – of wat het ook mocht zijn – tussen de bladzijden van *Blinde maan*. Dat boek lag altijd op haar nachtkastje. Ze hoefde de brief ook niet te verstoppen, als hij maar op een veilige plek lag die ze zich zou herinneren. Verder was er toch niemand in geïnteresseerd.

Wat zou er toch in die brief kunnen staan? Ze lag aangekleed op bed. Ik zou even kunnen kijken. Waarom doe ik dat eigenlijk niet? Had ze beloofd dat ze hem pas zou openen als de oude dame er niet meer was? Lou kon het zich niet meer herinneren. Maar ze zou hem niet openmaken. Dat kon ze niet maken. Dan was het net alsof ze een magisch zegel zou verbreken waardoor de brief zou verdampen omdat ze de instructies niet had opgevolgd. En al wist ze dat het volkomen belachelijk was: ze had het griezelige gevoel dat zij de dood van Mme Franchard zou veroorzaken door de envelop open te scheuren. Dat was natuurlijk onzin, maar toch liep ze liever geen risico. Ik moet er maar gewoon niet meer aan denken, dacht ze. Maar ik ga wel papa bellen om hem te vertellen wat zij heeft gezegd.

Morgen zou mama weer naar huis gaan. Ze zag er vreselijk uit, en Lou bedacht zich dat het misschien te zwaar voor haar werd om op Poppy te passen. Toen ze ernaar vroeg, zei haar moeder dat ze alleen een beetje moe was, maar Lou meende dat er meer aan de hand was. Mama leek ongelukkig, en daar wilde ze het duidelijk niet over hebben.

Ik kan me nu geen zorgen om haar gaan maken, dacht Lou. Ik heb Poppy morgen weer terug en ik wil hier nu alleen maar liggen, met mijn ogen dicht. Ik wil zo blijven liggen tot ik me wat beter voel, het liefst een maand of twee. Maar dat kan niet. Ik moet boodschappen doen, en kletsen en werken en glimlachen en alle dingen doen die levende mensen doen.

Ze draaide zich op haar buik en begroef haar hoofd in het kussen. Flarden van die rampzalige avond in Parijs drongen zich aan haar op en ze probeerde ze uit haar hoofd te verbannen, maar dat lukte niet erg. Hij had haar afgewezen. Zij was bereid − ze verlangde er zelfs naar − om jaren van celibaat op te geven en hij wilde haar niet. Maar je bent helemaal niet verliefd op Harry, klonk een stemmetje in haar hoofd. Ze voelde zich nog steeds verschrikkelijk. Teleurgesteld. In de steek gelaten. Verdrietig. Wie waren haar vrienden eigenlijk? Hoeveel vrienden had ze? Wie kon ze opbellen om tegenaan te klagen? Ze had Margie, maar dat was meer een oppas. En Cath, met wie ze had gestudeerd, maar die woonde nu in Schotland. En dan had je Dotty en Coral van de middelbare school, maar daar had ze niks aan, want die woonden nog in Haywards Hearth. Jeannette van Cinnamon Hill was wel leuk, maar die woonde heel ver weg, ten zuiden van de rivier, en bovendien was dat geen vriendin, maar eerder een vage kennis. Wat was er mis met haar? Het was toch niet normaal voor een vrouw van haar leeftijd om geen horden vriendinnen te hebben? Zelfs Bridget Jones had een clubje mensen, in de film en in het boek. Nu ze eraan dacht hoe eenzaam ze eigenlijk was, voelde Lou zich nog veel ellendiger. Ze somde alle dingen op die ze niet had: een man, een vriend, een inkomen waarvan ze kon rondkomen, vrienden, een fatsoenlijk huis – zelfs haar familie stelde niks voor. Een waardeloze broer en zus die niet eens echt familie van haar waren. Geen grootouders meer. Geen ooms of tantes. Geen neven of nichten.

De lijst met rampspoed was zo meedogenloos dat ze er uiteindelijk om moest lachen. Dit sloeg allemaal nergens op. Hoe zat het met haar zegeningen? Ze had een schitterende dochter, ouders die stapelgek op haar waren en vooral: zichzelf. Ik ben jong, dacht ze. Ik ben gezond. Ik heb net een filmscript afgerond. Het gaat prima. Ik heb Harry niet kunnen krijgen. Meer niet. Dat is het enige dat nu anders is dan een paar dagen geleden. En misschien dat ik een stiefovergrootmoeder heb die iemand vermoord heeft. Nou, geweldig toch? Ze glimlachte. Doe toch normaal, mens, zei ze bij zichzelf. Sta op, ga je gezicht wassen en maak er het beste van.

Ze redde het helemaal tot aan de badkamer, maar toen ze haar gezicht zag, onder de vlekken van het huilen, en haar rode ogen, zakte weer helemaal weg in haar depressie. Verdomme! Wat heeft het ook voor zin? Ik ben wél verdrietig over Harry en daar kan ik verder niks aan doen. Ik moet maar gewoon wennen aan het feit dat hij me wel aardig vindt, maar dat hij geen relatie met me wil. Dat is de waarheid. En de waarheid is ook dat ik me daar soms behoorlijk beroerd over voel. Die vervloekte Harry!

9

'*Liefje*, wat fijn om je te zien! Ik was al bang dat je misschien wel nooit meer thuis zou komen.' Matt nam Phyls koffer van haar over en droeg die het huis in. Eenmaal binnen draaide hij zich om, nam haar in zijn armen en kuste haar. 'Ik heb je zo verschrikkelijk gemist.'

'O ja?' Phyl onderging zijn zoen, en heel even vroeg Matt zich af of ze het soms wist. Nee, dat kon helemaal niet. Die nacht met Ellie, waar hij al spijt van had zodra hij het appartement op Portland Place ontvlucht was, was in zijn beleving een kruising tussen een fantasie en een nachtmerrie. En omdat er geen directe gevolgen leken te zijn, nam hij aan dat Phyl zijn bridgeverhaal had geslikt. Hij was heel goed geweest in het opvolgen van zijn sms'je, vond hij zelf. Hij had haar de volgende dag meteen gebeld met anekdotes over de avond, en met de hartelijke groeten van iedereen met wie hij had gekaart en zo. Toch was er iets in haar stem, aan de telefoon, waar hij een beetje de zenuwen van kreeg, totdat hij zich bedacht dat ze gewoon last had van Lous ellende. Het was immers ook vanwege die arme Lou dat ze had besloten nog een paar daagjes langer in Londen te blijven.

Voor deze ene keer vond hij dat niet zo heel erg. Het bood hem de gelegenheid om alles op een rijtje te krijgen. Om op krachten te komen. Ellie was een gruwelijke fout geweest. Altijd al. Na zijn huwelijk met haar had het hem een paar jaar gekost om van haar los te komen, maar na wat er deze week was gebeurd... Nou ja, dat zou echt nooit meer voorkomen, en dat had hij Ellie ook heel duidelijk verteld. Zij had het idee dat hij weerstand aan haar kon bieden uiteraard lachend van de hand gewezen, maar hij was heel streng voor zichzelf geweest. Hij had haar niet meer gebeld en hij was al helemaal niet meer bij haar langs gegaan en het was hem gelukt om te laten melden dat hij 'niet op kantoor was' als ze hem daar belde. Niet dat hij zijn secretaresse in vertrouwen had genomen. Hooguit gedeeltelijk. Hij had haar verteld dat Ellie hem maar bleef lastigvallen over iets zakelijks, meer niet. Hij had haar opgedragen om haar niet meer door te verbinden. Hij beschouwde Ellie als een soort virus dat zijn bloedstroom was binnengedrongen. Deden virussen dat eigenlijk, binnendringen in je bloedstroom? Of waren dat bacteriën? Nou ja, hij was er klaar mee, met deze ziekte, en nu hij Phyl weer zag was hij nog meer vastbesloten om die nacht met Ellie heel ver van zich af te zetten.

'Kom je mee naar de keuken, dan zet ik thee voor je.'

'Dat kan ik wel gebruiken, ja.'

Ze liep achter hem aan en ging aan de keukentafel zitten. Zonder nadenken pakte hij de cafeïnevrije Earl Grey, de kopjes waar Phyl het liefst uit dronk en het blikje boterkoekjes dat precies stond waar het moest staan. Terwijl hij probeerde te bedenken wat hij moest zeggen, realiseerde hij zich dat het hier allemaal om ging: samen leven. Het ging om al die jaren die je samen had gedeeld. Dat je de ander kent, en dat je het soort leven hebt waarin alles een vertrouwde plek had: de koekjestrommel op de plank linksboven, in het tweede keukenkastje, en altijd precies daar en nergens anders, en ook altijd gevuld met precies dezelfde koekjes. Dit was het huwelijk. Of was hij soms gek geworden? Gek van het schuldgevoel? Onzin! Het was niet eens een grapje van hem, en dat kwam deels voort uit de enorme opluchting die hij voelde. Daar zat Phyl weer, dezelfde als altijd, op haar gewone stoel, en ze zag er…

'Je ziet er ontzettend moe uit, schat. Is er soms iets mis?' Matt hoefde zijn bezorgdheid niet te veinzen. Zijn vrouw zag er echt vreselijk uit. Haar huid was grauw, en de kringen onder haar ogen waren zo paars en zo enorm dat ze wel iets weg had van een panda.

'Ik bén ook moe,' zei ze. Ze nam een slok van haar thee, zuchtte en leunde naar achteren in haar stoel. 'Heb niet zoveel slaap gehad, de laatste dagen. Poppy heeft weer een wakkere periode. Tandjes, denk ik. Of gewoon niet in haar hum vanwege Lou. Kinderen zijn net dieren, die pikken de stemming van hun ouders meteen op.'

'Hoe gaat het nu met Lou?'

'Wat vond je zelf, toen je haar aan de lijn had?'

'Nou, ze klonk… Ik denk dat ze zich groot houdt, eerlijk gezegd.'

'Ze is depressief. Dat is nog een andere reden waarom ik niet kon slapen. Na Ray was ze zo ontzettend down dat ze zich nauwelijks kon bewegen, maar dit keer lijkt ze aan de oppervlakte heel gewoon en laat ze niet merken dat ze eigenlijk heel veel gaf om die Harry. Maar dat deed ze wel. Ik zag de tranen regelmatig in haar ogen staan, op stille momenten.' Phyl lachte. 'Dat is het enige wat fijn is aan kleine kinderen: dan zijn er niet zoveel stille momenten waarop je kunt zitten somberen. Maar ze is echt heel erg gekwetst, dat is zeker. Ze zou vandaag voor het eerst weer naar Cinnamon Hill gaan. Ik moet zo even bellen om te vragen hoe dat ging.'

'Het lijkt mij niet echt verstandig om te gaan werken op een plek waar ze die man elke dag tegen het lijf loopt. Ze kan toch wel ergens anders een baan zoeken?'

'Ja, daar heb ik haar ook naar gevraagd, maar ze wilde toch per se. Ik vroeg me af waarom ze zo graag wil blijven, ik denk dat ze toch nog hoop heeft. Toen ik suggereerde dat ze misschien daarom niet weg wilde bij Cinnamon Hill begon ze me toch tegen me te schreeuwen, echt ongelofelijk. *Waarom zou ik daar blijven voor Harry? Ik wil daar gewoon blijven omdat ik dat werk leuk vind.* Dat soort dingen, weet je wel.'

'Arme jij. Nou ja, ze komt er vast wel weer overheen. Hier, neem een koekje.' Maar Phyl schudde haar hoofd. 'Nee, dank je. Matt, zou je even willen gaan zitten? Ik wil je iets vragen.'

'Ja, natuurlijk. Ik hoef niet meteen al naar kantoor.' Hij ging tegenover Phyl zitten en klopte even op haar hand. Zij trok haar hand terug, wat hem erg verontrustte. Er was iets mis. Ze ging iets heel akeligs zeggen. Iets vreselijks. O god, dacht hij bij zichzelf. Hij had God al niet meer aangeroepen sinds de avond dat Poppy geboren werd en hij de gedachte dat Lou zou lijden niet kon verdragen. O god, als Phyl maar geen kanker heeft. Laat haar niet ziek zijn. In godsnaam, alles liever dan dat. 'Wat is er, lieveling?' fluisterde hij. 'Je bent toch niet ziek?'

'O god, nee, Matt, alsjeblieft zeg! Nee, er is niets mis met mij. Ik ben erg ongelukkig, maar verder is er niks. Ik ben kapot, maar qua gezondheid is er niets aan de hand.'

'Praat toch niet zo, Phyl. Daar word ik... Ik weet niet wat ik moet doen als je zulke dingen zegt. Ik heb je nodig.'

'O ja?'

'Ja, zeker. Ik zou niet kunnen leven zonder jou.'

'Wat een onzin. Natuurlijk kun je dat wel. Iedereen kan alleen leven.'

'Je weet best wat ik bedoel. Ik... ik hou van jou, Phyl.'

Ze stond ineens op en liep van de tafel naar het aanrecht en staarde door het raam de tuin in. Ze stond met haar rug naar hem toe, zodat hij de uitdrukking op haar gezicht niet kon zien, maar de brok in haar keel hoorde hij wel. Wat was hier in godsnaam...

'O ja, hou jij van mij? Dan heb je wel een vreemde manier om dat te laten merken.'

Hij stond op. 'Hoe bedoel je? Ben je een beetje aan het door-draaien, of zo?' Hij kwam naast haar staan en draaide haar om, zodat ze hem aankeek. Ze liet haar hoofd zakken, maar hij legde zijn hand onder haar kin en tilde die op. 'Phyl, je huilt. Wat is er aan de hand? Toen nou, liefje, zeg nou waarom je huilt.'

'Vuile klootzak! Vuile leugenaar! Jij weet DONDERSGOED waar-om ik huil! Jij bent bij Ellie geweest. Ontken het maar niet. Ik weet het. Die avond... die avond dat jij beweerde dat je aan het bridgen was... Je was toen niet aan het bridgen. Dat weet ik.'

'Maar hoe weet je dat dan?' Zodra hij dat had gezegd, wist hij wat hij had gedaan. Hoe kon hij nou met zo'n lullig zinnetje die heel zorgvuldig opgebouwde leugen, die hij nog wel zo goed in el-kaar vond steken, naar de knoppen helpen? Een fout. En vreselijk stomme fout om dat te zeggen. Hij wist best wat hij eigenlijk had moeten antwoorden om zijn leugen vol te kunnen houden. Iets als: *natuurlijk was ik wel aan het bridgen. Hoe durf je te beweren dat het niet zo was?* Dat had hij moeten doen – witheet worden om zo'n belediging. Dat was veel beter geweest. Maar zijn woorden werden ingegeven door zijn verschrikkelijke, angstige schuldgevoel. Hij kon zijn leugen nu niet langer volhouden. Een deel van hem wilde wegrennen: gewoon omdraaien en de kamer uithollen en nooit meer terugkomen. Hij voelde zich net een klein kind. Constance had hem vaak dit gevoel gegeven.

Phyl zei: 'Dus ik heb gelijk. Dat wist ik ook wel. Oké.'

'Waar ga je heen? Kom terug, Phyl. Ik wil met je praten.'

Vanuit de deuropening zei ze over haar schouder: 'Maar ik wil niet meer met jou praten. Ik ga naar boven, om te pakken.'

'Je bedoelt uitpakken, zeker. Ik breng je koffer wel naar boven.'

Ze liep door en keek niet meer om. Matt wist niet wat hij nu moest doen, of wat hij nu moest zeggen. Phyl liep op de overloop. Hij riep haar na: 'Wacht! Loop nou niet weg! Kom alsjeblieft weer naar beneden...'

Geen antwoord. Moest hij nu achter haar aan? Zou ze nog bozer worden als ik achter haar aan ging om het uit te praten? Om erachter te komen wat ze precies wist en wat ze ermee wilde doen? Of kon hij maar beter bij haar uit de buurt blijven? Hij koos ervoor om toch in actie te komen.

'Alsjeblieft, hier is je koffer...' zei hij, toen hij in de slaapkamer stond. Phyl begon de inhoud van haar lades op hun bed te gooien. Ze had al een lade gedaan en was nu bezig met de tweede. 'Phyl? Waar ben je in godsnaam mee bezig? Hou hier mee op. Toe nou, lieverd, doe dat nou niet.'

'Ik heb meer koffers nodig,' zei ze, terwijl ze de tweede lade, die nu ook leeg was, weer dichtdeed. 'Kun jij er een paar van zolder halen? Ik weet niet precies hoeveel ik er nodig heb. Minstens drie of vier, denk ik zo.'

'Maar waarom?' Matt wist dat hij schreeuwde, maar dat kon hem niet schelen.

'Omdat ik bij je weg ga. Ik doe een paar koffers in de opslag en dan ga ik eerst een poosje bij Lou wonen totdat we samen een aardig ander huis kunnen vinden. Het leven zal voor haar ook veel gemakkelijker zijn als ik er altijd ben om haar te helpen en ze zal het vast ook fijn vinden om niet meer in dat kleine flatje te hoeven wonen. Ik neem aan dat jij wel over de brug zal komen met een schappelijk bedrag aan alimentatie, na meer dan twintig jaar huwelijk.'

Dit ging hem allemaal veel te snel. Hoe had dit zo uit de hand kunnen lopen? Matt had het gevoel alsof hij onder stroom stond. Hij had geen idee hoe hij in deze situatie terecht was gekomen, maar hij had ook het gevoel alsof er ongemerkt een zee van tijd voorbij was gegaan, omdat hij helemaal niet zag hoe het ene tot het andere had kunnen leiden. Hij deed verschrikkelijk zijn best om de logica van dit alles in te blijven zien, vanaf het moment dat zij hem ervan had beschuldigd dat hij Ellie had gezien, en hij dat vreselijke zinnetje had uitgesproken: *Maar hoe weet je dat dan?* Hij had iets gezegd, en Phyl zei dat ze dus gelijk had, waarna ze meteen naar boven was gegaan om haar koffers te pakken. Dat was het. Zij wist van hem en Ellie, en nu ging ze bij hem weg.

'Phyl?' vroeg hij voorzichtig. 'Mag ik even met je praten?'

'Het maakt mij niet uit. Maar je kunt er nu toch niks meer aan veranderen.' Ze was inmiddels bezig met de vierde lade.

'Hou daar alsjeblieft even mee op, en kom eens bij me zitten. Toe…' Er stond een klein bankje bij het raam en daar ging hij op zitten. Zij bleef aarzelend bij het bed staan. Ze huilde niet meer, maar haar lippen waren strak op elkaar geklemd, alsof ze nooit meer wilde glimlachen. Uiteindelijk kwam ze naar de bank toe. Matt voelde zich net een jager; hij durfde geen spier te bewegen uit angst dat hij haar weer af zou schrikken. Toen ze ging zitten, begon hij te praten. Hij stond niet meer stil bij wat diplomatiek zou zijn, of bij wat hij eigenlijk zou moeten zeggen, om zijn vrouw over te halen… zijn lieve, geliefde, dierbare vrouw… om haar van gedachten te doen veranderen. Hij wist alleen dat hij liever dan wat dan ook wilde dat zij niet zou gaan. Dat ze niet bij hem wegging.

'Phyl, het is waar. Ik was inderdaad bij Ellie. Ze had me gevraagd te komen, en ik heb geen nee gezegd. Dat had ik wel moeten doen. Het was een moment van zwakte, meer was het niet. Ik hou niet van Ellie. Ik hou al heel lang niet meer van haar, en daar is niets in veranderd. Jij was weg, en ik was alleen en zij vroeg of ik wilde komen… Ik wilde niet dat ze hier zou komen, en dat zou ze anders wel gedaan hebben. Ze… ze heeft het in haar hoofd dat ze…'

'Dat ze jou weer terug wil. Dat zag ik ook heus wel. Mijn god, wat is het ook een verschrikkelijk mens! Hoe durft ze?'

'Ik geloof niet dat ze dat wil. Dat ze mij werkelijk voor altijd terug wil, bedoel ik.'

'Maar ze wil je wel,' zei Phyl zo zachtjes dat hij haar nauwelijks kon verstaan. 'En jij wilt haar.'

'Ik wil haar niet.'

'Wel waar! Lieg niet tegen me, Matt, ik weet dat je haar wilt. Al dat geklets over dat wij het niet vaak genoeg doen... dat weet ik ook allemaal best wel... Nou ja, het doet er ook niet toe. Maar ik weet dat je haar nog altijd aantrekkelijk vindt en waag het niet om daarover te liegen. Het is zo, en je hebt misbruik gemaakt van het feit dat ik er niet was. Je dacht dat je er wel mee weg zou komen en zij vroeg je om langs te komen. En toen heb jij de kans gegrepen, omdat je dacht dat ik er toch nooit achter zou komen dat jij bij haar geslapen had.' Phyl huilde weer. De tranen stroomden langs haar wangen, en haar stem was nu zo schril dat het klonk alsof ze gek was, hysterisch. Ze gilde. Matt sloeg zijn armen om haar heen en zij schudde hem zo heftig van zich af dat hij terugviel op de bank. 'Jullie hebben het met elkaar gedaan, die avond, en waarschijnlijk daarna ook nog een paar keer, en als ik niets had gemerkt, dan zou je eeuwig doorgegaan zijn en... daar kan ik gewoon niet tegenop. Ik ben niet verleidelijk. Dat ben ik nooit geweest en dat zal ik ook nooit meer worden. Dus ik wens je veel plezier met haar. Ik ga weg.'

'Phyl, alsjeblieft. Word nou eerst eens rustig. Heel even maar. Luister naar me. Alsjeblieft, lieverd.'

Ze legde haar hoofd in haar handen en steunde snikkend op haar knieën. Hij sloeg een arm om haar schouders en wachtte even af, in de verwachting dat ze hem weer van zich af zou duwen. Maar dat deed ze niet. Daarvoor was ze te verdrietig. Ze had het waarschijnlijk niet eens in de gaten dat hij haar aanraakte.

'Sommige dingen die je zegt kloppen, Phyl, maar andere dingen kloppen helemaal niet. Ik vond haar inderdaad aantrekkelijk. Ik voelde me... Nou ja, wij hadden al zo lang niet... Je weet wel, dat hoef ik niet uit te leggen... Ellie is zo schaamteloos. Ze is zo... niet dat ik haar de schuld geef, hoor. Ik had natuurlijk ook gewoon op kunnen staan en weg kunnen lopen, maar dat heb ik niet gedaan. Het is mijn schuld. Ik heb er geen excuus voor. Maar andere dingen zijn ook waar en die zijn veel belangrijker. Ik hou van jou. Dat is de waarheid en het maakt niet uit of je nou bij me terugkomt of niet. Ook al zeg je dat uit mijn gedrag het tegendeel blijkt. Dat klopt niet. Mijn gedrag was stompzinnig. Roekeloos. Genotzuchtig. Ranzig. Dat ik dit heb gedaan wil veel zeggen, maar niet dat ik niet van jou hou. Ze heeft me dronken weten te voeren. Oké, oké, ik had de drank ook af kunnen slaan, maar dat heb ik niet gedaan. Dat zal ik ook niet ontkennen. Ik wilde inderdaad met haar naar bed en dat heb ik ook gedaan. En daar had ik meteen al spijt van en het gaat ook nooit meer gebeuren. Nooit meer, dat beloof ik. Ik wil haar zelfs überhaupt nooit meer zien, en als het echt niet anders kan, in verband met de familie, dan zorg ik dat jij er ook bij bent. Ik zweer dat ik nooit meer met haar alleen in een kamer zal zijn, voor zolang als ik leef.'

Matt zweeg even en wachtte af of Phyl iets zou zeggen. Hadden zijn woorden ook maar enig effect? De stilte duurde maar en duurde maar. Uiteindelijk begon hij maar weer te praten, om die stilte te verbreken.

'Ga alsjeblieft niet bij me weg, Phyl. Ik zou nooit… We kunnen toch opnieuw beginnen? We kunnen toch weer gelukkig worden? Ik neem je mee naar Parijs. Ik weet wel dat ik dat al maanden roep, maar ik ga het echt doen. Wanneer jij maar wilt. Ik hou van jou, Phyl. Zeg nou eens iets. Zeg dat je niet weggaat. Dit is toch ons huis? Zonder jou… zonder jou is het hier zo doods. Net als ik. Ik ga dood, zonder jou.'

'Welnee,' zei ze. 'Waarom zou je?'

'Je weet best hoe ik dat bedoel,' fluisterde Matt, die niet meer durfde te hopen, maar wiens hart toch opsprong bij haar woorden. Ze praatte in elk geval weer tegen hem. 'Ik blijf heus wel ademhalen, maar ik kan zonder jou niet functioneren. Zonder jou ben ik zo ongelukkig dat ik gewoon zal... verschrompelen. Verdorren. Ik zou gek worden van de eenzaamheid. Ik zou het echt niet aankunnen. Echt niet.'

'Ik denk dat jij je prima redt. Dan huur je gewoon een huishoudster.'

'Jezus, Phyl, je vat het expres verkeerd op! Ik snap ook wel dat ik dat zou kunnen doen, maar zonder jou voel ik me vanbinnen leeg en doods.' Toen kwam er nog een andere gedachte bij hem op, en ineens werd hij ijskoud. 'Je hebt dit toch nog niet aan Lou verteld, hè?'

'Wat? Dat ik bij je wegga? Dat ik met haar en Poppy samen een groter appartement wil zoeken? Nee. Nog niet.'

'Toe dan, Phyl. Bedenk je dan toch dat ons hele leven... Ik... Geloof je soms niet dat ik van je hou?'

'Jawel. Maar is dat wel genoeg voor jou? Als je mij niet meer aantrekkelijk vindt, wat voor seksleven hou je dan nog over?'

'Als ik jou niet meer aantrekkelijk vind? Hoe kom je daar nou toch bij? Natuurlijk vind ik jou aantrekkelijk, ik heb je altijd al heel erg aantrekkelijk gevonden.' Hij nam haar in zijn armen. 'Er is helemaal niets veranderd aan mijn gevoelens voor jou. En dat zal ook nooit gebeuren.'

Ze liet zich door hem zoenen. De opluchting die hij voelde toen ze zijn kus beantwoordde was zo groot dat het niet veel scheelde of hij was zelf gaan huilen. Ik mag nu niet gaan huilen, dacht hij. Ik moet haar zien te overtuigen. Ik moet helemaal opnieuw beginnen. Ik moet haar laten inzien hoeveel ik van haar hou. Ze trok zich terug, en hij keek haar fronsend aan.

'Ik ga even weg. Een eind wandelen. Ik moet hier over nadenken, Matt,' zei ze, en ze liep de kamer uit. Hij ging op bed zitten en vroeg zich af waar ze naartoe zou gaan. Hij hoorde de auto starten. Brighton. Ze ging naar het strand, en Matt wist dat hij niet zou rusten voor ze weer thuis was. Al haar spullen lagen op het bed, en hij werd bijna misselijk bij de aanblik. Hij vroeg zich af hoe lang het zou duren voordat Phyl ze weer in de lades zou stoppen. Als ze dat al zou doen.

Het was veel stiller dan anders bij Cinnamon Hill Productions. Aangezien het nu zomer was, zou er een werkplek voor haar vrij zijn, wist Lou. Dus nu zat ze aan een bureau, boos omdat Harry niet naar kantoor zou komen terwijl hij volgens het schema geen vakantie had ingeroosterd. Die klootzak! Ze was nu al twee weken aan het repeteren hoe ze zich zou gedragen als ze hem weer zag: nonchalant, zorgeloos, geestig, gelukkig, volkomen normaal en vooral superaantrekkelijk. Ze had in de uitverkoop een paar nieuwe shirts en een rokje gekocht, ze was naar de kapper geweest en ze had zich met zorg opgemaakt. Zoveel aandacht had ze al sinds haar zestiende niet meer aan haar uiterlijk besteed. In die tijd geloofde ze nog in de magische krachten van lippenstift, oogschaduw en mascara, en bestudeerde ze bijna obsessief artikelen in modeblaadjes. Al dat soort informatie zoog ze in zich op.

'Waar is Harry vandaag?' vroeg ze aan de diepgebruinde Jeanette. Die was overduidelijk net terug van een plek waar het heel warm was. 'Hij is toch nog niet op vakantie?'

'Nee, hij is naar Sussex, voor een gesprek met Malcolm Boyd. Ik had best met hem mee gewild.'

Malcolm Boyd was de woest aantrekkelijke held uit een aantal actiefilms. Het Britse antwoord op Johnny Depp, volgens de bladen. Wat zou Harry met hem te bespreken hebben? Lou bedacht zich dat hij haar misschien wel bewust uit de weg ging. Maar wat betekende dat, als het waar was? In elk geval niet dat hij terugnam wat hij in Parijs had gezegd. Hij zou contact hebben gezocht, per telefoon, per e-mail of zelfs persoonlijk, als hij toch wilde dat hun relatie zou veranderen. Maar sinds die vreselijk avond had ze maar één schaapachtig e-mailtje van hem gekregen. Lou kende het uit haar hoofd: *Het spijt me zo van gisteravond, Lou. Laten we alsjeblieft vrienden blijven. Harry x.* Haar antwoord was zelfs nog korter: *Maak je geen zorgen. Tot gauw. Lou.* Zonder kus. Wat had zijn x trouwens te betekenen? Daar moest hij toch over nagedacht hebben, en ze zag het als een treurige poging om weer bij haar in de gunst te komen, zodat hij zich minder beroerd hoefde te voelen over het feit dat hij haar romantische tripje had vergald. Ze was er trots op dat ze het had weten te redden, en dat ze snel naar huis had weten te komen. De ochtend na die afschuwelijke avond was ze vroeg opgestaan en met de allereerste Eurostar van die dag vertrokken van Gare du Nord. Bij de gedachte alleen al kromp ze nu zelfs nog ineen.

Ze opende haar mailbox. Niks nieuws, op wat spam na. Harry vond het natuurlijk niet nodig om haar te schrijven waarom hij naar Sussex was vertrokken terwijl hij wist dat zij naar kantoor zou komen. Waarom niet? Nergens om. Tegen beter weten in hoopte ze telkens als ze haar e-mail checkte dat Ciaran Donnelly haar een bericht zou hebben gestuurd. Ook al was het nog maar een paar weken geleden dat ze hem het script van *Blinde maan* in zijn handen had gedrukt. Daar fantaseerde ze over. Ze stelde zich soms voor dat hij het script had gelezen en dat hij er zo ondersteboven van was dat hij haar meteen zou bellen. Er waren dagen dat ze niks anders deed dan haar voicemail afluisteren en haar e-mail controleren. Maar er waren ook momenten, vooral 's nachts, dat ze zich een heel nare afwijzing inbeeldde: *Jij moet echt nooit meer proberen om een filmscript te schrijven... Je hebt het gewoon niet in je... Ik kan maar beter eerlijk zijn dan dat je steeds maar nul op het rekest blijft krijgen...* Bij zulke gedachten moest ze altijd huilen en dus probeerde ze er niet aan toe te geven en zich te concentreren op de leukere dagdromen. Wat had een fantasie voor zin als je er niet gelukkig van werd? Daar zijn ze toch zeker voor: om je uit je eigen benauwde wereldje te halen en mee te nemen naar een betere plek? Een plek met meer glamour. Een plek waar je met grote letters op de titelrol kon lezen: *Script: Louise Barrington. Naar de roman van John Barrington.* In krullende, diepdonkerrode letters op dat enorme doek.

Ze begon aan een mailtje aan haar moeder. Dat had Phyl als voorwaarde gesteld toen ze weer terugging naar Haywards Heath. Lou had beloofd dat ze elke dag een mailtje zou sturen om haar moeder te laten weten hoe het met haar ging. In detail. Lou was heel blij met het feit dat Phyl haar hielp met Poppy, maar wat ze het allerliefste wilde was haar kleine flatje weer voor zichzelf hebben. Ze wilde de luxe van kunnen huilen zonder dat er iemand om je heen was die steeds allerlei vragen stelde of die probeerde om je op te vrolijken. Was ze eigenlijk echt zo depressief? Dat wist Lou niet eens zeker.

Ze was al vrij snel – na een paar dagen weeklagen, met af en toe een huilbui – tot de conclusie gekomen dat ze eigenlijk vooral last had van een acuut geval van diepe teleurstelling. Toen kwam ze min of meer bij haar positieven. Het enige dat Harry had misdaan was haar de beloning onthouden waar ze eigenlijk op had gerekend. Verder had hij eigenlijk niks misdaan. Hij had met haar gezoend en hij had een vriendin. Nou en? Mannen doen dat soort dingen nou eenmaal. Als ze ook maar even de kans kregen, waren alle mannen ontrouwe honden. Ze wist zeker dat hij zelf vond dat hij zich voorbeeldig had gedragen en dat hij helemaal niemand ontrouw was geweest. Hij had toch op tijd gezegd dat hij niet met haar naar bed wilde, en nog op zo'n galante manier ook? Knappe jongen, die Harry. Een ware heer. Keurig! Lou had eigenlijk liever gewild dat ze in elk geval die ene nacht vol passie had mogen meemaken, maar wat voor zin zou dat eigenlijk hebben gehad? Hoe zou ze zich dan gevoeld hebben, als ze pas nadat ze met hem naar bed was geweest lucht had gekregen van die Amerikaanse vriendin? Een heel stuk beroerder dus. Dus, Harry, goed gedaan, jongen. Je hebt precies op tijd een grens getrokken. Maar toch, als ze dacht aan wat ze was misgelopen, dan zat ze soms te knarsetanden van frustratie. Het voordeel was wel – en ze dwong zichzelf om zich op de voordelen te concentreren, ook al voelde ze zich niet zo positief – dat ze duidelijk niet bang meer was om door een man te worden aangeraakt. Ze had dat zelfs heel graag gewild, en dat was toch zeker iets goeds.

Wat moest ze aan haar moeder schrijven? Nu ze de rommel in haar eigen hoofd had opgeruimd, bedacht ze zich dat ze misschien niet de goede vragen aan Phyl had gesteld. Ze had eigenlijk bijna niets gevraagd, nu ze er zo over nadacht. Haar moeder was absoluut niet zo vrolijk en kletserig en evenwichtig als anders. Nu Lou terugkeek op de dagen die ze samen hadden doorgebracht, vond ze haar eigenlijk veel te stil en bovendien zag ze er niet uit. Goed, ze had haar best gedaan om Lou te helpen, maar je zag wel dat ze er niet helemaal bij was. Alsof ze het in haar slaap deed. Ze had donkere kringen onder haar ogen, en een onverklaarbaar verdrietige uitdrukking op haar gezicht, als ze dacht dat je niet oplette. Waarom heb ik er eigenlijk niet gewoon naar gevraagd voor ze weer naar huis ging? Omdat ik veel te veel met mezelf bezig was. Ze zuchtte en begon te typen.

Ik zit hier nu bij Cinnamon, maar er is niet veel te beleven. Harry is weg, dus dat scheelt weer wat gênante momenten. Sorry dat je dat allemaal mee moest maken, nog maar een keer. Jij zag er zelf trouwens ook niet al te florissant uit. Is er soms iets mis? Ik baal ervan dat ik je dat niet heb gevraagd toen je nog hier was. Maar vertel het me alsjeblieft als er iets aan de hand is.

Veel liefs van Lou, xx.

De telefoon in haar tas begon te trillen. Dat is vast mama, dacht ze, en dus verstuurde ze haar mailtje nog maar niet. Dan kan ik haar meteen vragen wat er loos is.

'Hoi!' zei ze, zoals ze altijd deed als ze wist dat Phyl belde.

'Spreek ik met Louise Barrington?'

Shit! Dat was Phyl dus helemaal niet. Dat was... O god, dat was die vent van Golden Ink. Die Jack Golden. Ze klonk vast belachelijk. 'Ja, met Louise Barrington. Neem me niet kwalijk, ik had iemand anders verwacht.'

'Het spijt me dat ik je teleurstel.'

'Nee, nee, helemaal niet...' Wanneer hield hij nou eens op met dit soort spelletjes? Waarom kwam hij niet gewoon terzake? Hij klonk een stuk minder welbespraakt dan de vorige keer dat ze hem aan de lijn had. Ze wachtte tot hij met iets zinnigs kwam.

'Hallo? Ben je daar nog? Ik belde om te vragen of je deze week misschien tijd hebt om een keer te lunchen. Donderdag, bijvoorbeeld? Of vrijdag?'

'Donderdag kan ik niet, maar vrijdag is prima.' Donderdag had ze ook niks te doen, maar ze had in diezelfde blaadjes die haar alles over make-up hadden geleerd ook gelezen dat je nooit de eerste datum die je werd aangeboden moest accepteren. Je moest nooit laten merken dat je anders toch maar in je eentje thuis wat om je heen zat te koekeloeren. Je deed net alsof je druk was. Alsof je afspraken had staan.

'Goed, vrijdag dan. Ken je La Bergerie? Dat is vrij dicht bij Tottenham Court Road Station. Ik kan je wel even een routebeschrijving e-mailen. Schikt het rond halfeen?'

'Ja, dat moet lukken. En ik wil graag een routebeschrijving, ja. Mijn mailadres is loubar@hotmail.com.'

'Oké! Ik stuur het meteen naar je toe. Nou, ik verheug me enorm op onze ontmoeting. Tot ziens!'

'Dag.' Had ik nou maar gevraagd waar ik hem aan kon herkennen, dacht Lou toen ze ophing. Google Images, dacht ze. De hemel zij geprezen voor Google. Ze klikte een paar keer en ja hoor, daar was hij – alleen wel steeds met zijn rug naar de camera, zag ze. En op groepsfoto's, steeds op de achterste rij, half verscholen achter iemand anders. Dus bescheiden en lang. Blondachtig haar en een bril. Ach nou, ze zou het snel genoeg zien. Google Images zei niets over zijn geboortedatum, en dus had ze nog steeds geen idee hoe oud hij was. Ze zocht naar Golden Ink. Er was op internet van alles en nog wat over het bedrijf te vinden en over de boeken die ze uitgaven, maar ze kon nergens zijn geboortedatum vinden. Wat maakte het trouwens uit hoe oud hij was? Hij wilde *Blinde maan* misschien opnieuw uitgeven, en dat was het enige wat telde.

'Champagne met aardbeien als toetje!' Mickey glimlachte. 'Kwam je scheiding er maar elke week door. Wat een verwennerij.'

'Die champagne is nog maar het begin. We hebben een kamer in Devere Lodge in Mayfair. Met sauna, en ik dacht vanavond maar roomservice, ook al kan ik denk ik geen hap meer door mijn keel krijgen na wat ik net allemaal heb gegeten. Vind je dat goed?'

Nessa zag Mickey knikken, want ze had haar mond te vol om iets te kunnen zeggen. Dit is het moment, dacht ze. Ik moet het nu zeggen, als ik het ooit nog een keer wil doen. Waren mannen ook altijd zo in paniek als ze een aanzoek gingen doen? Ze had zich suf gepiekerd over hoe ze het zou brengen, en wat ze zou zeggen, en of ze Mickey de ringen kon laten zien die ze verleden week in een antiekzaakje in Bath had gevonden en meteen maar had gekocht. Het waren schitterende negentiende-eeuwse ringen, de een met granaatjes en de ander met maansteentjes. Ze zag helemaal voor zich dat Mickey de glinsterende donkerrode stenen aan haar vinger droeg, en zij de gloeiende blauwwitte steentjes. Nee, ze zou ze nu niet tevoorschijn halen. Dat zou ze bewaren voor later.

'Hoe was het met Gareth?' vroeg Mickey. 'Alles goed met hem?'

'Ja, het ging prima. Tamsin is nu wel gewend aan de nieuwe regeling en ze vindt het hartstikke spannend om een broertje of zusje te krijgen. Dat duurt nog maar een paar maanden, en ik denk dat dat wel wat afleiding biedt. Ze is nu bij Gareth en Melanie. Volgens mij loopt alles op rolletjes. Ik moet wel zeggen dat er een enorme last van me afvalt.'

Nessa vertelde niet dat ze wel een beetje gekwetst was dat haar dochter zich zo gemakkelijk aan Melanie had aangepast. Afgezien daarvan was ze er natuurlijk vooral blij mee. Tamsins geluk was voor haar belangrijker dan wat dan ook. Bovendien zaten Mickey en zij niet te wachten op een huilerig, verdrietig, gespannen kind in huis terwijl zij juist van de verantwoordelijkheid bevrijd wilden zijn – Nessa hield zichzelf nooit voor de gek –, zodat ze zoveel mogelijk samen konden doen. Om een aantal redenen, waaronder Mickeys tripje naar Praag voor een beurs, hadden ze al meer dan twee weken niet meer bij elkaar geslapen. Nessa kon niet mee naar Praag omdat ze de laatste dingen voor de scheiding moest regelen en daarvoor een paar afspraken had met Gareth. Toen Mickey weg was, had ze zichzelf zitten kwellen met beelden van andere vrouwen in de armen van haar geliefde. Ze kon er niet van slapen, en ze had Mickey zo vaak gebeld en ge-sms't dat haar rekening wel astronomisch hoog zou zijn. Daar zat ze niet mee, want ze had er wel wat voor over om haar stem te horen... Nu ze naar Mickey keek, die tegenover haar aan tafel zat, werd Nessa zo door verlangen overmand dat ze zich nog maar net kon inhouden om niet voorover te leunen en haar ter plekke, waar iedereen bij was, te kussen. Het tafeltje was er klein genoeg voor. Het zou makkelijk kunnen. Ze stelde zich tevreden met het vastpakken van Mickeys hand.

'Mickey... Lieve Mickey. Ik wilde je iets vragen...'

Mickey zei niets, maar knikte. Nessa vroeg zich af of ze soms wist wat er ging komen. Zou ze hetzelfde hebben bedacht, maar

durfde ze er niet over te beginnen? Ze moest het er maar snel uit-
gooien. Ze zuchtte diep en staarde naar Mickeys hand in de hare.
'Ik wil met je trouwen. Of een geregistreerd partnerschap, of hoe
dat ook mag heten. Ik wil gewoon… Ik wil gewoon voor altijd met
je samenzijn.'

'Ik ook. Daar heb ik zelf ook over zitten denken.'

'Echt waar? Meen je dat? Waarom heb je er niks over gezegd?'
Nessa vroeg zich af of anderen konden horen hoe erg haar hart te-
keerging.

'Ik zat te wachten op de scheiding. Ik wilde het je niet vragen
voordat daar zekerheid over was. We zijn klaar hier, Nessa. Zullen
we de rekening vragen?'

'Ja, natuurlijk.' Nessa kon haar blijdschap nauwelijks bedwin-
gen. Mickey had ja gezegd. Ik wil nu naar het hotel, dacht Nessa.
Ik wil met haar vrijen. Nu. Ze draaide zich om, op zoek naar de
ober, en gebaarde dat hij de rekening moest komen brengen. Toen
viel haar oog op een stelletje dat bij het raam zat. Was dat... Kon
dat? Ja, het was zo. Het was Lou, met een of andere vent. Zouden
ze ons ook hebben gezien, vroeg ze zich af. Mickey en mij? Als het
zo was, dan kon het haar niets schelen. Ze had niets te verbergen.
Ze overhandigde haar creditcard aan de ober en zei tegen Mickey:
'Daar heb je Lou, bij het raam. Ook toevallig, vind je niet? Ik loop
er even naartoe om gedag te zeggen.

'Met wie is ze?'

'Ik heb die man nog nooit gezien. Niet veel soeps, trouwens.'

'Hij is gewoon je type niet, Nessa. Hij lijkt me best lief.'

'Wat heb je nou aan een man die er lief uitziet? Wat heb je überhaupt aan een man?'

Dat vonden ze allebei tamelijk hilarisch en ze begonnen te giechelen. 'Hou je een beetje in, Nessa,' zei Mickey. 'Je wilt toch niet
dat Lou straks ook nog denkt dat je een dronkenlap bent. Een
dronken pot.'

'Joh, dat snapt ze toch niet. Die denkt gewoon dat wij zitten te lunchen, voor het werk, of zo. Kom, we gaan even dag zeggen.'

Ze liepen naar het tafeltje waar Lou en de onbekende man zaten. Nessa zette haar beleefde stem op. 'Hallo, Lou. Dat is ook toevallig! Wat enig om je weer eens te zien, dat is toch alweer heel wat weken geleden, of niet?'

'Ha, Nessa. Ja, dat is zeker toevallig. Ik zag jou en Mickey daar al zitten – hallo, Mickey – maar ik wilde niet... Nou goed, hoe gaat het? O, wacht...' Ze bloosde toen ze zich realiseerde dat ze haar geheimzinnige disgenoot nog moest voorstellen. Nessa vulde de ongemakkelijke stilte.

'Neem me niet kwalijk... Ik ben Vanessa Williams. Ik ben Lous zus, tenminste, zo ongeveer. Het ligt allemaal een tikje gecompliceerd, maar Lou zal het wel uitleggen als je het haar lief vraagt. En dit is Mickey Crawford, mijn partner.'

'Hoe maakt u het,' zei de man, terwijl hij opstond en haar en Mickey een hand gaf. 'Ik ben Jake Golden. Prettig kennis te maken.'

Amerikaans, dacht Nessa. Waar zou ze hem hebben opgedoken? Ze wisselden nog wat beleefdheden uit en toen namen zij en Mickey afscheid en vertrokken. Ze keek nog eens achterom en probeerde in te schatten hoe lang die twee elkaar al kenden, maar ze gaven niets weg. Wat had Lou nou precies gezegd? Dat ze hen had zien zitten, haar en Mickey? Heeft ze ook gezien dat ik Mickeys hand vastpakte? Als het zo is, dan maakt me dat niets uit, dacht Nessa. Als ik weer thuis ben, zal ik haar meteen bellen om het haar allemaal te vertellen. Dat was meteen een mooie manier om ervoor te zorgen dat Matt en Phyl het te weten kwamen.

Toen ze bij de stoeprand kwamen, sprong het stoplicht net op rood. Terwijl ze stonden te wachten, draaide Nessa zich om naar Mickey en kuste haar vol op de mond. De kus duurde net iets langer dan in het openbaar voor beschaafd kon doorgaan. Nessa bedacht zich dat zij vroeger altijd vooroordelen had over mensen die in het openbaar zoenden – wie dan ook – maar die ideeën had ze duidelijk overboord gezet. Ze greep zich aan Mickey vast en het Londense verkeer denderde langs hen, en het kon haar geen moer schelen wie hen allemaal konden zien.

'Wat bedoelde je zus daarmee, dat het gecompliceerd is?' vroeg Jake Golden. Hij zag er dan wel verlegen en stilletjes uit, dacht Lou, maar hij was duidelijk nieuwsgierig en niet op zijn mondje gevallen. Dat schreef ze dan maar toe aan zijn Amerikaanse afkomst.

'Nou, haar moeder was vroeger getrouwd met mijn vader. We zijn geen bloedverwanten, maar we zijn wel samen opgegroeid. Mijn ouders hebben altijd heel nadrukkelijk gezegd dat we broer en zussen waren. Nessa en ik en onze broer Justin, bedoel ik. We zien elkaar niet zoveel meer, nu we volwassen zijn. Alleen met verjaardagen en begrafenissen en zo. Ik zie haar waarschijnlijk pas weer als mijn vader jarig is.'

Jake zei iets onbeduidends en richtte zijn aandacht op de menukaart. Lou was veel te zenuwachtig om te eten, maar ze had besloten dat ze zou vragen om een omelet met champignons. La Bergerie was precies het soort restaurant waar ze met Harry had willen zitten, maar dan in Parijs. Klein, donkere houten lambrisering, geruite kleedjes en mandjes vol stokbrood op de tafels. Echt Franse reclame aan de muur. En er hingen allemaal foto's van beroemde mensen. Sommige waren al heel oud, en ze herkende ze ook lang niet allemaal. Maar het was hoe dan ook duidelijk een plek die de goedkeuring van heel wat beroemdheden kon wegdragen. Ze nam geen wijn, want ze wilde helder blijven denken, en dus deelden ze een fles bronwater.

De ober kwam om hun bestelling op te nemen en terwijl Jake die doorgaf staarde Lou uit het raam. Waren dat Nessa en Mickey?

Ja, daar stonden ze, op de stoep te wachten bij de stoplichten. Nessa draaide zich ineens om naar Mickey en nu stonden ze daar te zoenen. Dat kon toch niet waar zijn? Ze rekte haar nek een beetje uit om het beter te kunnen zien, en ja hoor, daar stonden ze, met hun armen om elkaar heen, te zoenen alsof hun leven ervan afhing. Het stoplicht was al op groen gesprongen, maar ze gingen maar door. Die waren een stelletje, dat was duidelijk. Lou knipperde met haar ogen, en het volgende moment staken ze over. Jake was klaar met bestellen en zei iets tegen haar. Ze scheurde zich los van wat ze zojuist had gezien. Nessa en Mickey. Hoelang zou dat al gespeeld hebben? Ze had wel van Phyl gehoord dat Gareth een andere vrouw had, maar kwam het door Nessa's affaire met Mickey dat hij zijn heil ergens anders was gaan zoeken? Daar wilde Lou het fijne van weten. Ik bel haar later wel even, dacht ze. Maar nu moet ik me concentreren op Jake Golden en op wat hij te vertellen heeft.

'Sorry...' Ze glimlachte. 'Ik was even heel ver weg.'

'Geeft niet. Ik vroeg alleen of je ons al kende. Golden Ink, bedoel ik.'

'Tegenwoordig weet je alles, met Google,' zei Lou. 'Ik zag wel dat jullie niet veel fictie uitgeven.'

'Nee, dat klopt. Wij doen vooral memoires, reisboeken, een klein beetje poëzie... dat soort dingen. En ook altijd wat boeken die niet meer verkrijgbaar waren, oudere titels. Ik ben zelf niet zo dol op fictie. Een van de dingen die me aansprak aan *Blinde maan* is dat het eigenlijk duidelijk verkapte memoires zijn. Ben je dat met me eens?'

'Denk je dat echt? Ik had er eigenlijk nog nooit bij stilgestaan tot ik onlangs een gesprek had met iemand – nou ja, met mijn verloren gewaande oud-oudtante, was dat – en die zei precies hetzelfde. Die zei dat Dulcie eigenlijk oma Rosemary was. Ze heeft mijn grootvader daadwerkelijk geadopteerd en mee naar Engeland genomen, na de oorlog. En in het boek maakt Peter duidelijk dat Dulcie verantwoordelijk is voor de dood van zijn moeder. Daar heb ik over nagedacht en ik vroeg me af: zou hij wel hebben willen wonen bij de vrouw die zijn moeder had vermoord? Als het waar is, dan heeft ze haar inderdaad vermoord, toch? Ik bedoel, Peters moeder was misschien hoe dan ook doodgegaan, maar Dulcie heeft ervoor gezorgd dat het zeker gebeurde. Dat zoiets kan.'

'John Barrington had misschien geen keuze. Hij was helemaal alleen, want er was niemand die voor hem kon zorgen. Ik denk dat hij niet anders kon. Hij moet geweten hebben dat Rosemary – heet ze zo? – hem de kans bood te overleven. En een kans op een opleiding, op een leven.'

'Maar dan had hij later in zijn leven toch bij haar weg kunnen gaan? Toen hij wat ouder was? Als zij echt een moordenaar was, bedoel ik. Als hij die dingen niet had verzonnen om ze wat dramatischer te maken. Nee, ik zal mijn vader vertellen wat Mme Franchard erover zei, mijn oud-oudtante, maar volgens mij is het verzonnen. Het is echt een roman. Er waren zoveel dingen in het kamp die heel erg waren. Zoveel mensen die stierven. En zijn moeder, die net een baby had gekregen... Ze moet heel ernstig verzwakt zijn geweest, zwakker dan de meeste anderen. Het kan makkelijk zijn dat ze een natuurlijke dood is gestorven en dat opa er een moord van heeft gemaakt om het drama nog wat dikker aan te zetten.'

Jake had zijn kom met uiensoep bijna leeg. 'En dat met die baby? Was dat wel echt waar? Of heeft hij dat soms ook verzonnen?'

'Nee, dat is echt gebeurd. Ik kan me herinneren dat hij mij over zijn zusje heeft verteld... mij en mijn vader.'

'Het doet er natuurlijk eigenlijk ook helemaal niet toe of het waargebeurd is, of niet. Als roman werkt het en het komt allemaal heel waarheidsgetrouw over. Ik zou het graag opnieuw uitbrengen.

Als jij daarvoor je toestemming wilt geven, want jij hebt het auteursrecht, toch? Ik vrees dat we je niet echt een ruim voorschot kunnen bieden... We zijn maar zo'n klein bedrijf. Wat vind je van tweeduizend pond?'

Dat vond Lou een enorm bedrag. Het meeste van wat ik tot nu toe heb gehad, bedacht ze zich, was eigenlijk helemaal niet mijn eigen geld, maar dat van papa. Dit zou het grootste bedrag zijn dat ik ooit in één keer heb verdiend. Jake was nog steeds aan het woord. 'Dan zou ik je nu duizend kunnen betalen, en de andere duizend bij publicatie. Heb je een agent?'

Lou schudde haar hoofd. 'Moet dat?' Waar moest ze in 's hemelsnaam een agent vandaan halen? Ze voelde zich een beetje lacherig worden. Dit ging allemaal veel te snel. Ze zei: 'Ik zou graag even wat tijd krijgen om het met een aantal mensen te bespreken. Mijn vader... die heeft niet veel verstand van romans, maar hij is wel advocaat. En mijn baas.' Harry kende vast wel een paar agenten, dat wist ze bijna zeker. Hij zou haar wel helpen, en dat zou ze niet erg vinden. Ze zou haar persoonlijke gevoelens voor hem opzij schuiven, want het was heel belangrijk om dit goed aan te pakken.

'Je hebt in dit stadium ook nog geen agent nodig,' zei Jake. 'Ik beloof je dat ik je niet te weinig betaal. Je kunt ook altijd nog lid worden van de Schrijversbond, dan kijken zij het contract voor je na. Ik wil het boek graag volgend jaar uitbrengen. Ik zal wel met je overleggen over hoe het eruit moet komen te zien, maar ik waarschuw je wel vast: ik ben heel koppig als het gaat om lettertypes en omslagontwerpen.'

Hij glimlachte, en Lou dacht: als hij lacht, heeft hij ineens een heel ander gezicht. Ze had hem meteen herkend toen ze in het restaurant aankwam, niet omdat hij zo leek op zijn foto's op Google, maar omdat hij bij het raam zat en duidelijk op iemand zat te wachten. Hij had een lang, smal gezicht, met heel erg kortgeknipt, blond haar. Zijn hoornen brilletje was ultramodern, in zo'n zelfde vorm als een 3D-bril, en de ogen achter die bril waren licht blauwgroen. Hij ging gekleed op een manier waar Lou niet aan gewend was: veel soberder dan andere mannen, met zijn witte overhemd, zijn donkergrijze broek en zijn bruine instappers. Misschien was het allemaal heel duur, maar Lou had geen verstand van mannenkleding. En hoe oud zou hij zijn? Misschien was hij vijfendertig, maar dan zag hij er nog wel jong uit. Voor hetzelfde geld was hij nog ergens achter in de twintig en deed hij zijn best om er door zijn kledingkeuze ouder uit te zien. Of zou hij soms ouder zijn, iets van veertig, of zo? Ze dacht van niet, maar ze was altijd heel slecht in het schatten van leeftijden. Zijn stem was zijn aantrekkelijkste punt. Hij klonk een beetje als Clint Eastwood, en Lou kon wel uren naar hem luisteren.

'Er is nog een ander punt,' zei Jake, en Lou onderbrak haar bespiegelingen over zijn uiterlijk en concentreerde zich op wat hij wilde vragen. 'Ik zou heel graag willen dat jij er een inleiding bij schrijft. Daar zou ik je vijfhonderd pond voor betalen, als eenmalig honorarium. Wat denk je?'

'Maar ik kan helemaal niet... Wat moet ik dan schrijven? Ik heb nog nooit een inleiding ergens bij geschreven. Hoelang moet dat bijvoorbeeld zijn?' Ineens ging haar hart enorm tekeer en wist ze niet of ze dolblij was, of juist doodsbang. Misschien allebei een beetje. Ze had net een heel filmscript geschreven, maar ja, dit was een echte opdracht.

'Ik dacht dat je een stuk zou kunnen schrijven over hoe jij je hem herinnert. Iets persoonlijks. Niet al te intellectueel. Gewoon, wat hij voor je heeft betekend. Dat soort dingen vinden onze lezers geweldig... Zou je daar eens over na willen denken? Het zou ongeveer tweeduizend woorden moeten zijn.'

'Nou ja, als jij dat wilt. Maar hoe kom jij er eigenlijk bij dat ik kan schrijven?'

349

'Dat is een gok die ik wel wil nemen. En als het niet werkt, dan verzinnen we iets anders. Maar kun je het?'

'Schrijven bedoel je? Ja, ik geloof van wel. Denk je dat het boek daar beter van wordt?'

'Ja, dat denk ik. En er is nog iets anders. Je naam komt dan ook in het boek. Heb je daar wel bij stilgestaan? Misschien streelt dat de ijdelheid?'

Daar was dat lachje weer. 'Goed, ik zal het proberen. Ik zal iets schrijven en dan mail ik dat wel naar je.'

'Geweldig. En dan nu een toetje, goed?'

Lou had ineens ontzettende trek. Het boek zou er komen, in de boekwinkels, met haar naam onder die van opa op het omslag. Heel even wenste ze dat hij nog leefde om dat mee te maken, maar het was hoe dan ook fantastisch. *Blinde maan, door John Barrington, met een inleiding door Louise Barringon.* 'Ja, heerlijk, graag.'

Toen de ober kwam, zei James: 'Voor mij graag *tarte au citron.*'

'Ik ook, graag,' zei Lou.

'Koffie?'

Zé knikte. Niet dat ze echt trek had in koffie, maar het leek haar wel passend om op dit moment koffie te drinken. Werelds. Een schrijversdrankje.

'Zo,' zei Jake. 'Dan hebben de zaken achter de rug, en dan zou ik nu graag iets meer over jou persoonlijk willen weten.'

Het klonk alsof hij het meende. Lou vouwde haar servet op en legde het op tafel neer.

'Ik wil al zo lang ik me kan herinneren schrijver worden,' begon ze, en ze zag hoe hij naar voren leunde. Hij was geïnteresseerd. Hij deed niet maar alsof. Hij was het echt, oprecht.

Nessa slaakte een zucht in de telefoon. 'Nee, Justin, ik ben nu niet thuis. Ik zit in Londen.'

'Nou dat is ook wat. Ik ook! Vertel eens even waar je zit, Nessa, want ik moet met je praten. Ik zit nu in de auto, dus dan kom ik meteen naar je toe.'

Wat was dit irritant, zeg! Waar moest hij het dan over hebben? Dat kon toch nog wel even wachten? Bij Justin moest altijd alles nu meteen. Hij was echt de Keizer van de Instant Bevrediging – nu, nu, alles nu. Ze keek even opzij naar Mickey, die daar spiernaakt naast haar op bed lag, met de satijnen sprei om zich heengeslagen. Ze waren nog maar net tussen de laken beland, maar ja, het was ook pas vier uur. Ze kon moeilijk beweren dat het al zo laat was... Ze maakte even een snel rekensommetje. Als hij nu kwam, dan konden ze hem redelijk vlug weer wegwerken. Dan verzon ze wel wat. En dan konden ze daarna nog even lekker zwemmen, en dan eten, en dan weer naar bed. Goddank had Justin niet een kwartier eerder gebeld, want dan had ze nooit op kunnen nemen. Dat had ze ook niet gewild. Alleen al de gedachte aan wat ze een paar minuten geleden aan het doen waren, zij en Mickey, wond haar alweer ontzettend op. En nu moest ze zich concentreren op die druiloor van een broer van haar die duidelijk in de nesten zat.

'Je hebt toch niet iets doms gedaan, mag ik hopen? Iets met drugs, of zo?'

'Jezus, Nessa, een beetje meer vertrouwen in mijn gezonde verstand kan geen kwaad, hoor.'

Maar zijn gezonde verstand was precies datgene waar Nessa geen enkel vertrouwen in had. Het enige wat ze zei was: 'Oké. Zorg dat je over een kwartier in de lobby van het Devere Lodge Hotel bent. Dat zit in Mayfair, om de hoek bij de Amerikaanse ambassade aan Grosvenor Square.'

'Ik vind het wel, maak je maar geen zorgen. Ik ben al in de buurt. Tot zo. Wat doe jij daar eigenlijk? Zit je daar in je eentje?'

'Nee, dat zit ik niet. Hoewel dat jou natuurlijk niets aangaat. Ik ga me even aankleden en dan zie ik je zo.'

Ze verbrak de verbinding voor hij nog meer vragen kon stellen.

'Daar heb je ook alleen maar last van, van die broer van mij,' zei ze tegen Mickey. 'Wil je mee naar beneden om te horen wat hij van me wil?'

'Nee, laat maar. Ik wacht hier wel. Ik denk niet dat hij wil opbiechten wat hij op te biechten heeft als ik erbij ben.'

'Anders kom je wat later. Geef me een halfuur of zo, en dan kom je ook, goed? Doe je dat?'

Nessa zat aan de kaptafel en zag Mickey via de spiegel liggen op het bed achter zich.

'Oké, geen probleem. Ik kom er wel bij.'

Nessa liep naar de receptie. Het was geen straf om daar een paar minuten te zitten tot Justin kwam. Het was een waanzinnig mooi hotel. De bank die ze koos was bekleed met rood fluweel en toen ze erop ging zitten was het net of ze wegzakte in rozenblaadjes. Justin zou zich natuurlijk de hele tijd afvragen: *Wat doet Nessa in Londen? Met wie is ze hier? Wat zit hier achter?* Hij wist natuurlijk van de scheiding maar hij kende niet alle details. Heel even dacht ze met weemoed aan hoe het vroeger tussen hen was, tussen haar en Justin, toen ze nog klein waren. Ze waren heel close en vertelden elkaar alles. Dat vage gevoel van spijt deed ze vlug af als sentimenteel geleuter. Toen haar broer nog haar kleine broertje was, was ze dol op hem geweest, maar hij groeide op tot een nogal egocentrische en, naar haar smaak, niet bijster intelligente man, en nu had ze het een beetje met hem gehad. Zo simpel was het. Ze vroeg zich af hoeveel broers en zussen, of ouders – familieleden in het algemeen – bleven veinzen dat ze van elkaar hielden omdat dat nu eenmaal wel zo gemakkelijk was, en omdat het zo hoorde, terwijl er van liefde in feite allang geen sprake meer was. Ze durfde er iets om te verwedden dat dat voor de meeste mensen het geval was. Hoeveel liefde voelt Phyl bijvoorbeeld nog voor ons, nu we het huis uit zijn? Volgende week gaan we er allemaal keurig naartoe voor Matts verjaardag, en dan wordt dat weer als vanouds gevierd, maar ik weet zeker dat onze lieve stiefmoeder er geen traan om zou laten als Justin en ik afzeggen. Lou was natuurlijk een ander verhaal. Die was het helemaal, wat Matt en Phyl betrof, en die kleine Poppy kon natuurlijk nooit stuk. Het hemd is nader dan de rok, dat speelde een rol, maar dat was niet het enige, want hoe kon het dan bijvoorbeeld dat zij helemaal niet meer van Justin hield? Ze slaakte een zucht. De liefde die ze voelde voor Mickey had alle andere emoties in een heel klein hoekje van haar wezen geduwd. En ze zou ook gewoon naar dat etentje in Haywards Heath gaan, omdat Matt vreemd genoeg oprecht graag contact leek te willen houden. Hij houdt wel van Justin en van mij, dacht ze, en ze vroeg zich heel even af of dat soms was omdat zij hem herinnerden aan de gelukkige tijd dat hij nog met Ellie getrouwd was... Dat was mogelijk. Het vervelende van die verjaardag was dat Matt erop stond dat Gareth ook zou komen, en Tamsin. Ze had hem aan de telefoon gevraagd waarom hij dat wilde, gescheiden was gescheiden, toch? Maar hij antwoordde vriendelijk doch dringend dat Gareth nog altijd Tamsins vader was, en dat het een familiegebeuren was.

'En bovendien,' had hij eraan toegevoegd, 'ga ík niet van Gareth scheiden. Je houdt het toch wel een avondje uit, met hem in de buurt?'

Ze had ingestemd, vooral omdat ze wilde dat men haar zag als een beschaafd mens, en dat ze er alles aan deed om het leven zo normaal mogelijk te laten verlopen voor Tamsin. Maar irritant was het wel, want ze had gedacht dat Matts verjaardag een mooie gelegenheid was om met Mickey te verschijnen, als stelletje. Ze had zichzelf wijsgemaakt dat ze haar nieuwe situatie gewoon kon presenteren zonder verder iets aan iemand te hoeven uitleggen. Helaas. Dat zou dus maar een andere keer moeten. Misschien moest ze maar een uit-de-kastfeestje organiseren. Ze zat te grinniken bij de gedachte toen ze Justin door de draaideur zag komen. Ze zwaaide naar hem.

'Hallo, Justin,' zei ze. 'Ik sta niet op, hoor, deze bank is gewoon te lekker. Kom, ga zitten. Je ziet er niet uit.'

'Wat ben je toch altijd lief, snoes.' Hij plofte naast haar neer en gaf haar een plichtmatige kus op haar wang. 'Maar voor de verandering heb je gelijk. Ik zie er niet uit omdat ik me ontzettend klote voel.'

'Vertel.'

'Ik weet niet waar ik moet beginnen...' antwoordde Justin. 'Kunnen we niet eerst wat te drinken bestellen? Ik kan wel wat gebruiken... een glas wijn, of zo?'

Nessa stond op en liep naar de bar. Ze bestelde twee glazen witte wijn en terwijl de barman die inschonk, draaide ze zich om, om even naar Justin te kijken, daar op de bank. Hij had een uitdrukking op zijn gezicht die ze nog kende van toen hij klein was: gewond, agressief, op het randje van een woede-uitbarsting. Dit kon wel eens heel interessant worden, dacht ze.

'Ik vind het altijd fijn om je te zien, Lou, dat weet je toch. Zelfs als je met dit soort informatie op de proppen komt.' Matt keek zijn dochter glimlachend aan. 'En je moeder is altijd blij om Poppy weer te zien, al is het maar voor een paar uurtjes. Kun je anders niet blijven slapen?'

'Nee, niet echt, pap. Ik heb dingen te doen. Maar ik ben wel heel blij met je idee. Het spijt me dat ik er zo maar mee kwam. Ik was zelf nogal in de war toen Mme Franchard het me vertelde. Ik loop er al die tijd al over te denken, en nu weet ik niet meer wat ik moet geloven. Misschien is het allemaal gewoon verzonnen. Maar ik had het gevoel... Nou ja, Rosemary was natuurlijk de enige oma die jij hebt gehad, ook al waren jullie niet erg close.'

Matt staarde naar het licht sleetse leer waarmee zijn bureau was bekleed en speelde wat met zijn briefopener. 'Kom op, dan. Laten we maar eens kijken wat er in die documenten staat.'

Ze liepen de trap af naar de kelder, die ze jaren geleden tot opslagruimte hadden laten verbouwen.

'Ik had geen idee dat hier zo ontzettend veel papier lag! Wat is dat allemaal?' Lou staarde om zich heen, en Matt schoot in de lach.

'Oude testamenten, onderzoeksrapporten over onroerend goed, van alles en nog wat. Sommige mensen noemen dit ouwe zooi, maar ik noem het zelf liever een archief. Rosemary's man heeft in elk geval een fantastisch zoeksysteem opgezet en daar ben ik hem nog altijd dankbaar voor, geloof me. Goed, eens even kijken.'

'Waar ben je dan precies naar op zoek?' wilde Lou weten. Ze bekeek de etiketten terwijl ze langs de rekken liepen, die allemaal vol stonden met archiefdozen.

'Ik geloof dat het hier ergens moet zijn. Ja, hier, zie je? De papieren van Rosemary.' Hij trok de doos van de plank en deed hem open. 'Er zit eigenlijk niet veel in. Ik kan me niet herinneren of ik hier al eerder in heb gekeken. Maar we nemen hem mee naar boven en dan gaan we eens kijken. Ik vraag wel of iemand ons een kop koffie komt brengen.'

Het gaf Matt een vreemd gevoel om Lou op de plek van de klant te zien zitten. Hij had zijn eigen schrik voor haar verborgen gehouden, toen ze hem haar nieuws vertelde: dat zijn adoptiegrootmoeder mogelijk de biologische moeder van zijn vader had vermoord. Hij was eraan gewend om zijn gevoelens verborgen te houden en deed zijn best om zijn stem onaangedaan te laten klinken, terwijl hij Rosemary's spullen systematisch doorzocht.

'Geboorteakte, huwelijksakte, testament. Een paar losse dingetjes. Precies wat ik dacht,' zei hij uiteindelijk. 'En er zitten wat brieven in. Van mijn vader aan Rosemary. Verder niks interessants. Dit is haar gebedenboek, want voorzover ik weet ging ze elke zondag naar de kerk.'

Matt pakte het leergebonden boek op. Er viel een stuk blauw briefpapier uit zodra hij het opensloeg. Hij raapte het op en las voor wat Rosemary in haar kriebelige handschrift had geschreven:

Lieve John,

Deze brief hoort bij mijn testament. Als jij dit leest, ben ik dus dood. Ik ben er klaar voor om mijn Schepper te ontmoeten en als ik ergens bang voor ben, dan is dat voor een leven na de dood waarin ik zal worden gestraft voor wat ik heb gedaan. Ik ben, hoop ik, een goede moeder voor je geweest, maar ik kan de waarheid niet langer voor je verborgen houden.

We zaten met zijn allen in het jappenkamp, en je moeder werd ziek. Ik heb niets gedaan om haar leven te redden. Dat had ik kunnen doen, maar dat heb ik niet gedaan. Ik heb haar dus zo goed als vermoord. Misschien was ze hoe dan ook gestorven, maar ik had iets kunnen doen om haar dood te voorkomen en dat heb ik bewust niet gedaan. Dat is onvergeeflijk, maar ik wil je vragen om voor ogen te houden dat ik wanhopig was omdat ik zelf geen kinderen kon krijgen. Jij werd mijn kind en ik heb met heel mijn hart van je gehouden, ook al realiseer ik me dat ik nooit echt een moeder ben geweest en ik daardoor mijn liefde niet altijd goed heb kunnen uiten. Maar ik heb mijn best gedaan en meer kun je niet vragen van een mens. Als ik mijn geliefde vriendin Louise zal ontmoeten voor het aangezicht van onze Heer, dan zal ik haar smeken om te begrijpen waarom ik heb gedaan wat ik heb gedaan.

Liefs,
Rosemary Barrington

Matt werd ijskoud van binnen. Toen hij de brief had uitgelezen, vulde de stilte zijn kantoor. Na een poosje begon hij te vertellen.

'Ik denk dat mijn vader deze brief heeft verstopt na Rosemary's dood. In een boek waarvan hij wist dat hij er nooit meer in zou kijken. Opgeborgen in een kelder waar hij dacht dat er nooit meer iemand naar zou omkijken. En kijk eens naar de datum: 1963. Twee jaar voordat *Blinde maan* uitkwam.' Hij zuchtte en begroef zijn gezicht in zijn handen. 'Het is net alsof deze brief hem toestemming gaf om het boek te schrijven. Om de waarheid te vertellen. En dat heeft hij verhuld door net te doen alsof hij een roman had geschreven. En door iedereen een andere naam te geven.'

Lou sprong op, liep naar Matts kant van het bureau en sloeg haar armen om hem heen. 'O, pap,' zei ze. 'Dit moet zo'n schok voor je zijn. Ik vind het zo erg voor je…'

'Nee, nee, het gaat wel.' Matt gaf zijn dochter een knuffel. 'Niet dat het uitmaakt, maar toch… Denk je dat hij het altijd al heeft geweten? In het kamp al? Vanaf dat hij zo klein was?'

Lou knikte. 'Ja, dat denk ik wel. Ik denk dat hij zijn moeder heeft zien sterven. Zijn echte moeder. Hij beschrijft het heel… heel beeldend. Je moet het boek lezen, papa, nu je weet dat het niet verzonnen is.'

Matt lachte. 'Dat is toch ook wat? Ik heb mijn vaders boeken nooit gelezen omdat het maar bedacht was, en nu blijkt deze op waarheid te berusten. Dus nu heb ik geen excuus meer. Ik moet inderdaad maar eens lezen wat hij allemaal heeft meegemaakt. Die arme man.' De tranen sprongen hem in de ogen, en hij knipperde ze weg. 'Dat hij dit zijn hele leven met zich mee heeft moeten dragen. Waarom heeft hij het me niet gewoon verteld? Of mijn moeder?'

'Van Constance had hij niet veel medeleven te verwachten, denk ik zo. En opa zou natuurlijk niet willen dat de relatie met Rosemary nog veel slechter werd dan hij al was. Hij heeft het waarschijnlijk heel diep weggestopt. Totdat hij het boek schreef.'

357

Matt stopte het blauwe papiertje weer terug in het gebedenboek. 'Laten we maar naar huis gaan. Ik wil met je moeder praten. En Lou, ik ben heel blij dat je me dit hebt verteld. Ik zal niet zeggen dat het geen schok is, maar het is altijd beter om de waarheid te kennen.'

Terwijl hij die woorden zei, vroeg Matt zich af of dat wel echt zo was.

10

*M*atts verjaardag viel in de tweede week van augustus. Phyl kon zich niet precies herinneren wanneer het zo'n belangrijk familiegebeuren was geworden, maar al sinds Lou een jaar of vijf was hadden ze van zijn verjaardag altijd iets speciaals gemaakt. De aard van de festiviteiten was met de jaren wel veranderd, maar tegenwoordig bestonden ze meestal uit een etentje op de tweede zaterdag van de maand. Toevallig viel dat dit jaar samen met de dag waarop Matt ook echt jarig was: 11 augustus.

Vroeger vond ze het altijd heerlijk om dat dinertje te plannen en te bereiden. Dan was ze urenlang bezig met het samenstellen van het menu en genoot ze volop van het in huis halen van alle boodschappen voor wat ze ging koken. Wat het allemaal vooral zo speciaal maakte, bedacht ze zich, was het feit dat dit de enige dag was waarop Constance zich verwaardigde om op aarde neer te dalen vanaf de grote hoogte van Milthorpe House, en bij haar aan tafel te gaan zitten. Phyl glimlachte. En elk jaar sloofde ik me zo ontzettend uit om ervoor te zorgen dat alles perfect was. Het was een uitdaging en de meeste jaren lukte het haar ook nog om wat lovende woorden aan haar hyperkritische schoonmoeder te ontlokken. Heel soms waren er geen complimenten. Constance had ook wel eens afgezegd, *omdat ik het even niet op kan brengen, lieverd, dat be-*

grijp je vast wel, maar over het algemeen wist ze zeker dat Matt alleen maar goede herinneringen aan zijn verjaardag had.

Dit jaar was Constance er uiteraard niet bij. Phyl glimlachte bij de gedachte dat het ouwe mens als geest zou verschijnen aan het hoofd van de tafel. Dat zou wat zijn, zeg. Zelf was ze opgelucht dat ze nooit meer rekening hoefde te houden met haar schoonmoeder. Toch zou ze het nooit in haar hoofd hebben gehaald om aan Matt op te biechten dat de jaren waarin zijn moeder niet was komen opdagen voor haar de meest ontspannen verjaardagen waren geweest. Dan had ze tenminste niet het gevoel alsof ze meedeed aan een soort kookwedstrijd in haar eigen huis. Dat was het probleem met Constance: zij was het vleesgeworden oordeel. Alles, maar dan ook alles werd door haar van commentaar voorzien: kleding, mensen, gerechten, sieraden, boeken, films – overal had ze een mening over. En in het geval van boeken en films vond ze het niet eens nodig om die ook echt te hebben gelezen of gezien. Nee, zonder haar zou het allemaal een stuk relaxter zijn, ook al waren er dan een paar – hoe noemde je dat – struikelblokken? Steentjes in je sandalen? Vuurhaarden, in elk geval. Dingen die uit de hand zouden kunnen lopen.

Ik, om er maar een eentje te noemen, dacht Phyl. Het was nu drie weken geleden dat ze had besloten om bij Matt te blijven, maar ze werd nog steeds soms midden in de nacht doodsbang wakker... Want wat nou als? Wat nou als hij alleen maar zei dat hij Ellie nooit meer wilde zien? Wat nou als hij nog steeds naar haar flat in Brighton ging en als ze dan... Haar hoofd liep over van de akelige beelden en als ze daar eenmaal mee begon, kon ze maar beter opstaan om beneden in de keuken een kop thee te drinken tot ze weer normaal kon denken. Ze vond het vreselijk om Matt als een gevangenbewaarder in de gaten te houden, maar ze kon er niets aan doen. Ze wist het wachtwoord van zijn e-mail en ze hield in de gaten wat er binnenkwam, maar ze wist bijna zeker dat Ellie geen e-mailadres had. Matt was natuurlijk ook niet op zijn achterhoofd gevallen. Hij zou alle verdachte berichtjes wissen. Deed Ellie eigenlijk wel aan sms'en? Ze zou het hem eens vragen.

Wat een onzin allemaal, dacht ze, terwijl ze aan de pastasaus begon. Ze had besloten om te beginnen met paddenstoelen met een vulling van kikkererwten, gevolgd door linguini met een saus van verse krab en saffraan. Daarna een pavlova – een spectaculair goed gelukte schuimkrans, gevuld met bessen. Die had ze vanochtend al gemaakt. Matt had oprechte spijt. Hij houdt echt van me, dacht ze. Ze dacht aan hoe verschrikkelijk ellendig hij eruit had gezien toen ze had gedreigd bij hem weg te gaan, en daar putte ze wat troost uit. De seks... Nou ja, ze had haar best gedaan om hem ter wille te zijn, en hij deed zijn best om attent en liefdevol te zijn en dat was ook goed, maar toch hing er een schaduw over hen heen. Die zou misschien in de loop van de tijd wel oplossen, maar vooralsnog bleef de aanwezigheid van Ellie tussen hen in staan. Elke keer als Matt mij in zijn armen neemt, denk ik aan dat mens, dacht Phyl. Hij weet dat ik aan haar moet denken, en dan denkt hij dus ook weer aan haar... Ze werd doodziek van al dit soort complicaties, alsof ze in een duizelingwekkende caleidoscoop staarde en ze deed verschrikkelijk haar best om deze gedachten in elk geval vandaag van zich af te houden. Jij bent ook nooit tevreden, zei ze bestraffend tegen zichzelf. Hij is niet bij haar, hij is bij mij. Hij wil niet bij me weg. Hij houdt van mij. Hoe vaak moet die arme man dat nog zeggen voor ik hem werkelijk geloof? Als ze heel eerlijk was, dan wist ze dat ze het diep vanbinnen nooit echt zou geloven. *Wie zou jou nou ooit verkiezen boven Ellie, als hij die keus had?* Dat was wat Phyl eigenlijk geloofde, en het maakte niet uit hoeveel feitelijk bewijs daar tegenover werd geplaatst. Maar ze leefde al zo lang met die gedachte, dat ze hem vaak genoeg de kop in had weten te drukken, zodat hij nu nog maar flinterdun aanwezig was, ergens ver weg in haar achterhoofd.

'Hier is Lou, voor jou,' zei Matt toen hij met de telefoon in zijn hand de keuken in kwam lopen.

'Ze komt toch wel? Is alles goed met Poppy?'

'Er is niets ergs aan de hand, lieveling. Ik zei toch dat alles prima was? Ik moet nu gaan.'

Phyl pakte de telefoon aan, en Matt liep meteen de keuken weer uit. 'Dag, schat,' zei ze.

'Hoi mam. Ik heb papa al gevraagd om het aan je uit te leggen, maar hij vindt dat ik het je zelf moet vragen...'

'Wat dan?'

'Of ik vanavond iemand mee mag nemen... een extra gast. Papa zei dat je toch altijd veel te veel kookt.'

Phyl was gerustgesteld. Ze had geen idee waarom ze bij elk telefoontje meteen dacht aan slecht nieuws, aan een probleem, aan iets wat zij zou moeten oplossen. De opluchting die ze altijd voelde als er niks aan de hand bleek te zijn, of in elk geval geen ramp, was volkomen belachelijk.

'Natuurlijk, schat, dat is toch geen probleem. Gareth kan toch niet komen, en nu neemt Nessa Mickey Crawford mee. Dat vond ik ook prima. Met wie kom jij dan?' In een moment van woest optimisme vroeg Phyl zich af of Harry dan misschien toch...

'Jake Golden, de uitgever die opa's boek opnieuw gaat publiceren. Hij wilde papa graag eens ontmoeten, omdat hij immers John Barringtons zoon is. Hij vindt alles wat met opa te maken heeft fantastisch. Jou wil hij natuurlijk ook ontmoeten, maar het gaat hem voornamelijk om papa. Jake is heel aardig, hoor. Jij vindt hem vast heel leuk.'

'Ja, natuurlijk. Nou, ik moet ophangen, kind. Nog zoveel te doen! Wanneer ben je hier?'

'Rond een uur of vijf, als je dat goed vindt? Ik wil Poppy eerst te eten geven en in bed hebben voor we aan tafel gaan.'

'Prima. Tot gauw.'

Phyl legde de telefoon weer in de lader in de gang. Ze maakte een rekensommetje in haar hoofd… Met hoeveel mensen waren ze dan? Zeven, want Tamsin was dit weekend bij Gareth, dus die kwam ook niet. Niet bepaald een volle bak. Ze vroeg zich af wat er met Justin aan de hand kon zijn. Die had niet bepaald vrolijk geklonken toen ze elkaar aan de telefoon spraken. En hoe kon het eigenlijk, vroeg ze zich voor de zoveelste keer af, dat zo'n knappe man nog altijd geen vrouw had gevonden? Mensen waren een mysterie, vond ze. Ze had Justin nota bene zelf opgevoed, maar ze konden tegenwoordig geen gesprek meer gaande houden.

Een wijnkelder kon je het niet noemen, ook al bewaarde Matt hier wel zijn wijn. Het was een grote ondergrondse ruimte, bestaande uit een paar kamers waar het altijd koel was, hoe heet het buiten ook was. Hier stonden de tuinmeubels en het zwembadje en een enorme hoeveelheid kartonnen dozen in allerlei soorten en maten die Phyl per se wilde bewaren, ook al zou ze ze nooit meer ergens voor gebruiken. 'Stel dat we besluiten te verhuizen?' zei ze de laatste keer dat hij weer eens klaagde dat die dozen veel te veel ruimte in beslag namen. Waarop zijn antwoord luidde: 'We gaan niet verhuizen. Nooit.'

Phyl dacht dat hij een grapje maakte, maar dat was niet zo. Hij hield van dit huis, zijn kantoor zat hier in de stad en waar zou hij naartoe moeten verhuizen? Zelfs als hij straks met pensioen zou gaan, was hij van plan te blijven zitten waar hij zat. Hij had nooit zo goed begrepen waarom mensen wegrenden van het leven dat ze hadden geleid om ergens waar ze niemand kenden helemaal opnieuw te beginnen. Hij keek zorgvuldig naar de flessen wijn die in rekken opgeslagen waren, tegen de muur tegenover al die dozen. Hij wist al welke hij mee naar boven zou nemen – de Puligny-Montrachet uit 1996 – maar hij had geen haast. Hij ging op een van de tuinstoelen zitten en zette de flessen naast zich op de grond.

Ellie. Dat had niet veel gescheeld. Sinds die nacht, de nacht die hij met haar had doorgebracht, had hij het gevoel alsof er iemand met een bulldozer over hem heen was gereden. Hij was door de mangel gegaan. Volkomen door elkaar geschud. Iedereen van wie hij hield: Phyl, Lou, Poppy, Nessa en Justin – ja, van hen hield hij echt, ook al werd hij vaak doodmoe van ze –, zijn vrienden, collega's, zijn praktijk, zijn thuis... Dat alles was hij bijna kwijt geweest. Hij dacht aan al die afzonderlijke onderdelen van zijn leven als snoepjes in zo'n ouderwetse glazen pot, die iedereen had in zijn jeugd. Doordat hij met Ellie naar bed was gegaan, was het deksel van die pot gegaan. Ineens dreigde alles eruit te vallen. Hij had op het punt gestaan om alles wat hem zo dierbaar was te verliezen. Als hij wel eens aarzelde, en als hij wel eens werd overvallen door zijn verlangen naar Ellie – en hij hield zichzelf niet voor de gek; dat gebeurde soms wel degelijk – dan was één zinnetje voldoende om hem weer bij zijn positieven te brengen. *Phyl was haar koffers aan het pakken omdat ze bij hem weg wilde.* Ze wilde weg. En zij zou het een stuk beter redden zonder hem dan hij zonder haar, dat wist hij wel zeker. Ze zou eerst naar Lou zijn gegaan, en dan zouden ze misschien samen een grotere flat hebben gezocht. Hij stelde zich het idyllische leven voor dat zij met hun drieën zouden hebben: Phyl, Lou en Poppy zouden zich prima vermaken zonder hem.

Matt deed zijn ogen dicht en huiverde. Hij dacht aan het scenario dat daar uit voortgekomen zou zijn: Lou zou partij hebben gekozen voor haar moeder. Misschien had ze hem wel nooit meer willen zien; misschien zou ze Poppy voor altijd bij hem weg hebben gehouden. Hij kon niet eens denken aan die mogelijkheid zonder dat het klamme zweet hem uitbrak. Zijn leven, zijn prettige, gemakkelijke, aangename leven zou één grote nachtmerrie worden. Hij zou in het huis kunnen blijven wonen, hoewel een rechter in de scheidingsprocedure misschien zou eisen dat het huis werd verkocht en dat hij Phyl de helft van de opbrengst gaf... Er had wel van alles kunnen gebeuren.

Het ergste zou nog wel zijn dat hij dan weer met Ellie opgezadeld werd. Dat was zijn grootste schrikbeeld. Ik zou knettergek worden als ik weer met haar moest leven, dacht hij. Dat ben ik jaren geleden al geworden, en nu zou het alleen nog maar erger zijn. Ik zou haar nooit ook maar één seconde vertrouwen. Het leven zou het tegenovergestelde worden van vredig. Ze zou ontevreden zijn, veeleisend, moeilijk. Hij hield zijn ogen nog even dicht. De seks zou natuurlijk spectaculair zijn, moest hij toegeven. Maar ja, je kon niet alles hebben, en de tijd dat er niks belangrijker was dan een goeie wip lag ver achter hem. Hij pakte de flessen wijn op, liep de kelder uit en deed die daarna behoedzaam op slot.

'Sommige mensen zeggen dat het geen probleem is terwijl ze het wel degelijk een probleem vinden,' zei Jake. 'Is jouw moeder ook zo? Ik bedoel, ik hoop dat ze het echt niet erg vindt dat ik mezelf heb uitgenodigd voor jullie familiefeest.'

'Nee, het is echt geen probleem. Ik ben er toch zelf over begonnen? Dat had ik ook kunnen laten. En je kunt ook echt gewoon blijven logeren, hoor. Plek genoeg.' Een van de dingen die Lou bewonderde aan Jake was zijn efficiëntie. Hij had via internet een kamer geboekt in het Hilton Park Hotel, dat in de buurt was, meteen toen Lou hem had verzekerd dat hij welkom was op Matts verjaardagsfeestje. Ze keek even naar Jakes gezicht terwijl hij aan het rijden was. Poppy lag te slapen in het autostoeltje achterin.

'Nou ja, dat jij vertelt dat er een feestje is, betekent natuurlijk niet automatisch dat je ook wilt dat ik meega.'

'Je had me wel moeten laten betalen voor dat autostoeltje,' zei ze. 'Ik kan nog steeds niet geloven dat je dat er gewoon in hebt laten zetten.'

Jake hield zijn blik op de weg terwijl hij sprak. Hij reed zorgvuldig, zoals Lou ook wel had verwacht. Hij deed alles zorgvuldig, maar het gekke was dat je dat eerder zou verwachten bij iemand die... Ja, hoe moest je dat omschrijven? Iemand die nergens passie voor kon opbrengen. En dat kon je van Jake bepaald niet zeggen. Jake had overduidelijk passie voor een heleboel dingen, vooral als het om boeken ging, maar hij was – ze zocht naar het juiste woord – weloverwogen. Niet zo overdreven. Kalm.

'Weet je, Lou, ik weet niet precies hoe ik dit moet zeggen, want het is nogal banaal om het over geld te hebben, maar je hoeft je echt geen zorgen te maken. Je hoeft me niets te betalen. Wat ik bedoel is dat ik niet echt lijd onder zo'n aanschaf. Ik wilde heel graag je vader eens ontmoeten – en je moeder, uiteraard – maar ik ben voornamelijk geïnteresseerd in John Barringtons zoon, en dat autostoeltje maakt het allemaal wel zo makkelijk. We hadden natuurlijk ook met de trein kunnen gaan, maar dit is beter, toch?'

'Veel beter. Bedankt, Jake...' Ze bedacht zich dat ze nu ook een keer ergens anders naartoe zouden kunnen. Lou vroeg zich af of hij dat soms van plan was.

'We kunnen trouwens ook wel eens een keer ergens anders naartoe met Poppy, nu ik dat ding toch heb. Had je daar al bij stilgestaan?'

'Dat is echt heel aardig van je,' zei Lou.

'Ik mag die Poppy wel.' Jake lachte. 'Wat een dotje.'

Lou kwam tot de conclusie dat ze eigenlijk helemaal niet zoveel wist van Jake, vergeleken met wat hij over haar wist. Die eerste dag in het restaurant, nog maar een paar weken geleden, hadden ze tot na drie uur aan de koffie gezeten, en het leek wel alsof ze hem letterlijk alles over zichzelf had verteld. Je kon goed met hem praten: hij was niet bedreigend en hij was geïnteresseerd. Ze moest zich haasten om Poppy op tijd te kunnen halen, en had gezegd dat ze een taxi zou nemen. Maar toen antwoordde hij: 'Dat hoeft niet, ik breng je wel,' en hij had haar naar het kinderdagverblijf gebracht, en daarna naar huis. Ze zat in de auto met haar kind op schoot en had haar bijdrage aan het gesprek tot zijn nek moeten richten.

Poppy vond autorijden heerlijk. En ze vond Jake heel leuk. Toen ze uitstapten, schonk ze hem een brede grijns en maakte allerlei blije geluidjes. Hij was zwaaiend en glimlachend weggereden. Lou dacht dat het daar bij zou blijven. Ze dacht dat zij de inleiding zou schrijven en die zou opsturen, en klaar, maar hij was haar blijven mailen en bellen over van alles en nog wat, meestal over het boek. Lou merkte dat ze uitkeek naar zijn berichtjes. Toen ze hem vertelde van het verjaardagsetentje van haar vader en dat ze daarvoor naar Haywards Heath moest, vroeg Jake meteen of hij met haar mee mocht.

Ze bedacht dat hij behoorlijk recht voor zijn raap was. Als hij iets wilde, dan vroeg hij daar gewoon om. En als hij het kon krijgen, dan was dat mooi; zo niet, dan ging hij verder zonder er verder over in te zitten. Hij dacht ook geen twee keer na over de aanschaf van spullen die het leven gemakkelijker maakten. Dat autostoeltje bijvoorbeeld... Dat was wel een beetje... Lou wist niet hoe ze het moest noemen. Overdreven misschien, of aanmatigend, of misschien zelfs brutaal. Wat betekende het eigenlijk? Om te beginnen dat hij rijk genoeg was om er zo maar eentje in zijn auto te laten zetten. Het was trouwens precies hetzelfde stoeltje dat haar ouders in hun auto hadden. Niet goedkoop. Nu moest ze er nog achter zien te komen wat het nog meer betekende. Wilde hij haar soms iets duidelijk maken? Was dit een subtiele manier om haar te laten weten dat hij in haar geïnteresseerd was? Daar waren toch ook minder gecompliceerde manieren voor? Het was toch veel eenvoudiger geweest om haar bijvoorbeeld een keer mee uit te vragen? Misschien was het gewoon zijn manier om bij de familie van John Barrington in het gevlei te komen... Maar waar zou dat voor nodig zijn? Hij zou haar een voorschot betalen en daarmee had hij het recht om *Blinde maan* weer uit te geven. Misschien was dat het wel. Misschien voelde hij zich op een of andere manier met haar verbonden door het boek.

'Vind je het erg als ik muziek opzet?'

'Helemaal niet.'

Lou herkende de noten die de ruimte om hen heen vulden niet. Iedereen die ze kende luisterde in de auto altijd naar popmuziek. Of rock. Haar vader had altijd praatprogramma's op. Maar dit was opera.

'Mozart,' zei Jake. *'Die Zauberflöte.'*

Lou knikte. Zelf ging ze meer voor het hardere werk, maar dit was ook oké.

Daar zitten we weer, dacht Nessa, terwijl ze met zijn allen rond de tafel zaten. Ze probeerde te tellen naar hoeveel van Matts verjaardagen ze al was geweest, maar ze had al veel te veel gedronken en haar hoofd was te druk bezig met het volgen van de diverse gesprekken die om haar heen gevoerd werden. Mickey had aangeboden om vanavond niet te drinken, wat heel lief van haar was. Ze deed het, zei ze, 'omdat het jouw familie is en niet de mijne, dus jij bent degene die wel wat alcoholische ondersteuning kan gebruiken.'

Mickey zag er schitterend uit. Ze droeg een donkerpaarse overslagjurk van een of ander heel soepel materiaal en schoenen met extreem hoge hakken. Ze was nog bijna vergeten om die aan te doen, totdat Nessa haar eraan herinnerde dat ze haar platte schoenen nog aanhad, vanwege het rijden. Phyl was in het zwart gekleed, met haar mooie sieraden – een parelsnoer, parelknopjes in haar oren – en Nessa wist dat ze die outfit had gekozen omdat ze dacht dat ze er dan minder dik uitzag. Niet dat ze echt dik was, maar ze was wel voordurend bezig met hoe ze er dunner uit kon zien dan ze was. Ze zag er helemaal niet verkeerd uit, maar ze had wel dikke, donkere kringen onder haar ogen; dat kon haar make-up nauwelijks verhullen.

Lou had ook haar best gedaan, met een dun zijden bloesje in een pasteltint en een bruine rok. Ze had een mooi figuur en ze was vrij lang, wat haar een natuurlijke elegantie gaf. Ze zou er waanzinnig mooi uit kunnen zien als ze dat zou willen, dacht Nessa. Of als ze daar het geld voor had. Of allebei. Misschien moet ik haar maar eens helpen, dacht ze. Haar wat modeadvies geef, of zo. Waarom ze die kerel bij zich had, was nogal een raadsel. Jake Golden. Hij was klaarblijkelijk van plan om dat boek van opa opnieuw uit te geven. Hij zag er helemaal niet uit als een uitgever, vond ze, maar Nessa had ook eigenlijk geen idee hoe die eruit hoorden te zien. In elk geval waren ze dikker dan deze Jake, die erg slank was, en jong, en die een hypermoderne bril op zijn neus had waardoor het bijna niet opviel dat hij vrij knap was. Zijn witte overhemd was van zuiver zijde, daar durfde ze wel wat om te verwedden, en zijn schoenen waren Italiaans, maar zo bescheiden dat je een kenner moest zijn om het te zien. Hij was duidelijk iemand die er niet van hield om op te vallen. Hij zat heel stil naast Lou alles in zich op te nemen. Nessa was geen deskundige op het gebied van lichaamstaal maar zo te zien was hij veel gekker op Lou dan ze besefte. Het zag er niet naar uit dat zij een enorme hartstocht voor de man voelde. Hoe dan ook: interessant.

Ze waren vrij laat aan tafel gegaan, want het kostte Lou de nodige tijd om Poppy in bed te krijgen. Nessa wist haar irritatie te verbergen en nam nog wat pistachenootjes terwijl iedereen zat te wachten. Ze wist ook wel dat Lou geen keuze had en dat ze haar dochter wel mee moest nemen omdat het niet makkelijk was om haar een nacht bij iemand onder te brengen, maar het was toch irritant. Hele kleine kinderen en dinertjes, dat ging nooit samen. En toen ze net zaten te eten, kwam Justin ineens binnen. Hij was altijd overal te laat, en Nessa werd telkens ontzettend kwaad op haar broer als het weer eens zover was. Ten eerste was het iedere keer een heel drama als hij dan toch eindelijk kwam. Daar deed hij het waarschijnlijk om. Hij vond het fijn om een entree te maken en hij vond het ronduit heerlijk als iedereen naar hem zat te staren. Hij ging zitten, werd bij het voorgerecht voorgesteld aan Jake, en toen – want dat heb je met laatkomers – wilde iedereen weten waarom hij precies zo laat was, en in Nessa's ervaring had hij daar zelden een boeiende verklaring voor.

'Je ziet er wel een beetje afgemat uit, Justin.'

'Ben ik ook, ben ik ook. Afgemat, getroebleerd, noem maar op.'

Nessa keek hem aan. Nee hij zou toch zeker niet aan Matt gaan vertellen wat hij haar laatst in het hotel had verteld? Dat had ze hem nog zo afgeraden en ze had de indruk gehad dat hij inderdaad zijn mond zou houden, in elk geval tot na Matts verjaardag. Ze fronste even naar hem op een manier die als waarschuwend bedoeld was, en hij schonk haar een engelachtige glimlach. Matt hapte uiteraard onmiddellijk toe.

'Getroebleerd? Wat is er aan hand, dan?' vroeg hij. 'Ik mag toch hopen dat je je niet in de nesten hebt gewerkt, Justin?'

'Nee, en ik wil het er trouwens nu helemaal niet over hebben, want het is feest en we hebben een gast.'

Jake Golden deed zijn mond open om iets te zeggen, maar bedacht zich. Matt keek Justin aan. 'Goed dan, Justin. Maar na het eten wil ik je graag even spreken.'

'Tuurlijk,' zei Justin, en hij schepte zich wat salade op.

De rest van de maaltijd probeerde Nessa zich voor te stellen wat Matt tegen Justin zou zeggen als die hem vertelde wat er was gebeurd. Zij was zelf reuze vriendelijk en begripvol geweest, maar ze kon het niet helpen dat die impuls uit haar jeugd ook af en toe de kop opstak. Net goed, was de eerste gedachte die bij haar opkwam. Het was een behoorlijke ramp, maar op een of andere manier had hij dat verdiend, en al deed ze nog zo haar best, echt medelijden kon Nessa niet opbrengen voor Justin.

'Weet je zeker dat je dit nu wel wilt bespreken, Matt? Ik bedoel, je bent jarig en zo…'

Na het eten waren ze naar Matts studeerkamer gegaan. Matt had zijn stiefzoon een stoel aangewezen en keek toe terwijl die ging zitten en zijn ene been elegant over het andere zwierde. Hij zei: 'Dat kan prima, het is tien uur, dus mijn verjaardag zit er toch bijna op. Ik wil graag weten in wat voor problemen je zit.'

'Maar ik kan toch ook op kantoor komen? We hoeven het er echt nu niet over te hebben hoor, als dat niet uitkomt.'

'Het komt wel uit, Justin. Het komt me zo voor dat jij probeert om iets voor je uit te schuiven. Dat doet me denken aan jouw schooltijd. Toen vertelde je me ook nooit als je had moeten nablijven en zo. Dat moest ik altijd van Nessa of de leraren horen. Hoe meer jij je best doet om er niet over te hoeven praten, des te liever ik er juist over praten wil.'

'Goed dan… Je hebt er zelf om gevraagd. Ik heb wat geld verloren.'

'Je bedoelt het geld van de verkoop van Milthorpe House?'

'Daar ben ik flink wat van kwijtgeraakt, ja.'

Matt had het gevoel alsof iemand hem een stomp in de maag had gegeven. Hij voelde letterlijk pijn, vlak onder zijn ribben. Hij had moeite met ademen en probeerde zichzelf kalm te krijgen door in zijn hoofd tot tien te tellen. Maar het werkte niet. Bij vier gaf hij het al op.

'Voorzover ik het goed heb begrepen,' zei hij op zijn advocatentoontje, puur uit lijfsbehoud, 'heb jij het huis aan Eremount verkocht. Klopt dat? Ik nam aan dat je dat geld wel ergens in zou investeren. Misschien zelfs wel weer in Eremount, want die zouden toch zo ongeveer de hele wereld overnemen?'

'Ja, nou ja, dat heb ik dus niet gedaan.'

'Je hebt dat geld niet geïnvesteerd?'

'Nee, nou ja, ik heb in Eremount geïnvesteerd, dat wel. Iemand

– een volkomen legitieme tussenpersoon – heeft mij geadviseerd om het geld in iets anders te steken. Iets wat een tikje riskanter was.'

'Aha.' Dat vermoeden had Matt al. Wilde hij de gruwelijke details echt horen? Nu, vanavond? Misschien niet, maar het was beter om precies te weten wat er was gebeurd. 'Hoeveel heb je verloren?'

'Bijna alles. Ik heb nog twaalfduizend pond over, of zo, misschien iets meer. Het bedrijf waar ik me had ingekocht, Kiteflyer Holdings heette het, is net failliet gegaan, en niemand kan er nog iets aan doen. Ik ben echt ongehoord verneukt.'

Matt negeerde zijn taalgebruik. Hij was al eens eerder kortademig geweest, maar nu wist hij bijna zeker dat hij op het punt stond een hartinfarct of een hersenbloeding te krijgen. Had hij het nou goed gehoord? Hij voelde het bloed letterlijk bij zijn hart wegstromen... Of stroomde het nu juist naar zijn hart toe, waardoor het dreigde te verdrinken en waardoor hij nu ijskoud was, maar ook kletsnat van het zweet? 'Even voor mijn goede begrip, hoor: dus jij bent meer dan twee miljoen kwijtgeraakt? Twee miljoen pond! Is dat zo? Ik geloof dat ik gek word.'

'Ja, ja. Ik voelde me ook... Toen ik het hoorde was ik er zo ziek van dat ik bijna... dat het niet veel gescheeld heeft of ik was van een hoge flat gesprongen. Of pillen had ingenomen. Daar heb ik ook aan gedacht, aan pillen, serieus.'

Matt wist dat hij nu zou moeten zeggen dat hij blij was dat Justin zichzelf niet van het leven had beroofd, maar hij was zo overmand door zijn woede dat hij geen zinnig woord uit kon brengen. Het had niet veel gescheeld of hij had de presse-papier van zijn bureau gepakt en die naar het hoofd van die vervloekte idioot gesmeten. Hij kon het wel uitschreeuwen van frustratie. Kwam er dan nooit een eind aan Justins stompzinnigheid? Kennelijk niet. Matt zei: 'En je vond het niet nodig om mij even om advies te vragen? Dan had ik je tenminste kunnen vertellen dat je iets ongelofelijk stoms van plan was: om zomaar je geld ergens in te steken. In zoiets onveiligs.'

'Maar het was niet onveilig. Dat was het juist. Het klonk allemaal geniaal. Gigantische winstcijfers voor investeerders.'

'Wist je dan niet dat aandelenkoersen niet alleen stijgen, maar ook wel eens zakken?'

'Ja, natuurlijk wel. Ik dacht alleen dat dit specifieke bedrijf nooit onderuit kon gaan.'

'Hou toch alsjeblieft op, zeg. Denken is wel het laatste dat jij hebt gedaan!'

'Ik zie niet helemaal in waarom dit jouw zaak is, Matt. Ik bedoel, het is reuze aardig dat je je zoveel zorgen om mij maakt, maar ik kan het heus wel alleen af. Ik hoop er maar gewoon het beste van. Het is nu toch al gebeurd, en ik moet door. Het is wel jammer, maar ja.'

Matt staarde Justin verbijsterd aan. Drong het dan helemaal niet tot hem door wat hij had gedaan? In de eerste plaats had hij Milthorpe House verkocht, vrijwel direct na de begrafenis. Dat had Matt pijn gedaan, ook al wist hij zelf niet precies waarom. Goed, het was zijn ouderlijk huis, maar hij had zichzelf ervan weten te overtuigen dat het maar een huis was, en wat zou het hem uiteindelijk kunnen schelen als er een welnesscentrum van gemaakt werd? Toen het huis eenmaal was verkocht, putte hij enige troost uit die gedachte.

Toen hem ter ore kwam hoeveel Justin had verdiend aan de verkoop, was hij verbaasd. Niet omdat het meer was dan het huis en de grond waard waren − misschien was het zelfs wel iets minder waard − maar de gedachte dat Justin miljoenen bezat terwijl Lou helemaal niets had maakte hem boos. Was dit soms rechtvaardigheid, wat er nu was gebeurd? Lou had er niets aan dat Justin zijn geld alweer kwijt was, dus waarom had hij dan toch ergens het gevoel dat de zaken recht waren gezet? Nee, het was een ramp, hoe je er ook naar keek. Justin zou zich erover blijven beklagen. Hij had zijn baan bij de makelaar opgezegd toen hij ineens zoveel geld in schoot geworpen kreeg en nu zou hij waarschijnlijk moeten smeken of ze hem terug wilden nemen. Justin was aan het woord, en Matt probeerde te luisteren.

'Ellie en ik dachten erover om naar het buitenland te gaan. Ze heeft connecties in Argentinië... Nou ja, dat weet jij ook wel. We denken erover om daar naartoe te gaan en te kijken of daar kansen liggen.'

Matt ging rechtop zitten. 'O ja?' vroeg hij.

'Ja, zeker, ik dacht eigenlijk dat mama dat al wel met jou besproken had. Ze heeft haar flat al te koop gezet.'

'Aha. Nou, ik neem aan dat ze me dat binnenkort dan wel laat weten. Misschien als het is verkocht.'

'Mag ik dan nu weg? Ik kan nog wel een kop koffie gebruiken.'

'Ja. Ik geloof niet dat er nog iets te zeggen valt. Je bent ongehoord stupide geweest, maar ik neem aan dat je dat zelf ook wel inziet.'

Matt kon het niet opbrengen om iets vriendelijks tegen hem te zeggen. Hij vroeg zich heel even af wat Ellie tegen haar zoon zou hebben gezegd. Waarschijnlijk had ze hem tegen haar weelderige borsten gedrukt en gezegd dat hij er allemaal niets aan kon doen, ook al was het zijn eigen schuld. Hij had het zelf gedaan en er was niemand anders op wie hij de schuld kon schuiven. Hij staarde naar de telefoon. Zou Ellie echt weggaan? Daar zag het wel naar uit, en hij deed een gebedje om welke god dan ook van harte te bedanken. Het begon erop te lijken dat die nacht met zijn ex-vrouw helemaal niet zulke verschrikkelijke gevolgen zou hebben als hij gevreesd had. Phyl was nog hier, en Ellie ging weg – het ging precies zoals hij het liefst wilde. Hij was gelukkig. Het was zijn verjaardag, en hij had heel veel om dankbaar voor te zijn: een lieve vrouw, een schat van een dochter, een prachtige kleindochter, een huis, een baan, geld, zijn gezondheid en een goede relatie met zijn stiefkinderen, ook al was een van hen een gigantische eikel en ook al was de verhouding tussen hen niet echt enorm warm. Een beeld van Ellie, gepassioneerd, naakt, open, en hem compleet verzwelgend dook heel even voor zijn geestesoog op, maar hij duwde het meteen weer weg. Hij wilde niet aan dat soort dingen denken. Absoluut niet.

'Weet jij waar Justin het met papa over heeft?' Lou was de vaatwasmachine aan het inruimen. Nessa was met haar meegelopen met een blad vol serviesgoed. Waarschijnlijk wilde ze even naar buiten voor een sigaretje, dacht Lou, en dan kon ze er het best via de keukendeur uit. Maar tot haar verrassing begon Nessa in de keuken te rommelen alsof ze een modelhuisvrouw was. Ze sloeg aan het opruimen, want Phyl had nog wat spullen laten staan voor ze aan tafel gingen. Bovendien had ze haar handtas niet bij zich, dus moest ze het voorlopig nog even zonder sigaretten stellen. Lou had haar willen vragen wat er met Justin aan de hand was, dus ze was blij met Nessa's gezelschap, ongeacht wat de ware reden mocht zijn waarom ze ineens kwam helpen.

'Ja, toevallig weet ik dat inderdaad.'

'En mag je het ook vertellen?'

'Nou, Justin heeft niet gezegd dat ik het voor me moest houden. Hij vertelt het nu aan Matt, dus dan is het toch algemeen bekend over...' Ze keek op haar horloge. '... een minuut of tien, schat ik in.'

'Nou, kom op, vertel.'

'Hij heeft geen cent meer. Nou, dat is misschien wat overdreven, maar hij is bijna al het geld dat hij overhield aan de verkoop van Milthorpe House alweer kwijt.'

Als Lou nu servies in haar handen had gehouden, dan zou ze het zonder meer hebben laten vallen. In plaats daarvan draaide ze zich met een ruk om naar Nessa en vroeg verbluft: 'Kwijt? Hoezo kwijt? Dat geloof ik niet. Hij had miljarden.'

'Nou, dat nu ook weer niet. Het was maar een slordige twee miljoen, of daaromtrent. Nauwelijks genoeg om van rond te komen.'

Ze begonnen te giechelen. Dat kwam vast ook door de wijn, want het duurde niet lang of ze grepen zich gierend van het lachen aan elkaar vast. Uiteindelijk was het Lou die riep: 'Stop! Je moet echt stoppen, want ik kan niet meer. Ik begrijp sowieso niet wat er te lachen valt. Het is toch verschrikkelijk? Er is helemaal niks grappigs aan. Ongelofelijk, dat is het. Twee miljoen pond! Wat heeft hij er dan mee gedaan?'

Nessa scheurde een stuk keukenpapier van de rol die bij het fornuis hing, bette haar ogen droog en snoot haar neus. 'Nee, ik geloof niet dat het echt om te lachen is, niet echt. Maar ja, je kunt er maar beter om lachen, want anders moet je alleen maar... nou ja, huilen, denk ik. Hij heeft in een louche bedrijf geïnvesteerd, dat net op de fles is gegaan. Dat is alles. Ik neem aan dat hij liever had dat het veel dramatischer of gevaarlijker lag. Het is toch ook zo'n *drama queen*, onze Justin. Ik weet niet, ik word er alleen zo kwaad om als ik bedenk wat wij met dat geld hadden kunnen doen, Mickey en ik.'

Lou herinnerde zich wat ze had gezien toen ze voor het eerst met Jake was gaan lunchen: Nessa en Mickey, innig verstrengeld. Daar kon ze nu natuurlijk niets van zeggen, dus vroeg ze: 'Je bedoelt met Paper Roses? Jullie hebben toch geen financiële problemen, of wel?'

'Problemen? Nee joh, helemaal niet. De zaak loopt geweldig. Ik bedoelde eigenlijk – nou ja, laat maar.'

Lou keek even opzij naar Nessa. Die zat aan de keukentafel en Lou ging tegenover haar zitten. Nessa bloosde. Ineens begreep Lou waarom. Er zat een bekentenis aan te komen, dat wist ze wel zeker. Moest ze zelf iets zeggen? Lou zat zich dat net af te vragen toen Nessa zei: 'Zeg, die Jake, hoe zit het daarmee? Zijn jullie een stelletje?'

'Nee, nee natuurlijk niet. Hoe kom je daar nou bij? Hij is hier alleen maar vanwege opa en zijn boeken. Ik had net aan Justin willen vragen of hij iets kon regelen met Eremount, zodat Jake Milthorpe House kon bezichtigen. Dan kon hij opa's studeerkamer zien, en zo, voordat ze de boel platgooien.'

'Dat moet toch geen probleem zijn, zou ik zeggen. Het duurt nog wel even voordat ze daar echt aan de slag gaan, hoor.'

'Ik vind het afschuwelijk dat ze er een welnesscentrum van gaan maken,' zei Lou, en ze trok een gezicht.

'Waarom in vredesnaam? Het is toch een tikje sentimenteel om het te zien als je voorouderlijke woning.'

Lou gaf maar geen antwoord. Voor een deel wist ze dat Nessa gelijk had, maar toch dacht ze er zo over. Ze had Jake beloofd om er morgenochtend een kijkje te gaan nemen, voordat ze terug zouden rijden naar Londen. Papa en mama hadden al toegezegd dat ze wel een paar uur op Poppy wilden passen. Het zou wel een beetje raar zijn om er weer te komen, maar dan had Jake in elk geval een beeld van hoe het huis was toen opa er nog woonde. De werklui waren nog niet begonnen, maar het zou nu niet lang meer duren voor ze er aan de slag gingen. 'Waarom dacht je dat, dat ik iets had met Jake?'

'Nou, hij is wel een knapperd, toch? Ondervoed, maar snoezig.'

'Vind je?'

'Was dat jou dan nog niet opgevallen?'

'Hij is wel oké. Hij is in elk geval hartstikke aardig. En hij is net zo enthousiast over *Blinde maan* als ik.'

'Kijk eens aan, gedeelde interesses! Heel belangrijk. Dat schrijven ze toch altijd in de blaadjes?'

'Hou toch op, Nessa. Ik wil er helemaal niet over nadenken.'

'Hm. Ben je nog steeds... Ik bedoel, na Ray, doe je nog steeds niet aan seks?'

377

'Jezusmina, dat gaat je geen bal aan.'

'Maar ik wil het zo ontzettend graag weten, en mij kun je het gerust vertellen. Weet je wat, als jij mij nou een geheimpje vertelt, dan heb ik er ook een voor jou. Wat vind je daarvan?'

Lou keek Nessa aan. Of het nu een gunstig effect van de wijn was, of dat Nessa echt was veranderd, dit was voor het eerst dat ze een bepaalde band met haar oudere zus voelde. Van kleins af aan had ze alleen maar tegen haar op gekeken. Was er eigenlijk een goede reden waarom ze het niet over Harry wilde hebben? Niet echt. 'Er was iemand anders op wie ik nogal gek was. Iemand van het werk. Harry. We zijn een weekend naar Parijs geweest, maar dat werd niks. Ik had de signalen helemaal verkeerd geïnterpreteerd. Hij had al iemand anders. In Amerika. Dat was het.'

'Wat erg. Echt jammer voor je. Maar je was er in elk geval weer voor in, toch? Want je dacht dat jullie in bed zouden belanden?'

Lou knikte. Nessa grinnikte en zei: 'Nou, dan is er verder ook niks aan de hand, je hebt er in elk geval nog steeds zin in. Als ik jou was dan zou ik maar eens goed naar Jake kijken.'

'Hij is veel ouder dan ik,' zei Lou.

'Hoeveel ouder, dan?'

'Geen idee.'

'Dus je weet helemaal niet hoe oud hij is?'

Lou schudde haar hoofd. 'Ik heb het nooit gevraagd.'

'Nou, dat zou ik dan maar gauw eens doen als ik jou was.'

'Hou op, Nessa. Je wilt me gewoon jouw geheim niet vertellen.'

'O, jawel hoor.'

'Heb je eigenlijk wel een geheim? Eerlijk zeggen.'

'Jazeker...' Nessa keek vaag om zich heen. Ze was op zoek naar een ontsnappingsmogelijkheid, dacht Lou. Weg uit de keuken, zodat ze het niet hoefde op te biechten. 'Ik ben...' Ze zweeg totdat Lou doorvroeg.

'Je bent wat?'

'Ik ben verliefd. Ik ben waanzinnig verliefd. Dat is mijn geheim.'

'Op wie dan? Waarom doe je er zo mysterieus over? Of is dat soms je geheim?' Nu ze toch had gedaan alsof ze helemaal niks wist van haar en Mickey kon ze ook maar beter doen alsof ze heel verrast was.

'Nou, niemand weet het nog, want ik heb het nog aan niemand verteld.'

'In dat geval voel ik me zeer vereerd, als je het me tenminste nog gaat vertellen. Je hebt er trouwens geen doekjes om gewonden, zeg. Je bent nog maar net gescheiden.' Lou bedacht zich iets. 'Of heb je soms al jaren een affaire waar niemand iets van afwist?'

'Nee, joh! Nee, nou ja, het is een beetje... Ik weet niet zo goed hoe ik het zeggen moet.'

'Hij is getrouwd. Ken ik hem?' Mijn hemel, dat ging lekker zo.

'Nee, dat is het niet. Helemaal niet zelfs... God, wat is dit moeilijk.'

Lou moest lachen. 'Hij is veel jonger dan jij. Ben je bang dat mensen dat raar vinden, jij als oud wijf met een jonge god?'

'Nee, nee, nee... Het is iets heel anders. Jij kent deze persoon wel.'

'Echt waar? Nou, kom op, Nessa. Je hoeft alleen de naam maar te noemen.'

'Het is Mickey.'

'Mickey?!'

Nessa knikte. Ze was alweer knalrood. Lou deed haar mond open om iets te zeggen, maar bedacht zich en zuchtte diep. Ik moet oppassen met wat ik zeg, dacht ze. Nu Nessa het haar had verteld probeerde ze te bedenken wat dit allemaal precies voor gevolgen zou hebben. Ze moest wel snel iets zeggen, anders zou Nessa nog denken dat ze geschokt was. Dat was ze ook wel een beetje, eerlijk gezegd. Kon iemand dan zo maar ineens lesbisch worden? Wat was er met Nessa gebeurd? Zou ze dat gewoon kunnen vragen, hoe het zo gekomen was? Ze zei: 'Jemig, Nessa, ik weet niet wat ik moet zeggen. Heb je ooit... Ik bedoel, hoe wist je dat je... Wat suf is dit, zeg! Ik weet niet wat je hoort te zeggen in zo'n geval. Maar vertel, kom op. Ik wil gewoon weten hoe je je voelt. Hoe is het allemaal zo gekomen?'

'Ik ben verliefd geworden. Zo is het gekomen. Ik was helemaal niet... Ik had ook nooit gedacht dat ik ooit op een vrouw zou vallen. Niet op deze manier. Maar toch is het gebeurd. Ik ben voor haar gevallen. En, nou ja, dat is gewoon heerlijk. Ik ben zo ontzettend gelukkig, Lou. Ze is zo... Ik kan het niet uitleggen. We passen gewoon bij elkaar. Ik voel me net weer een puber, geloof ik. Ik loop de hele tijd aan haar te denken. We gaan ook... Dít is eigenlijk wel een geheim, trouwens, dus dit moet je echt aan niemand vertellen, oké? We gaan trouwen.'

'Maar wie weet er verder nog meer van, dan?'

'Niemand. Misschien dat Justin het wel in de gaten heeft, maar verder weet echt niemand ervan. Ik kon er niets over zeggen tot de scheiding erdoor was, want ik wilde niet dat Gareth er problemen over zou maken.'

'Denk je dat hij dat had gedaan, dan?'

'Ik wilde het risico niet nemen dat hij de volledige voogdij toegewezen zou krijgen. Je staat er nog van te kijken hoeveel mensen het niet in de haak vinden dat een kind door een stel potten wordt opgevoed.'

'Dat meen je niet, Nessa. Dat is echt vreselijk. Wat gaat er nu dan gebeuren? Wanneer gaan jullie precies trouwen, om maar eens iets te noemen?'

'We willen er nog even mee wachten om het Gareth te vertellen. Tot we een beetje routine hebben opgebouwd, met het coouderschap, en zo. Melanie moet binnenkort bevallen en met die nieuwe baby krijgt hij het zwaar genoeg. Daar zal Melanie wel voor zorgen, dat geef ik je op en briefje. Tegen die tijd is mijn relatie met Mickey een voldongen feit.'

'En wanneer ga je het papa en mama vertellen? En Ellie?'

'Geen idee. Misschien vanavond al. Nee, geintje. Papa heeft genoeg aan Justins onthulling. Laten we die maar niet nog een grote klap geven. Jij houdt je mond toch wel, hè? Echt aan geen mens doorvertellen, hoor. Goed?'

'Nee, ik vertel het aan niemand, dat beloof ik.'

'Mooi... Nou, ik ga maar weer eens terug. Mickey zal zich wel afvragen waar ik gebleven ben. En Jake zal jou ook wel weer eens willen zien.'

'Welnee.' Lou keek haar glimlachend aan. 'Zeg maar dat wij hier hebben opgeruimd, en dat ik zo kom.'

Toen Nessa weg was, pakte Lou een vochtige doek en begon het aanrecht af te nemen. Nessa en Mickey. Ze probeerde zich voor te stellen hoe het zou zijn, met een andere vrouw, maar dat lukte haar niet. Betekende dit nu dat Nessa de mannen voorgoed had afgezworen? Misschien was ze wel biseksueel. Wel zo prettig – had je veel meer kans om je soulmate te vinden. Zou het iets voor haar zijn? Lou dacht aan de vrouwen die ze kende en constateerde dat ze echt op niemand van hen viel. Dan ben ik dus niet bi, dacht ze. En Jake? Nessa had gedacht dat zij iets hadden, misschien. En Lou dacht de laatste tijd regelmatig aan hem, dat was waar. Ze had al aan zichzelf toegegeven dat ze hem heel aantrekkelijk vond, maar meer in algemene zin. Niet serieus, want hij had nooit laten blijken dat hij haar leuk vond, maar misschien... Hij had wel een autostoeltje voor Poppy in zijn auto laten zetten. En daarmee zei hij meer dan hij met woorden had gezegd. Misschien. Het feit dat hij nog nooit met haar had geflirt moest ze afwegen tegen de dingen die hij had gedaan. En ze moest er ook maar eens achter zien te komen hoe oud hij eigenlijk was. Niet dat dat veel uit zou maken als ze... Ach, doe normaal. Dat Nessa nou verliefd is en alles door een roze bril ziet. Ik heb vast ook iets te veel gedronken, dacht Lou, en ze liep terug naar de zitkamer.

Nessa en Mickey en Justin vertrokken even na tienen. Nessa beweerde dat ze de volgende ochtend vroeg op moest voor een bespreking met een leverancier die over kwam uit Duitsland. Maar Lou vermoedde dat ze vooral graag alleen wilde zijn met Mickey. Justin wilde de kille sfeer ontvluchten die er tussen hem en Matt hing, na hun gesprek. Wat zou papa eigenlijk vinden van al dat gedoe met dat geld, dacht Lou. Uit haar ooghoek zag ze dat Jake en haar ouders rustig zaten te praten. Je zag hen bijna letterlijk ontspannen als hij aan het woord was. Dat effect had hij op iedereen. Kalmerend. Hij gaf mensen het soort aandacht waardoor ze graag dingen aan hem vertelden en hem in vertrouwen namen, in plaats van vol afschuw weg te rennen voor zijn on-Engelse directheid.

'Lou heeft me verteld wat u in Rosemary Barringtons gebedenboek hebt gevonden,' zei Jake. 'Dat moet een behoorlijk schok zijn geweest. Kende u uw grootmoeder goed, meneer Barrington? Ik bedoel Rosemary Barrington.'

'Zeg maar Matt, alsjeblieft. O ja... Ik was al volwassen toen ze overleed. Ze was een moeilijke vrouw. Ik kon nooit goed met haar overweg, eerlijk gezegd. Dat was waarschijnlijk ook de schuld van mijn moeder. Die mocht haar absoluut niet. En mijn vader... Ach, die had een heel wonderlijke relatie met zijn moeder.'

'Denk je dat dat kwam doordat ze niet zijn echte moeder was?'

'Misschien, maar hij leek me ook... Nou ja, hij had zich er in elk geval bij neergelegd dat hij haar zoon moest zijn. Hij was altijd vrij plichtsgetrouw, maar ik heb nooit enige genegenheid tussen hen gezien. Nou was mijn vader daar de man niet naar. Hij liet nooit zijn gevoelens aan anderen zien. Behalve aan Lou. Hij adoreerde Lou.'

Lou glimlachte, en Jake keek haar lachend aan. Hij zei tegen Matt: 'Als hij wist wat er was gebeurd, dan moet het ook wel erg moeilijk voor hem zijn geweest om genegenheid te tonen aan iemand die hij verantwoordelijk hield voor de dood van zijn moeder.'

'Ja, dat denk ik ook.' Matt boog zich naar voren. 'Ik voel me heel schuldig over het feit dat ik *Blinde maan* nooit heb gelezen. Ik heb alleen de eerste paar bladzijden bekeken.' Hij keek beschaamd. 'Ik ben niet zo'n lezer. Ik kan me nog wel herinneren dat het voor het eerst uitkwam. Er werden een paar artikelen aan gewijd in de kranten, er waren een paar recensies. Mijn vader was heel even beroemd, maar ik was toen nog te jong en te druk met mijn eigen dingen. Je weet wel hoe dat gaat. Je hebt nooit veel aandacht voor wat je ouders allemaal uitspoken.'

Lou zei: 'Toen opa dit voor het eerst aan me voorlas, heeft hij al die akelige stukken weggelaten. Ik dacht altijd dat het een soort avonturenboek voor jongens was. En dat hij het allemaal verzonnen had.'

'Ik zeg niet dat het niet afschuwelijk is, wat we nu over Rosemary aan de weet zijn gekomen,' zei Matt. 'Maar ik heb erover nagedacht en... Ach, misschien zoek ik een excuus, maar het leek me zeer waarschijnlijk dat Louise het hoe dan ook niet zou hebben gered. Dat maakt het niet begrijpelijker, wat Rosemary heeft gedaan, maar... Nou ja, misschien is het daarom net iets minder erg dan moord. Misschien is er iets voor te zeggen dat Louise nog meer dagen onnodig lijden bespaard is gebleven, op deze manier. Maar haar motief, daar heb ik nog altijd moeite mee.'

'Ze wilde een kind,' zei Jake. 'Ze wilde de baby voor zichzelf – Mary, de baby die in het boek overlijdt, maar ze moest het doen met Peter – jouw vader, dus, Matt. In het boek speelt dat een grote rol; Dulcies verlangen naar een kind. Je krijgt de indruk dat ze daar alles voor zou doen. En dat blijkt.'

Matt zei: 'Maar toch, in een jappenkamp overleden veel mensen aan ziektes en van de honger en wat al niet. Dat is toch zo? Zou het dan niet kunnen dat hij de situatie wat heeft gedramatiseerd om het verhaal wat spannender te maken? Om de lezer te schokken?'

'Dat zou kunnen,' antwoordde Jake.'Maar vergeet Rosemary's brief niet. De brief die jij net hebt gevonden.'

'Mensen kunnen soms...' Matt zweeg even. '... ze kunnen soms dingen die hen zijn overkomen wat overdrijven om zelf interessanter over te komen. Misschien klopte het wel niet, wat Rosemary schreef.'

Lou schudde haar hoofd. 'Nee, je zult het wel zien als je het boek zelf leest, pap. Het wordt zo zorgvuldig beschreven, tot in het kleinste detail.'

'Het maakt hoe dan ook voor het boek niet veel uit,' voegde Jake daaraan toe. 'Het verhaal staat er, zwart op wit, en binnenkort kan iedereen het weer lezen. We nemen toch geen biografie op.'

'Ik ben wel opgelucht dat mijn vader niet mee hoeft te maken dat zijn werk weer in de belangstelling komt te staan,' zei Matt.

'Hoe kun je dat nou zeggen, papa? Opa zou het geweldig hebben gevonden,' riep Lou uit.

'Ja en nee. De pers van tegenwoordig zou boven op hem duiken en hem allerlei lastige vragen stellen: is uw moeder echt opzettelijk door uw adoptiemoeder vermoord of hebt u dat maar bedacht? Nou ja, je weet zelf wel wat voor soort vragen ze zouden stellen. Dat zou hij verschrikkelijk hebben gevonden.' Matt stond op. 'Ik hoop dat jullie het niet erg vinden, maar ik ga naar boven. Ik ben ineens zo moe. Het was een heel gezellige avond, ook al was het iets, tja, ernstiger dan ik gewend ben op mijn verjaardag. Nogmaals bedankt voor de champagne, Jake, dat was een ontzettend aardig idee van je. Het was me een genoegen je te leren kennen. Blijf gerust nog even zitten, hoor, je hoeft niet meteen naar je hotel. Neem nog een kop koffie, of iets dergelijks.'

Jake stond op om afscheid van hem te nemen. Lou wachtte tot

haar moeder hen ook goedenacht wenste en achter Matt aanliep, naar boven. Jake zei: 'Ik denk dat ik ook maar eens moet gaan, maar je vader heeft gelijk... Een kopje koffie zou er nog wel ingaan, als je dat goed vindt.'

'Ja, ik heb zelf ook wel zin. Ik krijg altijd zo'n dorst van die krabsaus.'

'Niet te geloven dat je vader dat boek toen helemaal niet heeft gelezen,' zei Jake.

'Nee, gek, hè? Ik heb echt altijd gedacht, toen opa mij fragmenten uit het boek voorlas, dat hij het verhaal verzonnen had. Maar nu meen ik me te herinneren – het is natuurlijk wel lang geleden en eerlijk gezegd was ik tot nu toe helemaal vergeten... Gek eigenlijk hè, hoe dingen ineens weer boven kunnen komen? Net scènes uit een film die ineens de nadruk krijgen.'

'Maar wat herinner je je dan?'

'Dat opa er min of meer op zinspeelde.' Lou maakte koffie en zette twee kopjes op tafel terwijl ze sprak. 'Zo'n gesprek dat als puur hypothetisch begint. Weet je wel: er zit een beer achter jullie aan, en je moet besluiten of je zo hard mogelijk wegrent, zodat je jezelf redt, of dat je bij je vriendje blijft, die niet zo hard kan lopen, en je dus het risico loopt dat je het avondeten voor de beer wordt. Zoiets. Opa zei altijd heel stellig dat hij zelf zou blijven. Hij zou een vriend nooit in de steek laten. En toen zei hij iets wat ik toen niet begreep, maar dat... Nou ja, hij zei: *tenzij die vriend iets had dat ik heel, heel erg graag wilde hebben en dat ik alleen maar zou kunnen krijgen als die vriend dood zou gaan. Ik denk dat het dan anders zou zijn.* Ik was toen een jaar of negen en ik vond het erg schokkend. Ik probeerde hem om te praten. Ik zei dat hij toch een soort moordenaar zou zijn, als hij dat zou doen, en hij was het met me eens. Dat was het juist. Hij glimlachte naar me en hij zei: *natuurlijk heb jij gelijk. Het is ook moord. Nou goed, dan zou ik hoe dan ook bij mijn vriend blijven. Goed?*

'Dat was het? Meer niet?' Jake nam een slok van zijn koffie. 'Heerlijk, dit. Dank je wel.'

'Nee. Meer was er niet. Misschien is het waar wat mijn vader zei over Rosemary, dat ze haar rol wat zwaarder heeft aangezet. Maar zelfs als ze Louise niet letterlijk van het leven heeft beroofd, zelfs als opa dat stukje heeft bedacht, dan nog maakt hij het zonneklaar in zijn boek dat Dulcie – Rosemary – geobsedeerd is door het verlangen naar een kind, wat voor kind dan ook. Hoe hij de gebeurtenissen beschrijft als ze uit het kamp komen; de manier waarop Dulcie hem overheerst, bijna smoort... Ik weet zeker dat dat echt zo is gegaan.'

'Dan is er nog een punt: zou een kind ermee instemmen om te worden geadopteerd door iemand van wie hij vindt dat die zijn geliefde vader of moeder heeft omgebracht?'

'Dat heb je toch zelf gelezen, Jake! Het is volkomen duidelijk waarom hij daar in meeging. Wat voor alternatief had hij? Een weeshuis? Of naar iemand gestuurd te worden waar hij nog nooit van had gehoord? Rosemary was de beste vriendin van zijn moeder. Vóór zijn moeders dood mocht hij haar graag. Hij bewonderde haar zelfs. Hij vond haar mooi en aardig. Dus van die gevoelens was vast nog wel iets over, denk je ook niet? Ik denk dat de vraag er verder niet toe doet. Niet voor het boek, in elk geval. Misschien wel voor mijn vader. Die vindt het vast niet prettig als zijn grootmoeder als moordenaar wordt ontmaskerd, dus wellicht moeten we het autobiografische element maar niet al te zeer benadrukken. Ik denk niet dat papa graag vragen krijgt van de pers. Laten we gewoon doen alsof het een geweldige roman is, en meer niet.'

'Zo wil ik het ook uitgeven. En aangezien jij degene bent met het auteursrecht – en het veel mooiere koppie – mag jij de pers te woord staan, in plaats van je vader.'

'Denk je dan dat er aandacht aan zal worden besteed?' Daar had

Lou nog helemaal niet aan gedacht. Niet dat ze het erg zou vinden. Dan zou ze een deel van haar voorschot wel aan kleding besteden. Die opmerking over dat ze een mooier koppie had dan haar vader, betekende dat dat hij haar knap vond?

'Ik hoop wel dat ik wat interesse kan wekken, hier en daar, ha! Ik ga in elk geval mijn best doen. Zo.' Hij dronk zijn koffie op, in één flinke teug. 'Nu moet ik maar eens gaan. Het wordt al laat.'

'Oké. Ik loop even met je mee. Het is een beetje lastig om achteruit de oprit af te rijden.'

Het was stil in huis terwijl ze de hal door liepen naar de voordeur. Het was bijna volle maan en de lucht was nog vrij warm. Jake deed de auto open en draaide zich om naar Lou.

'Ik kom Poppy en jou morgen halen – als je echt weer naar Londen wilt, tenminste. Het is hier zo prettig. Ik zou hier wel ieder weekend willen zijn, als het kon.'

'Nee, ik moet echt terug. Een vriendinnetje van Poppy, van het kinderdagverblijf, viert morgen haar verjaardag. Dat geloof je toch niet: een verjaardagspartijtje voor een kind van een?'

'Nou, je kunt maar beter zoveel mogelijk vieren, in je leven. Wanneer is Poppy eigenlijk jarig?'

'Die wordt vlak na Kerstmis twee.'

'Aha. Ik ga nu echt, Lou. Tot morgen. Ik vond het een geweldige avond, echt waar. Dank je zeer.'

Hij deed een stap in haar richting, en voor ze in de gaten had wat er gebeurde, had hij zijn armen om haar heen geslagen. Hij zei geen woord, maar kuste haar. Niets in deze kus deed haar aan Harry denken, en aan wat ze voor hem had gevoeld. Dit was iets totaal anders. Het was veel te snel voorbij, nog voor ze de kans had om na te gaan hoe het precies voelde, en wat ze ervan vond, en wat ze eigenlijk van Jake vond... Flarden onsamenhangende gedachten schoten door haar hoofd in die paar seconden dat ze daar stond, met zijn armen om haar heen. Ze kon zijn huid ruiken, zijn nogal koele lippen proeven, maar vooral was ze zich bewust van zijn handen, één in haar hals om haar gezicht dicht bij dat van hem te houden, en de ander die haar rug streelde terwijl ze daar zo stonden.

En toen was hij weg, met een grijns en een zwaai, en zij bleef achter op de oprit, met de kamperfoelie die weelderig bloeide tegen de tuinmuur en die de lucht vulde met haar geur, zodat ze een beetje een dronken gevoel kreeg. Misschien was het wel een kus om haar te bedanken. *Hartelijk dank dat ik mee mocht naar je ouders. En bedanken doe ik zo...* Ik weet helemaal niets van Jakes liefdesleven. Misschien heeft hij wel iemand, net als Harry, en was dit gewoon een... nou ja, zoiets als een handdruk, als ze een man was geweest. Zij had haar relatie met Jake gezien zoals ze vroeger ook omging met haar docenten, op de universiteit. Tenminste, met de jongere docenten: er was een mengeling van ontzag, eerbied, vriendschappelijkheid en bewondering voor hun intellect. Degenen die ook nog aantrekkelijk waren bewonderde ze op afstand, zonder ooit op de gedachte te komen dat het wel eens iets zou kunnen worden. Zo had ze ook naar Jake gekeken. Tot vanavond. Nu moest ze de situatie nog maar eens opnieuw bekijken.

Ze liep het huis in en werd plotseling overvallen door vermoeidheid. Ze kon beter meteen naar bed gaan. Poppy zou morgenochtend heus niet later wakker worden dan normaal. *Ik moet maar zien wat ervan komt,* besloot ze. Ze zou net doen alsof dit nooit was gebeurd totdat Jake er zelf op terug kwam. Maar het was wel degelijk gebeurd. Ze voelde nog hoe het was geweest, zijn harde, slanke lijf tegen dat van haar aan. Waar dacht hij nu aan, op weg naar zijn hotel? En hoe oud was hij nou toch? Dat werd ineens een heel belangrijk punt.

Phyl lag een beetje te snurken, en Matt glipte zo zachtjes mogelijk uit bed. Hij ging bij het raam staan en keek naar de oprit. De maan was nog niet helemaal vol, maar hij kon Jakes auto toch duidelijk zien staan. Hij zat met Lou in de keuken; waarschijnlijk dronken ze nog een kop thee. Hij had zin om zich bij hen te voegen, maar hij wist dat dat absoluut niet kon. Die krabsaus van Phyl was heerlijk, maar je kreeg er wel altijd ontzettende dorst van. Hij pakte de fles water die op zijn nachtkastje stond. Terwijl hij ervan dronk, hoorde hij voetstappen knerpen op het grind, en hij ging weer terug naar het raam. Jake kuste Lou. Had hij dat zien aankomen? Hadden ze een relatie? Die gedachte was wel al een paar keer bij hem opgekomen, vanavond, toen hij een wederzijdse glimlach onderschepte aan tafel, en hij zag ook een keer hoe Jake naar Lou keek, terwijl die druk in gesprek was met Nessa: aandachtig, en met een zekere verwondering. Maar hoe zat het met Lou? Hoe had die tegen Jake gedaan? Matt had niks aan haar gemerkt, maar hij kon wel zien dat zij zich op haar gemak voelde, bij Jake. Stel dat ze iets hadden, was dat dan goed? Zou hij haar pijn doen?

De auto was inmiddels weg, en Lou stond daar nog op de oprit te staren. Matt keek naar haar. Hij zou alles, maar dan ook alles, doen om ervoor te zorgen dat zij gelukkig werd. Het gesprek dat hij met haar en Jake had gehad over het boek van zijn vader kwam weer boven, en hij vroeg zich af of John Barrington ooit zulke sterke gevoelens voor hem had gehad als hij nu voor Lou voelde. Hij had het natuurlijk nooit laten merken, maar het was ook een heel gereserveerde man, en Constance was als ouder zoveel meer aanwezig in zijn leven dat het nauwelijks bij de jonge Matt opkwam om zich af te vragen of zijn vader wel echt van hem hield.

Kinderen... Zelfs al waren ze niet jouw eigen vlees en bloed, dan nog bleven ze een grote zorg. Je kon nooit achterover leunen en denken: laat ze hun gang maar lekker gaan, het is mijn zaak niet. Moest je die verdomde Justin nou weer eens zien – wat die met Milthorpe House had gedaan, met het geld van zijn moeder – en de verschrikkelijke bepalingen in dat laatste, krankzinnige testament dat Constance op had opgesteld zonder hem om advies te vragen: dat waren dingen die hem uit zijn slaap hielden. Was hij net gewend aan de situatie, gebeurde er zoiets!

Wat hem nog het meest geirriteerd had was het idee dat Justin het landgoed in bezit kreeg. Matt keurde het niet goed dat hij het huis verkocht had, maar het zorgde er in elk geval voor dat Lou haar broer in de toekomst nooit hoefde te bezoeken in dat huis, alsof ze een soort armoedig familielid was. En dus had hij geprobeerd de verkoop maar als iets positiefs te zien. Hoewel het hem natuurlijk ook behoorlijk dwarszat dat Lou nauwelijks rond kon komen, terwijl Justin miljoenen op de bank had staan.

Hij vroeg zich af waarom hij dan nu niet blij was. Daar had hij tenslotte best reden toe. Justin was geen miljonair meer, en ook al was hij niet zo arm als Lou, dit was toch wel in zekere zin rechtvaardig. Toch was Matt er niet gelukkig mee. Het was zo dom en zo zonde om je geld in iets te steken dat failliet ging. Het was precies dit soort financiële slordigheid die hij zo verachtte. Ach nou ja, Justin zou wel weer iets verzinnen om dit debacle te boven te komen.

Zijn gedachten dwaalden af naar wat Jake hem had gevraagd over zijn grootmoeder. Hij had tegen Lou gezegd dat hij van plan was om *Blinde maan* nu toch eens echt te gaan lezen, ook al vroeg hij zich vaak af hoe mensen toch zo op konden gaan in fictie. In de paar romans die hij zelf had gelezen deed de schrijver er eindeloos lang over om iets te zeggen wat hij zelf in de helft van de tijd kon uitleggen. Hij wist wel dat dit een tekortkoming was, maar hij kon er niets aan doen. Maar als het non-fictie was, dan werd het een ander verhaal. Want iets wat echt waar was, dat was de moeite waard om van te leren, en over na te denken. Nu hij had begrepen dat zijn vader in feite een verslaggever was, kon Matt het boek lezen om erachter te komen wat er gebeurde in zo'n concentratiekamp. Misschien kon hij Lou wel vragen om hem te helpen; misschien kon zij hem de specifieke pagina's over Rosemary en de dood van zijn echte grootmoeder aanwijzen, dan hoefde hij het hele boek niet door. Nee, dat was laf. Hij zou elk woord moeten lezen. Hij zuchtte en dacht erover om maar weer in bed te gaan liggen. Maar dat deed hij niet. Hij zou toch nog niet kunnen slapen, en hij wilde ook niet in het donker blijven zitten. Dus ging hij de slaapkamer uit en liep op zijn tenen naar beneden. Hij zag dat het licht in Lous kamer nog aan was, en hij had bijna op haar deur geklopt, maar toen bedacht hij zich toch. Ze was zich vast aan het uitkleden en Poppy zou haar zeker vannacht nog een keer wakker maken. Ze kon maar beter wat slapen.

In de keuken schonk hij een glas melk in en ging aan tafel zitten om het op te drinken. Hij probeerde te bedenken wat zijn vroegste herinnering was aan Rosemary Barrington, maar er kwam niets interessants bij hem op. Het was een bazige vrouw, nogal saai voor een klein jongetje. En ze had kennelijk altijd ruzie met Constance. Hij kon zich nog een ruzie herinneren tussen zijn ouders die om Rosemary ging, en de reden waarom hij zich die nog herinnerde was dat zijn ouders maar zelden tegen elkaar schreeuwden waar hij bij was. Hij had er al in geen jaren meer aan gedacht, maar het gesprek van vanavond bracht het weer allemaal boven. Over het algemeen hielden de Barringtons hun onenigheden voor zich, en vochten ze hun ruzies uit achter gesloten deuren. Matt hield dan zijn adem in, in de hoop dat hij iets van hun gesprek kon opvangen. Maar dat kon hij bijna nooit.

Het feit dat hij zich deze ruzie kon herinneren kwam doordat ze toen in de auto zaten. Ze konden er dus helemaal niet voor zorgen dat Matt er niets van meekreeg, en achteraf bezien leek het wel alsof ze helemaal niet eens doorhadden dat hij erbij was. Zijn vader zat achter het stuur en zijn moeders scherpe profiel was op hem gericht zodat ze hem gemakkelijk kon uitkafferen. Zijn vader had iets niet gedaan – wat dat was, daarvan had Matt geen idee –

maar het was duidelijk dat zijn moeder het volkomen oneens was met iets wat Rosemary tegen haar had gezegd.

'Jij neemt het ook nooit eens voor mij op,' schreeuwde ze. 'Jij maakt je altijd alleen maar druk om haar. Om je moeder. Ik heb er schoon genoeg van. Jij hebt verplichtingen naar mij toe. Of je het nu met me eens bent of niet, jij moet mij verdedigen ten opzichte van Rosemary en niet steeds met haar meegaan in alles.'

'Dat heb ik niet gedaan,' had zijn vader geantwoord. 'Ik heb alleen maar...'

'Hou je mond! Jij hebt helemaal niets gedaan! En zo gaat het nou altijd. Dat ik nou net weer met iemand moest trouwen die totaal geen ruggengraat heeft en die geen kik durft te geven als zijn moeder weer eens een van haar tirades afsteekt...'

'Ze ís verdomme mijn moeder helemaal niet!' Zijn vader begon nu ook te schreeuwen, en Matt herinnerde zich nog dat hij ineenkromp op de leren bekleding van de achterbank, en dat hij bad dat zijn vader ophield. Zijn vader verhief zijn stem bijna nooit en hij vloekte zelden, dus had zijn woede een enorme impact. Matt kon nauwelijks ademhalen. Zijn vader ging door: 'Ik heb helemaal niks met haar te maken!'

'Je hebt alles met haar te maken!' gilde Constance. 'Ze is dan wel niet je biologische moeder, maar ze heeft je wel vanaf je achtste opgevoed. En trouwens, of je nu wel of geen familie van haar bent maakt helemaal niets uit voor hoe jij je hoort op te stellen als ze naar mij uithaalt. Ze is gewoon je moeder, punt uit. Je bent al bij haar sinds je klein was.'

'Ze heeft mijn moeder van me afgenomen.' Matt kon vanaf de achterbank zien dat zijn vader een rode nek had. Dat gebeurde altijd als hij kwaad was: dan verschenen er vuurrode vlekken van zijn kraag tot zijn haargrens. Zijn stem zwol weer aan tot een schreeuw: 'Ze heeft me van mijn moeder beroofd...'

'Wat een nonsens!' Constance lachte. 'Jouw moeder is gewoon

in dat kamp doodgegaan van de honger, en waarschijnlijk ook nog aan de malaria en god weet wat voor andere afgrijselijke ziektes. Dat is allemaal reuze triest hoor, maar zo langzamerhand zou je er toch echt een keer overheen moeten zijn. Het is jaren en jaren geleden, John. Jemig, wat blijf jij in het verleden hangen, zeg! Dat kan je goed, hè? Nou, het zou fijn zijn als je je een keer niet druk maakt over je moeder, die al een eeuwigheid dood is, en je eens wat meer aandacht kreeg voor míj.'

Matt dronk zijn glas melk uit. Zijn vader had toen geen antwoord gegeven, tenminste, niet dat hij zich kon herinneren. Wat hem nog wel voor de geest stond, nu hij hier zo in zijn eigen keuken zat, als volwassen man die zelf zijn emoties goed onder controle had, was het onzegbare verdriet dat hij had gevoeld voor zijn vader. Hij zag de diepe en volkomen hopeloosheid van zijn vaders verdriet – en hoe oud was hij toen helemaal? Zeker niet ouder dan een jaar of tien. Zelfs op die leeftijd, dacht Matt, zag ik al dat hij en Constance nooit nader tot elkaar zouden komen. Ze hadden eigenlijk moeten scheiden. Er zaten wel wat jongens bij hem op school van wie de ouders gescheiden waren. Het was hem dus niet onbekend, maar toch was Matt er toen verschrikkelijk bang voor. Jarenlang bad hij in bed dat zijn ouders bij elkaar zouden blijven, en zijn gebeden werden verhoord. Hij had het in die verwoede fluistergesprekjes met de Almachtige ook moeten hebben over iets van geluk. Voor iemand die niet wist of hij nu wel of niet in God geloofde, legde hij flink beslag op diens tijd. Je wist maar nooit...

Matt spoelde zijn glas om en liep de keuken uit. *Ze heeft me van mijn moeder beroofd.* De roman was het ware verhaal van wat hem werkelijk was overkomen en door de herinnering aan die woorden die zijn vader lang geleden uitsprak, geloofde Matt dat nu ook echt. Tot nu toe was hij er niet zeker van, maar de herinnering was onverbiddelijk opgekomen om hem te overtuigen. Hij zou het

Lou morgenochtend vertellen. Het licht in haar kamer was nu uit, en hij deed weer een gebedje, dit keer voor het geluk van zijn dochter. En dat van Poppy. En hun gezondheid. Lous succes. Hij nam geen enkel risico, en liet dit keer niets achterwege.

Zonder gordijnen en tapijt was Milthorpe House hol en kil. Jake had haar vroeg opgehaald en nu liepen ze hier door een huis dat Lou beter dacht te kennen dan welk huis dan ook. Maar nu zag het eruit als niets meer dan een podium dat lag te wachten op een decor, en rekwisieten en vooral op acteurs die het weer tot leven zouden brengen. Het huis voelde doods aan. Er was geen enkele plek waar Lou naar kon wijzen: *kijk, daar speelde ik altijd zo graag toen ik klein was...*

'Het is verschrikkelijk,' fluisterde ze. 'Had je het maar kunnen zien toen Constance nog leefde. Het was geen leuk mens, maar ze wist wel hoe ze een huis moest inrichten.'

'Ik voel me gewoon zo... Nou ja, het is goed om eens te zien waar hij heeft gewoond. Kunnen we even naar zijn studeerkamer kijken? Of vind je dat naar? Jij kunt anders ook wel beneden blijven, als je me vertelt hoe ik er moet komen...'

'Nee, ik ga wel mee. Ik ben er al in geen jaren meer geweest. Toen opa er niet meer was, wilde ik er niet meer naar binnen. Niet dat Constance iets aan de kamer had veranderd, maar zonder opa was het gewoon niet meer hetzelfde.'

Ze liepen samen de trap op, Lou voorop. Ze had niet goed geslapen: eerst werd Poppy wakker, en toen kon ze zelf de slaap niet meer vatten, wat voor een deel door Jake kwam. Die kus van gisteravond... Hij had er die ochtend niets over gezegd, en Lou schreef de kus daarom maar toe aan het late tijdstip, de geur van de kamperfoelie, of wat dan ook. Als iets zijn aandacht wist te vangen, ging hij daar helemaal in op. Zo was hij nu alleen maar bezig met John Barrington en probeerde hij zich voor te stellen hoe de schrijver hier in deze kamer aan het werk was geweest, en de woorden probeerde te vormen die later zijn roman werden.

'Vertel eens waar alles stond, in deze kamer?' vroeg hij.

'Hier stond het bureau. Opa vond het niet prettig om uit het raam te kijken als hij aan het werk was. Hij heeft me wel eens gezegd dat hij graag een blinde muur voor zich had, omdat dat voor hem net een filmdoek was waarop hij de scènes voor zich zag, als in een film. We hielden ontzettend veel van films. We zaten altijd samen te kijken. Hier stond een bank, en daar in de hoek had hij een kleine televisie. Vroeger had je soms 's middags van die oude zwart-witfilms op tv. Er hingen tabakskleurige gordijnen, ik geloof van fluweel, maar ze waren heel oud en versleten. Ik weet niet waarom Constance ze liet hangen. In de rest van het huis zou ze nooit van die morsige oude gordijnen dulden…'

Ineens sprongen de tranen in haar ogen.

'Het spijt me, Lou,' zei Jake. Hij keek geschrokken. 'Ik had je niet moeten vragen om met me mee te komen, als het zo zwaar voor je is. Kom, we gaan, ik heb genoeg gezien.'

'Nee, nee… Er is niks aan de hand, echt niet. Ik was alleen even heel verdrietig. Niet om opa. Tenminste, niet echt. Meer een soort spijt dat hij het niet meer meemaakt dat zijn boek opnieuw wordt uigegeven. Meer is het echt niet. En vermoeidheid. Poppy werd midden in de nacht wakker. Tegenwoordig slaapt ze meestal door, maar je zult het net zien. Kinderen worden altijd wakker als jij te laat naar bed bent gegaan. Maar even over zijn bureau: het was zo'n ding met een rolluik. Geweldig vond ik dat. Ik mocht mijn potloden in een van zijn lades bewaren. Toen hij doodging, heeft mijn oma het bureau de deur uit gedaan, en daar kan ik nog steeds kwaad om worden. Ik had het zo graag willen hebben…'

'Wat ontzettend jammer. Dat zijn heel vervelende dingen, inderdaad, maar ik vind het toch zo geweldig. Om hier te zijn, bedoel ik. Om uit dit raam te kunnen kijken. Ik krijg echt een kick van dit soort dingen, weet je dat? De huizen van schrijvers. Fantastisch vind ik dat. Toen ik hier voor het eerst was, heb ik ook meteen al die toeristische plekken bezocht. Stratford, het Lake District, Dorset – vanwege Thomas Hardy – en zelfs *Brontë Country*. Met hedendaagse schrijvers ligt het wat moeilijker... dus ik ben blij dat ik jou heb leren kennen. En wat een geluk dat ik dit heb kunnen zien voor ze het gaan verbouwen.' Hij sloeg met zijn hand tegen de muur. 'Ik kan daar toch zo kwaad om worden, het idee dat dit allemaal gaat verdwijnen! Dat jij daar tegen kunt. Een wellnesscentrum, nog wel!'

'Opa is niet beroemd genoeg om hier een bedevaartsoord van te maken.'

'Dat weet ik wel, maar het is wel heel treurig. Ik ben blij dat je broer zijn idiote idee niet eerst aan mij heeft voorgelegd. Ik zou... Nou ja, ik denk niet dat ik beleefd had kunnen blijven. Het is – ik weet niet – barbaars, geloof ik.'

'Justin doet altijd precies waar hij zelf zin in heeft. Hij denkt nooit aan een ander, en hij is zo knap dat het andere mensen niet uitmaakt. Die vergeven hem altijd alles.'

Plotseling leek de studeerkamer veel te vol. Jake leunde tegen de muur bij de deur. Lou stond aan de andere kant van de kamer. Ineens liep hij naar haar toe en stak zijn hand naar haar uit. 'Kom, Lou, we gaan hier weg.'

Hij hield haar hand vast terwijl ze naar beneden gingen. Ze had het gevoel alsof hij haar uit een gevaarlijk labyrint leidde. Hij weet de weg, dacht ze, en die gedachte werd onmiddellijk gevolgd door een andere: je bent niet goed snik. Jij weet hier de weg. Jij bent de degene die hier al eerder is geweest, niet Jake. Maar toch overheerste het gevoel dat hij voor haar zorgde; hij leidde haar weg van een plek waar ze ooit gelukkig was geweest, maar nu niet meer. Bijna moest ze huilen, bijna zonk ze weg in herinneringen die haar verdrietig maakten, maar Jake had haar weer meegenomen naar de zon. De studeerkamer lag aan de donkere kant van het huis en de zon kwam daar altijd pas heel laat in de middag, maar nu ze het huis uit kwamen was het een warme, heldere morgen in augustus, en dat vrolijkte haar onmiddellijk op.

Toen ze weer in de auto zaten, op weg naar Haywards Heath om Poppy op te pikken, voelde ze zich toch weer moe en een beetje somber.

Na een poosje vroeg Jake: 'Alles goed? Je bent zo stil…' Hij keek haar even aan en glimlachte, en richtte zijn blik toen weer op de weg.

'Prima, alleen een beetje moe.'

'Ga maar slapen, dan. Ik meen het. Het duurt nog wel een half-uurtje.'

'Ik denk dat ik dat even doe. Dank je wel, Jake.'

Ze deed haar ogen dicht en leunde achterover in de autostoel. Terwijl ze in slaap viel, voelde ze een hand over haar haren, zachtjes, heel zachtjes. En toen merkte ze dat hij haar vest, dat ze om haar schouders had geslagen, over haar blote arm trok. Dacht hij dat ze al sliep? Wilde hij niet dat ze zou merken dat hij haar aanraakte? Het kon Lou eigenlijk niet schelen. Hij had haar haren gestreeld.

11

'Ik vind het heel aardig van mama dat ze ons mee uit eten heeft gevraagd. Dan kunnen we... dan kunnen we het een beetje vieren. Heb je haar al over je nieuwe broertje verteld?' Gareth keek Tamsin breed lachend aan en draaide zijn hoofd toen als een menselijke vuurtoren om naar Nessa, om ook haar stralend aan te kijken. Ze lachte terug. Nou ja, hij had net een zoon gekregen, en wat ze er ook van mochten zeggen, alle mannen werden nu eenmaal volkomen wee als ze een mannelijke nazaat kregen. Wat kon je eraan doen behalve het er niet mee eens zijn en nog maar een glas wijn nemen om te tonen hoe blij je voor hem was? Hij stond hier in het restaurant om Tamsin over te dragen voor het weekend. Melanie was natuurlijk zonder enig probleem door de hele bevalling gezeild en alles wat met de geboorte te maken had, was een en al vreugde, blijdschap en jolijt. Heel anders dan haar eigen ervaring, waar ze zelfs na acht jaar nog met lichte huiver aan terugdacht. Het klopte, het was het allemaal waard geweest vanwege Tamsin, maar de bevalling was niet bepaald een feest geweest.

'Van harte gefeliciteerd, Gareth,' zei ze. 'En jij, Tamsin, lieve schat, jij bent nu een grote zus! Wat geweldig, hè?' Ze merkte dat ze zelf ook zat te stralen en ze zei: 'Laten we morgen maar eens een mooi knuffelbeest voor hem uitzoeken. Goed? Hebben jullie al een naam?'

'Barnaby,' zei Tamsin. 'En dan afgekort, dus Barney.'

'Wat enig!' zei Nessa, terwijl ze stiekem vond dat het eerder een naam was voor een teddybeer.

De ober kwam de pizza's brengen, en ze zaten een poosje in volmaakte harmonie te kauwen. Nessa keek om zich heen. Het was niet vol in het restaurant, maar er zaten een paar mensen vrij dicht bij hun tafeltje: waarschijnlijk zou dat Gareth er wel van weerhouden om een scène te trappen. Ze had er eindeloos over nagedacht en ze had besloten om hen allebei tegelijkertijd in te lichten over Mickey. Dat had ze natuurlijk ook gewoon thuis kunnen doen, maar ze wist dat Gareth in een restaurant geen ruzie zou durven maken. Ze keek naar Tamsin, die tevreden van haar pizza zat te eten, en haalde diep adem. Daar gaan we, dacht ze, en ze keek haar dochter en ex-man aan.

'Ik ben blij dat ik hier met jullie allebei zit, want ik moet jullie iets vertellen. Ik heb zelf ook goed nieuws. Ik... Nou ja, ik ben verliefd geworden.'

'Wat leuk voor je, Nessa! En hoe heet hij?' vroeg Gareth, die echt blij voor haar leek.

'Ik vrees dat het geen hij is, Gareth. Het is Mickey. Mickey Crawford,' verduidelijkte ze, om zeker te zijn dat ze het allebei goed begrepen.

'Maar Mickey is een mevrouw,' zei Tamsin. 'Mevrouwen kunnen toch niet verliefd worden op andere mevrouwen?'

'Ja, ja dat kan wel. Het is...' Nessa dacht even na. 'Het is niet wat de meeste vrouwen willen, maar sommige vrouwen wel. Die kunnen wel verliefd worden op andere vrouwen.' Ze was zo geconcentreerd op Tamsin, op hoe zij zou reageren, en die zo te zien niet volkomen getraumatiseerd was, dat ze helemaal niet op Gareth lette. Nu keek ze ook hem aan, omdat Tamsin zich weer op haar bord stortte. Met haar was dus alles in orde, in tegenstelling tot

Gareth, die eruitzag alsof hij een hartverzakking kreeg. Zijn hoofd was gevaarlijk rood aangelopen en hij deed zijn mond steeds open en dicht, net een goudvis. Nessa keek hem bemoedigend aan en zei: 'Relax, schat. Je hoeft niet meteen flauw te vallen.'

'Ik val helemaal niet flauw,' sputterde hij uiteindelijk, en hij veegde zijn mond af met een papieren servet. 'Ik ben alleen... ik kan het gewoon niet geloven. Maar goed, daar kunnen we het nu niet over hebben.'

'Waarom niet, in vredesnaam?'

'Doe niet zo idioot, Nessa. Dat is toch niet... niet geschikt voor de oren van onze dochter, en ik wil ook niet dat het hele restaurant van zo'n gesprek kan meegenieten.'

'Wat een onzin, Gareth! Er valt helemaal niets te bespreken. Mickey en ik houden van elkaar en nu de scheiding rond is, kunnen we binnenkort gaan trouwen.'

Als hij net al paars was, wat voor kleur had hij dan nu? Nessa zag het bloed naar het hoofd van haar ex stijgen, en ze stond versteld van hoeveel er nog bij kon. Het gaf een vreemd effect, zo rood met wit gevlekt. Ze wachtte even tot hij er weer iets normaler uitzag, wat een paar tellen duurde.

'Je bedoelt zo'n krankzinnig homohuwelijk?'

'Volgens mij is er een wet die verbiedt dat je dat soort beledigende dingen mag zeggen. Ik zal het eens nazoeken. Papa weet dat vast wel.'

Gareth greep dit bruggetje meteen aan: 'Weten die het dan al? Je ouders? Die zijn er vast ook echt blij mee. Maar niet heus.'

'Lou was wel blij. Haar reactie deed me echt ontzettend veel deugd. En nee, ik heb het nog niet aan Phyl en Matt verteld. Ik neem niet aan dat die dolblij zullen zijn, maar ze zullen zich keurig houden, wat ze er ook van vinden. Ik wil je er bovendien aan herinneren dat wij verder niet meer aan elkaar verbonden zijn. Wij zijn uit elkaar. Volgens de wet.'

'Dat zal allemaal wel, maar wij zijn nog altijd allebei Tamsins ouders. Dus via haar zijn we toch verbonden...'

'Maar niet in die mate dat ik hier hoef te blijven zitten en jouw beledigingen hoef te slikken. Is dat nu echt het enige wat je kunt verzinnen: mijn aanstaande bruiloft belachelijk maken?'

'Bruiloft?' Tamsin veerde op, omdat haar aandacht werd getrokken door een woord dat voor haar het stralend middelpunt vormde van een heleboel doodsaai geklets. Nu was het Tamsins beurt om te grijnzen. Ze zei: 'Papa gaat binnenkort trouwen. Zodra Melanie haar figuur terugheeft, zei ze. En ik ben bruidsmeisje. Dat mocht, van haar.'

'Nou, is dat even leuk?'

Tamsin knikte. Nessa zei: 'En wat vind je ervan om ook voor mij en Mickey bruidsmeisje te zijn als wij gaan trouwen?'

'Raar! Mevrouwen trouwen toch niet met andere mevrouwen.' Tamsin keek haar moeder meewarig aan.

'Soms wel, hoor. Dat mag tegenwoordig. En meneren kunnen ook met meneren trouwen.'

'Doe normaal, Nessa! Dat soort dingen hoeft zij helemaal niet te weten. Dat kind is pas acht, zeg, in godsnaam.'

'Dat vind ik geen reden om het niet te weten. Het gebeurt nu eenmaal, en het zal steeds vaker voorkomen.'

'Dat is dan heel erg. Het is toch verdomme van de zotte, dit hele gedoe. Waar moet het heen met de wereld?'

Nessa wilde op hem inhakken met een scherpe opmerking, maar toen bedacht ze zich. Was het inderdaad van de zotte? Er zouden zeker mensen zijn, misschien wel zakenrelaties van Paper Roses, die het niet zouden waarderen als zij en Mickey uit de kast kwamen, en als ze hun liefde inderdaad met een huwelijk zouden bezegelen. Nou ja, dan zou dat voor die mensen misschien de druppel zijn. Daar kan ik dan verder niks aan doen, dacht ze. Het is goed, en het is mooi en als iemand dat niet wil zien, dan is dat zijn probleem. Ze trekken vast wel weer bij. Ze wennen er wel aan. En hoe vaker het voorkomt, des te gemakkelijker wordt het voor andere vrouwen. En voor mannen ook, trouwens.

'Mag ik dan echt bruidsmeisje zijn, mama?' vroeg Tamsin. Die wist tenminste waar haar prioriteiten lagen. 'Dan zou ik dezelfde jurk aan kunnen als voor papa's bruiloft, toch?'

'Als jij geen bruidsmeisje wilt zijn, dan wil ik niet eens trouwen, Tamsin. En je krijgt natuurlijk een nieuwe jurk. Sterker nog, we gaan de allermooiste bruidsmeisjesjurk van de hele wereld voor je zoeken.'

Het laatste waar ze zin in had was een bruiloft die ook maar iets gemeen had met die van Gareth. Ze kon wel zo'n beetje voorspellen hoe die zou worden, maar tegen die tijd zou ze het nog wel een keer checken.

'Cool. Mag ik een ijsje, papa?'

Gareth gaf Tamsin de menukaart aan met een woedend gebaar.

'Wat moet ik in godsnaam tegen mijn vrienden zeggen?' mompelde hij, en Nessa schonk hem een glimlach.

'Die vinden het vast geweldig. Moet je nagaan wat een medeleven je zult krijgen!' Ze boog zich naar voren om iets in zijn oor te fluisteren wat Tamsin niet mocht horen: 'En ze zullen zich ongetwijfeld afvragen of ik al een "pot" was, want zo zullen ze dat vast noemen, toen wij nog getrouwd waren.'

'Maar dat was je niet, verdomme!' riep hij uit. 'Daarom is dit ook allemaal zo belachelijk. Ik kan het gewoon niet geloven, als je het weten wilt.'

'Ik vrees toch dat je eraan zult moeten wennen, schat. Want het is nu eenmaal zo.'

Lou manoeuvreerde de buggy over een nogal hobbelig stukje weg en zorgde ervoor dat Poppy onderweg geen van de knuffeltjes die ze per se mee wilde nemen liet vallen. Ze was in Highgate Wood, wat niet bepaald makkelijk liep met een kinderwagen, maar waar je wel heerlijk kon wandelen en wat een veel prettiger manier was om naar Jakes huis te komen dan via de drukke straten, die nogal steil omhoog gingen. Lou deed altijd haar best om Poppy zoveel mogelijk uit de uitlaatgassen te houden.

Jake had aangeboden hen bij de metro te komen ophalen. Hij had hen uitgenodigd voor de thee. Het was aardig van hem om ook Poppy uit te nodigen, maar Lou bedacht dat ze toch liever alleen met hem was geweest. Sinds die avond in het huis van haar ouders had hij haar wat lieve mailtjes gestuurd, en ze waren een paar keer naar de film geweest. Hij had haar mee uit lunchen genomen met mensen van zijn kantoor, zodat ze die ook eens kon ontmoeten. Negenennegentig procent van de tijd had hij zich toen gedragen als de man die het boek van haar grootvader opnieuw zou uitgeven. Maar heel af en toe had ze hem naar haar zien kijken, en dan stond ze versteld van de gevoelens die ze in zijn ogen las, of meende te lezen. Hij sprak nooit over zichzelf. In het begin was dat wel verfrissend. Het was leuk als iemand voor de verandering eens iets over jóú wilde horen, en Jake leek altijd heel graag te willen weten hoe zij tegen bepaalde dingen aankeek. Hij stelde haar ook vragen over haar jeugd, en vooral over de herinneringen die ze aan haar opa had, en Lou vertelde daar graag over. Er was nog nooit iemand zo in opa geïnteresseerd geweest en het was een opluchting voor Lou om al die gevoelens die ze voor hem koesterde eindelijk eens met iemand te kunnen delen.

'Maar,' zei ze tegen Poppy's rug in de buggy, 'het is niet echt eerlijk, vind je wel? Toch? Hij vertelt mij nooit iets. Misschien is hij wel getrouwd en heeft hij drie kinderen. Weten wij veel? Nou ja, daar zullen we dan zo wel achter komen, als we bij hem thuis zijn. Denk je dat hij wel klaar is voor jou, Poppy? Je gaat je toch wel gedragen, hè?'

'Eenties!' riep Poppy. 'Kwak, kwak!'

'Nee, schatje, we gaan vandaag niet naar de eendjes. We gaan thee drinken. Een theepartijtje.'

'Tijtje!' Poppy was er helemaal voor in. Partijtjes waren nog veel leuker dan eendjes, wat haar betrof, en Lou voelde zich meteen schuldig.

'Geen echt partijtje, hoor,' zei ze. 'Maar bij die lieve meneer. In zijn mooie huis. En taart!'

'Honties!' Godzijdank had haar dochter nu drie honden in de smiezen die blaften en capriolen maakten alsof ze daar speciaal waren om haar kind te vermaken. Ze hoopte maar dat Poppy het idee van een partijtje alweer was vergeten.

Jakes huis bleek een witgestuukte twee-onder-een-kap te zijn. Van de buitenkant zag het er niet veel anders uit dan het huis van de buren: een paar grote potten met struikjes voor het huis en een donkerblauwe voordeur. Jake stond in de deuropening te wachten.

'Je hebt het kunnen vinden! Ik was bijna het bos in gelopen om je te zoeken.'

'We waren een beetje afgeleid door een paar honden, en daar moesten we even bij gaan kijken. Sorry...'

'Nee, geeft toch niks. Ik dacht al dat het zoiets moest zijn. Waren de hondjes lief, Poppy?' Hij zakte op zijn hurken en maakte de bandjes van de buggy los. Poppy stak haar armpjes uit en riep: 'Jeek!' zo hard als ze kon. Ze vindt hem echt leuk, dacht Lou, terwijl ze de buggy inklapte. Zou dat iets betekenen? Nee, waarschijnlijk niet. Poppy vond iedereen leuk die niet nadrukkelijk onvriendelijk tegen haar deed en zo iemand was ze tot dusverre nog niet tegengekomen. Heel even vroeg Lou zich af hoe het leven zou zijn als je nooit akelige mensen tegenkwam, en als niemand lelijk tegen je deed. Droom maar lekker verder, dacht ze. Dat kan helemaal niet. Een dezer dagen zou Poppy erachter komen dat niet iedereen het beste met haar voorhad, maar tot die tijd wilde Lou graag dat ze zou denken dat de wereld vol liefde en licht was.

'Ik hoop maar dat je dochter mijn speelgoed leuk vindt,' zei Jake over zijn schouder terwijl hij Poppy naar binnen droeg. 'Ik heb maar weer eens wat tevoorschijn gehaald.'

'Wauw! Kijk eens, Poppy!' Het kleed lag bezaaid met zoveel geweldig speelgoed dat Poppy er even helemaal stil van werd. Jake zette haar op de grond, en ze keek om zich heen naar wat er allemaal lag: een set matrosjkapoppen, een houten ark van Noach met wel twintig paar dieren erin, een verzameling gekleurde dozen, een mandje met beschilderde houten eieren en een hele zwik plastic kommetjes van verschillende grootte en in mooie pasteltinten. Die kreeg je vorig jaar cadeau bij de supermarkt, herinnerde Lou zich nog.

Poppy ging zitten spelen, en Lou nam plaats in een leunstoel, vlak bij haar zodat ze haar kon corrigeren als ze het in haar hoofd zou krijgen de aanval in te zetten op Jakes breekbare spullen.

'Dit is geweldig, Jake. Is dat echt allemaal van jou?'

'Yep. Ik moest wel even de zolder op, voor die ark, maar ik vind het ook wel leuk om die weer eens in het zicht te hebben. Daar was ik als kind altijd gek op. Mijn familie vond het belachelijk dat ik die dingen allemaal mee wilde nemen naar Engeland, maar ik vond het juist belachelijk om het achter te laten. Ik ben nogal een verzamelaar, zoals je wel kunt zien.'

'Dan heeft Poppy geluk. Die is in de zevende hemel. Je bent heel goed met kleine kinderen, Jake. Heb je zelf kinderen?'

Zodra die woorden uit haar mond rolden, had Lou al spijt. Ze boog zich naar voren naar Poppy, om haar te helpen een olifant uit de ark te wurmen.

'Kinderen? Ik? Nee joh, natuurlijk niet. Hoe kom je daar nou bij?'

'Nou...' Oké, dacht Lou, nu ik er over begonnen ben, kan ik maar beter even doorbijten. 'Je zou toch getrouwd kunnen zijn?'

'Getrouwd? Denk je niet dat je daar dan iets van gemerkt zou hebben?'

'Hoeft toch niet? Je hebt er nooit iets over gezegd. Je zou net zo goed een vrouw kunnen hebben, in Amerika, of zelfs hier in Engeland. Of een ex. Ik vond het niet echt mijn zaak om ernaar te vragen, maar nu...'

'Nu wat?'

'Nu zou ik het wel graag willen weten.'

'Nee, Lou, ik ben niet getrouwd. Nooit geweest ook. Ik ben alleen.'

'Aha,' antwoordde Lou. Al die woeste fantasieën die ze over Jake had gehad, waren in één klap weg. Ze had gedacht dat hij een romantische weduwnaar was, en dat hij zijn vrouw en kind bij een gruwelijk ongeluk had verloren. Ze had gedacht dat hij misschien gescheiden was, en dat zijn ex-vrouw nog op de achtergrond regeerde als een akelige kenau, die hem financieel helemaal uit wilde kleden. Ook had ze zich afgevraagd of hij misschien homo was, maar die gedachte had ze onmiddellijk verworpen toen hij haar zo kuste, hoewel dat misschien niks te betekenen had. Of wel? Hoe dan ook, wat ze zich ook allemaal in haar hoofd had gehaald: de waarheid was veel eenvoudiger: hij was alleen.

'Mag ik je nog iets anders vragen?'

'Ja hoor, ik heb niks te verbergen. Vraag maar wat je weten wilt.'

'Hoe oud ben je?'

'Hoe oud denk je dat ik ben, dan?'

'Ik heb geen flauw idee. Ik vroeg me af... Nou, ik denk...' Ze keek hem onderzoekend aan. '... ergens halverwege de dertig?'

'Helemaal goed. Ik ben vijfendertig.'

Twaalf jaar ouder dan zij dus. Waarom was dat belangrijk? Het verbaasde haar dat Jake, toch in alle opzichten de meest begerenswaardige man op aarde, nog steeds niet door iemand aan de haak geslagen was. Daar wilde ze ook graag naar vragen. Hij had haar ook heel directe vragen gesteld, en ze had hem haar hele levensverhaal tot in detail uit de doeken gedaan. Hij wist over Ray. Ze had hem zelfs verteld van Harry. Het enige wat ze nog niet had verteld, was dat ze een filmscript had geschreven. Dat vond ze te persoonlijk. Pas als ze had gehoord wat Ciaran Donnelly ervan vond, zou ze het hem vertellen.

'Het verbaast me dat jij nog steeds alleen bent,' zei ze uiteindelijk. 'Je houdt duidelijk van kinderen... Dus ik zou denken...'

'Dat ik nu toevallig alleen ben, wil nog niet zeggen dat ik geen tragisch verleden heb.' Hij lachte terwijl hij dat zei.

'Natuurlijk niet. Sorry... Heb je dat dan? Een tragisch verleden, bedoel ik?'

'Nou, niks bijzonders. Het is eigenlijk een heel standaardverhaal. Ik heb heel lang een relatie gehad met een getrouwde vrouw. Ik was dom en ik was jong. Hoe dan ook, ze wilde niet bij haar man weg voor mij, en sinds die tijd ben ik een paar jaar heel druk geweest met Golden Ink. Je weet hoe dat gaat...'

'En je bent naar Engeland verhuisd. Was dat vanwege haar?'

'Voor een deel, denk ik. Maar ik wilde altijd al graag in Londen wonen. Omdat ik al zo vroeg ben blootgesteld aan Dickens, denk ik. Daar kom je nooit meer van af. Ik vind het hier geweldig. En ik kom nog wel vaak in de States.'

Poppy was ontzettend zoet. Ze ging helemaal op in de ark van Noach en het leek er niet op dat ze aandacht nodig had. Lou moest dit gesprek dus wel voortzetten, maar ze had geen idee wat ze moest zeggen. Dat was nog nooit eerder voorgekomen als ze bij Jake was. Ze hadden altijd heel veel te bepraten, maar nu kreeg ze die ene kus – waar ze het de afgelopen weken zo hardnekkig niet over hadden gehad – maar niet uit haar hoofd. Misschien maakte ze er wel veel te veel van...

'Lou?' Jakes stem brak in op haar gedachten.

'Sorry, Jake, ik was er even helemaal niet bij.'

'Ik wed dat ik weet waar je aan zat te denken.'

'Ik wed van niet.'

'Ik wed van wel. Ik dacht namelijk precies hetzelfde.'

Lou lachte. 'Wat dacht jij dan?'

'Ik dacht aan die avond bij je ouders. Dat ik je kuste. Daar dacht jij aan, en ik ook.'

'Nee hoor, daar dacht ik helemaal niet aan.'

'Je liegt, daar dacht je wel aan.'

Lou sloeg haar handen voor haar gezicht. 'Hoe wist je dat nou? Ik zit natuurlijk te jokken, maar hoe kon jij dat nou weten?'

'Omdat je bloost. Merkte je dat niet?'

Lou knikte. 'Ja, jawel. Dat weet ik wel.'

'Waarom bloos je?'

'Omdat ik me schaam.'

'Waarom?' herhaalde hij. 'Heb je nog aan die kus gedacht?'

'Ja... ja.'

'Ik ook,' zei Jake.

'En wat dacht je dan precies?' Wat ze eigenlijk wilde zeggen was: zo vaak kun je er niet aan gedacht hebben, want anders had je wel een manier gevonden om me nog eens te kussen.

'Dat ik je niet wilde... Ik was bezorgd. Ik wilde niet dat jij je ergens in zou storten waar je misschien door gekwetst zou raken. En ik was zenuwachtig.'

'Jij? Zenuwachtig? Dat maak je mij niet wijs. Ik heb jou nog nooit zenuwachtig gezien.'

'Dat verberg ik,' zei Jake glimlachend. 'Ik wilde niet dat... Ik wilde... Nou ja, ik wilde heel zeker zijn. Van mijn gevoelens. Je bent nog zo jong, Lou.'

'Nou zeg, zo jong ben ik nou ook weer niet! Ik ben drieëntwintig, hoor!'

'Zoals ik al zei, je bent nog zo jong. Ik wilde dat je... Ik wilde niet dat je je onder druk gezet voelde om iets te doen waar je misschien later spijt van zou krijgen.'

Lou keek naar Jake, die aan de andere kant van het vloerkleed voorovergeleund op de bank zat. Als ze niet oppaste zou dit moment weer voorbijgaan, omdat Poppy plotseling aandacht opeiste en daarmee zou dit gesprek ten einde komen. Dus stond ze op en ging naast hem zitten. Poppy keek niet op of om.

'Jake,' zei ze, 'jij mag dan ouder zijn dan ik, maar jij denkt te veel. Dus hou daarmee op en kus me.'

Ze legde een hand op zijn schouder. Meteen sloeg hij zijn armen om haar heen en bracht zijn mond naar de hare. Ze sloot haar ogen. Dit mag van mij wel eeuwig duren, dacht ze. Ze klampte zich aan Jake vast alsof ze hem nooit meer wilde laten gaan.

'Mama... maham...' jammerde Poppy.

Lou en Jake lieten elkaar snel los. 'Wat is er, liefje? Niet huilen hoor, er is toch niks ergs? Kijk, dan... Kijk eens naar dit poppetje.'

Jake lacht terwijl ze naast Poppy op het kleed gleed. 'Ze dacht waarschijnlijk dat ik je aanviel, of zo.'

'Het geeft niet,' zei Lou. 'Maak je maar geen zorgen.'

'Ze zal er toch aan moeten wennen. En jij ook. Ik ga de thee eens even halen. En de taart, want daar hebben we allemaal vast wel zin in, of niet soms?'

Hij liep de kamer uit, en Lou pakte Poppy op om haar te knuffelen. 'O, Poppy,' zei ze. 'Wat is hij geweldig, hè? Jake. Zeg eens: Jake.'

'Jeek!' riep Poppy, die helemaal meeging in het enthousiasme. 'Jeek!'

'Vind je het erg?' Lou keek Jake aan, die op een elleboog steunde in haar bed. Dit was waarschijnlijk niet zoals hij het voor zich had gezien. Om al om vijf uur 's nachts wakker gemaakt te worden door een schreeuwende hummel die een kleine verfrissing eiste, na een nacht in een kleine en nogal armoedige slaapkamer in een flat die je met de beste wil van de wereld niet plezierig kon noemen.

Nee, dat was ook niet bepaald waar Lou van had gedroomd. En toch was ze nu volmaakt gelukkig.

Toen ze ongeveer een uur geleden weer in bed kwam, nadat ze voor Poppy had gezorgd, was Jake diep in slaap. Ze glipte naast hem, ademloos bij de aanblik van zijn slanke lichaam in haar bed. In háár bed. Daar lag ze dan, zich scherp bewust van zijn ademhaling. Ze dacht aan wat er de afgelopen uren allemaal was gebeurd. Hij had hen thuisgebracht met de auto en hij had Lou geholpen om alle spullen van Poppy boven te brengen. En toen was hij gewoon gebleven. Zij had Poppy haar hapje gegeven en in bad gedaan, en Jake had haar daarbij geholpen. Toen had ze risotto gekookt. Ze trokken de fles wijn open die papa haar voor haar verjaardag had gegeven, en ze dronken veel te veel. Ze liet hem de foto van John Barringtons moeder zien, die ze nu op de plank boven haar tafel had staan.

'Dit is de eerste Louise, mijn overgrootmoeder.'

Hij hield het houten lijstje in zijn handen en staarde naar de foto. 'Ze... ze lijkt precies op jou. Ongelofelijk. Dat is toch niet te geloven?'

'Ja, het is zelfs een beetje eng.'

'Waar is deze foto genomen? Aan zee, zo te zien. Hier, achter haar hoofd kun je nog een stukje zien.'

'Ik denk dat dit het huis in Bretagne is. Moet je kijken hoe dik de muren zijn, volgens mij moet dat wel, met de zee zo dichtbij.'

'Het is prachtig. Zij is prachtig.' Hij boog zich naar voren, en terwijl hij haar kuste, nam hij haar in zijn armen en trok haar bij zich op de bank. 'Ik kan niet naar huis rijden,' zei hij fluisterend in haar hals. Lou voelde haar botten smelten, haar hele lichaam uitzinnig van verlangen naar hem. 'En het is al laat.'

'Blijf. Blijf hier,' had zij gezegd.

Hij was achter haar aangelopen naar de kleine slaapkamer. Hij had haar uitgekleed en ze was naakt op het bed gaan liggen, met haar ogen dicht terwijl hij zijn eigen kleren uittrok en naast haar kwam liggen. Ze kon hem zien in het licht uit de zitkamer. 'Kus me,' fluisterde ze en dat deed hij, o god, wat kuste hij haar! Zijn handen waren overal. Hij kuste haar in de holte van haar hals en hij zei woorden die ze hoorde, en niet hoorde, en woorden die ze niet begreep en toen was hij ineens binnen in haar, hij bewoog in haar, en ze dacht dat ze zou flauwvallen maar ze viel niet flauw en hun kreten kwamen tegelijk. Na afloop lag ze naast hem, hijgend en lachend en weer begon hij haar te kussen en hij zei dat hij van haar hield. Hij hield van haar, en dat zou hij altijd blijven doen en hij hield van haar en hij wilde haar en zij was zijn liefde, zijn enige liefde en kus me, zei hij, en dat deed ze en ze wilde er niet meer mee ophouden, nooit meer. Toen werd hij wakker en zei: 'Hallo Louise. Mijn liefste.' En ze vroeg zich af waarom hij haar Louise noemde, en wat dat betekende. Ze had het hem bijna gevraagd maar deed het toch maar niet, en fluisterde in plaats daarvan: 'Vind je het erg?'

'Wat bedoel je?' vroeg hij slaperig. Hij ging op zijn zij liggen en sloeg een arm om haar naakte lichaam. 'Wat moet ik erg vinden?'

'Nou... deze flat. Het is zo'n somber hol. Niet bepaald jouw stijl.'

'Ik heb geen idee waar je het over hebt. Als jij er bent is alles mijn stijl.'

'Maar jij...'

'Ik vind het hier fijn. In deze flat. Sst...' Voorzichtig trok hij haar boven op zich en Lou fluisterde: 'Poppy kan elk moment wakker worden. Ik weet niet of we dit wel moeten doen.'

'Ik wel. Ik weet zeker dat we dit moeten doen. Sst...'

'Het wordt nu toch wel heel duidelijk herfst, hè?' Matt glimlachte naar zijn secretaresse en vroeg zich niet voor het eerst af hoe de samenleving geolied zou blijven zonder al die heerlijke weerclichés die je bij elke gelegenheid kon inzetten. En aangezien hij een druipende jas voor zich uit hield terwijl hij dit zei, vond hij dat hij vandaag meer dan ooit recht had om over het weer iets te zeggen. Hij was drijfnat, alleen van dat korte stukje vanaf de kleine parkeergarage die voor medewerkers van het kantoor bestemd was.

'Zal ik even koffie voor u halen?'

'Dank je, dat zou heerlijk zijn. En ook een paar koekjes, denk ik.'

Zodra hij achter zijn bureau zat, begon hij zich alweer wat beter te voelen. In de drie weken die nu sinds zijn verjaardag waren verstreken voelde hij zich als een herstellende patiënt, zich bewust van het feit dat hij niets voor lief moest nemen. Maar hij hield zich wel voor dat het steeds beter ging. Ja, zo zag hij dat echt. Het ging steeds beter, op alle fronten.

Ellie deed niet moeilijk, Justin zeurde niet om hulp, en Nessa leek tevreden nu haar scheiding een feit was. En het mooiste was nog wel wat er met Lou gebeurde. Uit wat ze hem vertelde, maakte hij op dat zij en Jake Golden – hij wist nooit hoe hij dat moest zeggen – een stelletje waren. Verkering klonk idioot, en geliefden veel te bloemrijk en romantisch. Hoe dan ook, hij was ontzettend blij voor Lou, ook al vond hij het maar niks om haar te zien als iemands geliefde. Dit was goed, dat leed geen twijfel. Lou klonk positiever dan ze in tijden was geweest, en Jake was duidelijk dol op Poppy. Hij wist dat het feit dat Poppy er was veel mannen af zou schrikken. Zelf was hij zo nooit geweest. Hij wilde Ellies kinderen van een andere man best accepteren, maar hij wist dat de meeste mensen liever hard wegliepen in plaats van een kind voor lief nemen dat niet van hen was.

Niet zo op de zaken vooruit lopen, dacht Matt. Hij heeft haar nog niet ten huwelijk gevraagd, of iets dergelijks. En dan was er nog altijd het probleem dat Lou geen geld had, en dat ze in die afschuwelijke flat zat en zo koppig was dat ze geen hulp wilde aannemen van hem en Phyl. Het voorschot op *Blinde maan* was welkom, maar zoveel was dat nu ook weer niet, en Matt vroeg zich heimelijk af of het boek wel zou verkopen. Hij had zo zijn twijfels. Niet dat het uitmaakte, want Lou was nu gelukkig, en daar was hij blij mee.

'Er is iemand voor u op bezoek die geen afspraak had,' zei mevrouw Beaumont toen ze met de koffie en de koekjes kwam. 'Gelukkig had hij wel een paraplu bij zich. Hij is Frans... Monsieur Thibaud, heet hij, of Thebaud, zoiets... U verwacht toch niemand uit Frankrijk, of wel?'

'Nee, ik dacht het niet, maar laat hem binnenkomen.'

Monsieur Thibaud kwam nogal voorzichtig zijn kantoor binnen. Eerst stak hij zijn hoofd om de deur, en toen pas volgde de rest.

'Kom binnen, kom binnen. Het Engelse weer gedraagt zich precies zoals men denkt dat het hier altijd is, ben ik bang. Kom binnen, gaat u zitten. U kunt vast wel iets warms gebruiken, denk ik zo. Drinkt u koffie, of hebt u liever thee?'

'Koffie graag, dank u zeer.'

Monsieur Thibaud ging in de stoel voor het bureau zitten, terwijl Matt belde om nog een koffie. Mevrouw Beaumont bracht het binnen en terwijl zij zich bezighield met inschenken, nam Matt de tijd om zijn bezoeker in te schatten. Een man van middelbare leeftijd, kaal en nogal klein van stuk, met een montuurloze bril die zijn toch al doordringende blauwe ogen nog groter deed lijken. Redelijk goed gekleed, in een conservatieve stijl. En hij had een koffertje bij zich dat er heel oud uitzag.

'Heel vriendelijk van u dat u me wilde zien, zo onaangekondigd,' zei hij. Matt vroeg zich af hoe het toch kon dat buitenlanders geen enkele moeite leken te hebben met het Engels, terwijl voor hem elke andere Europese taal zo'n worsteling was. Meneer Thibaud vervolgde: 'Hoewel ik wel een boodschap had ingesproken op uw antwoordapparaat.'

413

'Neemt u mij niet kwalijk. Die heb ik niet ontvangen, vrees ik. Je draait natuurlijk makkelijk een verkeerd nummer, lijkt me, als je vanuit het buitenland belt. Maar het is in orde, hoor. Ik heb tot na de lunch niets dringends staan.'

'Dank u. Mijn naam is Jules Thibaud. Ik ben de advocaat van Mme Manon Franchard. Het spijt mij verschrikkelijk u te moeten zeggen dat Mme Franchard tien dagen geleden is overleden. Ik heb onlangs uw adres en overige gegevens gevonden tussen de papieren van Mme Franchard. Het spijt mij ontzettend dat ik u zulk naar nieuws moet komen brengen.'

'O!' Matt wist niet wat hij moest zeggen. Uiteindelijk zei hij: 'Dat is echt erg triest. Ik heb Mme Franchard maar één keer ontmoet, maar ze was mijn oudtante en ik had haar graag beter leren kennen. Hè, wat vind ik dat erg. Ik had eerder moeten gaan... Ik had haar mee moeten nemen naar Engeland, misschien. Ik vind het echt heel erg dit te moeten horen, en ik weet dat mijn dochter dat ook zal vinden. Zij heeft Mme Franchard maar twee keer ontmoet, maar ik weet dat ze erg op haar gesteld was. Lou... dat is mijn dochter, Louise... Zij is degene die erg druk bezig is met de geschiedenis van onze familie... Ik moet haar even bellen om haar dit te vertellen. Het zal haar veel verdriet doen.'

Monsieur Thibaud kuchte en deed het koffertje open. 'Mme Franchard was mijn cliënte en in alle opzichten een goede vrouw, maar om nu te zeggen dat ze haar papieren ordentelijk wist te bewaren, nee. Ik heb een brief gevonden die ze aan mij gericht had, waarin ze me vertelt dat uw dochter Louise in het bezit is van een brief die Mme Franchard haar bij haar laatste bezoek heeft gegeven. Klopt dat?'

'Ja, ze heeft inderdaad een brief meegenomen uit Parijs... Dat was in augustus. Ik kan haar even bellen als u dat wilt?'

'Als u dat zou willen doen, heel graag.'

'Natuurlijk.' Matt belde naar Lous mobieltje en keek Monsieur

Thibaud glimlachend aan terwijl hij wachtte tot ze opnam. 'Ik vraag me wel eens af hoe we dingen voor elkaar kregen voor de mobiele telefoon kwam... Lou? Heb je even, lieveling? Goed... fijn. Ben je thuis? Oké, oké... Zeg, ik heb heel naar nieuws, liefje. Mme Franchard is overleden... Ja, ja, ik weet het. Uiteraard... ik heb haar advocaat hier op bezoek, Monsieur Thibaud. Hij heeft Mme Franchards papieren doorgenomen en ik begrijp dat ze hem heeft gezegd dat ze jou een brief heeft gegeven. Klopt dat? Goed... dan zal ik je nu even aan hem geven. Is dat goed? O, natuurlijk. Ik wacht wel even tot je terugbelt, Lou. Dag hoor.'

Matt wendde zich weer tot Monsieur Thibaud. 'Ze belt straks terug. Ze moet de brief even zoeken en hem zelf eerst lezen. Mme Franchard heeft haar kennelijk laten beloven om de brief pas na haar dood te openen. Neemt u nog een koekje. Ik denk niet dat het lang zal duren.'

Lou ging op de bank zitten. Ze voelde zich heel vreemd. Een beetje triest, maar niet heel verschrikkelijk verdrietig, omdat ze Mme Franchard nauwelijks kende. Het is gek dat ik verbaasd ben, eigenlijk, want toen ik in Parijs was, zag ze er al zo zwak en ziek uit, dacht Lou. En ze had me een brief gegeven die ik moest openen als ze dood was... dus dit is geen schok. Niet echt. Ik verwachtte het al wel, maar door alles wat er is gebeurd, was ik het bijna alweer vergeten. Dus het is onzin dat ik me nu toch zo verbijsterd voel.

Ze stond op om de brief te pakken, en heel even durfde ze hem niet open te maken. Ze vroeg zich af of ze Jake moest bellen, maar dat was niks ongewoons: ze had ongeveer om de tien seconden zin om hem te bellen, en ze vond het moeilijk om niet bij hem te zijn. Ik ben verliefd, dacht ze. Tot haar verbazing merkte ze dat ze die woorden eindeloos bij zichzelf kon herhalen, zonder dat ze het belachelijk vond. Ze had nooit kunnen denken dat het zo kon zijn:

alsof er een dunne draad van haar naar hem liep, waardoor ze steeds maar weer naar hem toegetrokken werd. Wat ze ook deed en waar ze ook aan dacht, ze werd voortdurend zijn kant op getrokken. Ze stelde zich voor wat hij aan het doen was: dat hij iets zat te lezen, op kantoor. Dat hij met iemand aan de telefoon zat, achterovergeleund in zijn stoel, maar wat het ook mocht zijn, ze wist in elk geval absoluut zeker dat hij nu precies zo aan haar dacht. We smachten echt naar elkaar, dacht ze, en ze schoot bijna in de lach. Wat was dat nou weer voor een woord, in godsnaam? *Smachten...* Maar toch was het zo, en als ze elkaar weer zagen, nadat ze een paar uur van elkaar gescheiden waren geweest, klampten ze zich aan elkaar vast alsof ze anders voor eeuwig gescheiden zouden worden. Wat een onzin, dacht Lou lachend. Ik heb mijn hart aan hem verloren. *Mijn ware liefde heeft mijn hart en ik heb dat van hem...* Ja, het redelijke verstand kwam hier niet meer aan te pas, dat was duidelijk.

Sinds die nacht, drie weken geleden, dat ze voor het eerst hadden gevreeën, had Lou hem elke dag gezien. Hij had weer zo'n soort autostoeltruc uitgehaald. Hij was meteen de volgende dag naar de winkel gegaan en had daar een bedje gekocht voor Poppy, en had een kamertje in zijn huis omgetoverd tot kinderkamer. Hij had Lou meegenomen, zodat die posters kon uitzoeken en beddengoed en een klein ladekastje. Ze had hem verbijsterd gevolgd bij dit alles. Wat schreef de etiquette eigenlijk voor over mannen die spullen kochten voor jouw kind? Was dat net zoiets als wanneer ze parfum en lingerie voor je kochten?

'Wil je er niet eerst nog even over nadenken?' vroeg ze voorzichtig, toen ze de winkel uit liepen met zoveel tassen dat ze allebei nauwelijks nog rechtop konden lopen.

'Nee. Nee, dat hoeft niet. Ik wil elke avond bij jou zijn. Ik wil dat je bij me komt wonen. En als je dat om de een of andere reden niet wilt, dan wil ik dat je in elk geval kunt blijven slapen. Maar ik denk dat het er wel van zal komen, toch? Jij wilt het toch uiteindelijk ook?'

Ze knikte. Natuurlijk wilde zij dat ook, maar alles gebeurde ineens zo snel, en het was zo overweldigend dat ze het idee had dat zij dan maar de nuchtere van hen beiden moest zijn.

'Maar wat nu als het toch niks wordt, met ons?' vroeg ze.

Jake bleef midden op de stoep staan en staarde haar aan. 'Daar twijfel ik geen seconde aan. Als jij wel twijfelt, moet je dat nu zeggen, want dan brengen we alles terug naar de winkel.' Hij grijnsde breed, dus wat kon ze zeggen? Ze waren teruggegaan naar zijn huis en brachten een paar uur door met het bedje in elkaar schroeven, de vlindermobile ophangen en al die zachte, wollige wit-met-roze geruite lakentjes en dekentjes uitpakken. Daarna nam hij haar voor het eerst mee naar zijn slaapkamer en kleedde haar uit en toen verdwenen ze zijn bed in tot het tijd was om Poppy te halen. Toen ze opstond, was ze helemaal slap en trillend van al die bevredigde lust en eigenlijk was ze het liefst de rest van haar leven bij hem blijven liggen, terwijl hij haar kuste en aanraakte en haar meenam naar zulke grote hoogten dat ze het alleen nog maar kon uitschreeuwen en zich moest vastgrijpen aan zijn haar en aan zijn rug. Ze wilde hem helemaal in zich opnemen. Het was dodelijk vermoeiend, en toch wilde ze altijd maar meer... Hij had de gewoonte om te wachten tot zij uit bed stapte en naar de badkamer liep om zich aan te kleden, en dan kwam hij haar achterna om haar tegen te houden en droeg hij haar terug naar de warme lakens die ze net hadden verlaten voor nog één kus, nog één laatste streling. Vaak bracht Jake haar daarna met de auto naar het kinderdagverblijf, maar soms moest ze alleen, en ze vond het steeds moeilijker om bij hem weg te gaan. Dan zat ze in de metro en barstte bijna van het verlangen en vroeg zich af of iedereen kon zien waar ze aan terugdacht.

Zelfs nu ze eigenlijk behoorde te treuren om die arme Mme

Franchard en ze haar laatste brief openmaakte, was ze in gedachten vooral bij Jake. Oké, concentreer je, vermaande ze zichzelf.

Mijn lieve Louise,

Als jij dit leest, ben ik al dood. Ik denk dat jij en je vader mijn laatste nog in leven zijnde familie zijn. Ik ben erg blij dat ik je nog heb kunnen ontmoeten, als herinnering aan mijn geliefde zuster, die jouw naam draagt. Monsieur Thibaud, mijn advocaat, heeft mijn testament, maar ik wil jou graag ook iets geven. Het gaat om mijn huis in Bretagne. Niet het grote huis van mijn vader, want dat is na de oorlog verkocht, maar een veel kleiner huis, waar we vakantie vierden toen ik nog jong was. Mijn zusje Louise was er altijd zo gelukkig. Ik heb er zelf niet lang gewoond. Het is vlak bij zee, in een dorp bij Penmarc'h. Ik heb het huis niet onderhouden en het is nu dichtgetimmerd, maar de plek is prachtig. Het is het enige wat ik jou kan nalaten, lieve Louise, maar ik word blij van het idee dat jij daar zult zijn. Vertel Monsieur Thibaud alsjeblieft dat hij al het mogelijke moet doen om dit alles snel te regelen.

Lou pakte haar telefoon. Ze belde haar vader en voelde zich een beetje lacherig. Eerst het nieuws van Mme Franchards dood en dan nu dit. Kon het waar zijn? Gebeurde dit echt? Ze kon het nauwelijks geloven. Papa zou wel weten hoe dit juridisch allemaal in elkaar stak.

'Papa? Ja, ik heb de brief gevonden. Ik geloof dat Mme Franchard me een huis heeft nagelaten... Ja, oké. Ik zal het voorlezen aan Monsieur Thibaud. Goed... Dag, meneer Thibaud. Zal ik u de brief dan maar voorlezen? Goed.'

De brief lag op tafel, en Lou las hem voor. Ze voelde zich een beetje stom, en haar stem klonk onnatuurlijk hard in de lege kamer. Toen ze uitgelezen was, was ze er helemaal op ingesteld dat

Monsieur Thibaud iets zou zeggen als: *dit is natuurlijk een vreemd hersenspinsel van een oude dame, waar we maar geen acht op moeten slaan.* Maar tot haar verbazing stelde hij maar één vraag: 'Is de brief ondertekend door haar zelf en door een getuige?'

'Ja... Mme Franchard heeft hem zelf ondertekend en Solange Richoux was getuige. En er is ook een datum: 25 juli 2007.'

'Uitstekend. Dan is het allemaal vrij eenvoudig. Er liggen geen andere claims op het testament die dit onmogelijk maken, dus ik voorzie geen problemen. Ik zal achter de gegevens van dit huis aangaan. Ik wist niet dat het bestond. Uw oudtante is nogal een... Hoe zal ik het zeggen?'

'Een mysterie?'

'*Exactement.* Een mysterie. Ze heeft me maar heel weinig over zichzelf verteld. Ik denk dat u naar Frankrijk zult moeten komen om de papieren te tekenen en ik neem ook aan dat u het huis wilt zien?'

'Ja, graag. Ik weet niet wat ik moet zeggen. Dank u!'

'Ik moet u bedanken, Mademoiselle. Afgezien van dit huis is er nog maar een deel van de nalatenschap. Mme Richoux krijgt alle meubels en inboedel van Mme Franchard. Ze had niet veel geld. Heel weinig gespaard.'

'O,' zei Lou. 'Aha.' Wat had ze anders moeten zeggen?

'U hebt geluk dat ze me niet had verteld van het huis. Anders had ik erop aangedrongen dat ze het zou verkopen.'

'Misschien is dat wel de reden waarom ze het niet heeft verteld.'

'*En effet,*' zei Monsieur Thibaud grinnikend aan de andere kant van de lijn. 'Dat is zeker zo. Ze was heel slim, geloof ik.'

Terwijl ze naar de Fransman luisterde, drong het tot Lou door wat er gebeurd was. Ze had een huis geërfd in Bretagne. Ik ben huiseigenaar, dacht ze. Ik heb een huis. Verwaarloosd, volgens Mme Franchard, maar ik kan het best opknappen. Er flitste een beeld door haar hoofd waarbij ze met Jake en Poppy in Bretagne was, zoals in zo'n televisieprogramma over huizen waarin ze aan de slag gingen met licht hout en waarin ze een schilderachtig huisje aan het witten waren. Ze zou zelf een tuinbroek dragen en er toch nog beeldig uitzien... Hou op, dacht ze. Doe normaal. Een tuinbroek – hoe kwam ze daar nou weer op? Ze keek echt te veel televisie. En bovendien moet ik niet te vroeg juichen, eerst maar eens de papieren tekenen. Maar ik ga wel Jake bellen. Jemig, hield die Monsieur Thibaud dan nooit op met kletsen? Ik moet echt Jake spreken. Was hij nu maar hier...

12

*W*aar ben ik aan begonnen, dacht Phyl. Maar ze had natuurlijk absoluut niet kunnen weigeren om naar deze lunch te komen. Nessa had nadrukkelijk gezegd dat ze de hele familie bij elkaar wilde hebben. Ze wilde hun iets vertellen, had ze gezegd, en in de tussentijd was Phyl de mogelijkheden nagegaan, sinds ze de uitnodiging had ontvangen. Het was namelijk een officiële uitnodiging, op papier: dat was gek. Ze kon zich niet herinneren dat ze ooit iets officiëlers had gekregen van Nessa dan een telefoontje, als Nessa hen bij haar thuis uitnodigde. Dit zou dus wel om iets heel belangrijks gaan. Zou ze zwanger zijn? Maar van wie dan? Er was helemaal geen spoor te bekennen van een andere man sinds haar scheiding van Gareth.

'Heeft Nessa iets tegen jou gezegd?' vroeg ze aan Matt. Hij zat zachtjes te neuriën in de auto.

'Waarover?'

'Over de lunch, natuurlijk. Ik zie er nogal tegenop.'

'Waarom? Je hebt niets te vrezen, Phyl, echt niet.'

'Doe niet zo stom, Matt. Ellie is er toch ook. Denk je dan dat ik me op mijn gemak voel?'

Matt zweeg even, en Phyl zat zich zo op te winden dat ze bijna tegen hem was gaan gillen dat hij zich ook helemaal niet in haar kon inleven. Maar ineens zette hij de auto stil in een parkeerhaven. Hij keek haar aan. 'Ik kan niet zeggen wat ik te zeggen heb als ik autorij. Jij hoeft je helemaal nergens zorgen om te maken. Ellie zou zich slecht op haar gemak moeten voelen, hoewel ze dat natuurlijk niet doet. Je moet één ding heel goed beseffen, lief: voor haar heeft seks helemaal niks te betekenen. Zo is het nu eenmaal. Het is voor haar net zoiets als... als zwemmen, of lekker eten, of zo. Het is in elk geval een activiteit die verder helemaal geen emotionele betekenis heeft.'

'Hoe weet jij dat nou? Ik denk dat ze jou voor zichzelf wilde. Ik denk dat ze dolgraag had gewild dat jij bij mij weg zou gaan, en dat je haar opnieuw ten huwelijk zou vragen.'

'Misschien. Misschien denkt ze dat. Maar ik weet, en als ze eerlijk is ziet zij dat zelf ook echt wel in, dat het een nog veel grotere ramp zou worden dan de eerste keer.' Matt pakte Phyls hand. 'Jij bent mijn liefde, Phyl. Echt, en voor altijd. Geloof je dat?'

Phyl knikte. Hij zei: 'Onthou dat nou maar goed. En hou je eraan vast. Deze lunch gaat over Nessa, en Ellie zal gerust voldoende afleiding hebben. Maak je maar geen zorgen. En als jij weg wilt, dan gaan we. Geef me maar een seintje. Oké? Klaar?'

'Het moet maar.'

'Nou, je ziet er in elk geval fantastisch uit. Dus daar hoef je je al geen zorgen om te maken.'

Dat was lief van hem. Phyl wist nooit precies hoe ze zich moest kleden, maar ze had zelf ook het idee dat ze er vandaag mee door kon. Ze had gewoon een wat formelere versie van haar dagelijkse kloffie aangetrokken, want ze wist wel dat ze er het best uitzag in haar gewone goed. Een broek van donkergrijze tweed, een heel dure crèmekleurige zijden bloes, een lange ketting met kralen van malachiet die daar mooi bij afstak en een kasjmier vestje in precies hetzelfde groen als de ketting. Zwarte suède schoenen met een sleehak van zwart lakleer. Ze was zelfs naar de kapper geweest en ze vond dat ze er goed uitzag. Kom maar op, Ellie, dacht ze, terwijl ze Nessa's oprit op reden. Ik kan je hebben. Ze zuchtte diep. Ondanks dit nieuwe zelfvertrouwen zou ze dolblij zijn als de lunch voorbij was en ze weer naar huis zouden gaan.

Nessa had echt alles uit de kast gehaald. De tafel was gedekt met een wit tafelkleed en de witte, roze en donkerrode rozen in het geweldige, licht overdreven bloemstuk waren er duidelijk trots op dat ze van zijde waren en deden ook geen moment hun best om echt te lijken. Het eten was gebracht door een bedrijf dat Simply Natural heette. Lou wist dit, omdat zij het logo op het busje had gezien dat eerder die ochtend de spullen had geleverd. Zij en Jake waren de eersten. Nessa had dat aan hen gevraagd, want ze wilde graag dat zij als 'stabiliserende factor' zouden fungeren, zoals ze dat noemde, tegen haar moeder en Matt en Phyl.

Tamsin hield zich bezig met Poppy en dat deed ze goed. Lou hoopte maar dat het Poppy niet naar het hoofd zou stijgen, dat ze iemand had die elke seconde boven op haar zat. Poppy hoefde maar te wijzen naar iets wat ze wilde, of Tamsin ging het al pakken. Ze knuffelde haar en kletste met haar en las haar verhaaltjes voor en nu zaten ze met hun tweetjes in de keuken. Poppy's hapje werd opgewarmd in de magnetron, en Tamsin viel aan op iets wat verdacht leek op vissticks met frietjes. Waar ze zin in had. Een paar mensen van Simply Natural waren bezig met de voorbereidingen van het eten, en zij hadden beloofd om een oogje op de kinderen te houden.

'Roep me maar als er iets mis gaat,' zei Lou tegen Tamsin voor ze aan tafel ging, maar tot nu toe ging alles kennelijk goed. Af en toe luisterde ze naar de geluiden die uit de keuken kwamen, maar er klonk niets onvertogens en dus begon ze zich wat te ontspannen. Tot nu toe had Nessa niets gezegd, maar Lou begreep natuurlijk best waar deze lunch voor bedoeld was. Nessa ging aan

Ellie, Matt en Phyl – en aan Justin, als die het niet allang wist – vertellen over Mickey. Ze had duidelijk goed nagedacht over de tafelschikking. Mickey zat rechts naast Nessa. En dan, tegen de klok in, had je Matt, Phyl, Jake, Lou zelf, Justin en links van Nessa zat Ellie. Lou had zin om op een toeter te blazen of zo, om de aankondiging die nu toch elk moment kon plaatsvinden in te luiden.

Ze aten gerookte zalm, een heerlijke Griekse pastei van filodeeg, gevuld met kaas en spinazie, en nu zaten ze aan een trifle met tamme kastanje en cognac. Zo'n lekker dessert had Lou nog nooit geproefd. Ze vroeg zich af of ze het recept misschien aan die lui van Simply Natural zou kunnen vragen, maar die gedachte zette ze meteen weer van zich af. Ze kon helemaal niet koken en ze was ook absoluut niet van plan om dat in de toekomst te leren.

Tijdens het eten hadden ze het over heel gewone dingen gehad. Over Amerika en de voor- en nadelen van het wonen in Engeland, in vergelijking met de States. Justin vertelde over een nieuw plan, dat nog veel dubieuzer klonk dan zijn vorige plan. Hij zou met Ellie mee gaan naar Argentinië om daar een vastgoedbedrijf op te zetten. Papa kijkt alsof hij hier het liefst zo min mogelijk van wil weten, dacht Lou. Argentinië! Dat was een eind weg, om opnieuw te beginnen. Mama was heel stil, en Lou vroeg zich af hoe dat kwam. Was ze er nog steeds niet overheen dat zij papa's tweede vrouw was, na Ellie? Was ze na al die jaren nog steeds onzeker? Dat zou wel heel gek zijn, hoewel Ellie iedereen het nakijken gaf als het ging om showbizzachtige glamour. Zelfs Jake was geïntrigeerd, ook al zag ze wel dat zijn fascinatie voor een groot deel was gelegen in het feit dat haar buitenissigheid hem amuseerde. Dat knalrode zijden gewaad van haar zou eerder passen op een jacht aan de Rivièra... Het was een soort lange kaftan met borduursel rond de hals en zo ontzettend veel glimmertjes en gekleurde steentjes dat je zou denken dat ze als kerstboom verkleed ging. Nessa zag er zoals altijd verzorgd uit. Ze droeg een zijden jurk in roestbruine en beige tinten, en lange amberkleurige oorbellen. Mickey had een mosgroen fluwelen jasje aan op een hemdje van wit satijn. Lou bedacht zich dat haar eigen zwarte skinny jeans met haar crèmekleurige bloes er nog net mee door kon, maar Jake had een lange sjaal van Missoni voor haar gekocht in ongeveer dertig verschillende kleuren rood, en dat was veruit het mooiste kledingstuk in de kamer. Ze had het gevoel alsof ze in zijn liefde gewikkeld was. Mijn god, wat een klef idee, dacht ze, en ze nam nog maar een slok wijn.

'Goed,' zei Nessa, en ze tikte even met haar mes tegen de rand van haar glas. 'Het spijt me dat ik jullie gesprekken onderbreek, maar het hoeft niet lang te duren. Jullie zullen je wel afvragen waarom ik jullie voor deze lunch heb uitgenodigd. Sommigen hebben de reden misschien al geraden, en sommigen weten het ook al, maar ik wilde het toch graag een keer formeel vertellen. Dan hebben we het maar gehad.'

Papa trok wit weg. Ellie boog zich naar voren; Lou zag haar decolleté en vroeg zich af hoeveel kledingstukken ze eigenlijk zou hebben die helemaal tot boven dichtgeknoopt konden worden. Mama keek vooral verwonderd, en je zag dat Justin klaar zat om te fronsen. Jake was heel stil en had zijn pokerface opgezet: als hij zo keek, had je geen idee wat hij dacht.

'Nou, daar komt-ie. Jullie zijn hierbij allemaal uitgenodigd voor onze bruiloft. Die van mij en Mickey. We trouwen op 22 december, en daarna gaan we naar Santa Lucia voor onze huwelijksreis – een Caribische kerst, dus.'

Lou dacht: Ellie zal de stilte wel verbreken. En ze had gelijk. Nessa's moeder, dat moest je haar nageven, was eerder tot haar positieven gekomen dan de rest, en ze hief haar glas in de richting van Nessa en Mickey. Ze had duidelijk al behoorlijk wat gedronken, maar ze stond op en zei: 'Laten we proosten op het gelukkige paar! Ik ben zelf niet zo van de damesliefde, schat, maar ik wens jullie het allerbeste. En trek je vooral niks aan van wat andere mensen zeggen. Dat heb ik ook nooit gedaan!' Ze grinnikte, nam een slok van haar wijn en plofte weer op haar stoel. Lou glimlachte even. Damesliefde, dat was een beetje jammer, maar verder had ze het uitstekend verwoord. Petje af voor Ellie.

Mickey zei: 'Dank je, Ellie. We zijn ook zeker van plan om heel erg gelukkig te worden.'

Wat zou Matt nu doen? Lou zag dat haar vaders mond openviel toen hij dit nieuws aanhoorde, maar hij had zich op tijd weten te herstellen. Toen Ellie weer was gaan zitten, hief hij zijn glas naar Nessa en Mickey en zei: 'Dat is inderdaad geweldig nieuws, Nessa. En dank je zeer dat je het ons op zo'n bijzondere manier hebt laten weten. Ik heb echt genoten van de lunch. Ik denk dat ik voor iedereen spreek als ik zeg dat we ons erg verheugen op de bruiloft. Ik wens jullie het allerbeste!'

Ik zal hem nog wel eens aan de tand voelen om te horen wat hij er echt van vindt, dacht Lou. Hij zou nooit een scène maken en hij zou ook nooit zo'n gelegenheid bederven, maar vond hij het echt geen enkel punt dat Nessa ineens lesbisch was geworden? Tot haar verbazing bedacht Lou zich dat ze het er nooit met hem over had gehad. Ze had het uiteraard wel met Jake besproken. Die was al zo vaak naar homohuwelijken geweest dat hij nergens meer van opkeek, maar Lou moest bekennen dat ze het wel een beetje gek – of in elk geval ongebruikelijk – zou vinden om Nessa met een andere vrouw voor het altaar te zien staan. Of hoe dat ook mocht heten bij de burgerlijke stand. Ze ging zo op in haar eigen liefdesleven, dat van haar en Jake, dat ze zich allang niet meer probeerde voor te stellen hoe het zou zijn, in bed met een andere vrouw. Nessa houdt van Mickey, dacht ze, en daar gaat het om. Misschien heeft ze wel precies hetzelfde gevoel dat ik voor Jake heb, als ze met elkaar vrijen. Lou realiseerde zich dat elk individu en elk paar anders was, dus Nessa en Mickey waren dat ook. Zij was zelf ook heel anders dan hoe ze met Ray was geweest. Haar stiefzusje moet toch ooit plezier hebben gehad in bed met Gareth. Ik moet ophouden met dit soort gedachten, dacht Lou. Ik ben echt serieus aangeschoten. En in de war. Ik weet maar één ding zeker en dat is dat ik van Jake hou. En hij houdt van mij. Ze hief haar glas en zei: 'Dat is ontzettend goed nieuws, Nessa. Ik ben heel, heel erg blij voor jullie.'

Kinderen zijn echt goede babysitters, dacht Phyl, maar ze zijn het wel snel zat. Tamsin had het geweldig gedaan, op Poppy passen zowel voor als tijdens de lunch. Maar nu had ze er begrijpelijk genoeg van, en was ze naar haar kamer gegaan om iets voor zichzelf te doen. Phyl zag haar kans schoon en ging van tafel om voor haar kleindochter te zorgen. Ze wilde even met haar de tuin in voor een wandelingetje. Het was niet koud en de zon scheen met een herfstige gloed.

'Kom, Poppekindje,' zei ze, blij dat ze weg kon uit dat gezelschap. Ellie bleek geen probleem te zijn, en Phyl bedacht zich dat Matt misschien toch niet de hele waarheid had verteld. O, hij zou zijn ex-vrouw ongetwijfeld hebben verteld dat hun affaire geen toekomst had, maar hij had haar misschien niet verteld dat zij, Phyl, wist wat er tussen hen was gebeurd. Dat zou wel typisch Matt zijn, om zoiets achterwege te laten. Hij zal wel gedacht hebben dat het minder aanleiding gaf tot gênante situaties als zij aannam dat Phyl van niets wist. Nou goed, als hij dat zo wilde spelen, dan moest het maar. Ellie was vast enorm met zichzelf ingenomen, en dat irriteerde haar. Ze dacht vast: *ik weet iets wat Phyl niet weet*, en ze genoot natuurlijk enorm van het feit dat zij wist hoe Matt echt was, en Phyl niet.

'Ach, wat maakt het ook uit, hè Poppy? Het kan me ook eigenlijk niks schelen. Want ik weet het wel, en zij weet niet dat ik het weet, en dus heb ik in feite gewonnen.'

'Oma!' antwoordde Poppy. 'Tuin!'

'Eerst even je knoopjes dicht, schatje. Het is fris buiten.'

Het huis van Nessa en Gareth – dat nu alleen van Nessa was, en binnenkort van Nessa en Mickey zou zijn – stond midden op een enorm stuk grond, waar een mooi verzorgde tuin van was gemaakt. Achter in de tuin was een muur, met vlak daarvoor een vijver, en Phyl en Poppy liepen daar naartoe. Phyl had het opgegeven om Poppy van het nogal natte gras te houden en dacht: ach, het zijn maar kleren en schoenen. Die worden vanzelf wel weer droog.

'Joehoe!' Phyl draaide zich om, en daar stond Lou naar haar te zwaaien vanuit de openslaande tuindeuren bij de zitkamer. Ze deed ze open, wat Nessa vast niet goed vond, met dit weer. 'Mag ik ook naar de visjes komen kijken?'

'Mammie!' gilde Poppy terwijl ze Lous kant op waggelde en bijna struikelde over de graspollen. Lou pakte haar op en samen liepen ze naar de vijver.

'Typisch Nessa, om zo'n mooie heldere visvijver hebben, zonder modder die de lol kan bederven,' zei Lou. 'Moet je zien wat een grote vis, Poppy! Dat is nog eens een grote goudvis.'

'Vis!' zei Poppy instemmend, en ze wilde zich naar beneden wurmen om het eens beter te kunnen bekijken. Ze gluurde over de stenen rand van de vijver en staarde naar de bewoners die van en naar de planten zwommen waarmee Nessa hun woonomgeving had versierd: waterlelies en riet en varens.

'Wat vond jij van het nieuws, mam?'

'Ik, eh… Nou ja, ik ben natuurlijk heel blij voor haar. Maar ik moet je wel eerlijk zeggen dat ik het allemaal wel een beetje…' Phyl wist niet hoe ze het moest zeggen. Ze wilde niet ouderwets overkomen, maar ergens had ze het niet zo op die homohuwelijken, of hoe je het ook moest noemen. Niet dat er iets mis mee was, helemaal niet, maar toch vond Phyl het diep vanbinnen toch een beetje… nou ja, vreemd. Ze durfde niet eens te denken aan wat twee vrouwen samen in bed zouden kunnen doen, maar je zag op televisie tegenwoordig vaak genoeg stelletjes van hetzelfde geslacht innig zoenen, en zelfs dat gaf Phyl een heel vreemd gevoel. Ze had zich al lang geleden voorgenomen om zich niet al te diep in te laten met het hoe en het waarom van dat soort relaties, maar dat gold in het algemeen. Nu ging het over een vrouw die zij als klein kind al had gekend, en die ze had opgevoed sinds haar negende, en dan lag het toch allemaal net iets lastiger. Phyl vroeg zich af of het soms aan haar lag... Of misschien kwam het wel doordat Nessa's echte moeder ervandoor was gegaan en haar in de steek had gelaten... Haar hoofd deed pijn van al die gedachten, en ze hoopte vurig dat ze er op de bruiloft – de ceremonie – wat meer aan gewend zou zijn. Daar wilde ze Lou niet mee lastigvallen, en dus zei ze: 'Ik mag Mickey erg graag. Ik hoop dat ze gelukkig worden samen.'

'Ze is in elk geval een stuk aantrekkelijker dan Gareth,' zei Lou en om de een of andere reden vond Phyl dat erg geestig, en ze barstte in lachen uit. Lou lachte mee, net als Poppy.

'O god, sorry Lou,' zei Phyl. 'Ik heb geloof ik een beetje te veel gedronken.'

'Anders ik wel... Maar mag ik je iets vertellen?'

'Niet als het ook zoiets is. Ik kan maar één schok per dag aan, hoor.'

'Je bedoelt natuurlijk verrassing, in plaats van schok. Een schok is iets naars.'

Phyl glimlachte. 'Ja, ja, ik begrijp je punt. Verrassing, dus. Vertel me jouw verrassing dan maar.'

'Jake. Ik ben verliefd op Jake.'

Het was duidelijk zichtbaar hoe gelukkig ze was. Phyl kende die brede glimlach nog van toen Lou jong was. Uit de tijden dat ze nog echt gelukkig was.

'Dat verbaast me helemaal niet. Dat wist ik al zo lang.'

'Dat zeg je maar. Achteraf is het altijd makkelijk praten.'

'Nee, nee, dat zie je verkeerd. Ik wist meteen al dat je hem leuk vond toen jullie bij ons kwamen voor papa's verjaardag. Ik zag het gewoon aan je. En hij houdt van jou.'

'Ja, hij houdt echt van mij! Ongelofelijk, toch, mam?' Lou sloeg haar armen om haar moeder heen. Phyl knuffelde haar dochter even en merkte dat de tranen haar in de ogen sprongen.

'Wat is er, mama? Je hoeft toch niet te huilen? Je moet juist blij zijn voor me!'

'O, maar dat ben ik ook, absoluut. Maar als ik denk aan alles wat jou is overkomen, dan ben ik zo ontzettend... nou ja, opgelucht, denk ik. Er zijn zo verschrikkelijk veel klootzakken op deze wereld. Ik geloof dat je echt heel veel geluk hebt met Jake. En hij met jou.'

'Het lot! Dat is het.' Lou barsttc weer in lachen uit.

'Precies, ja. Karma. Voorbestemming. Zoiets. En hij vindt Poppy nog leuk ook. Dat is het allerbelangrijkste. Toen je me vertelde dat hij een autostoeltje voor Poppy had gekocht, wist ik dat hij de ware was. Dat had jij toen ook al moeten weten.'

'Voor een deel wist ik het toen ook wel. Maar ik wilde mezelf geen valse hoop geven. Vooral niet na Harry. Dat heeft mijn zelfvertrouwen wel een deuk gegeven, hoor.'

'Gaat dat wel weer, met jullie? Op het werk, bedoel ik?'

Lou knikte. 'Ja, dat gaat prima. Maar in de lente ga ik er een tijdje tussenuit. Wij – Jake en ik – gaan het huis in Bretagne opknappen. Tenminste, dat is het plan… Ik hoop maar dat het doorgaat.'

'Je hebt dat huis nog niet eens gezien...'

'Dat wilde ik je vragen. Zouden jij en papa een weekend op Poppy willen passen, als wij daar naartoe gaan?'

'Ja, natuurlijk. Ik vind niks heerlijker dan haar te logeren te hebben. Dat weet je toch? We kunnen elk weekend, behalve dat van de zeventiende november. Dan gaan we zelf naar Parijs. Ook al is die arme Mme Franchard er niet meer, je vader had me beloofd dat we zouden gaan. Dus ik heb het hotel al geboekt, en alles is geregeld.'

'Wat heerlijk! Je verdient het. Ik zat eerlijk gezegd al aan komend weekend te denken. Kan dat? Het is wel kort dag, maar Jake vertelde net onderweg hier naartoe dat hij komend weekend wel zou kunnen.'

'Prima. Geen probleem. Ik zal het even met je vader kortsluiten, maar ik weet zeker dat hij het goed vindt.'

'Mammie…' Het was de eerste keer die dag dat Poppy een beetje jengelig klonk.

'Kom maar mee, dametje, kleine vermoeide pop van me. Tijd voor een slaapje. Je mag vast wel even in Tamsins kamer. Dat is leuk, hè?'

Samen liepen ze het tuinpad af naar het huis, en Phyl keek hen na. Ik ben gelukkig, dacht ze. En die gedachte werd meteen gevolgd door een andere: laat ik me maar goed inprenten hoe dit voelt, want dingen kunnen zo snel veranderen. Laat het voor Jake en Lou in godsnaam nog even zo blijven. Laat hen gelukkig zijn. Laat hen alsjeblieft heel, heel erg gelukkig worden. Ze kneep haar ogen stevig dicht, zoals ze vroeger op school altijd deed als ze het Onze Vader bad. Hoe stijver je je ogen dichtkneep, des te vuriger was je gebed. Dit gebed, dacht ze. Ik wil dat dit gebed ook echt verhoord wordt.

'Aha!' giechelde Ellie. 'Daar zit je dus! Jij hebt verstoppertje zitten spelen, hè, Matt? Maar nu heb ik je dan toch gevonden, lekker puh!'

'Nee hoor. Ik was Nessa aan het helpen met de glazen.' Hij wees naar het blad dat hij net op het aanrecht had gezet. Hij kon natuurlijk heus wel een afwasmachine inruimen, maar dat durfde hij niet zonder Nessa's toestemming. Toch had hij iets willen doen om te helpen, en daarom was hij gaan afruimen. En Ellie had gelijk. Voor een deel was het zijn bedoeling geweest om haar te ontvluchten. Hij rechtte zijn schouders en hield zich voor dat ze niks kon zeggen of doen met zoveel mensen in de buurt die elk moment de keuken in konden komen lopen. Hij wist dat Phyl in de achtertuin was met Poppy, want hij had hen naar de vijver zien lopen, maar toch kon ze elk moment terug zijn. Je moet van Ellie af zien te komen, dacht hij. Stuur haar terug naar de zitkamer. Nu.

'Ongelofelijk, die Nessa. Ben jij niet verbijsterd? Nou, ik wel. Als ik het haar niet met mijn eigen oren had horen zeggen, dan zou ik het niet eens geloven. Die Mickey is een leuke vrouw, natuurlijk, en het is maar net waar je warm voor draait.'

'Zo is dat,' antwoordde Matt, die probeerde om een balans te vinden tussen vriendelijk blijven en toch ook koeltjes. Dat viel niet mee. Ellie stond natuurlijk weer veel te dicht bij hem – daar stond ze te glimmen, met haar parfum in zijn neus, en een goed uitzicht op haar decolleté, als hij daar naar zou willen kijken.

'Ellie,' begon hij, terwijl hij van haar weg liep. 'Dit is... Ik begrijp niet zo goed waarom je achter me aan bent gekomen, maar we hebben elkaar echt niets meer te zeggen. Dat heb ik je aan de telefoon al duidelijk gemaakt. Het... het spijt me wat er is gebeurd; dat was de eerste en de laatste keer.'

'Hm. Nou ja, dat weet ik ook best, maar geef toe, Matt: het was wel heel speciaal, of niet soms?'

'Ja hoor, het was leuk.' Mijn god, wat zei hij nou weer? Alsof hij het over een uitje van de biljartclub had. Toch was dit niet het moment om al te enthousiast te doen. Als je Ellie één vinger gaf, vrat ze je met huid en haar op.

Ze schoot in de lach. 'Jij bent altijd al een meester geweest in understatements. Maar goed, ik begrijp de hint en ik denk dat Justin en ik ons prima zullen redden, daar aan de andere kant van de oceaan. Ik vond Engeland toch al een beetje... een beetje weinig avontuurlijk. Maar mocht je ooit van gedachten veranderen, dan weet Nessa wel waar je me kunt vinden.'

Ze slingerde haar armen om Matts hals. Hij kon geen kant op, want hij stond met zijn rug tegen het aanrecht. Ze gaat het nog doen ook, dacht hij. En ik kan niet weg. Nou, vlug dan maar, dan kan ik daarna naar de deur. O god, alsjeblieft laat er nu niet net iemand binnenkomen die ons zo ziet staan. Ze is gek. Onverbeterlijk. Ellie had haar mond inmiddels op die van hem gedrukt. Hij voelde de warmte van haar lijf dwars door zijn overhemd en het kostte hem al zijn wilskracht om niet aan haar toe te geven. Stel dat Phyl binnenkomt, dacht hij. Dit kan niet, dit mag niet! Hij liet zich door haar kussen, maar bleef zelf zo stijf als een plank staan en deed niets. Zijn lippen hield hij ook stevig op elkaar geklemd. Toen stapte hij van haar af en liep resoluut bij haar weg.

'Dus ik ben mijn tijd aan het verspillen.' Ellie lachte. 'Geeft niks hoor, schat. Zit er maar niet over in.'

'Ik zit nergens over in. En veel geluk in Argentinië, Ellie. Je zult het er vast geweldig hebben. En je kunt meteen Justin een beetje in de gaten houden.'

Ze deed een stap naar achteren. 'Justin is hopeloos. Hij komt maar voor een paar weken, om te zien hoe het daar is. Ik geloof dat hij zijn appartement in Brighton verhuurt aan een vriend. Misschien houdt hij daar wat geld aan over, als hij verder geen salaris heeft. Ik ga maar weer eens naar binnen om te zien wat daar aan de hand is.'

'Goed,' zei Matt, opgelucht om haar uit de keuken te zien vertrekken. Hij slaakte een diepe zucht en was zich er van bewust dat hij niet mccr normaal adem had gehaald vanaf het moment dat Ellie binnen was komen lopen. Het gevaar was geweken. Hij liep naar het raam om te kijken wat Phyl aan het doen was, en zag haar staan praten met Lou. Poppy sleepte met haar handje door de vijver en rende eromheen, een vis achterna die daar rondzwom. Hij glimlachte. Hij kon zich nog herinneren dat Tamsin vroeger precies hetzelfde deed.

De waarheid was dat hij nog steeds aan die nacht met Ellie dacht. Hij had geprobeerd om het uit zijn herinnering te wissen, maar dat was totaal niet gelukt. Hij kon er niets aan doen. Hij voelde zich waanzinnig aangetrokken tot Ellie en dat zou ook altijd zo blijven, en die nacht met haar was… Wat was het eigenlijk? Ongelofelijk. Onvergetelijk. Fantastisch. Hij voelde zich schuldig dat zijn eigen vrouw hem dat gevoel niet gaf, maar het was nu eenmaal niet anders. Hij hield van Phyl. Hij kon zich een leven zonder haar niet voorstellen. Maar het waren de gedachten aan Ellie waar zijn hart sneller van ging kloppen. Het was Ellie over wie hij fantaseerde. En het was Ellie die op de meest ongelegen momenten zijn gedachten binnen sloop. Hij kon zich er niet tegen verzetten. Hij slaakte een zucht en vroeg zich af hoelang dit nog zou naijlen. Misschien zou hij, naarmate de tijd verstreek en de herinnering vervaagde, wel vergeten hoe het was, die nacht. Hoe hij zich voelde. Hoe hij bijna buiten bewustzijn was geraakt van die overdosis genot. Phyl zwaaide naar hem vanuit de tuin, en ze lachte. Hij lachte terug, maar voelde zich een rat. Ik ben geen rat, dacht hij. Ik ben hier. Ik heb Ellie weggestuurd. Ik hou van mijn vrouw. Ik hou van haar. Er is niks mis mee om te fantaseren. Dat doet toch iedere man?

Harry zat te bellen toen Lou zijn kantoor binnen liep om met hem te praten over een script dat ze net had gelezen. Het ging over twee zusjes die in een supermarkt werkten. *Speciale aanbieding* heette het. Om die titel had ze moeten lachen, maar aan het script zelf moest nog wel wat gebeuren. Harry knikte naar haar dat ze moest gaan zitten, en dat deed ze, terwijl ze zich afvroeg waarom hij zo'n ontzettende grijns trok. Waarom was hij zo in zijn nopjes? Ze keek naar hem terwijl hij sprak, vergeleek hem met Jake en voelde zich gelukkig. Ze mocht Harry wel heel dankbaar zijn, vond ze. Want als hij haar vriendje was geworden, had ze nooit iets met Jake gehad, en dat zou echt vreselijk zijn... Ook al was haar relatie met Jake nog maar pril, ze kon zich het leven zonder hem niet voorstellen en bij die gedachte alleen al werd ze helemaal eng. Wat nu als hem iets zou overkomen? Of haar? Wat nu als hij haar toch zat zou worden? Wat nu als het toch niks werd, uiteindelijk? Wat nu, wat nu, wat nu, allemaal akelige gedachten... Nee, ik wil er niet over nadenken, dacht Lou. Ik wil positief blijven. Ik wil alleen maar naar de zonnige kant kijken. Harry keek haar nu recht in de ogen en knikte, en zei: 'Ja. Ja. Toevallig zit ze hier nu voor me... Tuurlijk. Nee, ik ga wel even koffie halen, dan kun jij met haar praten. Oké... We houden contact. Dag, Ciaran.'

Ciaran? Nee toch? Harry stak de telefoon naar haar uit, zodat zij met hem kon praten. Hij grijnsde van oor tot oor.

'Hallo? Met Lou Barrington?'

'Gevonden! Neem me niet kwalijk. Met Ciaran Donnelly. Sorry, je vindt me vast heel onbeschoft. Maar weet je, ik heb je script net gelezen. Het was onder een hele stapel andere dingen terechtgekomen, erg hè? Maar ja, je bent hier thuis geweest, dus je hebt gezien hoe het hier gaat.'

Lou knikte en realiseerde zich dat hij die knik niet kon zien, en zei: 'Ja. Ja, dat heb ik gezien, inderdaad.' Wat zou hij te zeggen hebben? Waarom had hij Harry gebeld? Wat was hier aan de hand? Ze voelde haar hart tekeergaan en ademen was ineens iets heel moeilijks.

'Ik vind het geweldig! Het is echt heel goed... Ik neem er een optie op. Niet dat dat veel oplevert, zo'n optie, zoals jij ook wel weet, maar ik vind het een heel goed script, en ik wil niet dat een ander ermee aan de haal gaat. Ik ga nu proberen om wat fondsen los te krijgen... Je kent dat wel, hè? Ik kan je niet garanderen dat die film er ooit echt van komt, maar de eerste stap is gezet.'

'Ja. Sorry dat ik zo weinig te melden heb. Ik weet gewoon niet wat ik moet zeggen. Ik ben… ik ben er helemaal ondersteboven van… echt volkomen. Ik had totaal niet gedacht dat jij het goed zou vinden. Ik droomde er zelfs van… dat je ernaar zou kijken en dat je het dan vol walging door de kamer zou smijten.' Lou hield haar mond, want ze wist wel dat ze aan het raaskallen was geslagen. Dat ze onzin uitkraamde. En in haar hoofd flitste zijn woorden *een heel goed script, een heel goed script, een heel goed script.* Kon dit gesprek maar eeuwig duren. Maar tegelijkertijd wilde ze nu meteen ophangen en Jake bellen, en papa en mama om het hun te vertellen. Leefde opa nog maar! Die zou zo blij zijn geweest: *Blinde maan* weer in de boekwinkels, zodat iedereen het kon lezen, en dan nu ook nog – misschien – een film! Een film die zij had geschreven. Lou kon niet geloven dat dit allemaal echt gebeurde.

'Nee joh, hoe kom je erbij. Er viel niks te walgen, hoor. Zeg, we moeten snel even bij elkaar gaan zitten, denk ik. Ik wil wel eens fatsoenlijk kennismaken, nu ik in je ga investeren – vind je tweeduizend pond trouwens erg gierig klinken?'

'Nee, nee, helemaal niet. Dat is prima.'

Ze had geen flauw idee of het prima was of niet, maar ze zou hem de optie voor heel wat minder hebben gegeven. Hij was niet zo maar iemand. Hij was Ciaran Donnelly.

'Dan neem ik snel contact met je op. Tot ziens dan, lieverd.'

'Dag hoor. En ontzettend bedankt.'

'Het genoegen is geheel aan mijn kant!'

Lou zette de telefoon op de lader, terwijl Harry net weer binnenkwam. Hij klopte haar op de schouders en liep naar zijn plek. Toen keek hij haar lachend aan.

'Jij bent heel stout geweest, Lou Barrington. Je hebt hier helemaal niks van verteld! Je had mij toch even kunnen laten kijken?'

'Dat wilde ik niet. Jij kent me, en dat zou het moeilijk voor je maken om echt heel eerlijk te zijn, toch? Ik denk niet dat je snel iets teleurstellends zou zeggen.'

'Maar zo te horen is het heel goed. Niet dat ik dat niet van je verwachtte. Wanneer mag ik het zien? Mail je het even naar me? Ik wil het echt heel, heel erg graag lezen, Lou.'

'Oké, en dan wil ik ook graag horen wat jij ervan vindt. Ik ben eerlijk gezegd een beetje bang voor jouw mening, maar ik wil het toch weten.'

'Dus je bent naar zijn huis gegaan? Serieus?'

Lou knikte. Harry zei: 'Ik had nooit gedacht dat jij zo stoer was. Maar het heeft wel gewerkt. Ik denk dat je een meer dan gemiddelde kans hebt dat het goed komt met die financiering, want hij wil het zelf duidelijk heel graag.'

'Zo klonk hij wel, hè?'

'Ja, ja. Jij bent veranderd, Lou, sinds deze zomer. Ben je soms verliefd? Dat is het enige wat ik kan bedenken dat zou verklaren waarom je zo... zo straalt. Vertel eens, wie is hij?'

'Hoe weet je nou dat het een hij is? Het kan toch net zo goed een haar zijn?'

'Néé! Dat meen je niet!'

'Nee, dat meen ik niet.' Lou lachte. 'Het is een hij. Mijn zusje is verliefd op een vrouw. Die gaan zelfs trouwen, met kerst.'

'Jemig! En wat vindt je familie daarvan?'

'Die vinden niet zoveel, geloof ik. Je hebt het ook maar te accepteren, toch? Wat maakt het uit met wie iemand het doet, daar keer je iemand toch de rug niet voor toe.'

'Nou, niet iedereen is zo ruimdenkend, hoor... Maar vertel eens over hem?'

'Hij heet Jake Golden, van Golden Ink.'

'Dat meen je niet!' Harry sperde zijn ogen wijd open. Zijn mond ook, trouwens. 'Jemig, nou, dan is jouw bedje gespreid. Weet je wel hoe rijk die vent is?'

'Nou, ik heb het hem nooit gevraagd, maar ik denk dat hij wel een behoorlijk inkomen heeft. Hij heeft een uitgeverij...'

'Die uitgeverij is maar bijzaak, Lou. Zijn vader is Morton Golden, dat is een internetgigant. Die zijn zo ontzettend rijk, daar is niet eens een woord voor. Nou, dan mag jij me mee uit lunchen nemen. En ik zou hem graag eens ontmoeten. Kan ik meteen controleren of hij wel goed genoeg is voor jou, Lou.'

'Jij hebt ook lef, zeg! Ik zal je zeker mee uit lunchen nemen, maar jij bent nou niet bepaald degene die mag zeggen of hij wel geschikt is. Nou, je kunt gerust zijn, hoor. Hij is geweldig, maak je maar geen zorgen. Echt heel geweldig.' Ze stond op en liep het kantoor uit.

'Neem je nu ontslag, hier, nu je zelf scriptschrijver bent?' riep Harry haar nog na.

'Nee, man, natuurlijk niet.'

'Ook niet nu je zo'n rijk vriendje hebt? Je kunt de hele dag op satijnen lakens kaviaar liggen eten.'

'Ik ben niet getrouwd, of zo. Met zijn geld heb ik helemaal niks te maken.'

Maar ze wist best dat dat niet helemaal waar was. Jakes rijkdom zou op allerlei manieren een groot verschil maken. Eerlijk gezegd probeerde ze deze nieuwe informatie nog te verwerken. Ze wist natuurlijk wel dat hij geld had, maar zoveel... Dit was wel even schrikken, en Lou besloot dat ze daar later, als ze alleen was, wel eens over na zou denken. Ik had het natuurlijk allang moeten weten, dacht ze. Ze pakte haar mobieltje en belde Jake.

'Jake? Mag ik je op een lunch trakteren? Ja, Dolce Vita is prima. Ik heb heel erg goed nieuws... Wat? Nee, niet over de telefoon. Zorg maar dat je er om één uur bent.'

Terwijl ze naar het metrostation liep, bedacht Lou zich wat Jake nu zou denken – misschien wel dat ze zwanger was. Ze wilde hem bijna terugbellen om hem gerust te stellen. Of zou dat helemaal niet eens bij hem opkomen? Nee, natuurlijk niet. Maar misschien zou het toch bij hem opkomen? Ze had hem niet eens verteld dat ze dat script had geschreven. Was dat verkeerd? Zou hij het erg vinden? Nee, hij zou het vast begrijpen. Dat wist ze zeker, zo zeker als wat. Jake was veel te nuchter en te gemakkelijk. En trouwens, zo belangrijk was het nou ook weer niet. Er werden zoveel opties gelegd op scripts, die dan toch nooit echt verfilmd werden. De overgrote meerderheid, zelfs. *Blinde maan* zou waarschijnlijk ook nooit echt op het witte doek te zien zijn – dat moest ze zichzelf maar voorhouden, om niet al te teleurgesteld te raken. Het was niet erg. Ze was nu in elk geval heel erg blij. Blij om Ciaran Donnelly en wat hij had gezegd. En om Jake. En ook, voor een heel klein deel, omdat ze gezien had dat Harry een beetje jaloers was. Dat was gemeen van haar, vond ze, maar toch kon ze er niks aan doen. Net goed dat hij een heel klein beetje jaloers was – op Jake.

Het huis was meer een ruïne. Lou had op de luchthaven in Rennes een auto gehuurd en was bijna naar de rand van een hoge, witte rots gereden. Het leek hier wel het einde van de aarde; Finistère was een heel goede naam voor deze plek, vond ze. Het was een stormachtige ochtend in oktober. De wind joeg de donkerblauwe oceaan op tot witte schuimkoppen en het dorpje waar ze net doorheen was gereden, was niet meer dan een straat. Ze had het huis gevonden nadat ze eerst bij het plaatselijke café, Les Naufragés, had gevraagd waar het precies was. Ook een eigenaardig gevoel voor humor, om je café De Drenkelingen te noemen.

Jake zou mee zijn gegaan, maar hij kon niet. Hij wilde het huis even graag zien als zij, maar op het laatste moment moest hij naar New York voor een bespreking, en die kon niet worden uitgesteld.

'Het geeft niet,' zei hij, om er maar het beste van te maken. 'Dan gaan we daarna nog een keer. Zo snel mogelijk. En dan gaan we het samen opknappen, en dan gaan we er vakantie vieren, en het wordt geweldig, dat weet ik zeker. Misschien is het wel goed als je de eerste keer alleen gaat, Lou.'

'Wat een onzin,' had Lou geantwoord. 'Het zou allemaal een stuk gemakkelijker zijn als jij er bij was. Moet ik nou echt in mijn eentje de strijd aangaan met Franse notarissen en makelaars en zo?'

'Ja, natuurlijk, waarom niet? Je bent toch niet bang, of wel?'

'Nee, maar...'

'Nou dan. Ik help je wel om een vlucht te boeken en een hotel, en klaar. Het komt allemaal goed.'

En het kwam ook goed, en Jake had natuurlijk gelijk gekregen. Monsieur Thibaud was vanuit Parijs naar Rennes gekomen, en hij had alle juridische zaken met een plaatselijke notaris geregeld. Hij had zelfs aangeboden om met haar naar het huis te gaan kijken. Dat had ze zo beleefd mogelijk geweigerd en dus gaf hij haar alleen wat aanwijzingen hoe ze moest rijden, en dat was dat.

Ik ben inderdaad blij dat ik alleen gekomen ben. Het is hier vast schitterend, in de zomer. Nu was het landschap erg ruig, maar gek genoeg vond ze dat wel spannend. Lou vond het geweldig, een huis op een rotspunt. Ze vond het prachtig dat je zo over de zee keek. Ze had de foto bestudeerd van de eerste Louise, zoals ze haar noemde, op zoek naar aanwijzingen over het huis, en hoe dat eruit zou kunnen zien, en ze had het zich voorgesteld als een heel solide gebouw dat stevig gebouwd was tegen de wind die er vanaf de oceaan tegenaan beukte.

De *patron* had uitgelegd waar het huis van de familie Franchard was: ongeveer honderd meter na het laatste huis in het dorp, zei hij. Het kon niet missen, want het had geen dak en de deur was rood geschilderd. Dat wilde zeggen: een paar rode schilfers verf hingen aan wat ooit een houten deur was geweest.

Lou parkeerde de auto aan de voorkant van het huis, dat met zijn rug naar de rots stond, van de weg gescheiden door een bescheiden tuintje vol bomen die kromgetrokken waren door de wind. Ze stapte uit en duwde een luik open, dat nog net in zijn scharnieren hing, om naar binnen te kunnen gluren. Het leek eerder op een verlaten schuur dan op een huis waar ooit echt mensen in hadden gewoond. Ze zag een kamer die waarschijnlijk ooit als keuken had gediend. Die kamer was al vrij groot, maar daarachter was een nog veel grotere ruimte.

Ze liep langs het versplinterde hout van de deur en keek om zich heen. Beneden waren twee grote ruimten. Midden in de keuken stond een heel oude houten tafel, wiebelig op zijn poten. Lou ging de gammele trap op naar de eerste verdieping en inspecteerde de drie slaapkamers, die allemaal iets weg hadden van een witgepleisterde cel. Toen ging ze weer naar beneden en liep naar het achterste raam, dat ze onmiddellijk herkende. Dit was de plek waar Louise Franchard als jonge vrouw had gestaan, glimlachend en met de zee achter zich. Het was volkomen leeggehaald en de tafel was het enige teken waaraan Lou kon zien dat het huis ooit echt bewoond was geweest. Toen ze met Jake door Milthorpe House was gelopen, was dat ook leeg, maar daar kon je tenminste nog voelen dat er tot voor kort mensen hadden geleefd. Rozetten aan het plafond, gordijnrails, peertjes die nog gewoon brandden, bleke rechthoeken waar eerst schilderijen hingen: overal tekenen van menselijke aanwezigheid. Hier was helemaal niets meer, en toch kon Louise zich helemaal voorstellen hoe de Franchards hier hadden geleefd: spartaans, maar gezellig. Er hadden hier lampen gestaan, en er hadden kleedjes op de grond gelegen. Gordijnen voor de ramen. Bedden op de eerste verdieping met dikke spreien erop, gewatteerd, waarschijnlijk, en gevuld met de veren van zeevogels.

Elk huis heeft geesten, dacht ze bij zichzelf, elk huis, of er nu mensen wonen of niet. De geesten van doodgewone mensen die doodgewone dingen deden zweven door de kamers. Ze zag de zusjes zo voor zich, Manon en Louise, zittend bij het vuur – er was een haard in de keuken. Wat zaten ze daar te doen? Breien? Lezen? Kletsen? Wat het ook was, een deel van hen hing hier nog, omdat zij aan hen dacht. Omdat zij zich hen herinnerde. Geesten danken hun bestaan in feite aan het goede geheugen van de mensen die nog leven, bedacht ze zich. De reden waarom de meeste spookverhalen zo eng waren, in plaats van verdrietig, was omdat mensen zich een sensationeel moordverhaal veel langer herinneren dan een doodgewone gebeurtenis, zelfs door mensen die helemaal niets met de dode te maken hadden.

Lou schudde haar hoofd. Wat een moment om te staan filosoferen! Als Jake hier nu was, zou hij de maat opnemen van de keuken om te zien of er een Aga zou passen op de plek waar vroeger de haard was. Ze keek nog eens uit het raam naar de tuin, die totaal overwoekerd en verwilderd was, en die zich uit leek te strekken tot het uiterste puntje van de rots. We moeten hier wel iets van een omheining plaatsen, voor Poppy, dacht Lou. Ze huiverde. Een heel stevige omheining... Maar mijn hemel, wat een fantastisch uitzicht! Ze pakte haar telefoon en nam wat foto's van de zee. Toen zette ze de haard op de kiek en de voortuin en vervolgens liep ze naar buiten om ook het ingestorte dak op de foto te zetten. Die zou ze dan naar Jakes telefoon sturen, zodra het ochtend was in New York. Hij sliep met zijn mobieltje naast zijn bed, en ze wilde hem niet wakker maken. Ineens wilde ze zo verschrikkelijk graag dat hij hier nu bij haar was om dit allemaal te zien. De volgende keer dan maar. En dan? Ze waren de afgelopen weken bijna elke dag samen geweest, maar Lou moest tot haar schaamte bekennen dat ze steeds vaker nadacht over de toekomst. Ik merk dat ik op hem ga rekenen, en Poppy ook. Die is stapeldol op hem. Ik ben stapeldol op hem. Ze lachte en het geluid van haar stem klonk heel hard door het lege huis.

'Ik wil met hem trouwen!' riep ze uit, en het enige antwoord kwam van een meeuw, buiten. Ze giechelde. Ze was niet helemaal goed bij haar hoofd, door al die liefde, maar toch was het waar. Tenminste, voor een deel. Ze wilde voor altijd bij hem wonen, getrouwd of niet. Ze deed de telefoon terug in haar tas, maar net toen ze het huis uit wilde lopen, ging hij over. Ze graaide in de tas en had hem meteen te pakken.

'Hallo?' vroeg ze.

'Met mij, met Jake. Waarom kijk je niet gewoon even naar de nummermelding?'

'Jake! Jij moet toch slapen! Het is midden in de nacht, waar jij bent.'

'Vijf uur 's ochtends. Ik werd vroeg wakker, want ik mis je zo verschrikkelijk.'

'Ik jou ook. Ik mis je echt waanzinnig. Jake, ik ben nu in het huis. In Frankrijk...'

'Ja, ik was zo nieuwsgierig. Hoe is het? Heb je foto's gemaakt?'

'Ja, ik zal ze meteen even sturen. Het is ontzettend mooi, hier.'

'Ik had al zo'n vermoeden. Als het hotel oké is, moet je maar een kamer reserveren voor volgende maand. Dan nemen we Poppy ook mee. Goed?'

Lou knikte. 'Goed. Dat lijkt me heerlijk... O, Jake, ik wil je zo graag weer zien.'

'Het duurt niet lang meer, maar luister eens, ik heb zitten denken. Jouw appartement, hè, zou je dat niet op willen zeggen?'

'En dan bij jou intrekken?'

'Ja, en dan bij mij intrekken. Ik heb zoveel ruimte en het is zo'n onzin om de hele tijd maar alles heen en weer te slepen terwijl we toch samen willen zijn, of niet?'

'Ja, je hebt gelijk.'

'Dus, ga jij dan je huur opzeggen?'

'Yep.'

'Geweldig. Nou, ik ga maar eens mijn bed uit. Dan bel ik je straks weer. Hé, Lou?'

'Ja?'

'Ik mis je zo verschrikkelijk...'

'Ik jou ook.'

'En ik hou van jou. Weet je dat wel?'

'Ja, dat weet ik. En ik hou van jou.'

'Gelukkig. Nou, dag!'

'Dag…'

Hij had opgehangen. Ze stuurde hem de foto's van het huis en was als altijd weer onder de indruk van de magie die ervoor zorgde dat ze Jake helemaal in New York een bericht kon sturen. Ze deed de telefoon in haar tas, liep het huis uit en trok de rode deur achter zich dicht. Net toen ze in de auto wilde stappen, hoorde ze het piepje van een binnengekomen sms. Van Jake – zijn reactie op de foto's. Ze klapte haar telefoon open. *Fantastisch! Als ik mijn huis met jou deel, deel jij het jouwe dan met mij? Xxx*

Lou moest lachen. Ze sms'te terug: *Wat dacht jij dan?*

Toen trok ze het portier van de auto dicht en leunde even tegen de hoofdsteun, met gesloten ogen. Ze luisterde naar het geluid van de golven die tegen de rots sloegen, ver onder haar, en ze vroeg zich af of de eerste Louise zich ook zo had gevoeld: dat ze volkomen bereid was om alles achter te laten, haar huis, haar familie, haar leven, alles wat ze kende, om haar geliefde achterna te reizen, waarheen hij ook ging. Zo voel ik me nu ook, dacht ze. Ik zou precies hetzelfde hebben gedaan als zij. Ze draaide de sleutel om en startte de auto om weg te rijden. Heel even keek ze achterom naar de witte ruïne die nu haar huis was, en toen draaide ze zich om en concentreerde zich op de zilveren kronkelweg naar Penmarc'h.

Dankwoord

Ik wil graag Caroline Wood bedanken voor haar uitleg over hoe een filmproductiemaatschappij werkt; Edward Russell-Walling voor zijn hulp bij de wijnkeuze; Jane Gregory en Emma Dunford; en dit keer vooral veel dank voor mijn redacteur Jane Wood die me het laatste stukje van de puzzel aanreikte.

Ook bedank ik Dina Rabinovitch en Sally Prue omdat zij deze roman zo zorgvuldig en met zoveel enthousiasme hebben doorgelezen.

En als altijd ben ik mijn gezin dankbaar voor hun hulp en steun.

De bruiloft

Zannah is verloofd met Adrian. Anders dan bij haar eerste huwelijk is ze van plan het dit keer met een groots, bruisend en romantisch feest te vieren. Maar algauw begint ze zich zorgen te maken: zullen de beide families wel met elkaar kunnen opschieten? Om ongewenste verrassingen op de grote dag te vermijden, ontmoeten de beide families elkaar voor een lunch in Londen.

Alles gaat goed, totdat de stiefvader van Adrian arriveert. Zannahs moeder trekt ineens wit weg en rent de kamer uit. Er dient zich een geheim aan met zoveel onvermoede relaties en conflictstof, dat het tot het altaar voor allerlei verrassingen zal zorgen...